OS ITALIANOS

COLEÇÃO POVOS & CIVILIZAÇÕES

Coordenação Jaime Pinsky

OS ALEMÃES *Vinícius Liebel*
OS AMERICANOS *Antonio Pedro Tota*
OS ARGENTINOS *Ariel Palacios*
OS CHINESES *Cláudia Trevisan*
OS COLOMBIANOS *Andrew Traumann*
OS ESCANDINAVOS *Paulo Guimarães*
OS ESPANHÓIS *Josep M. Buades*
OS FRANCESES *Ricardo Corrêa Coelho*
OS INDIANOS *Florência Costa*
OS INGLESES *Peter Burke* e *Maria Lúcia Pallares-Burke*
OS IRANIANOS *Samy Adghirni*
OS ITALIANOS *João Fábio Bertonha*
OS JAPONESES *Célia Sakurai*
OS LIBANESES *Murilo Meihy*
OS MEXICANOS *Sergio Florencio*
O MUNDO MUÇULMANO *Peter Demant*
OS PORTUGUESES *Ana Silvia Scott*
OS RUSSOS *Angelo Segrillo*

Proibida a reprodução total ou parcial em qualquer mídia sem a autorização escrita da editora.
Os infratores estão sujeitos às penas da lei.

A Editora não é responsável pelo conteúdo deste livro.
O Autor conhece os fatos narrados, pelos quais é responsável, assim como se responsabiliza pelos juízos emitidos.

Consulte nosso catálogo completo e últimos lançamentos em **www.editoracontexto.com.br**.

João Fábio Bertonha

OS ITALIANOS

Copyright © 2005 João Fábio Bertonha

Todos os direitos desta edição reservados à
Editora Contexto (Editora Pinsky Ltda.)

Montagem de capa
Ricardo Assis

Imagem de capa
© H. C. White Co. Corbis/Stock Photos

Diagramação
Gustavo S. Vilas Boas

Revisão
Dida Bessana
Lilian Aquino

Dados Internacionais de Catalogação na Publicação (CIP)
(Câmara Brasileira do Livro, SP, Brasil)

Bertonha, João Fábio
 Os italianos / João Fábio Bertonha. 3.ed., 7ª reimpressão. –
São Paulo : Contexto, 2024.

 Bibliografia
 ISBN 978-85-7244-301-2

 1. Características nacionais italianas 2. Cultura – Itália
3. Itália – Condições econômicas 4. Itália – Emigração
e imigração – História 5. Itália – História 6. Itália – Política
e governo 7. Itália – Usos e costumes I. Título.

05-5458 CDD-945

Índice para catálogo sistemático:
1. Itália : História 945

2024

Editora Contexto
Diretor editorial: *Jaime Pinsky*

Rua Dr. José Elias, 520 – Alto da Lapa
05083-030 – São Paulo – SP
PABX: (11) 3832 5838
contato@editoracontexto.com.br
www.editoracontexto.com.br

*Para
Luciane e Isabela*

SUMÁRIO

INTRODUÇÃO	11
OS ITALIANOS ANTES DA ITÁLIA	15
A geografia italiana	15
O povoamento da península itálica	17
A Itália e a ascensão do poder romano	22
A Itália no mundo romano	25
As várias Itálias do período medieval	29
Catolicismo, repúblicas mercantis e a Itália medieval	32
Uma Itália medieval?	33
Os italianos na época moderna	35
UM POVO EM BUSCA DE SUA IDENTIDADE NACIONAL	43
O problema do Estado-nação nos séculos XIX e XX	43
A península itálica na era das revoluções, 1789-1848	46
As revoltas nacionalistas de 1848 na Europa e a Itália	47
O *Risorgimento* e a fundação do Estado italiano	49
As dificuldades para a criação de uma nacionalidade italiana	53
O Estado italiano e a criação de uma identidade nacional, 1860-1918	57
O fascismo e a busca da unidade e da uniformidade nacional	62
A República italiana e as regiões	64
Sul e Norte: eterna divisão da península	67
A identidade italiana hoje: entre região e a Europa	70
UM POVO DE EMIGRANTES	81
As razões do êxodo italiano	81
Os italianos pelo mundo	87
O fim da emigração italiana	90
Uma emigração italiana?	94

O racismo anti-italiano ... 97
A rede internacional da emigração italiana ... 100
A *Commonwealth* italiana ... 102
O Estado italiano, as classes dirigentes e os emigrantes ... 104
O internacionalismo operário, a Igreja e os italianos no exterior ... 106
As influências dos emigrantes
    na economia e na sociedade italianas ... 109

DOS POBRES DA EUROPA À *DOLCE VITA* ... 121
A economia da península itálica entre os séculos XIX e XIX ... 121
A economia italiana e a Primeira Guerra Mundial ... 127
O fascismo e a economia italiana ... 129
A destruição da Itália e o imediato pós-guerra ... 134
O "milagre econômico" e a ascensão econômica italiana ... 135
Os dilemas da economia italiana na era globalizada ... 140
A nova Itália europeia ... 143
A Itália afluente e o novo italiano ... 145

A ÚLTIMA POTÊNCIA EUROPEIA ... 151
A Itália unificada e a política internacional nos séculos XIX e XX ... 151
A Itália na corrida colonial ... 154
O Estado italiano e os emigrantes
    como instrumento de política externa ... 159
Os nacionalistas ... 160
A Itália, as alianças europeias e a Primeira Guerra Mundial ... 161
A política externa do fascismo ... 166
A Itália na Segunda Guerra Mundial ... 168
A Itália no sistema norte-americano e ocidental:
    Otan e União Europeia ... 172
Os italianos no mundo hoje:
    entre irrelevância, pacifismo e europeísmo ... 176
Uma política externa italiana? ... 180

UMA MANEIRA PRÓPRIA DE FAZER POLÍTICA? ... 187
Os padrões políticos da Europa do século XIX ... 187
A política italiana na era liberal, 1860-1919 ... 189
Os italianos e o fascismo ... 194

O significado do fascismo na história política italiana	201
A estabilidade na corrupção e na desordem: a Primeira República	205
A Itália da década de 1990: de Berlusconi a Bossi e de Fini a D'Alema	214
Uma cultura política italiana?	218

CULTURA E ESTILO DE VIDA PRÓPRIOS? 227

Artes e artistas	228
A imagem da cultura italiana no mundo moderno e contemporâneo	234
A cultura de massas italiana pós-guerra: *global commodity*	236
A língua italiana	240
A culinária: globalização italiana via alimentação	244
As relações pessoais: amigos, vizinhos, paqueras	252
A família italiana	254
O turismo	258
O esporte na cultura italiana	260
O catolicismo e a cultura italiana	262
Uma cultura italiana?	265

CONSIDERAÇÕES FINAIS 269

CRONOLOGIA 273

BIBLIOGRAFIA 277

O AUTOR 301

INTRODUÇÃO

Afinal, quem são os italianos? Convivas barulhentos que devoram fartas macarronadas ou degustadores sofisticados de pratos refinados? Filhinhos diletos de *mammas* supersticiosas ou executivos competentes que criaram roupas, sapatos e objetos de design símbolos de elegância em todo o planeta? Pobres coitados vivendo sob o tacão de chefes mafiosos ou criativos autores de teorias revolucionárias?

O que sabemos é que os italianos são um povo cujas realizações, especialmente artísticas, sempre foram impressionantes. Seus artesãos, arquitetos, pintores e escultores encheram a Europa e a América com igrejas imponentes, monumentos, pinturas e esculturas. Homens como Michelangelo, Leonardo da Vinci, Dante, Verdi e outros eram italianos e deixaram à Itália um patrimônio invejável de obras-primas da arte e da cultura.

Difícil encontrar alguém que não se sinta encantado por esses tesouros artísticos, pelos milênios de história da península e por suas belezas naturais, como as praias e as montanhas, os lagos e os mares. Os oriundos da península também são invejados por sua culinária maravilhosa, por sua língua melodiosa e pelo seu modo próprio de viver, informal e agradável. Mesmo não sendo amados incondicionalmente pelo restante do mundo, é difícil achar alguém que não os inveje, ao menos um pouco.

Ao lado desse povo maravilhoso, de artistas, homens de gênio, músicos e amantes da arte de viver, há um outro. Um povo de pessoas pouco confiáveis, charlatões, derrotados em muitas guerras e incapazes tanto de resolver seus próprios problemas como de construir um Estado eficiente e, justamente por isso, pouco respeitado. Um povo que conseguiu sair da pobreza generalizada, mas que ainda é visto, em muitos locais, como fonte de pobres e emigrantes que um dia foi e que segue um modo de vida agradável, mas primitivo e pouco sério. Um povo, enfim, passível de ser amado, mas não admirado nem respeitado.

Como é possível que ambos os povos sejam o mesmo? O que explica que a Itália e os italianos tenham sido, e ainda sejam, tão amados e invejados pelos estrangeiros, mas, ao mesmo tempo, tão desprezados e ignorados por estes? Como os próprios italianos podem amar e se orgulhar tanto do seu país e, simultaneamente, olhar com cinismo e certa resignação, como se não pudesse ser possível que as coisas fossem levadas a sério na Itália? Como esse povo pode reunir tantas qualidades e defeitos? E, entre tais qualidades e defeitos, o que é real e o que é, simplesmente, uma imagem, construída aos olhos do estrangeiro ou dos próprios italianos? Responder a essas perguntas é o objetivo deste livro.

Pretendo, assim, estabelecer alguns elementos, imagens e realidades que definem o que é ser "italiano" hoje e as contínuas mutações da identidade italiana no decorrer do tempo. Seu eixo condutor é, pois, esse problema de definir o que é um "italiano" pelo olhar dos outros e dos próprios habitantes da península.

Nesse esforço, fica evidente que meu olhar de estrangeiro (talvez não cem por cento estranho à cultura italiana, mas, com certeza, estrangeiro) é uma vantagem, ao permitir um "olhar de fora", que, potencialmente, revelaria mais sobre os italianos do que aquele de um historiador nativo. Anos atrás, Fernand Braudel (em *A identidade da França*) e Norbert Elias (em *Os alemães: a luta pelo poder e a evolução do habitus nos séculos XIX e XX*) já haviam identificado a necessidade de contemplar seus países natais de longe se quisessem realmente compreendê-los. Guardadas as proporções, o mesmo poderia ser dito aqui.

Com esse objetivo, meu enfoque é a história da Itália unificada, ressaltando sua trajetória nos últimos dois séculos. Na verdade, a opção que assumi neste livro está praticamente no meio-termo entre os dois modelos metodológicos clássicos assumidos pelos historiadores que pretendem escrever uma história da Itália, e concentra-se nos últimos séculos da vida dos italianos, mas sem esquecer o passado mais remoto.

Realmente, considero ser impossível a redação de uma história da Itália e dos italianos que coloque no mesmo plano, digamos, o povoamento da Itália primitiva e a formação do regime fascista ou a Primeira Guerra Mundial e a batalha de Lepanto. Os acontecimentos dos últimos dois séculos foram os efetivamente essenciais para a formação do povo, da cultura e do Estado italianos de hoje e, se quisermos compreendê-los, é ao conhecimento relativo a estes séculos que devemos recorrer.

No entanto, seria errôneo ignorar a importância dos séculos e dos milênios anteriores de história da península na trajetória do povo e do Estado ali existentes nos dias de hoje; e se seria ilógico, como visto, colocar no mesmo plano a Marcha Fascista sobre Roma de 1922 e a invasão ostrogoda de 489, muito mais ilógico seria ignorar completamente esse passado mais remoto no esforço explicativo da Itália de hoje. Assim, o primeiro capítulo aborda justamente os longos milênios de história da península itálica, procurando discutir, em essência, o que significava, em termos de identidade, ser um habitante da península itálica antes mesmo de existir uma Itália e um povo italiano.

O segundo capítulo retoma esse tópico da identidade nacional, procurando compreender a formação do novo Estado italiano a partir do século XIX, assim como a construção da nacionalidade italiana, com todos os seus problemas e suas ambiguidades, até o presente.

No terceiro, o foco é o problema da emigração. Elemento constitutivo da vida e do cotidiano do povo italiano nos últimos séculos, a emigração foi essencial para definir o que se entende por italiano hoje e para difundir a cultura e o modo de vida dos italianos por quase todo o mundo. Razão, pois, para uma atenção especial à temática.

O quarto capítulo, por sua vez, trabalha com a história da economia italiana nos últimos 150 anos. Nesse amplo panorama, o foco é como a Itália deixou de ser um país pobre e marginal na Europa para se constituir em um país rico e moderno, com todas as implicações daí decorrentes para a autoestima e a imagem dos italianos no mundo.

A política externa do Estado italiano é o eixo do capítulo seguinte. A princípio, a inclusão de um capítulo sobre tal tema poderia significar uma mudança de perspectiva, já que enfoca essencialmente políticas de Estado e grandes questões internacionais. No entanto, dada a importância da política externa na imagem internacional da Itália e dos italianos, tal inclusão é mais do que justificada. Isso também pode ser dito do capítulo sexto e sua ênfase na estrutura governamental italiana e, em especial, o modo como ela está organizada no país. Afinal, mesmo ao abordar as relações de poder no Estado, o que está realmente em foco é como os italianos construíram sua maneira particular de fazer política e como tal maneira particular influencia a forma pela qual são vistos, e se veem, como povo.

No último capítulo, finalmente, são trabalhados a cultura e o modo de vida dos italianos e, mais especificamente, a maneira peculiar de encararem a vida nos mais diferentes tópicos, como as relações familiares, a comida, a sociabilidade etc. Escrito em um estilo leve, é um excelente canal para entendermos melhor como os séculos de história da Itália influenciaram o cotidiano das pessoas que ali vivem nos dias de hoje e como esse modo de vida particular é visto, admirado ou rejeitado pelo restante do mundo.

A leitura que se apresenta aqui, portanto, é aquela particular que um historiador não italiano dá à rica história da península e do povo que ali vive. É provável que minha interpretação da vida e da história dos italianos seja questionada por algumas pessoas, bem como que a seleção dos tópicos fosse diferente se outro historiador tivesse redigido este livro. No entanto, se lembrarmos que a História é feita de visões e perspectivas diversas, isso não nos deve incomodar, muito ao contrário.

Escrito a convite dos meus editores Carla e Jaime Pinsky, com quem mantive rico diálogo durante a elaboração deste livro, espero que possa funcionar como ponte entre dois povos e duas culturas tão próximos e, ao mesmo tempo, tão distantes, como a italiana e a brasileira.

OS ITALIANOS ANTES DA ITÁLIA

Muitas coisas separam, culturalmente falando, os habitantes dos países novos da América das velhas nações da Europa. Uma das mais interessantes é a diferenciação espacial e temporal. Para um canadense ou um brasileiro, por exemplo, viajar milhares de quilômetros em seu próprio país é perfeitamente natural. Para um europeu, essas distâncias são descabidas e as viagens a longa distância menos comuns, o que reflete uma concepção de espaço diferente.

No tocante ao tempo, contudo, as percepções se invertem e uma Igreja do século XVIII, por exemplo, que parece antiquíssima para um argentino ou um americano, é considerada história recente na França ou na Inglaterra. No velho continente, as camadas de tempo que envolvem as pessoas são mais densas e influem muito mais nas sociedades que ali se formaram do que em outros locais.

A Itália, com certeza, encaixa-se nesse padrão e acontecimentos de milhares de anos atrás ainda influem na cultura e no próprio modo de vida dos italianos de forma quase incompreensível para pessoas desacostumadas a isso. Eis por que, se queremos compreender o que é a Itália de hoje e quem são seus habitantes, teremos de penetrar em milhares de anos de ação humana, retrocedendo para períodos muito anteriores à própria ideia de "Itália". Sem o conhecimento desse passado, sem a História, entender o universo italiano seria difícil, talvez impossível.

Do mesmo modo, teremos de ter sempre em mente o contexto geográfico, que deu, por milênios, o quadro em que essa ação humana se dava. História e Geografia, conjugadas, nos darão os elementos-chave necessários para pensarmos as heranças que a natureza e a ação humana deixaram para os italianos de hoje e para a própria definição do que é a Itália.

A GEOGRAFIA ITALIANA

A Itália é uma grande península situada na bacia do mar Mediterrâneo, praticamente dividindo-o em dois. A costa ocidental é banhada pelo mar da Ligúria e pelo mar Tirreno. Ao sul, o mar Jônico e o canal da Sicília separam a península do continente africano, enquanto, no leste, o mar Adriático forma a divisão entre a Itália e os Bálcãs. Os mares cercam, assim, as terras italianas, deixando a maioria das cidades e agrupamentos humanos a pouca distância do mar.

Do ponto de vista geológico, a península italiana é terra jovem, formada no período terciário e, por essa razão, está exposta a terremotos, assim como a atividades vulcânicas. Entre os vulcões ativos ainda hoje, destacam-se os das ilhas Vulcano e Stromboli, no arquipélago das Eólias, o Etna, na Sicília, e o famoso Vesúvio, nas proximidades da cidade de Nápoles.

Uma das características mais marcantes da geografia italiana é a predominância das terras altas, sejam montanhas (terras a mais de mil metros de altitude) ou montes (áreas entre 300 e mil metros de altura), que cobrem quase 80% do território. No norte, os Alpes praticamente separam a Itália do restante da Europa, com passagens entre as montanhas – como o passo de Brenner – permitindo os contatos e as comunicações com o restante do continente. O pico mais alto da Europa Ocidental, o Monte Branco, fica justamente nessa região, na fronteira com a França. Por fim, praticamente cortando a península de norte a sul, está a cadeia montanhosa dos Apeninos, que exerce sua influência sobre todo o território, atingindo até mesmo a Sicília.

As planícies (áreas com menos de 300 metros de altitude) são pouco extensas, cobrindo no máximo um quinto do território peninsular, e quase todas são de origem aluvial. Entre elas, destaca-se o vale do rio Pó, o qual cobre cerca de 46 mil quilômetros quadrados, mais ou menos 15% do território total da península. O rio Pó também é o mais extenso do país, com cerca de 650 quilômetros, seguido pelo Ádige, com 410, o Tibre, com 405 e o Arno, com 240.

Essa configuração geográfica, de um território essencialmente montanhoso e próximo ao mar, condicionou de modo significativo o clima italiano. Em geral, em termos climáticos e de relevo, podemos dividir o território italiano em duas partes, a continental e a peninsular.

Na Itália continental, que consiste no vale do rio Pó e nas montanhas que o rodeiam, o clima é continental, com variações de temperatura mais acentuadas entre o inverno, rigoroso, e o verão, quente, e com as chuvas caindo predominantemente na primavera e no outono. Já na Itália peninsular prevalece o clima mediterrânico, com invernos moderados, verões quentes e chuvas concentradas no inverno. Feliz, portanto, a expressão dos historiadores Tim Cornell e John Matthews[1] de que a Itália continental seria em essência uma planície rodeada de montanhas, enquanto a peninsular consistiria em uma cadeia montanhosa central rodeada de pequenas planícies costeiras.

A formação geográfica ajuda a compreender a importância, no decorrer do povoamento da península, do vale do rio Pó e a predominância, nesse processo, da margem ocidental, tirrênica, sobre a oriental, adriática. O vale padano, efetivamente, sempre foi uma região agrícola de importância, cujas relações comerciais eram facilitadas pelo próprio rio. Já a margem tirrena da península sempre teve agrupamentos humanos mais densos, cuja sobrevivência era facilitada pela maior disponibilidade de chuvas, portos e rios navegáveis, como o Tibre e o Arno. A Itália sul-oriental foi, na maior parte do tempo, menos povoada e menos importante, econômica e politicamente falando, do que o restante da península.

A geografia também nos possibilita entender melhor certas peculiaridades das culturas e civilizações ali surgidas no decorrer dos séculos. Com certeza, determinadas regiões da península tinham amplas possibilidades para desenvolvimento da agricultura, como alguns vales entre as montanhas e a planície do Pó, e nem todas as culturas e civilizações que ali se desenvolveram foram cosmopolitas, comerciais ou marítimas. Mas, em linhas gerais, o território agricultável era bastante reduzido e com possibilidades de desenvolvimento agrícola limitadas. Tal situação, associada à proximidade do mar, que forma um litoral com milhares de quilômetros, explica a forte ligação com o mundo exterior dos povos que a habitaram.

Essas condições geográficas determinaram em boa medida, assim, a história da península itálica. Em primeiro lugar, o relevo impediu, até recentemente, que contatos mais intensos fossem mantidos entre as várias regiões da península, ajudando na formação de culturas locais fortes e dificultando a homogeneização. Além disso, a geografia da Itália fez do país ponto eterno de cruzamento de povos e culturas, o que se refletiu claramente em sua história, desde tempos remotos.

Realmente, certas regiões do mundo parecem destinadas a servir de ponto de passagem e contato entre povos e civilizações. A península itálica, com certeza, é uma dessas regiões. Desde os tempos mais remotos, pessoas, produtos, culturas e exércitos trafegam pela península. Do norte, pelos passos dos Alpes, vinham agricultores e guerreiros da Europa Central, tentados pelas férteis terras do vale do Pó. Do sul e do leste, pelo mar, vinham piratas, imigrantes, comerciantes e invasores dos impérios orientais e além. Mesmo hoje, o que é a Itália além de um ponto de contato entre o continente e o mar; entre o mundo cristão ocidental do norte do Mediterrâneo e o muçulmano do sul e entre o universo latino ao sul dos Alpes e o germânico ao norte?

O POVOAMENTO DA PENÍNSULA ITÁLICA

Dada essa configuração de sua geografia e de seu território, não espanta que a península tenha sido colonizada pelo homem desde épocas bastante remotas e com várias ondas imigratórias, vindas do norte e do leste, se sucedendo e interpenetrando, pacificamente ou não, em seu território.

Na realidade, os dados disponíveis a respeito da pré-história e da proto-história da Itália, em geral oriundos da pesquisa arqueológica, estão sujeitos a grandes divergências interpretativas. Todavia, alguns pontos de consenso parecem ter sido estabelecidos e fornecem um quadro geral do processo de povoamento da península.

É difícil precisar quando os primeiros homens chegaram à Itália. Cálculos aproximados indicam que a colonização humana do continente começou há centenas de milhares de anos, bem como que seres humanos modernos (caçadores e coletores) já habitavam a península há dezenas de milhares de anos. Na onda de colonização agrícola que começou cerca de dez mil anos atrás, áreas extensas da Eurásia aumentaram sua população e, se a ocupação do continente europeu pelo sistema agrícola pode ser datada, *grosso modo*, em oito mil anos antes de Cristo, há sinais de atividade agrícola na península desde dois mil anos depois.

Essas populações foram lentamente formando comunidades maiores e mais organizadas, ainda que sem se aproximar do nível de civilização das grandes sociedades do Oriente Médio, com sua vida urbana e cultural mais desenvolvida. Eram populações de inumadores (que enterravam seus mortos) e sofriam influências culturais, apesar de seu modo de vida primitivo, da civilização egeia e também dos povos indo-europeus.

Os indo-europeus não constituíam raça, cultura ou Estado únicos, mas compunham-se de uma multiplicidade de povos que compartilhavam uma civilização comum e habitavam as planícies da Eurásia (da Alemanha à Sibéria) no Neolítico. Tinham costumes pastoris, conhecimentos agrícolas, domínio da metalurgia e uma língua comum que deu origem à boa parte das línguas atuais da Europa, do Irã e da Índia. Eles influenciaram diretamente, via migrações, comércio e contatos, os povos da então Europa, ajudando a formar a língua desses povos e trazendo conhecimentos metalúrgicos, o uso do cavalo e outras influências.[2]

No segundo e no primeiro milênios antes de Cristo, a influência desses indo-europeus ampliou-se ainda mais quando novos grupos se estabeleceram diretamente em boa parte da Eurásia, atingindo a Grécia, a Itália e a Europa Central, além da Pérsia e da Índia, onde se instalaram. Também invadiram reinos já consolidados do atual Oriente Médio, como o Egito e os da Mesopotâmia.

Essa nova migração dos indo-europeus afetou diretamente o que hoje é a Itália. Cerca de dois mil anos antes de Cristo, os primeiros habitantes da península viram a chegada deles, conhecidos como "povos incineradores", isto é, que queimavam seus mortos. Conhecedores das técnicas de fabricação e uso do bronze, estabeleceram-se na Itália do norte, onde viviam em aldeias de forma retangular, instaladas muitas vezes em áreas pantanosas. Constituem o que os arqueólogos chamam de "civilização das terramaras".

Uma segunda leva, também de povos "incineradores" e indo-europeus, chegou à península por volta do ano mil a.C. e conseguiu sobrepujar os habitantes primitivos. Essa civilização recebeu o nome de Villanoviana, por ter sido revelada pela primeira vez mediante

Os italianos antes da Itália | 19

O templo de Netuno em Paestum, relíquia da colonização grega na Itália.

a descoberta de uma necrópole em Villanova, perto de Bolonha. Ela se caracterizava por seus ritos funerários elaborados: as cinzas dos mortos eram depositadas em grandes urnas de terracota, protegidas e enterradas no fundo de um poço. Os villanovianos conheciam uma técnica metalúrgica superior, a do ferro, e dominavam uma região mais vasta, com seu centro na área tirrena da Itália central e, mais tarde, o vale do Pó. O povoamento da península itálica, nesse momento, está totalmente relacionado, portanto, com movimentos maiores de povos que atingiam todo o mundo antigo nesses séculos.

Em contato com os recém-chegados, os antigos habitantes da Itália evoluíram, criando, na combinação do velho com o novo, novas culturas, como a piacentina, na região adriática, e outras, formando um verdadeiro mosaico de povos e culturas aparentadas, mas não homogêneas. Daí surgiram povos como os latinos, os umbros, os samnitas, os sabinos, os volscos, entre outros, que povoaram a Itália no primeiro milênio antes de Cristo.

A própria lenda da criação de Roma reflete essa característica híbrida da formação humana da península itálica. Os antigos romanos contavam como o povo latino havia se originado da fusão de duas raças, os aborígines, rudes habitantes do Lácio, caçadores animistas, e os troianos, vindos da cidade mítica de Troia após sua destruição. Uma lenda com pouca base na realidade, mas indicativa do processo de caldeamento de povos na Itália primitiva, por meio do qual os invasores indo-europeus conquistaram e assimilaram os povos instalados anteriormente ali, dando origem a novas culturas e novos povos.[3] No século VIII a.C., outra colonização atingiu o território italiano, deixando fundas marcas na história futura da Itália: a grega, a qual deu origem à chamada *Magna Grécia* no sul da península.

Os habitantes da Grécia antiga, premidos pelo crescimento demográfico, a falta de terras para agricultura e, em um momento posterior, pelos interesses comerciais, começaram a colonizar a bacia do Mediterrâneo por volta do século VIII a.C., espalhando, no decorrer de vários séculos, colônias pela Itália do sul, na região do mar Negro, no sul da França e da Espanha e também na costa ocidental da atual Turquia. A Itália do sul foi uma das regiões mais visadas pelos gregos nesse processo, criando grandes cidades, como Siracusa, na Sicília, e Tarento, na atual Puglia. Também fundaram Neapolis, futuramente conhecida por Nápoles, uma das cidades principais da Itália de hoje.

A chegada dos gregos representou, efetivamente, um crescimento notável nos centros urbanos e nas atividades econômicas no sul da Itália. Os gregos também traziam a escrita, o que permitiu a produção de documentos e monumentos que nos deixou muito mais informações sobre esse período do que sobre o anterior.

Sicília, Campânia e outras regiões receberam, assim, maciça influência das cidades gregas, com imigrantes trazendo para aquelas regiões os hábitos, o estilo de vida, a religião e a cultura dos antigos gregos. Não constituíram, contudo, de forma coerente com os hábitos da terra de origem, uma unidade política, o que ajuda a explicar sua decadência posterior.

De fato, a colonização grega é uma colonização de cidades, como Corinto e Eubeia, entre outras, as quais criavam outras cidades, que também buscavam colonizar outras terras. Na Sicília, ocorreram choques com os cartagineses – oriundos de Cartago, antiga colônia fenícia na África – que também estavam fundando colônias, nessa mesma época, na Sicília e na Sardenha. Conflitos e guerras entre as novas cidades também não foram incomuns.

Nesse mesmo século VIII a.C., outro povo fez sua aparição na história da península, os etruscos, os quais marcaram bastante a história da Itália. Ainda hoje não se tem certeza absoluta sobre suas origens. As três hipóteses dominantes são as de que eles eram provenientes da Europa do norte, que eram nativos do lugar ou que teriam vindo do Oriente. Durante muito tempo, a historiografia, baseando-se nas semelhanças culturais dos etruscos com povos da Ásia menor nesse período, considerou a terceira hipótese a mais correta. Hoje, contudo, as evidências indicam que o povo conhecido como etrusco não era nativo da Itália, mas também não era uma cultura transplantada. Uma fusão de elementos fixados na região desde a Pré-história com influxos culturais e populacionais vindos do mundo oriental que se consolidou em uma cultura etrusca por volta de 800 anos a.C. parece ser a hipótese mais crível atualmente, a qual é bastante coerente com o processo geral de povoamento da península, baseado na contínua circulação de colonos, imigrantes e invasores.[4]

O que podemos afirmar com algum grau de certeza é que a civilização etrusca se desenvolveu a partir, *grosso modo*, do século VIII a.C. na Itália central, onde construiu um Império formado por várias cidades, algumas delas portos de mar. Ela prosperou mediante a agricultura, o comércio (muitas vezes associado à pirataria) e a indústria de metais e tecidos. Tinha uma cultura refinada e uma arte desenvolvida. Os contatos comerciais e culturais com o mundo oriental e a civilização grega também influenciaram esse povo, indicando, mais uma vez, como a Itália era um verdadeiro cadinho de culturas e civilizações já na Idade Antiga.

Em termos geopolíticos, os etruscos eram competidores dos gregos e aliados dos cartagineses e fenícios nas disputas comerciais e políticas no Mediterrâneo daquela época. Em terra, seu domínio se expandiu, com o decorrer do tempo, até atingir o vale do Pó e a região do Lácio. Com o decorrer dos séculos, contudo, invasões e guerras diversas enfraqueceram o poder etrusco, que foi lentamente sendo eclipsado pelos romanos, até a conquista definitiva da região pelos últimos nos três séculos anteriores a Cristo.

Evidentemente, os habitantes primitivos da península, oriundos da fusão dos antigos povos locais e dos indo-europeus, não aceitaram esses recém-chegados de modo passivo e interagiram com eles, seja pela guerra, seja pelo comércio. Eles foram conquistados, absorvidos ou conseguiram resistir, mas, com certeza, assimilaram elementos culturais e foram se caldeando com etruscos, gregos e outros invasores (como os celtas), que, de tempos em tempos, atingiam a península vindos do sul ou do norte.

Nota-se, assim, a complexidade cultural e linguística da Itália desde a época proto-histórica, com povos e culturas se sucedendo, mesclando e se extinguindo e uma variedade impressionante de tribos, reinos, cidades independentes e outros organismos estatais e pré-estatais. As novas descobertas históricas e arqueológicas continuamente problematizam e amplificam esse quadro, mas nunca negam essa diversidade e complexidade política e cultural.

Em tal contexto, falar em uma "Itália" ou em "italianos" seria algo problemático. O termo "Itália" já havia aparecido e provavelmente já era utilizado para se referir à península, apesar de ser duvidoso que designasse exatamente o mesmo território dos dias de hoje.[5] Mas seria errôneo falar em algo como uma identidade italiana ou mesmo sustentar uma visão de que os povos da península fossem algo mais do que vizinhos habitando o mesmo espaço nesse momento. Seria necessário o aparecimento de uma grande potência política e militar para que o grande feito de unificar a península em uma única entidade política fosse possível. Esta apareceu mais ou menos na mesma época em que gregos e etruscos chegavam à Itália: Roma.

A ITÁLIA E A ASCENSÃO DO PODER ROMANO

Nosso conhecimento da história da cidade de Roma baseia-se grandemente nas tradições e lendas registradas pelos historiadores romanos e nas evidências arqueológicas. As lendas sustentavam que os romanos seriam herdeiros dos troianos e, mais especialmente, de Enéas, que, tendo escapado do saque de Troia, teria fugido para a região do Lácio, na Itália. Seu filho teria sido o fundador da cidade de Alba Longa e Rômulo e Remo, fundadores de Roma em 753 a.C., seriam descendentes dos reis dessa cidade.[6]

Essa lenda tem pouca relação com a realidade, mas incorpora elementos de verdade. A cidade de Roma teria surgido realmente por volta do século VIII a.C. – período de fato crucial na história da península itálica – pela reunião de pequenos núcleos humanos existentes na região já há muito. A nova cidade – na verdade, não mais do que uma aldeia em seu início – esteve em guerra com seus vizinhos, como os sabinos, desde seus primeiros anos de vida, combatendo, mas também se amalgamando, com esses.

A partir do século VII a.C., a cidade foi governada por reis etruscos, que trouxeram à nascente cidade muito de sua cultura e civilização, como o alfabeto, melhor organização política e social etc. Ainda assim, apesar da imensa influência etrusca,

Rômulo e Remo sendo amamentados pela loba.
O mito fundador da cidade de Roma.

Roma conservou sua língua e identidade próprias. No século VI a.C., finalmente, os reis etruscos foram expulsos e Roma adquiriu independência. Iniciou-se um novo período na história de Roma, identificado como República.

Sob a liderança dos reis etruscos, Roma já havia se tornado senhora de vasta área do Lácio. Ela ainda não era, contudo, um poder regional de importância. Essa situação começou a mudar com uma série de pequenas guerras, em que República derrotava seus vizinhos menores, dilatava suas fronteiras e instalava colônias de cidadãos romanos nos territórios ocupados. Os romanos também foram derrotados algumas vezes (como entre 396 e 391 a.C., quando das invasões celtas.), mas sua persistência e eficiente combinação de guerra e diplomacia trouxeram frutos. Lentamente, Roma começou a lançar as bases de seu domínio na Itália.

Se os romanos buscavam a conquista dos seus vizinhos porque tinham um plano imperialista de longo prazo ou porque procuravam se fortalecer simplesmente para conseguir sobreviver, é ponto em aberto. Não obstante, é impressionante a regularidade e a persistência com que a nascente potência se esforçou para ampliar seus domínios.

Entre os séculos IV e III a.C., os romanos derrotaram os samnitas, os latinos e várias cidades etruscas. Em 290 a.C., o grosso da Itália central era território romano. Mais de oitenta mil quilômetros quadrados de território e três milhões de homens estavam agora sob controle da cidade e estes números continuavam a crescer.

O próximo passo dos romanos, ou seja, controlar a Itália do sul e a Sicília, levou-os a um conflito longo e decisivo com a cidade de Cartago, instalada onde hoje é a Tunísia. Em três longas guerras entre 264 e 146 a.C., os romanos triunfaram sobre os cartagineses, destruindo completamente seu inimigo. No final dessas guerras – chamadas Guerras Púnicas – o Estado romano controlava a Itália e a Sicília, absorvendo as antigas áreas de colonização grega e o território etrusco. Também haviam ampliado seu controle da Itália do norte, expulsando de lá as tribos celtas e criando a província da Gália Cisalpina, onde novas colônias foram instaladas. Como subproduto da vitória, os romanos também tinham se tornado uma potência mediterrânica, com territórios na Espanha, na África e nos Bálcãs.

No decorrer do século II a.C., o domínio romano se ampliou ainda mais no Oriente, com a conquista da Grécia, da Macedônia e de vastas áreas na Síria e na atual Turquia. No século seguinte, Júlio César incorporou a imensa Gália ao território romano, assim como o Egito e outras áreas. Pouco antes do início da era cristã, quando, por vários motivos, terminou a República romana e surgiu o Império, Roma não era mais uma pequena cidade do interior do Lácio nem mesmo uma potência regional, mas uma verdadeira superpotência da época.[7]

No decorrer dos séculos seguintes, a expansão romana diminuiu seu ímpeto, mas a busca pela glória militar e por riquezas era um poderoso atrativo para os imperadores, sem contar as necessidades de defesa militar, e novos territórios foram sendo incorporados, como a Britannia e a Dácia, atuais Grã-Bretanha e Romênia. Nesse momento, Roma é o centro de um Império multiétnico e, para os padrões da época, incrivelmente rico. Um espaço centralizado se formou em torno de Roma e, em certo sentido, da Itália.

Efetivamente, esse é um momento único na história da bacia do Mediterrâneo. Em termos econômicos, é difícil falar de um mercado unificado, já que a maior parte da produção econômica ainda era localizada, mas o domínio de uma entidade política única permitiu maior fluxo de mercadorias de luxo e de outros produtos no Império. Roma, em especial, tornou-se um verdadeiro polo, recebendo óleo de oliva e vinho da Espanha e da Grécia, trigo do Egito e da África do Norte, madeira da Gália, metais dos Bálcãs, perfumes e manufaturados de luxo do Oriente etc.

Em termos políticos, o domínio romano se sustentava na concessão de ampla autonomia local, em uma administração unificada e, especialmente, nas famosas legiões romanas, que mantinham a distância os inimigos além fronteiras e a ordem interna. Já em termos culturais, também se formou um certo espaço comum. Dificilmente poderíamos dizer que o Império romano evoluiu, com o decorrer do tempo, para uma sociedade com padrões culturais e linguísticos homogêneos (ainda que possamos identificar uma área dominada pelo latim no Ocidente e outra pelo grego no Oriente), mas o intercâmbio de ideias, culturas e mesmo religiões – como o cristianismo – tornou-se intenso, levando a uma escala maior o que já havia ocorrido na Itália. Além disso, os progressos da romanização, especialmente em certas províncias e nas elites, foram substanciais com o passar dos séculos.

A romanização. Essa talvez tenha sido uma das estratégias-chave que permitiram aos romanos criar um Império tão sólido e durável. Os antigos impérios normalmente se sustentavam na ideia de que havia conquistadores e conquistados e essa situação, de domínio total de um pelo outro, deveria se manter até os primeiros serem derrotados pelos segundos ou por outros invasores. Mesmo as cidades gregas, como Atenas, falharam quando tentaram criar impérios apenas porque não souberam respeitar minimamente as autonomias locais nem cooptar os vencidos. Cooptações e concessões eram, claro, instrumentos de dominação conhecidos no mundo antigo, mas os romanos foram mestres nessa arte, o que solidificou sua conquista da Itália e, depois, do mundo mediterrânico.[8]

Efetivamente, o projeto romano de dominação também se sustentava na ideia de que sua cultura era superior, assim como na crença de que os bárbaros conquistados que assimilassem o seu modo de vida e os seus costumes podiam, com o tempo, aspirar à condição de romanos. Não espanta, portanto, que oriundos das províncias tenham aumentado de modo substancial sua importância, como senadores e governadores, como generais e soldados, na administração e na vida imperial nos séculos posteriores a Cristo. Mesmo nascidos nas províncias ou em colônias distantes, eram romanos e defenderiam o Império, muitas vezes, sem terem jamais posto os pés na cidade ou na Itália. Um sistema de cooptação brilhante, que amplificava as forças do Estado e da cultura romanos.

A ITÁLIA NO MUNDO ROMANO

Nesse contexto, qual seria o papel da península itálica?[9] Quando Roma se expandiu por esta nos séculos anteriores a Cristo, anexou alguns territórios à cidade, formando o *ager romanus*. Em geral, os habitantes dessa região eram cidadãos romanos (com exceção, claro, de escravos e mulheres) e governados diretamente por Roma. Alguns territórios dentro desse espaço pertenciam às colônias de cidadãos romanos instaladas nos territórios conquistados para garantir sua segurança, e outros, a cidades e regiões cujos habitantes tinham alguns direitos, como o de casamento legítimo, mas não todos os privilégios de um romano. O restante da Itália era região aliada e seu *status* dependia das condições em que cada região ou cidade tinha sido submetida, podendo uma cidade, por exemplo, ser livre, aliada ou pagadora de tributos, ainda que todas fossem controladas por Roma.

Assim, variavam enormemente as obrigações fiscais e militares dos moradores de cada região da Itália, mas o desenho de Roma como uma cidade que funcionava como centro de uma confederação italiana é cristalino. No início, nem todo italiano era cidadão romano, mas, na política de cooptação romana, estava sempre aberta a porta da romanização. Após servirem nas tropas auxiliares ou prestarem outros serviços ao Estado, poderiam ser gradualmente concedidas – individual ou coletivamente – maiores regalias e direitos, até a concessão da cidadania romana. Um sistema de vantagens progressivas – associado à repressão e a represálias em caso de traição – que garantia, em geral, a fidelidade dos territórios italianos conquistados.

Com o tempo, e, em especial, depois das guerras sociais no último século antes de Cristo, os direitos de cidadania romana foram estendidos a todas as regiões da Itália. A romanização completou-se e quase todos os italianos, a partir dessa época, falavam latim e seguiam os hábitos romanos.[10] Mesmo nas legiões não dominavam mais apenas os soldados originários de Roma, do Lácio e das colônias romanas, mas de toda a Itália. Nesse contexto, romano tornou-se sinônimo de italiano.

À medida que a velha cidade se expandiu pelo mundo mediterrânico, a mesma situação se repetiu, mas não da forma que havia ocorrido na Itália. Colônias de cidadãos romanos foram instaladas nos novos territórios e legiões os guarneciam. Italianos também emigravam para outras regiões do Império em busca de oportunidades e terras e as elites locais eram estimuladas, como visto, a aprender a língua latina e os costumes romanos, sendo, ao menos em parte, cooptadas no processo. É difícil acreditar que o Império pudesse ter evoluído para uma homogeneização, com todos os seus habitantes culturalmente romanos ou italianos, mas que a difusão da cultura romana teve grande sucesso, é um fato.

Quando os romanos se expandiram além da península itálica, contudo, houve também mudanças nesse sistema. Os romanos consideravam a maioria dos novos povos conquistados muito longe do ponto ideal, em termos culturais e de organização política, em que poderiam ser incorporados como aliados ou cidadãos. Os territórios conquistados, assim, foram reduzidos a províncias, controladas diretamente por Roma e pagavam tributos e outras taxas, mas dificilmente de modo uniforme. Os povos

Arcos imperiais, símbolo do poder e da grandeza de Roma.

bárbaros, assim, eram estimulados a se romanizar, mas, até lá, eram apenas súditos da República ou do Império, com cidadãos e aliados vivendo em seu meio.

Houve, assim, províncias profundamente romanizadas e outras onde a romanização deitou raízes mais rasas. Apenas na Itália, contudo, o processo se aprofundou a tal ponto que se converteu em uma área quase homogênea onde todos falavam o latim e seguiam o modo de vida romano, e os termos romano e italiano passaram a se confundir a partir de certo momento.[11]

A Itália, assim, tornou-se um território à parte no Império, conservando imensa continuidade territorial no decorrer do tempo. Províncias eram renomeadas, fundidas ou eliminadas, mas não a Itália. Realmente, sempre houve uma Itália dentro do mundo romano e, mesmo quando das reorganizações territoriais, ela continuava a ser um território com identidade própria.

Nesse contexto, cidadãos romanos nasciam e viviam fora da Itália e povos e territórios eram considerados aliados e amigos de Roma em outras regiões dominadas. Durante o Império, por sua vez, já no reinado de Augusto (27 a.C.-14 d.C.), as províncias foram divididas em senatoriais e imperiais, administradas, respectivamente, pelo Senado ou de forma direta por procuradores do imperador. Mas a Itália era a única região que não podia ser considerada uma província no sentido estrito do termo, não tendo, inclusive, tropas legionárias em seu território na maior parte do tempo. Apenas tropas para a segurança urbana de Roma e para a defesa da pessoa do imperador estavam baseadas lá, ou seja, as coortes urbanas, de vigília e pretorianas. Um grande privilégio em um mundo dominado por legiões e tropas auxiliares romanas.

Com efeito, a Itália tornou-se uma área privilegiada tantos em termos jurídicos como econômicos, pois parte substancial das imensas riquezas canalizadas pela estrutura de poder romana fluía para a península. Muitos camponeses foram arruinados pela concorrência dos produtos de fora, mas a economia da região, em geral, prosperou durante os anos de poder romano, dados os fluxos de capitais e os produtos que afluíam para ela.

Tal prosperidade se refletia, inclusive, na demografia. É difícil, talvez impossível, estabelecer com precisão a população italiana nos anos de dominação romana, mas alguns cálculos indicam cerca de cinco a sete milhões de habitantes. Roma, em si, deveria ter, provavelmente, entre oitocentos mil e um milhão de moradores.

É importante notar também como, com o passar do tempo, esses privilégios dos italianos dentro do Império foram diminuindo pela própria evolução deste e pelo próprio sucesso da romanização em outras províncias. Antes, os italianos formavam a base do Exército e do Senado e eram os únicos, por exemplo, a ser admitidos na guarda pretoriana. Além disso, a Itália era a única região do Império que possuía os privilégios da cidadania romana quase integralmente.

Com o tempo, contudo, as riquezas canalizadas para a Itália fizeram muitos romanos e italianos desistirem da vida militar e romanos, das províncias; e, depois, os bárbaros, foram ocupando os postos dos primeiros na oficialidade e nas próprias fileiras das tropas imperiais. Isso também ocorreu no Senado e o Edito de Caracala, em 212, dando cidadania romana a quase todos os habitantes do Império (o que foi motivado, centralmente, por motivos fiscais) e a transferência da capital do Império para Constantinopla em 330 são sinais evidentes da diminuição da importância da Itália e dos italianos no Império. Mas esta nunca desapareceu por completo.

Evidentemente, fica aqui a pergunta se havia, na República ou no Império, algo como uma identidade italiana. Como visto, é possível verificar como muitos dos habitantes dessa realidade, em especial as classes altas romanizadas, compartilhavam uma identidade de "romano". Um rico proprietário de terras romanizado da Gália provavelmente se reconhecia como "romano" e se sentia mais próximo de um senador da Itália ou de um comerciante também romanizado da Síria do que de camponeses da própria Gália. Havia uma identidade romana[12] e os italianos, com o tempo, tornaram-se símbolos e quase sinônimos dessa identidade. No entanto, é difícil de acreditar que pudéssemos falar de uma "identidade italiana", no sentido moderno do termo.

Efetivamente, uma ideia de "romano oriundo da Itália" é bastante possível, mas a identidade romano-italiana dessa época tinha pouco a ver com nossa identidade nacional moderna, que associa nação com território e origem comum. Uma prova disso, aliás, é que Roma nunca enfrentou revoltas ou problemas de nacionalidades que seguissem o padrão do mundo contemporâneo.[13] Ou seja, podemos dizer que os italianos já existiam e tinham particularidades próprias em uma identidade maior, a romana, mas não que houvesse italianos como os imaginamos hoje. Isso seria impensável naquela época e seriam necessários séculos para tal concepção se formar.

Roma e Itália, centro do mundo. Não espanta realmente que, na mitologia do povo italiano, esse período seja tão idealizado. Foi uma época em que, mesmo levando em conta a exploração dos povos conquistados e dos próprios pobres da península, a Itália servia de centro econômico, político e de intercâmbio cultural de toda uma vasta região do mundo e os privilégios de ser um "italiano" eram grandes. Para a Itália que viria depois do colapso do Império, fraca, empobrecida e dividida, a nostalgia pela época romana só poderia ser imensa.

O regime fascista, por exemplo, gostava de dar nomes de legiões romanas às divisões da sua milícia e dividi-la em unidades segundo os moldes romanos. Também estimulou a pesquisa arqueológica sobre o período e criou toda uma mitologia dos italianos como herdeiros diretos dos romanos. Uma grande mistificação histórica com fins políticos, claro, mas perfeitamente compreensível se levarmos em conta o poder e o prestígio da Itália nesses anos de poder romano. O período romano deixou, assim, não apenas ruínas espalhadas pelo território italiano e influências evidentes na língua e na cultura desse povo,[14] mas marcou indelevelmente a própria psique dos italianos.

AS VÁRIAS ITÁLIAS DO PERÍODO MEDIEVAL

Não é este certamente o espaço para discutir o problema da decadência romana e as causas do colapso do Império no século v. Também seria tarefa fora de perspectiva tentar apresentar, em poucas páginas, uma história completa da península itálica no período medieval, o qual se estende por quase mil anos. O que nos interessa, nesse momento, é verificar a situação da península itálica e dos italianos em um novo contexto, no qual eles não eram mais o centro do mundo e, em especial, acompanhar o processo de fragmentação política da Itália nesse longo período que vai desde a queda do Império romano até o século xv.[15]

Com o enfraquecimento gradativo do poder romano e sua divisão em duas metades, oriental e ocidental, as províncias imperiais começaram a sofrer invasões maciças dos povos além fronteiras. No século v, a decadência romana chegou a tal ponto que a própria Itália, que sempre pertenceu ao Império ocidental, foi invadida e submetida a terríveis devastações nas mãos dos visigodos, dos vândalos (que saquearam Roma, respectivamente, em 410 e 455) e de outros povos. Em 476, finalmente, o chefe bárbaro Odoacro depôs o último imperador romano do Ocidente, Romulus Augustulus, e estabeleceu seu próprio reinado na Itália. Uma era havia se encerrado para a península e para o mundo.[16]

Com o colapso do poder imperial no Ocidente, os novos senhores da Europa, os reis bárbaros, começaram a lutar entre si pelos despojos e a Itália, ainda rica e simbolicamente importante, era um alvo-chave. Em 489, Teodorico, rei dos ostrogodos, invadiu o país e, em uma longa guerra de quatro anos, estabeleceu o domínio de seu povo na península, o qual durou algumas décadas.

No século VI, um novo imperador assumiu o poder no Império Romano do Oriente, Justiniano, e decidiu reconquistar as áreas perdidas do antigo Império Romano do Ocidente. A África do Norte foi conquistada em 533 e a Sicília caiu dois anos depois. Em 536, tropas do Império do Oriente desembarcaram na Itália e enfrentaram os ostrogodos, em uma dura e sangrenta guerra, que durou anos. Em 553, contudo, a Itália estava novamente sob o controle dos herdeiros legítimos do poder romano.

Para os italianos, contudo, essa foi, provavelmente, uma libertação que não trouxe os frutos esperados. É provável que muitos romanos e italianos tenham saudado os soldados orientais como libertadores e legítimos representantes dos césares. Mas o centro desse novo Império Romano estava no Oriente e já se encontrava em pleno processo de transformação de "romano" para uma estrutura política e cultural muito mais próxima do mundo grego e das tradições orientais do que do velho universo latino e romano. O Império Romano do Oriente lentamente se convertia em Império Bizantino. Nesse contexto, a Itália não voltou a ter a importância dos séculos anteriores e passou a ser apenas uma província a mais entre as muitas que o compunham, sem regalias especiais.

O controle romano oriental da Itália durou, de qualquer forma, muito pouco. Em fins do século VI, outro povo bárbaro, os lombardos, invadiu o norte da península e estabeleceu ali seu reino. Ataques e contra-ataques nos anos seguintes deixaram as fronteiras indefinidas, mas os romanos orientais nunca mais conseguiram restabelecer seu domínio na parte norte da península, controlando apenas o centro-sul.

Nos séculos VII e VIII, os bizantinos, premidos por guerras incessantes contra os persas e árabes, perderam territórios em praticamente toda a bacia do Mediterrâneo e não foi diferente na Itália. Em fins do século VIII, estes controlavam apenas a Sicília e o extremo sul da bota, enquanto os lombardos dilatavam suas fronteiras e várias cidades independentes, como Nápoles, Veneza e Amalfi, começaram a aparecer.

No século IX, o sul da Itália continuava sob o domínio bizantino e de alguns principados lombardos remanescentes, com exceção da Sicília que, em 965, caiu sob o domínio árabe. Nos séculos XI e XII, por sua vez, a maioria dos territórios bizantinos, lombardos e árabes do sul da Itália foram conquistados pelos normandos, que estabeleceram uma série de reinos e ducados na região.

Já o norte da península foi incorporado, ainda no século IX, ao Império Franco. Da desintegração deste, em 887-888, surgiram vários reinos, entre os quais o da França, o da Alemanha e o da Itália. Entre os séculos X e XIII, por sua vez, o norte da Itália novamente gravitou em torno de seus vizinhos maiores ao norte dos Alpes, sendo incorporado ao Sacro Império Romano Germânico, com base na atual Alemanha. Mas esse era um Estado com pouco domínio real e o norte da Itália, após longos e penosos conflitos com o imperador, adquiriu autonomia, com o surgimento de várias cidades independentes.

Em termos populacionais, os dados disponíveis indicam que o número de habitantes da península não sofreu diminuição acentuada durante a Idade Média, mantendo-se na faixa de cinco milhões até o ano mil, quando começou a crescer, atingindo cerca de dez milhões em 1348. Um número substancial, se recordarmos que os ingleses, por exemplo, não passavam, nessa época, de quatro milhões.

Nos anos seguintes, a Peste Negra fez com que a população diminuísse. Mas logo houve uma retomada no crescimento. Ou seja, em geral, ao contrário de outras regiões do Ocidente, as cidades italianas não se despovoaram em nenhum momento do período medieval e grandes aglomerações urbanas, na faixa dos cem mil habitantes, como Florença, Milão, Veneza, entre outras, mantiveram-se habitadas e importantes. Mesmo Roma, apesar de não preservar a população e a importância da época dos césares, jamais se despovoou por completo.

A Idade Média chegou ao final, assim, com a península itálica relativamente rica, apesar de alguns momentos menos prósperos, e populosa, mas dividida em vasta gama de pequenos Estados. Havia as pequenas cidades independentes, as repúblicas marítimas, os domínios do Papa, o Reino de Nápoles etc. A intervenção estrangeira, presente em todos os séculos desde o fim do poder romano, também continuava, com o Sacro Império Romano Germânico, a França, o Reino de Aragão e outros Estados e dinastias europeias controlando territórios na Itália.[17] Nesse quadro de profunda fragmentação política e cultural,[18] o que significaria ser "italiano" naquele momento? No meu modo de entender, a definição de Itália no período medieval se relaciona centralmente com duas instituições: a Igreja Católica e as repúblicas marítimas.

CATOLICISMO, REPÚBLICAS MERCANTIS E A ITÁLIA MEDIEVAL

Após seu surgimento na Palestina a partir da pregação de um humilde filho de carpinteiro de Nazaré, o cristianismo teve impressionante expansão no território do Império Romano. Mesmo com as perseguições do Estado, o número de cristãos crescia continuamente e as áreas com maioria cristã (ou, ao menos, com fortes comunidades) foram se tornando cada vez maiores no decorrer do tempo. No início, o cristianismo foi mais forte nas províncias orientais romanas, mas, com o passar do tempo, se difundiu cada vez mais no Ocidente e até para fora das fronteiras romanas.

Sem querer aprofundar a discussão sobre os motivos que levaram uma religião como o cristianismo a superar as imensas barreiras e se difundir com tamanha rapidez e força, parece evidente que ela se beneficiou do espaço cultural comum fornecido pelo Império, da presença de comunidades judaicas espalhadas por todo ele etc. Mas a pregação de uma vida melhor pós-morte em um mundo marcado pela violência e pela crueldade também não pode ser descartada como elemento para explicar o imenso poder do cristianismo em superar as perseguições e crescer continuamente.

De qualquer modo, à medida que os cristãos aumentavam em número e importância, o poder romano teve de se adaptar a eles, primeiro tolerando o cristianismo (Edito de Milão, em 313) e, mais tarde, em 380, fazendo dele a religião oficial do Império. Daí em diante, os destinos da Igreja e do Império se ligaram cada vez mais.

Realmente, a Igreja primitiva moldou boa parte da sua estrutura com base no organograma administrativo do Império e não espanta que tenha sido a Igreja de Roma que assumiu a primazia entre as outras. A partir de então, o mundo cristão começou a girar em torno de Roma e isso prosseguiu mesmo com a queda do Império Romano. Durante as invasões bárbaras e na imensa instabilidade que se seguiu, a Igreja era a única instituição plenamente atuante e influente (ainda mais depois da conversão da maioria dos bárbaros) no mundo ocidental e os papas assumiram relevância política cada vez maior. Entre altos e baixos, essa influência marcou os mil anos do Ocidente medieval.

Na Itália, pela própria proximidade da sede da Igreja, o poder dos papas tornou-se ainda mais marcante. Estes participaram ativamente do jogo político entre as várias potências estrangeiras, reinos e cidades independentes que disputavam o poder na península e conseguiram até mesmo um território próprio, que administravam como qualquer outro soberano da época.

Localizado na Itália central, em especial nos atuais Lácio, Úmbria e Emília-Romanha, o território papal, que começou a ser formado graças à proteção dos francos, já no século IX, duraria 11 séculos e deixaria marcas profundas na história dessas regiões. Mas toda a península, por todo o período medieval e mesmo posteriormente, ficou marcada pela forte presença da Igreja. Mesmo hoje, é difícil pensar em Roma sem pensar no papa e no Vaticano, e o catolicismo tornou-se parte indissolúvel do "ser italiano" por muitos séculos, talvez até hoje.

Outro elemento bastante particular da Itália no período medieval e de grande importância em sua história foi a presença dominante das cidades. Ao contrário do restante da Europa, as cidades da península continuaram a ser o foco da vida econômica, social, política e cultural. Os grandes nobres e os poderosos ali residiam, enquanto no restante da Europa, em geral, preferiam viver na zona rural. Em particular no centro-norte, as cidades adquiriram independência e, com o passar do tempo, cada vez mais poder e riqueza. Eram cidades como Veneza, Pisa, Gênova, Milão e Florença, entre outras, as quais fizeram fortuna no comércio no Mediterrâneo e na produção de bens manufaturados para exportação.

De fato, a partir do século X, várias repúblicas mercantis italianas adquiriram poder, riqueza e prestígio na bacia do Mediterrâneo e travaram numerosas guerras entre si e com outros povos para aprofundar e manter seus territórios e suas rotas comerciais. Gênova chegou a dominar economicamente o Império bizantino, ao passo que os venezianos criaram um verdadeiro sistema imperial, com rotas comerciais consolidadas, fortificações em territórios-chave na Dalmácia e em Chipre e expansão na região do Vêneto.[19]

Já no final do período medieval, as velhas cidades italianas aumentaram seu território, transformando-se em domínios maiores, bem além dos muros das cidades antigas. Surgiram principados e outras estruturas estatais maiores.[20] Uma vida urbana, portanto, bastante desenvolvida, a qual não era desconhecida em outras regiões da Europa Medieval, mas que atingiu particular desenvolvimento na península e se configura em uma das marcas características da história dos italianos nesses anos.

UMA ITÁLIA MEDIEVAL?

Em tal contexto de intensa fragmentação, a questão das identidades era, com certeza, fluida. Havia o papa, senhor da cristandade e também de vários territórios italianos; o imperador do Sacro Império Romano Germânico, que tinha jurisdição – na maior parte do tempo, apenas formal ou continuamente questionada – sob boa parte do norte da península e uma miríade de reinos, ducados e cidades independentes. Os habitantes da Itália se sentiam, provavelmente, cristãos, súditos de um rei específico, do basileu bizantino ou do imperador germânico ou orgulhosos cidadãos de Veneza ou de Milão. Também tinham profunda identificação com sua aldeia natal. Mas se sentiriam italianos?

Esse é um problema interessante e não espanta que vários historiadores tenham optado por títulos genéricos ou ambíguos quando quiseram escrever livros sobre a Idade Média italiana. De um lado, parece se desenvolver lentamente um sentimento de que as cidades e os reinos italianos eram particulares no universo ocidental e deveriam, um dia, e malgrado as intensas guerras e os conflitos internos então existentes, formar uma unidade cultural, e talvez política, maior.

Aliás, na própria obra fundadora da língua italiana, ou seja, *A divina comédia*, de Dante Alighieri, escrita no século XIII, o desencanto com a submissão ao estrangeiro da Itália já apareceria. Em suas palavras *"Ahi serva Italia, di dolore ostello,/nave senza nocchiere in gran tempesta,/non donna di province, ma bordello!"*[21] ("Ah, serva Itália, morada das angústias, nau sem piloto em mar impetuoso, imperial outrora, lupanar agora!").

Esse sentimento de que genoveses, pisanos, romanos ou venezianos, apesar da intensa rivalidade entre si, tinham algo em comum, foi se desenvolvendo aos poucos e ficou restrito às classes ricas e cultas. A ideia era que eles representavam um tipo particular de civilização, urbana e sofisticada, comum a todas as cidades italianas da época, bem como que esta não só poderia como deveria ser exportada para o restante do mundo ocidental e até além. Mas mesmo identificando laços comuns entre si, a lealdade a seu grupo social e a sua região de origem era predominante e eles dificilmente poderiam ser considerados, ou se considerariam, "italianos".[22]

No sentido moderno do termo, portanto, parece pouco provável falar em algo como "Itália" e não espanta que as palavras vibrantes de Cola di Rienzo, em 1347, defendendo a unidade dos italianos, tenham caído no vazio. O termo "Itália", na Idade Média, significava uma península que dividia o Mediterrâneo em duas metades e, aproveitando-se de sua posição geográfica, era um centro pujante de atividade comercial, de produção artística e intercâmbios culturais. Ali, não viviam italianos, mas habitantes e cidadãos de dúzias de repúblicas e reinos cujas identificações eram mais amplas (cristãos, ocidentais) ou mais restritas (milaneses, venezianos, toscanos) do que a definição de "italiano" requereria.

Realmente, se o sentimento nacional, de pertencer a um Estado-nação, seria muito difícil de ser encontrado na Europa como um todo nessa época, ele seria ainda menos provável em uma área geográfica tão fragmentada, política e culturalmente, como a Itália. Tal situação apenas se intensificou com a chegada da Idade Moderna.

Efetivamente, em fins da Idade Média e início da Idade Moderna, as monarquias da França, de Portugal, da Espanha e de outros países procuraram reforçar seu domínio e seu poder diante das particularidades regionais, dos nobres e de outras forças que se opunham à centralização administrativa, com maior ou menor sucesso. Na Alemanha e, em especial, na Itália, contudo, esse processo esbarrou em resistências muito maiores, de cidades e aristocracias mercantis ricas e poderosas, o que ajuda a compreender como a Itália continuou dividida em vários Estados rivais enquanto boa parte da Europa caminhava no sentido oposto, ou seja, o da centralização administrativa, o que teria efeitos importantes no futuro da península.

OS ITALIANOS NA ÉPOCA MODERNA

Durante o período moderno (séculos XVI a XVIII), a península itálica continuou a ser uma das áreas mais povoadas do continente europeu, com 10 ou 11 milhões de habitantes no século XVI. Um número substancial, só superado, na Europa, pela França, com 15 milhões. Apenas a título de comparação, a Espanha tinha cerca de 7 milhões de habitantes e o pequeno Portugal, em plena época das grandes navegações, atingia cerca de um milhão. A Itália também continuava a ser a terra das grandes cidades, com Nápoles, Milão e Veneza superando cem mil habitantes no século XVI.

A Itália foi o berço, nesse início do período moderno, do Renascimento. Nesse momento, em termos artísticos e culturais, estava na vanguarda do pensamento e da cultura. A arte, a filosofia humanista e outros aspectos da cultura da Itália eram grandemente admiradas e influenciaram o mundo ocidental de forma notável.[23] Nesse mesmo século, ocorreu a reforma protestante, a qual não criou raízes, contudo, na península ibérica nem na Itália, o que poupou a região de se tornar palco das grandes guerras entre protestantes e católicos, que ensanguentaram a Europa no século seguinte. Essa incapacidade do protestantismo em se estabelecer no território italiano aumentou ainda mais a força do catolicismo no ser italiano.

Apesar desses avanços no campo cultural e da maior homogeneidade religiosa, a Itália passou, no período moderno, por um processo de acentuada decadência. Em termos econômicos, as repúblicas italianas continuaram grandes produtoras de artigos manufaturados e senhoras do comércio com o Oriente via Mediterrâneo. No entanto, com as grandes navegações, o eixo da economia europeia foi se deslocando de modo gradativo para o Atlântico. Ao mesmo tempo, algumas regiões do norte da Europa, como a Inglaterra e a Holanda, começaram a exercer forte concorrência aos produtos manufaturados dos italianos.

É verdade que os italianos participaram ativamente das grandes navegações (e nomes como os de Cristóvão Colombo ou de Giovanni Caboto merecem ser recordados), como banqueiros, marinheiros e comerciantes, mas dentro do sistema espanhol ou inglês e não de forma independente. Tal situação levou as repúblicas mercantis italianas a um processo gradativo, mas inexorável, de empobrecimento.[24]

Além disso, as monarquias europeias, como já mencionado, estavam em pleno fortalecimento nesse período. Ainda não estamos falando, aqui, de Estados nacionais no sentido moderno, mas em monarquias mais centralizadas que, justamente pela centralização, conseguiam arrecadar impostos e mobilizar recursos de forma mais eficiente. Como resultado, suas forças militares e navais puderam ser ampliadas e modernizadas segundo os ditames da revolução militar de 1550-1650,[25] a qual, enfatizando exércitos profissionais e permanentes equipados com armas de fogo mais avançadas, em especial artilharia, exigia capacidade fiscal crescente dos novos Estados.

Diante dessas novas monarquias, os reinos, principados e ducados italianos revelaram-se menos eficientes. É verdade que, mesmo na Itália, houve um processo de centralização política e a imensa fragmentação da Idade Média deu lugar a unidades estatais maiores. Em fins do século XVIII, com efeito, quatro ducados (Milão, Toscana, Parma e Módena), quatro repúblicas (Gênova, Veneza, Lucca e San Marino) e três reinos (Sardenha-Piemonte, Nápoles-Sicília e os estados papais) haviam substituído os Microestados do período medieval.

Em comparação com as nascentes monarquias portuguesa, inglesa, espanhola ou francesa, contudo, os Estados italianos ainda eram fracos e, como resultado, perderam poder relativo.[26] Eles, como já observado, ficaram fora da corrida colonial na América, a qual dividiu esse continente entre franceses, ingleses, espanhóis e portugueses e criou nova economia mundial, baseada no Atlântico. Também perderam a capacidade de exercer uma política própria, com seu território se tornando foco de disputa entre as nascentes potências europeias, o que apenas acelerou sua decadência econômica. Na verdade, a península tornou-se um verdadeiro território colonial das potências imperiais do continente.

Tal fato ocorreu, por exemplo, no século XVI, quando França e Espanha disputaram uma longa série de guerras no território italiano. A serviço dessas potências, austríacos, alemães, espanhóis, flamengos, franceses e outros povos desceram pelos Alpes ou desembarcaram dos navios, conquistando e saqueando. Nessas guerras, os exércitos estrangeiros e seus aliados italianos eram vencedores ou derrotados, mas os italianos, como um todo, eram sempre os vencidos, sendo obrigados a encarar saques, destruição e humilhações contínuas, como a derrota na batalha de Fornovo, já em 1495, perante os franceses, e o saque de Roma em 1527.

Em face dessa situação, não espanta que o século XVI tenha representado um momento em que a ideia dos italianos como um povo fraco, desunido e incapaz de se defender se consolidou aos olhos dos outros europeus. Em termos práticos, o resultado

Os italianos antes da Itália | 37

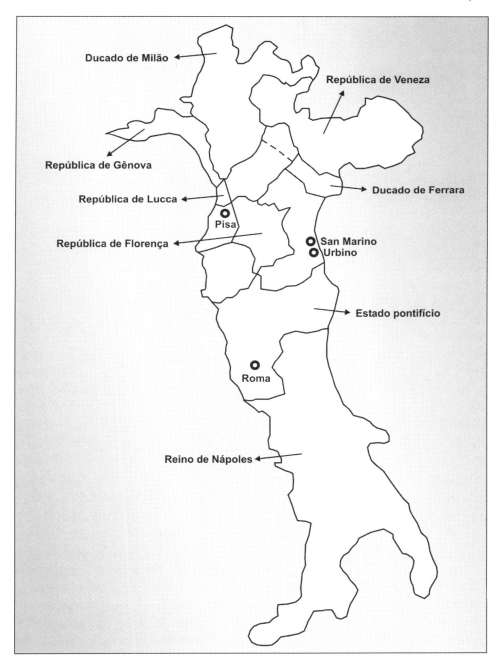

Itália em 1494.

dessas guerras e das alianças dinásticas nesse período foi o predomínio da monarquia espanhola na península, o qual durou cerca de dois séculos.[27]

Nos séculos XVI e XVII, efetivamente, a Espanha possuía vastos domínios na Itália. O reino de Nápoles, a Sardenha, a Sicília, a região de Milão e algumas fortalezas na Toscana eram possessões diretas do soberano espanhol, enquanto o restante da península sofria a influência indireta de Madri.

A Itália desempenhava um papel particular no Império mundial espanhol. Dela, os espanhóis retiravam trigo siciliano, soldados lombardos, navios e empréstimos de Gênova etc. Era uma dependência periférica do Império espanhol e os italianos eram tratados como tais. Como compensação, a Itália permaneceu pacificada por um tempo bastante longo, enquanto tropas, dinheiro e navios espanhóis asseguravam a defesa da península diante dos turcos.

No século XVIII, finalmente, foram os habsburgos austríacos que, herdando os domínios italianos de uma Espanha em decadência, exerceram papel predominante na península. Nesse século, franceses, espanhóis e austríacos competiram pelas cidades e províncias italianas. A Itália havia empobrecido e se convertido em mero campo de batalha de outras potências.

Em tal contexto, o período moderno teria visto o surgimento de uma "Itália"? É pouco provável. Os cidadãos dos Estados italianos continuavam a se identificar centralmente com suas cidades e, cada vez mais, com regiões de origem, com a religião católica e, no caso das elites educadas, com a cultura europeia como um todo. Os "italianos" falavam dialetos diferentes e muitas vezes incompreensíveis entre si e tinham desconfianças e rivalidades uns com os outros.

É verdade que havia uma ideia de "italianidade" entre alguns intelectuais e pensadores, os quais lamentavam a falta de unidade política italiana e a fraqueza daí decorrente. O próprio Nicolau Maquiavel, famoso pensador daquele momento, deplorava a inexistência de um Estado nacional italiano e atribuía a culpa à Igreja Católica, a qual seria fraca demais para conseguir unificar a península, mas forte o bastante para impedir que uma República ou Monarquia o fizesse. Maquiavel exortava a família Médici a cumprir essa tarefa e expulsar os estrangeiros da península.[28]

A avaliação de Maquiavel sobre as responsabilidades da Igreja na desunião italiana é, claro, discutível, mas tanto ele como outros pensadores dos séculos XVI, XVII e XVIII, como Francesco Guicciardini, compreendiam perfeitamente como as mudanças na arte da guerra estavam reduzindo os Estados italianos a uma categoria inferior, bem como que a unificação da península era essencial para remediar isso. As elites da península também mantinham laços comuns, essencialmente culturais, e, às vezes, alguns estrangeiros podiam ver todos como "italianos". Mas, no sentido moderno, eles ainda não existiam.

Maschio Angioino, um dos símbolos do poder espanhol
na Nápoles do século XVI.

Quando do início da Era Contemporânea, em 1789, portanto, a Itália continuava existindo apenas como expressão geográfica e de uma cultura comum ainda admirada no Ocidente, mas sem um Estado unificado ou uma identidade nacional consolidada. O termo "italiano" era mais um adjetivo para descrever os oriundos de uma península no meio do Mediterrâneo ou uma série de produtos culturais admirados em todo o Ocidente do que o definidor de uma nacionalidade ou de cidadão de um Estado, o que seria alterado apenas no século XIX.

No entanto, apesar de a Itália, como a conhecemos, ter surgido apenas em período recente, é impossível deixar de reconhecer a imensa influência da longa história da península na formação da nova sociedade e do novo Estado. Desde o primeiro dia, as elites italianas tiveram de lidar com certas realidades concretas, geográficas, que não podiam, como não puderam seus ancestrais, mudar, como a posição italiana no centro do Mediterrâneo e suas fronteiras com a França e o mundo germânico. Para o bem ou para o mal, esses condicionamentos geográficos estavam lá e tinham de ser levados em consideração para definir a política externa ou a economia do novo Estado.

Do mesmo modo, a recém-criada Itália não podia jogar no lixo os milhares de anos de história que estavam nela. O sonho de grandeza do Império Romano ou do período do Renascimento, as diferenças culturais entre um norte mais europeu e um sul mais mediterrâneo, as desconfianças geradas por séculos de fragmentação, a presença milenar do poder católico na península e outras condicionantes históricas estavam dadas e tiveram de ser levadas em consideração pelas elites construtoras da Itália e por seu povo.

O surgimento do novo país não significou, portanto, um marco zero, com a anulação de todas as heranças do passado e, se somente após 1860 os italianos efetivamente podiam dizer que viviam na Itália, a história da península nos milênios anteriores também era, e é, a sua história.

Notas

[1] Tim Cornell e John Matthews, Roma: legado de um Império, Madrid, Edições del Prado, 1996, p. 12.

[2] Sobre os povos indo-europeus, conferir a obra de Émile Benveniste, O vocabulário das instituições indo-europeias, Campinas, Ed. Unicamp, 1995.

[3] Em português, um texto útil sobre a formação da Itália primitiva é Pierre Grimal, A civilização romana, Lisboa, Edições 70, 1988, pp. 14-6. Ainda sobre esse tema, um texto excepcional é Tim Cornell, The beginnings of Rome: Italy and Rome from the Bronze Age to the Punic Wars (c. 1000-264 BC), London/New York, Routledge, 1995.

[4] Para exame apurado dos "mitos" relacionados à civilização etrusca e um bom panorama dos recentes avanços historiográficos sobre o *tópico*, os trabalhos de Romolo Staccioli são bastante interessantes. Ver, por exemplo, Gli etruschi: mito e realtà, Roma, Newton Compton, 1980, e Storia e civiltà degli etruschi, Roma, Newton Compton, 1991.

[5] Há várias teorias sobre a origem do termo "Itália" e uma rápida busca em boas bibliotecas revela bastante. A mais convincente diz que o termo originou-se em várias tribos ou clãs que habitavam a região sul da península no primeiro milênio antes de Cristo. Uma dessas tribos, os oscanos, usaria a palavra *Viteliu* para designar sua região ou a si próprios. Esse termo teria sido apropriado pelo latim antigo e formado a palavra *Iteliu*, a qual, mais tarde, teria dado origem à palavra *Itália*, a qual passa a ser de uso comum em Roma a partir do quarto século a.C. Inicialmente, ela designava apenas o sul da península, passando a ser utilizada para designar o que hoje conhecemos como Itália à medida que os romanos expandiam seu domínio. As ilhas (Sicília, Córsega e Sardenha) e partes das regiões alpinas foram incorporadas à Itália apenas no reinado de Diocleciano.

[6] Para uma leitura épica desse momento, ver Virgílio e seu poema *Eneida*, que, à moda de Homero no tocante aos gregos, narra o passado glorioso dos latinos. Virgílio nasceu na Gália Cisalpina por volta de 70 a.C. Também Tito Lívio (50 a.C.-17 d.C.), em sua obra *Ab Urbe Condita*, narra a história mítica de Roma, incluindo sua fundação lendária e o período da realeza. Ver Paul Harvey, Dicionário Oxford de literatura clássica grega e romana, Rio de Janeiro, Zahar, 1998.

[7] A bibliografia sobre a formação do Império romano e seu imperialismo, discutindo suas causas e motivações, é imensa, em todas as línguas ocidentais, e seria tarefa impossível tentar indicar todas as obras a respeito. Para os interessados no tema específico da expansão romana, contudo, vale a pena consultar alguns atlas históricos especializados, cuja sucessão de mapas permite que se perceba com clareza, cartograficamente, o vigor da expansão romana durante vários séculos, dentro e fora da península itálica. Ver, por exemplo, Chris Scarre, The Penguin Historical Atlas of Ancient Rome, London, Penguin Books, 1995. Em português, ver Colin McEvedy, Atlas da História Antiga, São Paulo, Verbo, 1990.

[8] Para a expansão da cidadania fora de Roma, com a criação de magistraturas para os novos cidadãos nas áreas conquistadas e outros elementos da estrutura jurídica romana nas províncias, ver Géza Alfoldy, A História Social de Roma, Lisboa, Presença, 1996.

[9] Há vasta bibliografia internacional sobre esse tema da Itália no mundo romano. Em português, a bibliografia não é tão ampla. Ver Grimal, A civilização romana, Lisboa, Edições 70, 1988; e Cornell e Matthews, Roma: legado de um império, Madrid, Edições del Prado, 1996. Ver também Michel Rouche, Os impérios universais (séculos II a IV), Lisboa, Dom Quixote, 1980, e Michael Grant, História de Roma, Rio de Janeiro, Civilização Brasileira, 1987, os quais fornecem bom panorama geral e indicações bibliográficas em vários idiomas.

[10] Para a organização da Itália romana no período republicano e a romanização da península, ver Claude Nicolet, Rome et la conquête du monde méditerranéen, t. 1 – Lês structures de l'Italie romaine, Paris, PUF, 1979, especialmente pp. 270-300.

[11] Simon Swain, "From August to Theodosius: invention and decline", em George Holmes, The Oxford History of Italy, Oxford, Oxford University Press, 1997, pp. 1-26, e Claude Nicolet, Rome et la conquête du monde méditerranéen, t. 2 – Genèse d'un empire, Paris, PUF, 1979, especialmente pp. 883-920.

[12] Para a criação/reforço de uma identidade romana a partir, especialmente, do contato com a civilização grega, ver Erich Gruen, Culture and National Identity in Republican Rome, Ithaca, Cornell University Press, 1992.

[13] Ramsay MacMullen, Enemies of the Roman Order – Treason, unrest and alienation in the Empire, London/New York, Routledge, 1992.

[14] A Itália romana deixou heranças para a Itália moderna até mesmo nos nomes das cidades e das regiões. Apenas um exemplo: na primeira grande divisão formal da Itália em regiões, feita pelo imperador Augusto, o país foi dividido em 11 distritos administrativos. Já aqui, aparecerem nomes como Apulia, Venetia, Latium, Emilia Romagna e Ligúria, que hoje designam regiões da Itália.

[15] Há pouca bibliografia em português sobre os italianos na Idade Média. Em italiano, um excelente panorama geral sobre a Itália medieval e moderna é Ruggiero Romano e Corrado Vivanti, Storia d'Italia, v. 2 – Dalla caduta dell'Impero romano al secolo XVIII, Torino, Einaudi, 1974, 2t.

[16] Há poucas referências em português com relação à Alta Idade Média e às invasões bárbaras. Cabe destaque às obras de Pierre Riché, As invasões bárbaras, Mira-Sintra, Europa-América, 1992, e de Roger Collins, La Europa de la Alta Edad Media: 300 – 1000, Madrid, Akal, 2000.

[17] Considero, novamente, que a melhor maneira de acompanhar as contínuas mudanças territoriais da Itália, é recorrer à cartografia histórica, que reconstrói com precisão tais mudanças século a século. Ver, por exemplo, entre muitas possibilidades, Colin McEvedy, Atlas da História Medieval, São Paulo, Verbo, 1990, e Patrick Merienne, Atlas Mondial du Moyen Age, Rennes, Editinos Ouest-France, 2001.

[18] A fragmentação da Itália medieval refletiu-se, inclusive, na língua. O latim passou a ser exclusividade das classes cultas, enquanto a população em geral criava uma série de dialetos, originários do latim, como o toscano e o romano, entre outros.

[19] Há uma rica literatura internacional sobre os impérios comerciais de Gênova e Veneza. Ver, por exemplo, Daniel Philip Waley, The Italian City-Republics, New York, McGraw Hill, 1973; John Norwich, Venice: the rise to Empire, London, Allen Lane, 1977; David Chambers, The Imperial Age of Venice (1380-1580), London, Thames and Hudson, 1970; Geo Pistarino, Genovesi d'Oriente, Genova, Civico Istituto Colombiano, 1990; e Georges Sehel, Les Genois en Mediterranée occidentale (fin X^e-début XIVe siècle): Ébauche d'une stratégie pour un empire, Amiens, Centre d'histoire des Sociétés, Université de Picardie, 1993.

[20] Não parece ser necessário, para meus objetivos neste capítulo, abordar a história desse sistema que os italianos definem como "comunal-signorile" ou mesmo a história individual das cidades medievais italianas, suas lutas intestinas, sua evolução política etc. Para os interessados no tema, é possível ter uma visão geral da bibliografia italiana por meio de alguns trabalhos introdutórios bastante úteis, que trazem, ainda, imensa bibliografia complementar: de Ludovico Gatto, ver L'Italia nel Medioevo: Gli italiani e le loro città, Roma, Newton Compton, 1995 e L'Italia dei comuni e delle signorie, Roma, Newton Compton, 1996.

[21] Dante Alighieri, La Divina Commedia: Inferno/Purgatorio/Paradiso. Roma, Newton Compton, 1993, p. 267, canto VI, 76-78. Para a tradução em português de Fábio Alberti, ver A divina comédia, São Paulo, Nova Cultural, 2003, pp. 168-9. Desnecessário ressaltar que o lamento de Dante tem relação com o contexto específico de sua época e não necessariamente com a defesa de um Estado italiano unificado nos termos modernos. Ver Andréa Doré, "Dante Alighieri e as relações internacionais", em Contexto Internacional, n. 19, v. 1, 1997.

[22] Dois textos clássicos que trabalham extensivamente com o conceito de "italiano" na Idade Média são Jacques Le Goff, "L'Italia fuori d'Italia: L'Italia nello specchio del Medioevo", em Ruggiero Romano e Corrado Vivanti, Storia d'Italia, v. 2 – Dalla caduta dell'Impero romano al secolo XVIII, pp. 1.933-2.089, e Fernand Braudel, "L'Italia fuori d'Italia; due secoli e tre Italie", em idem, pp. 2.090-2.248. Outro texto recente e também bastante útil é Donna Gabaccia, Italy's many diásporas: Elites, exiles and workers of the world, Seattle, University of Washington Press, 1999, cap. 1.

[23] A bibliografia sobre o Renascimento italiano é imensa. Uma obra recente de utilidade é Maria Haynes, The Italian Renaissance and its influence on Western Civilization, Lanham, University Press of América, 1991. Em português, ver Peter Burke, O Renascimento italiano: cultura e sociedade na Itália, São Paulo, Nova Alexandria, 1999, e o clássico de Jacob Burckhardt, A cultura do Renascimento na Itália: um ensaio, São Paulo, Companhia das Letras, 1991.

[24] Ver Paolo Malanima, La fine del primato: crisi e riconversione nell'Italia del seicento, Milão, Mondadori, 1998; Gino Luzzatto, A Economic History of Italy: from the fall of the Roman Empire to the beginnings of the sixteeenth century, New York, Barnes and Noble, 1961; Charles Verlden, "From the Mediterranean to the Atlantic: aspects of an economic shift (12th-18th Century)", em Journal of European Economic History, 1, 3, 1972; e Alan Smith, Creating a world economy: Mercant, Capital, Colonialism and World trade (1400-1825), Boulder, Westview Press, 1991. Um texto clássico é o de Fernand Braudel, "A model for the analysis of the decline of Italy", em Review of the Fernand Braudel Center, 2, 4, 1979.

[25] Um livro excepcional sobre história militar, que traz valiosas informações sobre a revolução militar da era moderna é John Keegan, Uma história da guerra, São Paulo, Companhia das Letras, 2002.

[26] Muitas informações sobre o enfraquecimento dos Estados italianos na época moderna podem ser encontradas em Paul Kennedy, Ascensão e queda das grandes potências: transformação econômica e conflito militar de 1500 a 2000, Rio de Janeiro, Campus, 1989, especialmente pp. 39-140.

[27] Para uma reconstrução factual, em português, das guerras na península itálica nos séculos XV e XVI, ver Paul Larivaille, A Itália no tempo de Maquiavel: Florença e Roma, São Paulo, Companhia das Letras, 1988.

[28] Nicolau Maquiavel, Discorsi sulla prima deca di Tito Livio, lib. 1, cap. XII, pp. 165-6, Milão, Feltrinelli, 1960, apud Paul Larivaille, A Itália no tempo de Maquiavel, São Paulo, Companhia das Letras, 1988, p. 11.

UM POVO EM BUSCA DE SUA IDENTIDADE NACIONAL

O PROBLEMA DO ESTADO-NAÇÃO NOS SÉCULOS XIX E XX

Uma das maiores dificuldades em se trabalhar com o passado é nossa tendência em colocar nossas perspectivas e ideias como naturais e eternas. Para uma pessoa educada que vive no século XXI, por exemplo, é inconcebível que as pessoas sejam escravizadas e trabalhem de graça em troca de comida ou que o Estado tenha outro fim que não bem comum. No entanto, essas são ideias modernas, que as pessoas de séculos atrás achariam completamente descabidas ou sem sentido. Podemos, sem dúvida, acreditar que nosso modo de pensar e viver é melhor ou superior, mas nunca esquecer que as pessoas do passado têm uma racionalidade própria, que devemos respeitar.

Seria difícil encontrar exemplo melhor dessa situação do que abordarmos os tópicos "nação", "nacionalidade" ou "Estado-nação". Estamos tão habituados a ver o mapa do mundo dividido em áreas coloridas, cada uma das quais representando um país, e a nos identificarmos primariamente como "brasileiros", "italianos" ou "australianos" que a simples hipótese de que não tenha sido sempre assim nos choca e nos deixa pouco confortáveis. Como seria possível viver sem pertencer a uma nação ou um país?

Na verdade, o que a maioria das pessoas pensa, e o que as Histórias oficiais tentam demonstrar, é que haveria certo padrão, quase natural, de nascimento e desenvolvimento de uma nacionalidade, e esse padrão ainda hoje está presente em vários manuais escolares.

Por esse padrão, a semente de uma nação estaria em um território habitado por pessoas que compartilhassem a mesma língua, cultura e história. Com o passar do tempo, elas veriam que tinham algo em comum e se autoidentificariam como membros de uma comunidade. Uma nação estaria então formada. Mas, para que essa nação pudesse efetivamente existir e se expressar enquanto tal, ela teria, de forma obrigatória, de se constituir em um Estado, formando o Estado-nação moderno. Tal Estado-nação, em um processo quase natural, exigiria de seus habitantes sua total lealdade, bem como que eles não se identificassem com nenhum outro grupo além do nacional. Seria o nacionalismo que daria sustentação ideológica e alimento ao Estado-nação. Um processo, pois, natural e lógico, que explicaria as nações modernas.

No entanto, historicamente, o processo nunca foi tão simples. De fato, o conceito moderno de Estado-nação emergiu em especial nos séculos XVIII e XIX, depois das grandes transformações e revoluções que deram origem ao mundo moderno e, desde então, definir o que é uma nação com cem por cento de clareza tem se revelado tarefa difícil, talvez impossível.[1]

Voltando no tempo, fica claro como, para as pessoas que viviam na Idade Média, por exemplo, o conceito de nação era bastante diferente do nosso. Elas se identificavam como nativas de suas aldeias ou, no máximo, regiões; como súditos de um dado rei ou como fiéis católicos ou cristãos. A ideia de que um mercador residente em Paris e um camponês da Gasconha deveriam se sentir irmãos apenas por terem nascido em território francês provavelmente teria feito ambos rirem.

Assim, na época medieval ou moderna, os Estados dinásticos dividiam entre si regiões que falavam a mesma língua, instalavam reis e imperadores alemães na Inglaterra ou na Rússia ou franceses na Espanha sem que isso causasse grandes comoções. Até pelo menos o início do século XIX, as manifestações específicas de alguns povos, como a música da Escócia, o jeito característico de falar da Andaluzia ou a literatura da Boêmia, eram consideradas curiosidades ou mero folclore, sem grandes implicações políticas, a não ser em casos isolados. Os Estados estavam contentes com a mera obediência de seus súditos e esses não tinham a intenção de dar nada além disso ao Estado, muito menos sua identificação exclusiva.

Foi no período da Revolução Francesa que surgiram novos conceitos de nação. Para boa parte dos revolucionários franceses, a palavra "nação" significava o corpo de cidadãos cuja soberania coletiva os constituía em Estado legítimo. Nação e Estado se fundiriam via participação popular e cidadania e não por vínculos étnicos ou de língua. Essa era a noção nacionalista predominante na primeira metade do século XIX, a qual embasou, por exemplo, a revolta dos colonos americanos contra a Inglaterra em 1776 e boa parte das revoltas nacionais contra os Estados dinásticos europeus no mesmo período.

A segunda metade do XIX, contudo, viu o amadurecimento de um novo conceito de nação, o qual já se esboçava, em especial na Alemanha, desde a época da Revolução Francesa e, com o tempo, derrotou o modelo anterior de nacionalismo e tornou-se predominante. Era um nacionalismo de base étnico-linguística, que identificava nação com homogeneidade étnica, linguística e cultural e se opunha aos conceitos de nação como cidadania e às outras maneiras de entender o nacional, como a dos liberais europeus, que tendiam a ver no nacionalismo uma forma de libertar os povos da opressão e de promover a paz mundial pela colaboração das nações.

Isso não significa dizer, claro, que alguns sentimentos de identificação baseados em língua ou cultura comum – que o historiador britânico Hobsbawm chama de protonacionais – não existissem antes. Basta recordar aqui os mitos da "mãe Rússia" ou da defesa do "Tirol sagrado" durante as guerras napoleônicas. No entanto, até o fim do século XIX, não eram elementos determinantes para definir uma nação, nem eram tomados isoladamente para definir identidades e fronteiras. A constituição de Estados e nações divididas ao meio por fronteiras linguísticas e religiosas, como a Bélgica ou a Suíça, é um indicativo disso.

De qualquer forma, o essencial é perceber que havia formas de identificação protonacionais que, em muitos casos, forneceram a matéria-prima para o nacionalismo moderno. No entanto, ao contrário do que considera o senso comum, não havia uma lei natural que indicasse que todo sentimento protonacional viraria nacionalismo e Estado-nação e, em alguns casos, foi o Estado que surgiu antes da nação, tendo de se esforçar, então, para, aproveitando ou não o protonacionalismo de antes, criar o Estado-nação moderno.

A formação desse Estado-nação moderno, que queria a lealdade de seus habitantes, exigia o máximo possível de homogeneidade e, procurar identificar uma nação com um Estado, é realmente algo novo, fruto das mudanças sociais e políticas do século XIX e, em especial, da crescente participação das massas na política e do aumento das funções e interesses dos Estados.

No decorrer do século XIX, o Estado passou realmente por intensas transformações. Sua estrutura burocrática foi aperfeiçoada e tornou-se capaz de atingir e controlar com muito mais êxito a vida da população sob seu controle. Os exércitos, antes formados de mercenários, também cresceram e começaram a ser constituídos por recrutas, o que criou novos problemas para o Estado, inseguro se podia confiar na lealdade da população.

A era da participação popular maciça na política, esboçada já no início do século XIX, mas realmente atingida, nos principais países ocidentais, apenas em sua segunda metade, ampliou esses desafios do Estado. Como garantir que as massas, agora dispondo de poder de voto e mais conscientes politicamente, seriam, na qualidade de votantes, pagadores de impostos e recrutas, leais ao poder constituído?

O nacionalismo teria sido a resposta (ou, ao menos, uma das respostas) encontrada para o problema; mas não qualquer nacionalismo, e sim aquele que proclama a lealdade absoluta da população de uma nação a seu Estado, que a personifica e, para cada nação, deveria haver um Estado. O nacionalismo surgiu, assim, em boa medida, "do alto", de Estados desejosos de conseguir a lealdade de suas populações, e usando os instrumentos adequados – escola, cultura, serviço militar – para homogeneizar a população em torno de uma língua, uma cultura e uma História. Mas ele também acabou, inclusive por se constituir em excelente instrumento de luta social e de canalização de reivindicações políticas, por inflamar a parte "debaixo" da sociedade, criando movimentos nacionalistas que alimentavam a luta em oposição à nacionalidade dominante e na busca de seu próprio Estado.

O nacionalismo tomou conta, portanto, da mentalidade europeia a partir da segunda metade do século XIX e, com o tempo, do mundo todo. Daí em diante, movimentos nacionalistas querendo seus Estados próprios, Estados desejosos de homogeneizar as suas populações via cultura, escola e Exército e competindo entre si e movimentos de esquerda e direita que se utilizam, em algum grau, do problema do nacionalismo são dominantes no cenário mundial. Se, para o homem do século XVIII, o nacionalismo não seria um grande problema, para o dos últimos duzentos anos ele se tornou questão essencial.

Com base nesse quadro histórico geral, fica mais simples compreender a situação italiana. Longe de representar algo singular no contexto europeu, a formação da Itália (ou, melhor dizendo, do Estado-nação italiano) se insere perfeitamente nesse contexto geral, como veremos a seguir.

A PENÍNSULA ITÁLICA NA ERA DAS REVOLUÇÕES, 1789-1848[2]

Com a Revolução Francesa, a partir de 1789, o quadro institucional europeu sofreu profundas alterações. A "velha ordem" foi, em boa medida, destruída pelos novos preceitos ideológicos, constitucionais e políticos e o Velho Continente sacudido por décadas de guerras e mudanças.

Os habitantes dos reinos italianos conheceram essa nova fase já em 1796-97, quando Napoleão Bonaparte levou seus exércitos para o norte da península. Com uma série de vitórias e a expulsão dos até então predominantes austríacos, os franceses criaram a República Cisalpina. Apoiado em reduzida classe de italianos patriotas pró-franceses, o novo Estado procurou seguir os preceitos e a estrutura da França republicana.

Posteriormente, à medida que suas vitórias militares se sucediam, Napoleão introduziu novas mudanças na cartografia italiana. As áreas mais próximas da França, como o Piemonte e Gênova, e algumas áreas estratégicas, como os Estados papais e a Toscana, foram simplesmente anexadas, sendo governadas diretamente de Paris. Estados satélites, como os de Nápoles e da Itália (ocupando, respectivamente, o grosso do sul e do norte da península) também foram criados. Em 1812, a Itália estava perfeitamente integrada ao sistema napoleônico, tanto que centenas de milhares de habitantes da península foram chamados às armas, com dezenas de milhares de napolitanos, toscanos e piemonteses participando até mesmo da invasão napoleônica da Rússia, integrados ao Exército francês.[3]

Mesmo com o colapso desse sistema e a tentativa de restauração da velha ordem, a partir de 1815, a Europa não seria mais a mesma. Pensando apenas no campo administrativo, as conquistas napoleônicas introduziram, por toda a Europa, alguns dos preceitos mais caros da Revolução, com investidas contra os privilégios feudais, da nobreza e do clero, princípios de organização e eficiência baseados no mérito e no serviço militar obrigatório, para citar apenas alguns. Mesmo com resistências populares a alguns desses princípios, sobretudo o serviço militar, e a derrota de Napoleão, o novo modelo de Estado tornou-se dominante na Europa.

Para todos os Estados europeus essas mudanças foram importantes e ajudaram a preparar o terreno para a semente nacionalista que viria depois. No caso da Itália, contudo, essas mudanças foram ainda mais fundamentais, já que ajudaram a quebrar as velhas tradições e estruturas, compensando em parte a falta de uma monarquia nacional.[4]

Além disso, os exércitos revolucionários, mesmo derrotados, espalharam pela Europa não apenas os ideais de "liberdade, igualdade e fraternidade", mas também os princípios de liberalismo, autogoverno e nacionalismo, este último identificado com o conceito de cidadania e luta contra a opressão dos pobres contra os ricos. A Itália não podia deixar de ser afetada por esse novo contexto.

AS REVOLTAS NACIONALISTAS DE 1848 NA EUROPA E A ITÁLIA

Na primeira metade do século XIX, a península itálica continuava, em boa medida, no mesmo quadro de fragmentação e divisão que a havia caracterizado nos séculos anteriores, o qual examinamos em detalhes no primeiro capítulo.

Em termos políticos, houve restauração e reformatação da situação pré-napoleônica. O sul da Itália foi reunido no Reino das Duas Sicílias, com um rei da família Bourbon, enquanto o papa recuperava seus antigos territórios, os quais compreendiam quatro províncias: Emília-Romanha, Roma, Marcas e Úmbria.

Já o Império austríaco conseguiu reafirmar sua posição dominante no norte e no centro da península. O Vêneto e a Lombardia foram anexados ao Império, enquanto vários pequenos ducados da Itália central (Parma, Lucca, Módena, Toscana) foram entregues a nobres da casa real Habsburgo. A frase zombeteira do chanceler austríaco Klemens von Metternich naqueles anos – "a Itália é apenas uma expressão geográfica" – estava bem próxima da verdade.

Não era possível, contudo, fazer o relógio da história andar para trás e o sentimento de revolta contra a opressão era corrente na península naqueles anos, com o nacionalismo sendo associado a essa luta. Poetas e escritores discorriam sobre a unidade italiana, produzindo livros, ainda que sob perspectivas muito diversas (católicas, pró-Piemonte etc.), sobre a história do povo italiano, como Carlo Troya (1784-1858), Vincenzo Gioberti (1801-1852) e Cesare Balbo (1789-1853). Também surgiram, nesses anos, publicações como *Archivio Storico Italiano* (1842), destinadas a compor uma História nacional, e associações como a *Società Nazionale Italiana*, de Giorgio Pallavicino (1857), que procuravam articular os que lutavam pela unidade italiana.

Ao mesmo tempo, sociedades secretas também foram criadas para discutir a opressão e a unidade da Itália. A mais famosa delas foi a dos *carbonari*, assim chamada, segundo algumas versões, porque seus membros se disfarçavam, às vezes, de carvoeiros. Ela foi criada por Filippo Buonarrotti, já no final do século XVIII, para combater os Bourbon no sul e defendia a República e a união da Itália contra o despotismo e a reação. Chegou a ter milhares de membros dentro e fora da península e floresceu entre 1785 e 1835.[5]

Revoltas populares também aconteceram em várias partes da Itália e, em algumas delas, seu motor era o sentimento nacionalista. A revolta de 1848 em Milão foi especialmente importante, ainda que sufocada pelos exércitos austríacos.

As revoltas de 1848,[6] que se espalharam por boa parte da Europa e, em especial, pela França, Áustria e Itália, são em particular interessantes, uma vez que são símbolos de um nacionalismo relacionado ao conceito de cidadania, típico da primeira metade do século XIX. No caso italiano, seus mentores foram essencialmente as novas classes sociais emergentes, como burgueses, intelectuais e profissionais liberais, mas também trabalhadores pobres.

Eles lutavam por valores já presentes no Iluminismo italiano do século XVIII e potencializados pela agitação social e política do período da Revolução Francesa e de Napoleão, como uma Itália livre e independente, a democracia, uma constituição e autorrepresentação e governo. Os inimigos não eram tanto os nacionais austríacos (inexistentes, na verdade, naquele Império multinacional), mas o ultraconservadorismo dos Habsburgo, a falta de liberdade política e cultural e o autoritarismo.

O Império era malvisto, assim, não apenas por um problema nacional, mas porque, ao estrangeiro, eram associadas todas as forças do atraso que, pelo pensamento da época, impediriam a liberdade e o progresso na península. Os milaneses e outros italianos liam as *Memorie*, do conde Federico Confalonieri, ou *Le mie prigioni*, do poeta Silvio

Pellico, e se indignavam com o tratamento que haviam recebido nas prisões austríacas, indicativo da obscuridade do Império.

A explosão ocorreu já no primeiro dia de 1848, quando se proclamou um boicote dos cigarros austríacos. Logo, a Lombardia e o Vêneto se revoltaram contra os austríacos e tropas piemontesas seguiram em seu auxílio. Após muitas idas e vindas no campo de batalha, contudo, as tropas imperiais derrotaram os piemonteses em Custozza, em julho de 1848, e foram capazes de restaurar a ordem nas províncias rebeladas.

Assustados com a derrota, os moderados piemonteses recuaram e a liderança do movimento de libertação nacional passou a correntes mais radicais, que tomaram o poder em vários Estados italianos e proclamaram uma República romana no início de 1849. Não eram, contudo, uma ameaça militar às forças conservadoras, que os derrotaram e restabeleceram o *status quo* anterior.

A revolta de 1848 representa, assim, a manifestação, em território italiano, de um nacionalismo típico da primeira metade do século XIX europeu, ou seja, aquele que associava a luta pela nacionalidade com a defesa da democracia e de direitos sociais e políticos, em território italiano. A derrota do movimento, por sua vez, é um sinal do enfraquecimento dessa maneira de ver o nacionalismo e o lento crescimento de outras. No caso italiano, essa transição se manifestou quando o único Estado realmente independente da península pós 1815, ou seja, o da Sardenha-Piemonte (que englobava os atuais Piemonte, Ligúria e Sardenha), resolveu unificar a Itália ao seu redor, absorvendo o restante da península via conquista militar e negociação diplomática, não levantes populares.

O *RISORGIMENTO* E A FUNDAÇÃO DO ESTADO ITALIANO[7]

No processo de criação de um Estado independente italiano (o que é chamado, em italiano, de *risorgimento*, ou seja, ressurgimento), as motivações dos estadistas piemonteses e dos que os apoiavam eram mais ideológicas e culturais do que econômicas. Afinal, a economia do Estado piemontês estava muito mais voltada à França e aos países germânicos do que ao restante da península, e a própria economia dos outros Estados italianos, em especial os do sul, era fraca demais para estimular a cobiça da burguesia piemontesa por um Estado unificado. Em compensação, a ideia de que a Itália devia ser unificada em torno de um Estado único, liberal e moderno era muito forte em boa parte das elites italianas e cresceu de modo acentuado no decorrer do século XIX. Não havia unanimidade, contudo, na definição de como deveria ser esta Itália.

Mapa da Itália no período pré-unificação.

Uma análise de três dos mais importantes personagens do processo de unificação da Itália nos permite compreender com mais clareza os diversos nacionalismos que estavam em disputa e a luta que se estabeleceu entre eles para definir quais seriam os contornos do novo Estado e da nova nacionalidade que se pretendia criar.

Giuseppe Mazzini (1805-1872) foi um dos grandes defensores da ideia de uma Itália unificada e republicana. Ele foi o fundador do grupo *Giovane Italia* (Jovem Itália) e participou ativamente nas lutas pela unificação italiana no século XIX, ainda que, na maioria das vezes, suas ações tenham tido poucos resultados práticos. Mazzini estava determinado a expulsar os austríacos e unificar a Itália, mas era moderado em termos sociais, defendendo a propriedade privada e detestando o socialismo. Ele tinha também uma visão internacional da problemática nacionalista, desejando que os patriotas de todos os países se levantassem contra o jugo da tirania e do despotismo. Uma visão nacionalista claramente defensiva, portanto, que não imaginava usar o sentimento nacional para, por exemplo, conquistar e explorar outros povos.[8]

Camilo Benso, conde de Cavour (1810-1861), representa outra vertente, que identificava o nacionalismo com o liberalismo e o progresso. Cavour era um nobre e homem de negócios piemontês que, por quase toda a década de 1850, graças ao apoio da casa de Savoia, soberana do país, esteve na direção do governo do Reino do Piemonte. Defensor de princípios liberais e moderados, modernizou a economia e a sociedade, dando-lhe uma Constituição e promovendo valores burgueses. Sua grande meta era unificar a Itália em torno da família Savoia, tornando o novo reino um prolongamento do Piemonte. Atraiu para sua órbita os que pensavam como ele em toda a Itália, ampliando as forças do movimento de independência italiano.

Cavour via com desconfiança a participação popular nesse processo (tendo avaliado negativamente a insurreição de Milão de 1848) e considerava que a construção da Itália seria, acima de tudo, uma obra de estadistas e militares. Para tanto, aproximou o Reino sardo-piemontês da França e da Inglaterra e se aliou a Napoleão III, imperador da França, para conquistar a Lombardia em 1859.

Em 1860, outros territórios foram incorporados, em um processo iniciado pela Guerra de 1859 e pelo qual os liberais dos vários ducados e reinos centro-setentrionais tomaram o poder, expulsaram seus soberanos e proclamaram a união com o Piemonte e sua submissão ao rei Vittorio Emmanuele II. Para alguns dos liberais, os novos limites do reino já eram suficientes, sendo que poucos desejavam a incorporação do sul da península.

Aqui entraram em cena Giuseppe Garibaldi (1807-1882) e as forças daquele outro nacionalismo já mencionado. Oriundo da camada mais baixa da sociedade (quando jovem havia sido marinheiro) e mobilizando pessoas originadas de vários extratos da

Giuseppe Garibaldi, participou das lutas pela independência na Itália. Defendeu suas ideias até mesmo no Brasil, durante a Revolução Farroupilha.

sociedade, incluindo as classes populares, Garibaldi compartilhava ao menos de algumas das ideias patrióticas de Mazzini e defendia o regime republicano ou, no mínimo, que fosse o povo a escolher a forma de governo da nova Itália.

Garibaldi, nascido em Nice, atual França, já havia lutado em defesa de suas ideias nos mais diferentes locais, como o Uruguai, o Brasil (onde foi adepto da Revolução Farroupilha do Rio Grande do Sul) e outros países. Retornando à Itália em 1848, participou ativamente das lutas pela independência, incluindo a efêmera tentativa de criação de uma República romana em 1849. Ainda que cheio de contradições em seu pensamento, era um típico representante daquele nacionalismo que articulava a nação com as reivindicações populares e acreditava que o *Mezzogiorno* (o sul da Itália) deveria fazer parte da nova nação.[9]

Garibaldi resolveu lançar uma política de fato consumado para obrigar o Piemonte a anexar o sul e, em maio de 1860, uma expedição por ele organizada na Ligúria desembarcou na Sicília e, em poucos meses, com apoio popular, liberou do domínio dos Bourbon toda a Itália meridional, com exceção de Roma.

Como representante da elite liberal, Cavour não via com bons olhos a ação de Garibaldi e de seu Exército nem as ideias que eles expressavam. Ele conseguiu, com o tempo, anular as manobras de Garibaldi e, apesar de ser quase obrigado a incorporar a Itália central e do sul ao novo reino, a busca de maior participação popular e democracia dos garibaldinos foi praticamente anulada.[10] Uma versão do que deveria ser o Estado-nação italiano havia triunfado sobre as outras.[11]

Trechos do território que hoje é italiano ainda demorariam para ser incorporados à Itália, como o Vêneto (anexado pela Itália, que se aproveitou dos problemas austríacos com a Prússia, em 1866), Roma (incorporada em 1870) e o Trento e a Venezia-Giulia, só ocupados em 1918. Em essência, contudo, o Estado italiano estava, ao menos formalmente, constituído em 1860 (tendo sido proclamado oficialmente em 1861). Restava agora a construção efetiva do novo Estado e, o que era ainda mais difícil, de uma nacionalidade.

AS DIFICULDADES PARA A CRIAÇÃO DE UMA NACIONALIDADE ITALIANA

Criar um novo Estado não foi tarefa fácil. A estrutura administrativa do Piemonte forneceu a estrutura básica (além, é claro, de seu rei) e oficiais e administradores piemonteses formaram a base do novo Exército e da nova estrutura estatal, incorporando os remanescentes dos antigos Estados. Uma burocracia unificada, um único corpo de leis e impostos e um Exército nacional foram sendo lentamente consolidados, formando o Estado italiano.[12] Foram necessárias décadas, na verdade, para que o Estado conseguisse impor as suas normas e regras à população pobre, em geral com o uso da coerção e da repressão, mas, depois de 1860, ninguém poderia duvidar da existência de um Estado italiano. Isso não poderia ser dito, contudo, dos italianos, aqui definidos como um povo com características próprias e homogêneas.

Como escreveu o pesquisador italiano Giulio Bollati,[13] definir objetivamente o caráter nacional de um país é impossível, mas é exequível apreender o que se pretende que ele é. Assim, examinar os objetivos dos "engenheiros da italianidade" para o novo país e para os novos habitantes desse país já representa um bom exercício para pensar o que as classes dirigentes do novo Estado imaginavam que seriam "os italianos".

Esses homens, aqueles poucos nacionalistas, em geral pertencentes à classe média urbana e intelectual,[14] que construíram mental, e depois institucionalmente, a nova Itália, tiveram de lidar realmente com um grande desafio. Um grande passo havia sido dado em 1860 e a Itália agora não era apenas mais uma expressão geográfica ou cultural, mas uma coletividade com personalidade política autônoma. Mas haveria uma Itália real, um país unido e integrado? Parece provável que não.

Além da divisão sul – norte, que já se delineava, e da exclusão política (que negava os direitos da cidadania à maioria da população), a serem abordados em detalhes em momento posterior, havia forte divisão cultural entre os mundos rural e urbano, com os camponeses ignorados e desprezados pela elite urbana culturalmente evoluída. Parte dessa elite, aliás, chegava a se questionar se as diferenças de classe entre os italianos podiam mesmo ser superadas em uma nação unida.[15]

A Itália, além disso, nunca teve, como vimos no capítulo anterior, aqueles elementos – um rei, uma monarquia forte – que permitiram a vários outros países da Europa Ocidental, como a França e a Inglaterra, integrar desde cedo seu território e unificarem, ao menos formalmente, as várias regiões, etnias e classes sociais, impondo a todos o respeito às mesmas leis e o pagamento de impostos. Apesar de, como visto, terem acontecido avanços quando da Revolução Francesa, a situação italiana era muito diferente da inglesa ou da francesa, impondo dificuldades e acentuada fragmentação, que dificultava a construção de um moderno Estado-nação.

Nesse ponto, aliás, a situação italiana se aproximava da alemã, na qual os movimentos nacionalistas tiveram de formar um Estado para então construir a nacionalidade, ao contrário dos outros países da Europa Ocidental, onde o Estado, ainda que na forma monárquica, já existia antes da era do nacionalismo.[16]

No século XIX, assim, os caracteres fundamentais da sociedade italiana eram a separação entre as várias regiões, a cidade e o campo e as elites e o povo. Algo comum em toda a Europa naquele momento, mas ainda mais no caso italiano.

Um povo em busca de sua identidade nacional | 55

Habitantes de Trieste aguardam a chegada
dos soldados italianos à cidade, 3/11/1918.

Em tal contexto, uma identidade nacional italiana podia ser encontrada apenas nas elites urbanas e educadas. Essas falavam italiano e se reconheciam como parte integrante de uma civilização e de uma cultura únicas. Mesmo entre elas havia desconfianças com relação ao novo Estado que surgia, mas havia elementos suficientes para integrar essas pessoas em uma comunidade, imaginária que fosse.[17]

O problema é que, para a esmagadora maioria da população, que vivia no campo, esses conceitos abstratos de "civilização italiana" pouco significavam. Os camponeses e outros extratos inferiores da sociedade não apenas haviam participado relativamente pouco das lutas pela unificação do país, como não se sentiam italianos, mas toscanos, vênetos ou sicilianos. Sua consciência de grupo não ia muito além dos limites restritos do território em que viviam, o que punha obstáculos à ideia de uma consciência nacional única, em especial na nova versão de nacionalismo que triunfava no final do século XIX e que demandava unidade linguística e cultural.

Os dados linguísticos comprovam essa situação. Quando da unificação, não mais que 2,5% dos habitantes do novo reino falavam italiano, quase todos membros da elite, e mesmo muitos desses só o usavam em certas ocasiões e não no dia a dia. Todos os outros falavam dialeto – napolitano, vêneto, piemontês e outros – e tão incompreensíveis entre si que alguns professores piemonteses, enviados a escolas da Sicília em fins do século XIX, foram tomados por ingleses pela população local.[18]

Em 1860, segundo algumas fontes, os camponeses sicilianos que viram o Exército de Garibaldi invadir a ilha aos gritos de "Viva Garibaldi! Viva a Itália!" teriam imaginado que Itália seria sua esposa, tão abstrato era, para eles, o conceito de "Itália".[19] Uma lenda, talvez, mas indicativa da situação: mais do que uma Itália, nesse século XIX, é mais correto falar em várias Itálias, conforme as regiões e os grupos sociais que as constituíam.[20]

Mesmo no mundo da emigração italiana, essa situação se repetia. Sem querer entrar em detalhes, apresentados com mais vagar no próximo capítulo, é importante adiantar que os emigrantes italianos não se viam, muitas vezes, como compatriotas, mas como vênetos, calabreses, lombardos ou sicilianos, com grandes dificuldades de comunicação e um sem-número de preconceitos e barreiras linguísticas e culturais entre eles.

Compreende-se, assim, a famosa frase do piemontês Massimo d'Azeglio (1792-1866), segundo o qual "Fizemos a Itália; agora precisamos fazer os italianos". Foi a essa tarefa a que o Estado italiano se lançou nos anos seguintes, procurando criar uma nação onde não havia uma. Uma língua, uma cultura e uma história comum tinham de ser recuperadas e/ou criadas do zero, dentro dos novos padrões de "nação" do final do século XIX, para que a nação italiana pudesse existir.

O ESTADO ITALIANO E A CRIAÇÃO DE UMA IDENTIDADE NACIONAL, 1860-1918

Para "criar os italianos" que faltavam à nação, o Estado se aproveitou de alguns elementos protonacionais de identificação que já existiam antes, em especial nas elites, e permitiam, como vimos no capítulo "Os italianos antes da Itália", que os italianos, apesar de tudo, se vissem como um povo à parte diante dos outros. Dessa forma, a língua, a cultura e a literatura foram o "cimento" utilizado para fazer dos italianos uma nação.

Contudo, para que esse cimento deixasse de ser apenas uma fina camada e realmente sustentasse o novo Estado-nação que surgia, ele teve de ser reforçado e, para tanto, como aconteceu em outros países europeus, a escola primária, o Exército e a História foram fundamentais.

Era na escola e no Exército, realmente, que a consciência da nacionalidade transmitiu-se aos homens pobres de toda a nação, formando não bávaros e saxões ou bretões e gascões, mas verdadeiros alemães ou franceses. Claro que a difusão da escola primária e do serviço militar obrigatório não ocorreram instrumentalmente, apenas para criar o sentimento nacional de que os novos Estados-nação tinham necessidade. Não obstante, eles foram chave nesse processo, em especial no período anterior a 1914.

De fato, para os novos Estados-nação que se formavam, as escolas eram de importância crucial, pois apenas por meio delas é que a "língua nacional" podia se transformar na língua escrita e falada pela maioria da população. Dialetos podiam até permanecer e ser usados em casa, mas a "língua nacional" devia ser a única oficial e claramente superior às outras. Do mesmo modo, apenas depois da difusão dessa língua única por todas as camadas da sociedade é que os meios de comunicação de massa, como a imprensa, podiam se desenvolver, reforçando ainda mais o sentimento nacional.

Todos os países da Europa passaram, nesse contexto, por um desenvolvimento escolar intenso. Entre 1840 e 1880, a população europeia cresceu 33%, mas o número de crianças na escola aumentou 145%. Mesmo na Prússia, já bem coberta por uma rede escolar, o crescimento do número de escolas primárias entre 1843 e 1871 foi de mais de 50%.[21]

A Itália foi um dos países europeus cuja população escolar aumentou de forma mais acentuada no período. Em boa medida, esse crescimento maciço é estatisticamente explicável pelo atraso com que a Itália se lançou no processo, mas também pelo esforço do Estado. Na Itália, o índice de analfabetismo caiu acentuadamente entre os séculos XIX e XX, ainda que de forma lenta. De 80% da população em 1860, caiu para 74% em 1871 e 38% em 1914. Um índice ainda alto para os padrões europeus, mas que indicava o crescimento da cobertura escolar e, portanto, da força nacionalizadora da escola entre os jovens italianos.[22] Isso também pode ser dito sobre o serviço militar, que não absorvia todos os jovens em idade militar e não convertia a todos em "italianos" por si só, mas que, com certeza, apoiava esse processo.[23]

Outra coisa que teve de ser feita foi a construção de uma memória histórica especial, que valorizava a existência eterna de uma Itália. Afinal, por que deveria existir uma Itália e não uma Áustria que englobasse o vale do Pó, uma Sicília incorporada à Espanha e uma França cujas fronteiras chegassem a Milão? E por que não poderia haver uma Toscana ou um Lácio independentes? A justificação pela História, nesse contexto, era algo imperativo.

Todas as nações europeias, na verdade, se defrontaram com esse problema. Mas o da Itália era ainda mais grave, pois Espanha, Rússia ou França tinham uma longa história como Estados unificados que justificava sua existência, o que não era o caso da Itália, que nunca havia sido uma entidade política independente. Foi necessário enfrentar esse problema com a concepção de que existiria, desde sempre, uma nação italiana, sufocada, mas viva desde tempo imemoriais. Isso explica, inclusive, o próprio termo escolhido para designar o processo de unificação da Itália – *Risorgimento*.

Toda uma nova arquitetura também surgiu para reforçar a nova História. Estátuas dos reis e das grandes figuras italianas, como Dante, foram espalhadas por todo o país e festas e comemorações patrióticas foram instituídas. Em Roma, até hoje, existe o Monumento a Vittorio Emmanuele II, inaugurado em 1911 para homenagear os ideais e as lutas da unidade italiana. É uma construção imensa, de mármore branco, encimada por uma estátua equestre do primeiro rei italiano, o qual deveria, em teoria, simbolizar a união dos italianos e a força da nação. Muitos romanos de hoje, além de se queixarem da feiura do monumento, dizem que sua grandiosidade é inversamente proporcional à união dos italianos, em especial quando foi construído.[24]

A própria memória dos "pais fundadores" se prestou, e se presta, a esse serviço. Até hoje, em quase todas as cidades da Itália, há, por exemplo, monumentos em homenagem a Giuseppe Garibaldi, e placas indicando locais onde ele dormiu ou comeu são comuns em toda a península.[25] Sua imagem heroica também fez dele uma figura de forte apelo emocional, com o qual todas as forças políticas italianas, desde os fascistas até os comunistas, procuraram se identificar.

Também o próprio processo de unificação teve de ser reescrito e repensado para atender às novas necessidades do recém-criado Estado. A ideia de intensa participação popular nas guerras de unificação foi criada, apesar de não corresponder à realidade. Também os "pais fundadores" da Itália – Mazzini, Garibaldi, Cavour e Vittorio Emmanuele – foram colocados como irmanados, lutando lado a lado pela Itália, quando, na verdade, seus projetos de "Itália", apesar de não completamente incompatíveis, não eram os mesmos.

Monumento a Vittorio Emmanuele II, símbolo do nacionalismo italiano.

Realmente, a identificação do nacionalismo de Garibaldi e de Mazzini com o nacionalismo etnolinguístico que predominou na Itália pós-unificação não é tão cristalina como se tentou demonstrar. Tanto que, nos locais onde o nacionalismo mazziniano sobreviveu, os choques com os representantes da Itália e do seu nacionalismo foram intensos entre fins do século XIX e a primeira metade do XX.

Em geral, a cultura nacionalista garibaldina e mazziniana, permeada pelo republicanismo e anticlericalismo, sobreviveu apenas em algumas das coletividades italianas espalhadas pelo mundo e, em particular, naquelas dos países platinos (Argentina e Uruguai) e do norte da África.[26] Mesmo enfraquecido com a derrota de seu projeto na própria Itália, o nacionalismo italiano mazziniano e garibaldino sobreviveu por anos e se chocou com o novo nacionalismo que emergia na Itália, e na Europa, no final do XIX, o que comprova que a situação era bem mais complicada do que uma primeira abordagem poderia indicar.

A versão de nacionalismo que triunfou na Itália, portanto, foi bastante diversa daquela defendida por Mazzini e Garibaldi. A visão vencedora, efetivamente, foi aquela que proclamava a necessidade de uniformidade linguística, de total fidelidade ao Estado pelos cidadãos e de busca da vitalidade e do fortalecimento nacionais.

Mesmo com limites, não resta dúvida de que todo o esforço escolar, cívico e cultural[27] do Estado em direção a esses objetivos produziu alguns resultados e, quando o monumento a Vittorio Emmanuele II foi inaugurado em Roma, em 1911, e os soldados italianos seguiram para as trincheiras da Primeira Guerra Mundial, em 1915, a "nacionalidade italiana" estava mais saudável do que no momento da unificação.

No entanto, essa vitalidade ainda estava muito além do necessário para os que proclamavam o novo nacionalismo, imperialista, que lentamente tomava conta da Europa na virada dos séculos XIX e XX. Rompendo ainda mais com os valores do nacionalismo de Mazzini ou Garibaldi, esses novos nacionalistas, agrupados na *Associazione Nazionalista Italiana*, concordavam com a busca da uniformidade e defesa da nacionalidade realizada pelos governos liberais. Não obstante, proclamavam que tais objetivos tinham de ser buscados ainda com mais vigor e por outros métodos, nos quais se incluíam o governo forte, não democrático, e uma política deliberadamente imperialista, de conquista de outros povos.

A *Associazione Nazionalista Italiana* surgiu em 1910, sob a liderança de Enrico Corradini, um jovem intelectual. Os nacionalistas proclamavam a necessidade de a Itália participar da corrida colonial e, em especial, de articular essa expansão imperial com uma profunda "reforma interior" dos italianos. A democracia, o socialismo e todo o tipo de divisão deveriam ser eliminados em favor de uma nação italiana completamente unificada e coesa. Não espanta que os nacionalistas tenham defendido a participação da Itália na Primeira Guerra Mundial, com a esperança de que o tão sonhado "banho de sangue" ajudasse a forjar os "italianos" viris e unidos que eles desejavam.[28]

Em resumo, no meio século entre a unificação da Itália e a Primeira Guerra Mundial, os esforços do Estado e das elites italianas para romper as divisões linguísticas, regionais e culturais que impediam os diferentes povos da Itália de se sentirem realmente italianos foram intensos e, até certo ponto, bem-sucedidos. Se Massimo d'Azeglio, morto em 1866, tivesse ressuscitado em 1915, provavelmente ficaria encantado com o aumento da consciência nacional entre os italianos, o crescente predomínio da língua italiana sobre os dialetos e a formação de uma economia nacional unificada.

Isso teve reflexos inclusive nas "outras Itálias" criadas ao redor do mundo pelos emigrantes. É quase consenso entre os historiadores da imigração italiana que o campanilismo ou identidade local (aldeia/província) e o regionalismo ou identidade regional (regiões) que caracterizavam os imigrantes italianos em fins do século XIX e início do XX estavam sendo gradativamente substituídos, nas primeiras décadas do século XX, por uma identidade italiana, o que, em boa medida, deve ser atribuído justamente à força do nacionalismo que emanava da Itália e atingia as coletividades italianas do exterior.

No caso do Brasil, por exemplo, fica evidente que as identidades regionais não foram obliteradas por completo pela identidade italiana, mas é visível como, nas primeiras décadas do século XX, as comemorações e as festas nacionais italianas começaram a atrair cada vez mais público, enquanto as elites italianas locais (e, em menor escala, o governo italiano) lançavam-se ao trabalho para construir uma unidade cultural e linguística entre os italianos da colônia.

As transformações do importante jornal *Fanfulla* (que caminhou cada vez mais para posições nacionalistas com o decorrer do tempo),[29] a criação de associações como o *Circolo Italiano* e do *Istituto Medio Dante Alighieri* e a fundação do clube de futebol *Palestra Italia* (este de caráter fortemente popular, o atual Palmeiras) em 1914 como instrumento para a criação de uma identidade italiana em São Paulo via futebol[30] podem comprovar essa situação. O frenesi nacionalista na coletividade durante a Primeira Guerra Mundial é outro elemento nesse sentido.[31] Exemplos de outras colônias italianas ao redor do mundo também estão disponíveis,[32] indicando como o ideal nacionalista italiano crescia dentro e fora da Itália.

No entanto, em comparação com os ideais de Estado-nação e de nacionalismo daquele momento, o cenário não era tão otimista e as divisões regionais, culturais e de classe ainda eram imensas. Um problema que o fascismo, a partir de 1922, teve de gerir.

O Palestra Itália, São Paulo, 1916. A criação da nacionalidade italiana pelo futebol.

O FASCISMO E A BUSCA DA UNIDADE E DA UNIFORMIDADE NACIONAL

Conforme veremos em detalhes no capítulo "Uma maneira própria de fazer política?", o fascismo não é sinônimo de nacionalismo. No entanto, é evidente que o regime fascista tinha, entre seus objetivos, a intenção de organizar as massas em um sentido nacionalista e criar, de uma vez, a Itália e os italianos. Diferenças de classe, culturais, regionais e outras seriam eliminadas definitivamente em favor de uma Itália unida, da qual o fascismo seria a expressão.

Assim, o fascismo se autodefiniu como o cimento que iria, definitivamente, reunir os italianos em torno da Itália. O regime também trabalhou de modo obsessivo para criar identificações automáticas dos termos "Itália" e "italianidade" com os termos "fascismo" e "ideologia fascista".[33] Instalados no exterior, os italianos antifascistas lutaram contra esse tipo de discurso,[34] e parece óbvio que ele nunca teve sucesso absoluto. Mas, por alguns anos, pareceu realmente que a construção fascista tinha sido bem-sucedida, assim como que a nacionalidade italiana estava, então, mais consolidada do que nunca.

Os pilares dessa política eram a repressão e a cultura. No campo da repressão, o regime eliminou os partidos políticos, as sociedades secretas, como a maçonaria, as associações de caráter regional e todos os outros grupos que poderiam significar uma divisão do país. Como veremos em detalhes no capítulo "Uma maneira própria de fazer política?", fica claro que o fascismo tinha o objetivo de unificar o país, mas existiam também outras intenções. O reforço ainda maior do nacionalismo no currículo escolar[35] e a repressão aos grupos autonomistas nas regiões do Alto Ádige e da Ístria, atribuídas à Itália pós-1918 e onde predominavam, respectivamente, as etnias alemã e eslava, também se encaixam nesse contexto.[36]

Ao mesmo tempo, todo um trabalho foi feito procurando fundir a cultura italiana de elite com as manifestações culturais populares e a ideologia fascista, gerando uma cultura "italiana" única, em que Dante e Mussolini seriam equivalentes. Os resultados não foram os esperados, mas algo foi obtido, graças à utilização maciça de modernos meios de comunicação de massa, como o cinema e o rádio.[37]

De forma coerente com os princípios já citados dos nacionalistas, também a guerra e a agressividade internacional foram vistas, pelo fascismo, como uma forma de mudar instituições e valores nacionais, além de fazer uma revolução interna em sentido nacionalista.[38] É evidente que o fascismo não se lançou em aventuras externas unicamente com o objetivo de consolidar uma identidade nacional fraca, mas esse objetivo estava, até certo ponto, presente e foi atingido em alguns momentos. A Guerra da Etiópia entre 1935-1936 foi especialmente importante, gerando uma onda de nacionalismo italiano, dentro e fora da Itália.

O regime também usou maciça propaganda para garantir seus objetivos de uniformidade e nacionalismo. No que se refere especificadamente ao problema nacional, foi atribuída grande importância ao esporte e, em particular, àquele tipicamente de massa, ou seja, o futebol. Para tanto, introduziu-se, em 1934, a transmissão das partidas internacionais via rádio. Nesse ano, e também em 1938, a Itália sagrou-se campeã do mundo, o que foi aproveitado pelo fascismo para proclamar a união e a unidade dos italianos.

A esse respeito, cumpre ressaltar a precocidade do fascismo em identificar o enorme potencial do futebol como agente capaz de estimular sentimentos nacionalistas. Nos dias de hoje, a identificação do futebol e do esporte com sentimentos nacionalistas é um dado quase evidente para qualquer um que acompanhar as transmissões da Copa do Mundo ou das Olimpíadas, e não espanta, inclusive, que seleções nacionais de futebol e grupos de extrema direita ou ultranacionalistas estejam associados em vários países do mundo. Na década de 1930, contudo, tal identificação não era tão evidente e o fascismo foi perspicaz ao compreendê-la.

Também é interessante recordar que o pensamento nacionalista italiano já havia trabalhado o futebol, antes do fascismo, como um dos cimentos da nacionalidade, inclusive fora da Itália, como demonstra a experiência, já mencionada, do *Palestra Itália*, atual Palmeiras, em São Paulo. O poder do esporte e do futebol como agente da nacionalidade já tinha sido identificado, pois, antes do fascismo e não apenas na Itália,[39] no entanto o fascismo foi especialmente hábil em sua utilização.

Aproveitando-se dos poderes de um Estado autoritário, Mussolini também trabalhou o problema da língua de forma muito mais efetiva que os governos anteriores. Proibir o uso dos dialetos em casa seria impossível, mas ele interveio para dificultar seu uso público, obrigando as pessoas a falarem, em escolas, quartéis e repartições públicas, o italiano, o que se constituía em um claro esforço para integrar um Estado e uma nação ainda fragmentados. Além disso, seu governo proibiu palavras estrangeiras que pudessem contaminar a "pureza" da língua italiana, incentivando a criação de alternativas locais. Foi quando *football* virou *calcio* e *handball* se transformou em *pallamano*.[40]

Outros mecanismos também foram empregados para promover a nacionalidade italiana e a uniformidade. A pesquisa arqueológica da época romana, por exemplo, foi incentivada, mas desde que chegasse à conclusão adequada, ou seja, a de uma continuidade entre os romanos e os italianos, o que reforçava a ideia da grandeza imperial italiana e a existência de uma Itália eterna.[41] Também as obras arquitetônicas construídas a partir de então visavam a esse fim de dar profundidade histórica à nação italiana e ao fascismo.[42]

Portanto, ao identificar a Itália com o regime e promover essa identificação incessantemente por meio da cultura de massa, da propaganda e da repressão aos dissidentes, o fascismo imaginou ter resolvido os problemas da identidade e da união dos italianos, assim como o da incorporação das massas ao Estado nacional italiano.[43]

A Segunda Guerra Mundial e a guerra civil entre fascistas e *partigiani* de esquerda, que dividiu a Itália e os italianos ao meio, mostrou como essa uniformidade era ilusória e, a partir desse período, quaisquer pretensões de criar uma identidade "italiana" com base em ideologias políticas foram abandonadas. Do mesmo modo, as possibilidades de eliminar e reprimir os regionalismos e outras "ameaças" à nacionalidade italiana e/ou de reforçar essa identidade mediante aventuras externas desapareceram com a derrota italiana na Segunda Guerra Mundial. Outra maneira de lidar com o problema teve de ser encontrada.

A REPÚBLICA ITALIANA E AS REGIÕES

A solução adotada pelo novo governo republicano italiano para resolver o problema do regionalismo foi a concessão de amplas autonomias regionais. O território italiano foi dividido entre milhares de municípios e pequenas cidades e 95 províncias. Estas, por sua vez, foram agrupadas em vinte regiões: Piemonte, Vale d'Aosta, Lombardia, Trentino-Alto Ádige, Vêneto, Friuli-Venezia Giulia, Ligúria, Emília-Romanha, Toscana, Úmbria, Marcas, Lácio, Abbruzzi, Molise, Campânia, Puglia, Basilicata, Calábria, Sicília e Sardenha.[44]

As regiões são entidades territoriais autônomas, que gozam de autonomia jurídica própria. Cada região tem poderes para legislar sobre um número específico de matérias e autonomia financeira, desde que não contrastem com as leis da República. Elas podem, inclusive, apoiar iniciativas de defesa das culturas e dialetos regionais, o que era proibido pelo fascismo.

Foi criado, assim, um sistema de poderes relativamente descentralizado, mas em que a presença do Estado central é visível. De Roma, o Estado controla a essência dos recursos e dos poderes e mantém comissários nas regiões e nas províncias para acompanhar e aprovar, ou não, seus atos. Assim, a Itália republicana criou um federalismo fraco, diferente do centralismo francês, por exemplo, mas bem longe de um verdadeiro federalismo, como o americano. Uma solução de meio-termo, adotada por um Estado que, tradicionalmente, sempre foi centralizador, mas que teve de ceder ao menos algum poder para tentar conter as pressões e os conflitos internos que podiam quebrar a unidade italiana.

Esse interesse explica, inclusive, porque certas áreas receberam autonomia diferenciada. As regiões de Vale d'Aosta, do Friuli-Venezia Giulia, do Trentino-Alto

Um povo em busca de sua identidade nacional | 65

Regiões da Itália hoje.

Ádige, da Sicília e da Sardenha, realmente, têm "estatutos especiais", com uma liberdade jurídica e financeira ainda mais ampla do que as outras. As províncias de Trento e Bolzano, por sua vez, situadas na região de Trentino-Alto Ádige, têm autonomia legislativa.

Não é difícil perceber porque essas regiões receberam cuidado especial dos legisladores italianos. No Vale d'Aosta, por exemplo, fala-se o francês, enquanto a região de Friuli-Venezia Giulia tem uma tradição de autonomia e independência cultural, dadas as suas ligações fortes com a Europa Central. A Sicília e a Sardenha, por sua vez, são ilhas, separadas do território metropolitano italiano, o que sempre fortaleceu seu caráter particular.[45] Com todas essas especificidades, fazia sentido dar mais autonomia regional para tentar impedir o surgimento de ideias e de movimentos separatistas que poderiam romper a unidade italiana.

Foi na região do Trentino-Alto Ádige e, em especial, na região do Tirol do Sul que essa tentativa de ceder todo o possível para preservar a unidade nacional foi levada mais longe. O Tirol do Sul é uma região de língua alemã situada logo ao sul do passo de Brenner, que liga a Itália aos países germânicos pelos Alpes. Esse passo entre as montanhas sempre foi considerado, pelos nacionalistas italianos, a fronteira "natural" da Itália, mas, por azares da história, esses falantes do alemão ali estavam e, quando a Itália estendeu sua fronteira até o Brenner, em 1918, eles passaram a ser "italianos".

No entanto, a maioria deles não se sentia parte da nação italiana e o fascismo reprimiu duramente seus esforços de independência e unificação com a Áustria e a Alemanha. Durante a aliança entre Mussolini e Hitler na década de 1930, a Alemanha concordou em abrir mão do território e milhares de habitantes da região emigraram para o norte. Depois, com o rompimento dessa aliança, o Tirol do Sul foi incorporado ao Grande Reich alemão, para então ser reincorporado à Itália.

Depois da guerra, a população da região objetivava a reunificação com a Áustria, no que era apoiada por Viena. O clima ficou tenso, inclusive com atentados terroristas que custaram dezenas de vidas, e foram necessários anos de negociações, a concessão de uma ampla autonomia e a assinatura de um acordo entre Roma e Viena, em 1969, para acalmar os ânimos. O dinheiro também foi usado para acomodar a situação e alguns cálculos indicam que o Estado italiano subsidiava a região, até pouco tempo atrás, com somas 27 vezes maiores – levando-se em conta a população – do que as fornecidas às outras províncias. Tensões continuaram, e continuam, mas o Tirol do Sul permanece, ainda hoje, como parte da Itália, o que não deixa de ser um sucesso.

No novo contexto pós-guerra, portanto, quando não era mais possível usar mecanismos de força para garantir a integridade nacional, a República italiana teve de recorrer a outros instrumentos, como autonomia regional e respeito às diferenças. Apesar dos problemas e das dificuldades, não deixou de funcionar, como demonstra a manutenção da integridade nacional italiana até hoje.

Além disso, a própria evolução da sociedade e da economia italianas colaborou para que a identidade de "italiano" crescesse a largos passos. Com a generalização do ensino, gerações inteiras de crianças passaram a ter oportunidades educacionais que iam além da escola primária e reforçavam a língua italiana e a cultura nacional em detrimento das regionais. O crescimento econômico acelerado e as migrações internas e externas intensas também ajudaram, como detalharemos nos capítulos seguintes, a fortalecer os laços e criar vínculos entre os habitantes da península. Isso para não mencionar, claro, os efeitos da mídia moderna, em particular os da televisão nacional.

Enfim, não resta dúvida de que, apesar dos regionalismos e dos localismos ainda terem imensa importância, a identidade "italiana" continuou a se fortalecer dentro da Itália. Afinal, se, em 1861, não mais de 2% dos italianos sabiam se comunicar na língua italiana, tal proporção havia crescido para 70% em 1970[46] e ainda mais nos dias de hoje.

Nunca, porém, se obteve a homogeneidade perfeita e a lealdade exclusiva dos italianos, como pretendiam os nacionalistas do século XIX e os fascistas. É bem verdade que nenhuma nação do mundo conseguiu realmente criar Estados-nação completamente homogêneos e perfeitos, mas, no caso da Itália, a dicotomia entre realidade e desejo era, e é, ainda maior, dicotomia essa que explica, provavelmente, os dilemas do Estado italiano na era da globalização.

Antes de entrarmos nesse tópico, contudo, é conveniente abordarmos aquela que parece ser a fratura eterna da nacionalidade italiana e é o cerne de seus problemas no momento atual, ou seja, a Norte/Sul.

SUL E NORTE: ETERNA DIVISÃO DA PENÍNSULA

Em quase todos os países, há rivalidades e competição entre as várias regiões e Estados que os constituem. No Brasil, por exemplo, é famosa a rivalidade entre paulistas e cariocas e os preconceitos da parte dos primeiros pelos nordestinos é notória. Nos Estados Unidos, ser chamado de *yankee* (sinônimo de oriundo do norte) nos estados do Sul é seguramente um insulto, enquanto piadas e comentários jocosos dos argentinos perante os habitantes de Buenos Aires são comuns. São conflitos e rivalidades que têm expressão social, cultural e mesmo política em alguns casos, mas não significam uma divisão realmente séria e profunda, ao menos não no momento presente, entre brasileiros, argentinos ou americanos.

Em outros países, tais divisões são mais complexas e densas, pois se baseiam em diferenças culturais, linguísticas e raciais. É o caso, por exemplo, de valões e flamengos na Bélgica; quebequenses e falantes do inglês no Canadá, entre outros. Esses povos podem conviver, ainda que com conflitos e tensões, em uma estrutura estatal única ou partir para a guerra aberta, como ocorreu entre croatas, sérvios e bósnios na antiga Iugoslávia, mas não resta dúvida de que a distância entre eles é um pouco maior do que no primeiro caso.

O caso italiano é intermediário. As diferenças regionais e, em especial, a fratura entre o Norte e o Sul, baseiam-se em distinções culturais, de formação histórica e outras mais profundas do que as do primeiro caso, mas menos densas do que no segundo, pois o processo de formação da nacionalidade italiana conseguiu suavizar muitas delas. Mas que existem ainda numerosas especificidades regionais, como já mencionado, e uma tensão entre o Sul e o Norte do país, é algo evidente.

É difícil definir com clareza onde está a fronteira entre Sul e Norte, ainda que uma linha mais ou menos na região de Roma ou um pouco acima seja a mais próxima da realidade. Também é difícil definir com clareza quando começou a haver uma diferenciação mais clara entre as duas regiões. Se quisermos, seria possível encontrar sinais de diferenças já no período pré-romano, com os gregos instalados no Sul e os germanos, no Norte.

No entanto, a diferenciação atual, especialmente em termos culturais, parece ter se originado na Idade Média, quando o Norte ficou mais próximo da Europa e o Sul, do mundo mediterrânico. Tal distinção apenas se acentuou no decorrer do tempo e, quando da unificação do país, Sul e Norte tinham padrões de desenvolvimento econômico diferentes e culturas não de todo incompatíveis, mas também não exatamente iguais. Um piemontês, com certeza, se sentiria, e se sente, mais próximo de um lombardo do que de um siciliano, e este se sente mais à vontade com um napolitano do que com um vêneto.

Quando da unificação, assim, uma fratura entre o Norte e Sul já estava claramente delineada. A Itália central e setentrional era a Itália das grandes cidades e de uma elite culturalmente importante, e, apesar da pobreza da maior parte da população, tinha focos nascentes de agricultura moderna, além dos primeiros esboços da industrialização. Já a Itália meridional era o lugar das grandes propriedades e de uma população ainda mais pobre do que no Norte e mergulhada em hábitos próprios que causavam espanto e medo às elites do Norte, para quem o *Mezzogiorno* era uma região desconhecida e até mesmo assustadora, povoada por "bárbaros", "africanos" etc. O problema da Máfia também era e é continuamente recordado como uma das "doenças" do Sul.

Nesse contexto, não espanta como, em particular no período pré-1914, os governos italianos, dominados pela elite do Norte, oscilassem entre ignorar os italianos do Sul, vistos como um "caso perdido" para a civilização, e "civilizá-los" à força, via intensa repressão.[47] Sul e Norte também atravessaram, em alguns momentos, conjunturas sociais diversas determinadas, por exemplo, pelo maior número de operários (em consequência, maior mobilização sindical e de esquerda) no Norte desde o século XIX. Também a experiência da Segunda Guerra Mundial, quando a ocupação alemã e o fenômeno da Resistência foram vivenciados essencialmente no Norte, ajudou a cristalizar diferenças entre as duas partes do país.[48]

Economicamente, o Norte sempre foi muito mais rico do que o Sul e ainda o é. Enquanto o Norte concentra a velha indústria e os núcleos dinâmicos da "nova economia" na Itália, a economia do Sul ainda é fraca e dezenas de anos de subsídios estatais não deram grande resultado em reverter o quadro. Ainda hoje, o desemprego no Sul é, em média, o dobro do restante do país, enquanto a renda *per capita* da Lombardia, por exemplo, é cerca de três vezes a da Calábria, com reflexos evidentes na qualidade de vida e na autoimagem de seus habitantes.

Como reflexo dessa situação de longo prazo, o preconceito dos italianos do Norte contra os do Sul tem sido permanente e contínuo. Italianos originários do *Mezzogiorno* sofreram forte descriminação quando de sua migração maciça para o Norte na segunda metade do século XX, e conflitos cotidianos em bares, escolas e fábricas ocorreram e ocorrem nas cidades industriais do Norte que receberam migrantes do Sul, conforme a rápida pesquisa na bibliografia relativa ao tema e na imprensa italiana de hoje pode revelar.[49]

Esses preconceitos eram, muitas vezes, levados para fora da Itália pelos emigrantes, e registros de conflitos e tensões entre oriundos do Sul e do Norte são comuns nos mais diferentes contextos, do Canadá à Argentina e da França à Austrália.[50] Do mesmo modo, a ideia, que desenvolverei melhor no próximo capítulo, de que os setentrionais eram europeus e os meridionais não (com todos os preconceitos daí decorrentes) era compartilhada não apenas por boa parte da elite italiana,[51] mas até mesmo por muitos não italianos, seja nos Estados Unidos, na Suíça, no Uruguai ou em outros países.

Tudo o que dissemos nos parágrafos anteriores deve ser examinado, claro, em perspectiva. Setentrionais e meridionais, na maior parte do tempo, uniram-se, na qualidade de italianos, nas lutas sociais e políticas italianas. Já as diferenças econômicas e de nível de vida entre Sul e Norte continuam grandes (em especial no tocante ao emprego), mas o Sul também atingiu uma boa qualidade de vida. Por fim, não resta dúvidas de que, por mais que alguns dos habitantes do Norte da Itália desprezem os originários do Sul, a grande maioria os considera conacionais, com imensa quantidade de casamentos mistos e outros sinais de integração. A vida de um meridional, digamos, em Torino, é muito mais fácil do que a de um africano ou asiático.

Ainda assim, o desequilíbrio entre um Norte econômica e culturalmente mais avançado e um Sul pobre, assim como as dificuldades de relacionamentos entre nortistas e sulistas, permanecem,[52] no que se tornou uma questão premente desde a unificação da Itália. É a chamada questão meridional, que atravessou décadas da vida italiana, com amplos reflexos na produção intelectual,[53] inclusive fora da Itália,[54] e ainda não foi solucionada de modo adequado.[55] Ela não se transformaria, contudo, em uma ameaça à nacionalidade italiana nem em um problema sério se não fosse explorada politicamente, o que tem ocorrido nos últimos anos, na esteira de imensas transformações no contexto internacional.

A IDENTIDADE ITALIANA HOJE: ENTRE REGIÃO E A EUROPA

Qualquer um que tenha vivido nos últimos anos com certeza escutou centenas de vezes a palavra "globalização". O termo adquiriu, com o tempo, muitos significados, mas, em essência, indica a formação de uma "sociedade global". Tal sociedade caracterizar-se-ia pela aproximação dos povos via transportes, comunicações e grandes migrações internacionais, por uma cultura global (grandemente norte-americana), por problemas globais que ultrapassariam as fronteiras de países e continentes e, em especial, por uma economia capitalista unificada que domina todo o planeta.

Nesse contexto, surgiu a ideia, sobretudo nos anos 90 do século XX, de que os Estados nacionais do velho modelo estariam destinados a desaparecer ou, no mínimo, a se enfraquecer. As análises centravam-se na ideia de que os Estados-nação de tipo antigo eram anacrônicos na nova era globalizada e seriam substituídos ou por um imenso mercado internacional homogêneo, ou por "Estados-regiões", que reuniriam pessoas e territórios com base em vínculos econômicos ou por seu relacionamento com o mercado global, e não por etnia, língua ou outros elementos obsoletos do passado.[56]

Essa teoria não é de todo absurda e é possível admitir que, no momento atual, muitos dos habitantes da costa oriental chinesa, por exemplo, extremamente integrada à economia mundial, tenham mais identificação com a elite e o mundo global do que com seus irmãos camponeses do interior. Também é verdade que os Estados-nação perderam muito de seu poder e influência diante dos organismos internacionais, das grandes multinacionais e do mercado financeiro globalizado.

No entanto, a ideia de que os Estados e as identidades nacionais estão em extinção parece, no mínimo, questionável e, nos últimos anos – em particular após os ataques terroristas do 11 de setembro e as crises recorrentes do capitalismo global – perdeu ainda mais consistência, ficando claro que os antigos Estados-nação continuam a ser importantes[57] e que continuamos a ser incapazes de pensar no mundo atual sem pensar em Estados-nação e nacionalidades.

Mesmo com essas nuances, não resta dúvida, contudo, de que houve um enfraquecimento dos poderes e da legitimidade dos Estados-nação na última década e de que isso tem levado ao ressurgimento de reivindicações nacionalistas em todo o globo. A desintegração da União Soviética e as lutas nacionalistas que se seguiram em seu antigo território (Armênia, Azerbaijão, Chechênia, entre outros) e nos Bálcãs confirmam isso.

De fato, é importante notar que, no processo de formação da "Nova Ordem Internacional" e do novo mundo globalizado, as antigas fronteiras e identidades nacionais estão sendo questionadas, com guerras étnicas, religiosas e nacionalistas se espalhando pelo globo, o que é uma aparente contradição.

Essa contradição se desvanece, porém, quando nos lembramos de que o fim das velhas matrizes ideológicas, como o comunismo, abriu caminho para a volta das ideias nacionalistas e fundamentalistas e seu uso na política, em especial no Leste europeu. Também interessa recordar que a globalização não bloqueia a fragmentação e o conflito, mas os estimula ao dissolver certas identidades e gerar imensos traumas sociais e culturais em alguns países, o que faz com que muitas pessoas, em particular no Terceiro Mundo, se dirijam ao fundamentalismo religioso ou étnico como resposta e como arma de poder e jogo político.

No caso da Europa ocidental, contudo, o padrão é um pouco diferente, formando o que defino como o "nacionalismo dos ricos". Nos países desse continente, a prosperidade geral e a presença de Estados democráticos permite que as minorias vivam relativamente bem, com poucos estímulos para grandes movimentos nacionalistas, salvo exceções. O motor do "novo nacionalismo", assim, são as regiões ricas que não querem mais sustentar as áreas menos desenvolvidas de seus próprios países.

De fato, não são os originários das regiões pobres, como a Calábria ou a Andaluzia, que querem independência, mas sim os ricos catalães e lombardos. Independentes formal ou informalmente, eles não teriam mais de subsidiar as regiões menos prósperas e poderiam se livrar de problemas de seu Estado-nação atual que não consideram seus sem perder o mercado mais amplo.

Esse é um tópico interessante. No caso da Europa ocidental, só é possível e viável pensar na independência da Escócia ou da Galícia ou na criação de uma "Eurorregião" do Tirol ou do vale do Ruhr porque, mesmo independentes, estes países e regiões continuariam integrados à economia mundial e, de modo mais específico, à União Europeia. Isolados econômica e politicamente, seriam inviáveis, mas, com a perspectiva de integração a um espaço maior, podem com tranquilidade pensar em "pular" de seus antigos Estados. Não admira, assim, que todos os movimentos que defendem a autonomia ou a independência de regiões ou povos europeus reafirmem, ao mesmo tempo, sua adesão ou permanência na União Europeia.[58]

Na esteira dessas grandes mudanças do contexto mundial e pensando especificamente na Itália, focos de separatismo surgiram na Sardenha, na Sicília, entre outros locais e, sobretudo, no Tirol do Sul. Planos de separar a província começaram a reaparecer nos noticiários na década de 1990, mas agora com a ideia de fazer do Tirol uma "Eurorregião", que reuniria o território entre Innsbruck e Trento.[59] Por enquanto, tais propostas continuam no campo das ideias, mas indicam um pouco o padrão do novo nacionalismo da Europa de hoje, regionalista e internacionalista ao mesmo tempo.

É mais fácil compreender o que significa esse o novo nacionalismo da era da globalização no contexto específico da sociedade italiana, contudo, quando examinamos o seu representante mais expressivo, ou seja, a *Lega Nord* (Liga Norte).[60]

Fundadas no decênio de 1980, as várias Ligas (Lombarda, Vêneta, entre outras), depois reunidas na Liga Norte, tinham o objetivo central de separar a região Centro-norte da Itália, fundando a "Padânia", nome dado pelos romanos ao vale do rio Pó, ou, no mínimo, garantir a transformação da Itália em uma República federativa. Elas são ferozes críticas de Roma, que acusam de extrair recursos imensos do Norte rico e desenvolvido para sustentar uma classe política corrupta e subsidiar o Sul pobre, cheio de pessoas avessas ao trabalho que viveriam à custa do Norte.

Por alguns anos, o líder da Lega Nord, Umberto Bossi, e seus adeptos promoveram atos espetaculares a fim de chamar a atenção para suas ideias, como a criação de uma "Guarda Nacional Padana", e pareceram dispor de uma força eleitoral respeitável. Com o tempo, a Liga Norte perdeu seu espaço político, suavizou suas ambições separatistas e se incorporou ao *establishment* político, participando de algumas coalizões de direita que conquistaram, em vários momentos das últimas décadas, o poder central na Itália. Entretanto, ela continua uma força política essencialmente conservadora e, se abandonou o separatismo, prossegue na defesa da autonomia do Norte da Itália em uma Europa unida.

É interessante observar como o discurso atual da Liga Norte está perfeitamente ajustado ao novo "nacionalismo dos ricos" que mencionamos antes.[61] Ela propõe a formação de uma União Europeia confederada, mas na qual cada país conservaria sua soberania. Uma Europa de nações e não um "superestado" europeu. No entanto, essas nações europeias também perderiam poderes em favor das regiões. No caso italiano, o país seria dividido em duas, ou mais, regiões autônomas, frouxamente unidas em um Estado italiano enfraquecido. Uma delas, claro, seria o Norte, a "Padânia", com ampla autonomia em várias esferas e, seguramente, com maior parte do bolo dos impostos.[62]

Para os adeptos da Liga, os italianos do Sul são inferiores cultural e mesmo racialmente e os italianos do Norte estariam mais próximos de seus vizinhos austríacos e suíços do que da Sicília ou de Nápoles. Razão, pois, para uma releitura da História que não vê com bons olhos o *Risorgimento* e valoriza, por exemplo, o período em que o Vêneto e a Lombardia fizeram parte do Império Austríaco.[63]

É interessante notar como essas ideias acabam por levar os adeptos da Liga a conflitos com outras forças políticas também de direita, mas que pretendem a manutenção da unidade nacional italiana. É o caso, por exemplo, dos neofascistas. Para esses, agrupados na *Alleanza Nazionale*, o nacionalismo continua a ser elemento central de vida e pensamento e a ideia de separar a Itália ou de dividi-la em "Eurorregiões" fragilmente conectadas seria um erro e um crime. Duas organizações de direita e conservadoras, mas que veem o nacionalismo e a própria identidade nacional italiana de forma muito diferente. Não espanta, à parte outros motivos, que, mesmo quando unidas no governo, as duas organizações estejam em tensão contínua.

De qualquer forma, essa tensão entre os dois movimentos de direita refletem, em boa medida, as próprias tensões que abalam a identidade nacional italiana hoje. Após 150 anos de esforços, poucas pessoas questionariam se, para recordar as palavras de Massimo d'Azeglio, os italianos hoje estão "feitos". Há uma identidade italiana que reúne todos os nascidos entre a Sicília e o passo de Brenner e que está consolidada.[64] No entanto, as identidades regionais nunca foram eliminadas e a tensão entre o Norte e o Sul parece ser, como visto, uma constante na história da Itália. Para completar, a própria construção de uma identidade europeia traz novos problemas à definição do que é ser italiano.

Realmente, mesmo que não concordemos com a ideia de que os Estados-nação estejam desaparecendo e recordemos que os riscos de um separatismo real declinaram na Itália nos últimos anos, não resta dúvida de que a nacionalidade italiana está enfrentando novos desafios. Afinal, um dos desejos mais intensos dos nacionalistas dos séculos XIX e XX era que as pessoas se identificassem, única e exclusivamente, como membros de uma nacionalidade. Como vimos, esse desejo nunca se tornou real. Hoje, porém, a ideia de uma nacionalidade exclusiva sofre ataques ainda mais intensos, sobretudo no caso da Europa, tanto de "cima" como de "baixo".

Na Itália, por exemplo, o desejo de autonomia das regiões, especialmente no Norte, continua a existir e a cessão de mais poderes para elas parece ser uma tendência, consoante que ocorre na Espanha, na Alemanha e em outros países europeus. Cada vez mais, escutaremos termos que estavam reduzidos a cartas geográficas, como Baviera, Catalunha ou, no caso da Itália, Vêneto, Lombardia ou Sicília. A criação de "Eurorregiões", ao menos para fins culturais, também pode se constituir em realidade, até para diminuir o ímpeto nacionalista em algumas delas.

No outro extremo, a própria construção e evolução da União Europeia implica o contínuo fortalecimento de uma identidade europeia. Difícil acreditar, a curto e médio prazo, que alemães, gregos ou poloneses se tornarão uma coisa só, mas não resta dúvida de que uma identidade europeia está se desenvolvendo e impõe novos desafios aos países que constituem a União, como a Itália. Os italianos, aliás, são, conforme indicam as pesquisas de opinião dos últimos anos, extremamente europeístas e estão dispostos a ceder sua soberania a um Estado único europeu. Isso implicaria uma renúncia à identidade italiana?

De fato, hoje, em uma cidade como Milão, convivem lado a lado as bandeiras da Região Lombarda, da Itália e da União Europeia e todo mundo concorda que Milão é uma cidade italiana, depois lombarda e, por fim, europeia. Essa ordem será mantida no futuro? Difícil prever. Daqui a 50 anos, quando questionada sobre sua origem, uma pessoa nascida em Verona responderá "italiano" ou "europeu e vêneto, ou padano"?

Enfim, a construção da nacionalidade italiana, como, aliás, todas as outras, continua em aberto. Hoje, o "ser italiano", em termos de definição de uma nacionalidade, é algo consolidado, ainda que conviva com forças de identificação outras, menores ou mais amplas. Não obstante, é difícil prever os caminhos dessa identificação nos próximos anos.[65]

Notas

[1] Os trabalhos de Eric Hobsbawm são a chave para a minha discussão desse tópico. Ver Nações e nacionalismos desde 1780: programa, mito e realidade, Rio de Janeiro, Paz e Terra, 1990; A era das revoluções (1789-1848), Rio de Janeiro, Paz e Terra, 1997, pp. 151-66; A era do capital (1848-1875), Rio de Janeiro, Paz e Terra, 1996, pp. 125-45; e A era dos impérios (1875-1914), Rio de Janeiro, Paz e Terra, 1988, pp. 203-32. O próprio Hobsbawm indica extensa bibliografia auxiliar em várias línguas. Em português, também são úteis Benedict Anderson, Nação e consciência nacional, São Paulo, Ática, 1989 (com seu conhecido conceito de "comunidades imaginárias"); e Ernest Gellner, Nacionalismo e democracia, Brasília, Ed. UnB, 1981. Um resumo do debate a respeito de nação e as controvérsias entre Anderson, Gellner, Hobsbawm e outros estudiosos do tema está em Gopal Balakrishnan, Um mapa da questão nacional, São Paulo, Contraponto, 2000. Outro bom resumo do debate clássico sobre o problema do nacionalismo é Montserrat Giubernau, Nacionalismos: o estado nacional e o nacionalismo no século XX, Rio de Janeiro, Jorge Zahar, 1997. Outro texto fundamental, convenientemente em espanhol, é Xosé M. Nunez Seixas, Movimentos nacionalistas em Europa – siglo XX, Madrid, Editorial Sintésis, 1998.

[2] Para um excelente panorama da história italiana na era das luzes e no período revolucionário, ou seja, os séculos XVIII e XIX, ver Stuart Woolf, A History of Italy, 1700-1860: The social constraints of political change, London/New York, Routledge, 1979.

[3] No meio da imensa quantidade de material disponível, em italiano, sobre as guerras napoleônicas na Itália, uma coletânea com textos interessantes é Le Scienze e gli ordinamenti militari della rivoluzione francese, Roma, Edizioni Difesa, 1991.

[4] Para as alterações administrativas nos vários reinos italianos pós-1789 e, em especial, no meio militar e para as alterações psicológicas produzidas pela mobilização de centenas de milhares de homens para os exércitos napoleônicos, ver Pierluigi Bertinaria, "La Rivoluzione francese e la sua influenza sul risorgimento nazionale italiano sotto l'aspetto militare", em Le Scienze e gli ordinamenti militari della rivoluzione francese, 15-36; e Aldo Giambartolomei, "Il Risorgimento militare italiano come esito derivato della rivoluzione francese e l'era napoleonica", em Idem, pp. 83-9.

[5] Bianca Marcolongo, Le origini della Carboneria e le società segrete nell'Italia meridionale dal 1810 al 1820, Sala Bolognese, A. Forni, 1983.

[6] Sobre as revoltas de 1848 na Europa, em particular na França, e sua relação com o mundo moderno, ver, em português, Eric Hobsbawm, A era do capital (1848-1875), op. cit., pp. 27-50; Maurice Agulhon, 1848 – O aprendizado da República, Rio de Janeiro, Paz e Terra, 1991; e Dolf Oehler, O velho mundo desce aos infernos: autoanálise da modernidade após o trauma de junho de 1848 em Paris, São Paulo, Companhia das Letras, 1999; além do clássico de Aléxis de Tocqueville, Memórias de 1848, São Paulo, Companhia das Letras, 1991.

[7] A bibliografia sobre o processo de unificação da Itália é incrivelmente vasta em italiano. Ver, para uma primeira abordagem, os artigos presentes em Giovanni Sabbatucci e Vittorio Vidotto, Storia d'Italia, v. 1 – Le premesse dell'unità. Dalla fine del settecento al 1861, Roma/Bari, Laterza, 1994. Uma boa introdução ao debate é Rosário Romeo, "Il Risorgimento nel dibattito contemporaneo", em Rassegna storica del Risorgimento, 85, 1, 1998. Também úteis são Roberto Romani, L'economia politica del Risorgimento italiano, Torino, Bollati Boringhieri, 1994; Alfonso Scirocco, L'Italia del Risorgimento, Bologna, Il Mulino, 1998; e Lucy Rial, The Italian Risorgimento: State, society and national unification, London/New York, Routledge, 1994. Para os leitores de francês, ainda é útil, apesar de envelhecido, Paul Guichonet, L'unite italienne, Paris: puf, 1961. Em português, o único texto específico que conheço é John Gooch, A unificação da Itália, São Paulo, Ática, 1991.

[8] Entre o imenso número de artigos e livros dedicados à Mazzini, ver Roland Sarti, Mazzini, a life for the religion of politics, Westport, Greenwood Publishing Group, 1997; Dennis Mack Smith, Mazzini, Milano, Rizzoli, 1993; Luigi Ambrosoli, Giuseppe Mazzini, una vita per l'unità d'Italia, Manduria, Piero Lacaria, 1993, e outros. Abordagens da visão de nacionalismo mazziniano estão em Nadia Urbinati, "A Common Law of nations: Giuseppe Mazzini's democratic nationalism", em Journal of Modern Italian Studies, 1, 2, 1996; e Salvo Mastellone, Il progetto politico di Mazzini: Italia-Europa, Firenze, Olschki, 1994.

[9] A bibliografia sobre a vida e as ações de Garibaldi é extensa na Itália. Uma introdução é Anthony Campanella, Giuseppe Garibaldi e la tradizione garibaldina: uma bibliografia dal 1807 al 1970, Genebra, Comitato dell'Istituto internazionale di studi garibaldini, 1970. Em português, a situação é muito menos favorável e, normalmente, as menções a Garibaldi concentram-se em sua ação durante a Revolução Farroupilha e a seu casamento com Anita. Ver, além de livros mais antigos e comemorativos, Paulo Markun, Anita Garibaldi: uma heroína brasileira, São Paulo, Senac, 1999. Um livro honesto, ainda que bastante superficial, a seu respeito é Herman Viola, Garibaldi, São Paulo, Nova Cultural, 1988. Já os interessados em uma biografia romanceada apreciarão Max Gallo, Garibaldi: La forza di un destino, Milano, Rusconi, 1982.

[10] Dennis Mack Smith, Cavour and Garibaldi, 1860: a study in political conflict, Cambridge, Cambridge University Press, 1984.

[11] Além do já indicado, convém recordar a ideia, entre alguns grupos nacionalistas italianos, do papa como aquele que unificaria a Itália. Dada a pouca eficiência do catolicismo como definidor nacional italiano, visto seu caráter universal, e a posição anticlerical da maioria dos nacionalistas italianos, não espanta que essa alternativa não tenha tido grande força. Ver Guido Formigoni, L'Italia dei cattolici: Fede e nazione dal Risorgimento alla Repubblica, Bologna, Il Mulino, 1998.

[12] Ernesto Ragionieri, Politica e ammistrazione nella storia dell'Italia unita, Roma, Riuniti, 1979.

[13] Ver Giulio Bollati, L'italiano: Il carattere nazionale come storia e come invenzione, Torino, Einaudi, 1983.

[14] Para as origens sociais dos nacionalistas italianos do período do Risorgimento, ver um bom resumo da extensa bibliografia existente em Donna Gabaccia, Italy's many diásporas: Elites, exiles and workers of the world, Seattle, University of Washington Press, 1999, especialmente o capítulo 2. A situação italiana, na verdade, não diferiu muito da de outros países europeus naquele momento, com acentuado domínio da classe média urbana nos movimentos de libertação nacional. Ver Eric Hobsbawm, Nações e nacionalismos desde 1780: programa, mito e realidade, Rio de Janeiro, Paz e Terra, 1990; e Miroslav Hroch, Social preconditions of national revival in Europe: a comparative analysis of the social composition of patriotic group among the smaller Europeans nations, Cambridge, Cambridge Unibversity Press, 1985.

[15] Jacques Godechot, "Risorgimento et régionalisme em Italie", em Risorgimento, 2, 1981. Ver também Donna Gabaccia, Italy's many diasporas, op. cit., capítulo 2.

[16] A analogia com a Alemanha também poderia ser identificada em outros pontos, como as semelhanças entre Cavour e Bismarck, a cronologia e inimigos comuns (o Império austríaco) e no fato de os nacionalistas terem motivações mais políticas de recompor uma ordem estável e criar um Estado poderoso após anos de caos e invasões estrangeiras do que econômicas. Isso indica novamente como o processo de unificação italiana, apesar de suas especificidades, estava plenamente inserido em um contexto maior, europeu. Ver Hagen Schulze, Aquile e Leoni: Stato e nazione in Europa, Roma/Bari, Laterza, 1995, pp. 264-70.

[17] Para o conceito de "civiltà italiana" e seu papel na construção da italianidade, ver Donna Gabaccia, Italy's many diasporas: Elites, exiles and workers of the world, op. cit., especialmente os capítulos 1 e 2.

[18] Eric Hobsbawm, A era do capital (1848-1875), op. cit., p. 134. Ver também Sérgio Romano, Histoire de l'Italie du Risorgimento a nos jours, Paris, Éditions du Seuil, 1977, em especial pp. 32-9.

[19] Citado por Donna Gabaccia, Italy's many diásporas, op. cit., 1.

[20] Giampiero Carocci, Storia dell'Italia moderna: Dal 1861 ai nostri giorni, Roma, Newton Compton, 1995, pp. 8-10; e Raffaele Romanelli, L'Italia liberale (1861-1900), Bologna, Il Mulino, 1979.

[21] Eric Hobsbawm, A era do capital (1848-1875), op. cit., p. 143.

[22] Segundo alguns analistas, o famoso personagem Pinnocchio, de Alberto Asor Rosa, seria um símbolo dessa esperança das elites italianas diante da escola. O povo italiano, representado pelo "boneco que não queria crescer", seria imaturo e imprudente, mas, pela dor e pelo estudo, se tornaria um povo maduro e nacionalmente definido.

[23] Para o esforço de transmissão de valores patrióticos aos recrutas pelo Exército italiano, mas, convenientemente, esquecendo as ideias de "cidadãos soldados" e da democracia nas Forças Armadas que haviam dominado parte dos debates da época do Risorgimento, ver Giuseppe Conti, "Il mito della nazione armata", Storia Contemporanea, op. cit., 21, 6, 1990.

[24] Ver, sobre o esforço de criação cultural da nacionalidade italiana, Bruno Tobia, "Uma cultura per la nuova Italia", em Giovanni Sabbatucci e Vittorio Vidotto, Storia d'Italia, 2 – Il Nuovo Stato e la società civile (1861-1887), Roma/Bari, Laterza, 1995, p. 427-529; e Una patria per gli italiani, Roma/Bari, Laterza, 1991. Também fundamental é Emilio Gentile, Il culto del littorio: La sacralizzazione della politica nell'Italia fascista, Roma/Bari, Laterza, 1993.

[25] Ver, entre outros, Romano Ugolini, Garibaldi: genesi di um mito, Roma, Edizioni dell'Ateneo, 1982.

[26] Por razões óbvias, são as historiografias desses países que mais trabalham o tópico. Ver, apenas a título de exemplo, Juliette Bessis, La Mediterranee fascista: L'Italia mussolienne et la Tunisie, Paris, Karthala, 1981; Santi Fedele, "Tradizione garibaldina e antifascismo italiano", em Garibaldi e il socialismo, Roma/Bari, Laterza, 1984, pp. 239-47; Gianni Marocco, Sull'altra sponda del Plata: Gli italiani in Uruguai, Milano, Franco Angeli Editore, 1986; e Ronald Newton, "Patria? Cual Patria? Italo Argentinos y germano argentinos en la era de la renovación nacional fascista, 1922-1945", em Estudios Migratorios Latinoamericanos, 7, 22, 1992. Cito bibliografia extra em dois artigos meus. Ver João Fábio Bertonha, "Antifascistas italianos en los extremos de América: las experiencias de Brasil y Canadá", em Centro Cultural Canadá – Córdoba, 20, 2004; e "Fascismo, antifascismo y las comunidades italianas en Brasil, Argentina y Uruguay: una perspectiva comparada", em Estudios Migratorios Latinoamericanos, 14, 42, 1999.

[27] Cumpre recordar, aqui, a Società Dante Alighieri. Fundada em 1889, foi a mais importante instituição laica italiana destinada ao objetivo de "exportar italianidade", via escolas e cultura, para os emigrantes italianos e para as populações estrangeiras. Ver, sobre ela, Filippo Caparelli, La "Dante Alighieri" (1920-1970), Roma, Bonacci, 1987; Beatrice Pisa, Nazione e politica nella Società Dante Alighieri, Roma, Bonacci, 1995; e Patrizia Salvetti, Immagine nazionale ed emigrazione nella Società Dante Alighieri, Roma, Bonacci, 1995.

[28] Sobre os nacionalistas, ver um balanço recente da já imensa historiografia relacionada ao tópico em Roman Rainero, Da Oriani a Corradini: Bilancio critico del primo nazionalismo italiano, Milano, Franco Angeli, 2003. Em português, um resumo útil da história dos nacionalistas italianos é Robert Paris, As origens do fascismo, São Paulo, Perspectiva, 1976, pp. 26-34. Também úteis são algumas obras de época de Enrico Corradini, como L'ora di Trípoli, Milano, 1911; e Il nazionalismo italiano, Milano, 1914.

[29] Ângelo Trento, "La stampa periodica italiana in Brasile, 1765-1915", em Il Veltro – Rivista della Civiltà Italiana, 34, 3/4, 1990; Samuel Baily, "The role of two newspapers in the assimilation of Italians in Buenos Aires and São Paulo, 1893-1913", em International Migration Review, 12, 3, 1978, e Marina Consolmagno, "Fanfulla – Perfil de um jornal de colônia", Dissertação de mestrado em História, São Paulo, Universidade de São Paulo, 1993.

[30] José Renato de Campos Araújo, Imigração e futebol: o caso Palestra Itália, São Paulo, Sumaré, 2000.

[31] Emilio Franzina, "Italiani del Brasile ed italobrasiliani durante il Primo conflitto mondiale: 1914-1918", em História: Debates e Tendências, 5, 1, 2004; e "La guerra lontana: il primo conflitto mondiale e gli italiani d'Argentina", em Estudios Migratorios Latinoamericanos, 15, 44, 2000.

[32] Para o caso dos países anglo saxões, ver John Zucchi, Italians in Toronto: Development of a National Identity (1875-1935), Kingston/Montreal, McGill-Queen's University Press, 1988; Dino Cinel, "Dall'Italia a San Francisco. L'esperienza dell'emigrazione", em Euroamericani: La popolazione di origine italiana negli Stati Uniti, Torino, Fondazione Giovanni Agnelli, 1987, pp. 327-88; e Claude Painchaud e Richard Poulin, Les Italiens au Quebec, Montreal, Critiques/Asticou, 1988, entre outros.

[33] Emílio Gentile, La Grande Italia: Ascesa e declino del mito della nazione nel ventesimo secolo, Milano, Mondadori, 1997; e "L'emigrazione italiana in Argentina nella politica di espansione del nazionalismo e del fascismo 1900-1930", em Storia Contemporânea, 17, 3, 1986.

[34] Ver o meu Sob a sombra de Mussolini: os italianos de São Paulo e a luta contra o fascismo, 1919-1945, São Paulo, Annablume, 1999, em que indico bibliografia auxiliar sobre o tema.

[35] Também as escolas italianas do exterior foram afetadas por essa tentativa de associar fascismo e italianidade e pelo reforço da mensagem nacionalista. Ver, para um resumo dessa problemática, João Fábio Bertonha, "A morte do conceito de ideologia? Cartilhas fascistas e escolas italianas no Brasil do entre guerras", em Cadernos de História, 9, 1, 2001.

[36] Sobre a ação nacionalizadora do fascismo na região de Trieste e a memória construída sobre esses acontecimentos, ver Glenda Sluga, "Italian National memory, national identity and fascism", em Richard Bosworth e Patrizia Dogliani, Italian Fascism: History, memory and representation, New York, Palgrave, 1999, pp. 178-94; e Giuseppe Dal Ferro (org.), Veneto e Slovenia: Due culture per l'Europa, Vicenza, Edizioni del "Rezzara", 1990.

[37] Philip Cannistraro, La fabbrica del consenso: Fascismo e mass media, Roma/Bari, Laterza, 1975.

[38] Ver, a esse respeito, McGregor Knox, Mussolini Unleashed, 1939-41: Politics and Strategy in Fascist Italy's Last War, Cambridge, Cambridge University Press, 1982; "Conquest, Foreign and Domestic in Fascist Italy and Nazi Germany", em Journal of Modern History, 56, 1, 1984; e "Il Fascismo e la Política Estera Italiana", em Richard Bosworth e Sergio Romano, La Política Estera Italiana (1860-1985), Bologna, Il Mulino, 1991, pp. 287-330, s. d.

[39] No caso da Alemanha nazista, ver o interessante trabalho de Ulrich Lindner e Gerhard Fischer, Stürmer für Hitler: Vom Zusammenspiel zwischen Fußball und Nationalsozialismus, Göttingen, Verlag Die Werkstatt, 1999. Em português, livros relevantes sobre a temática futebol/política na década de 1930 e além são Roberto Sander, Anos 40: viagem à década sem copa, Rio de Janeiro, Bom Texto, 2004; Andy Dougan, Futebol e guerra: resistência, triunfo e tragédia do Dínamo na Kiev ocupada pelos nazistas, Rio de Janeiro, Jorge Zahar, 2004; e Gilberto Agostino, Vencer ou morrer: futebol, geopolítica e identidade nacional, Rio de Janeiro, Mauad, 2002.

[40] E. Leso et al., La língua italiana e il fascismo, Bologna, Il Mulino, 1977 e vários dos artigos presentes em "Parlare fascista. Língua del fascismo, politica linguística del fascismo", número especial da revista Movimento Operaio e Socialista, 7, 1, 1984. Ver também Sergio Raffaeli, Le parole proibite: Purismo di stato e regolamentazione della pubblicità in Italia (1812-1945), Bologna, Il Mulino, 1983. A mesma política foi seguida, com variações, pela Alemanha nazista. Ver Hanno Birken-Bertsch e Reinhard Markner, Rechtschreibreform und Nationalsozialismus: Ein Kapitel aus der politischen Geschichte der deutschen Sprache, Götingen, Wallstein-Verlag, 2000. Também útil é Victor Klemperer, The language of the Third Reich: a philologist's notebook, London/New Brunswick, Athlone Press, 2000. Há outras observações deste em seus diários. Ver Os diários de Viktor Klemperer, São Paulo, Companhia das Letras, 1998.

[41] Um artigo interessante a esse respeito é Ranke Visser, "Fascist Doctrine and the Cult of Romanità", em Journal of Contemporary History, 27, 1992.

[42] Ver vários artigos sobre arquitetura fascista no Journal of Contemporary History, 31, 1996, os quais citam ampla bibliografia auxiliar.

[43] Emilio Gentile, Il culto del Vittorio: La sacralizzazione della politica nell'Italia fascista, op. cit.

[44] Para as histórias dessas regiões, ver Storia d'Italia: Le Regioni dall'unità a oggi, Torino, Einaudi, 1977-2000. A própria existência de uma publicação como essa, com, até agora, 17 volumes e mais de 20 mil páginas, demonstra a força do regionalismo no país.

[45] Logo após a Segunda Guerra Mundial, alguns sicilianos, liderados por Aprile Finocchiaro, quiseram mesmo fazer da ilha um protetorado americano ou mesmo o 51º estado dos Estados Unidos. Uma proposta que já vinha de antes e tinha sua justificativa nos imensos laços, via emigração, da ilha com os Estados Unidos, mas que não foi adiante pelo evidente desinteresse de Washington. Ver Enrico La Loggia, Autonomia e rinascità della Sicília, Palermo, Ires, 1953; e Marc Dana, "L'indépendentisme sicilien dans le contexte de la crise de l'Etat italien", em Hérodote – Revue de géografie et de géopolitique, 89, 1998.

[46] Giampiero Carocci, Storia dell'Italia moderna: Dal 1861 ai nostri giorni, op. cit., 81.

[47] Ver um resumo da imensa bibliografia existente a respeito do tópico em Donna Gabaccia, Italy's many diasporas: Elites, exiles and workers of the world, op. cit., pp. 52-7.

78 | Os italianos

[48] Quando do plebiscito de 1948, por exemplo, o Sul era majoritariamente monárquico e o Norte, republicano, o que levou a ásperas tensões entre as duas regiões, o que reflete, entre outros elementos, suas diferentes experiências durante a Segunda Guerra Mundial.

[49] Ver, entre outros, Mario Walter Battacchi, Meridionali e settentrionali nella struttura del pregiudizio etnico in Italia, Bologna, Il Mulino, 1972; e Francesco Compagna, I terroni in città, Roma/Bari, Laterza, 1970.

[50] A bibliografia internacional a respeito do tópico é imensa. Para o caso do Brasil, ver Sheldom Maram, Anarquistas, imigrantes e o movimento operário no Brasil, Rio de Janeiro, Paz e Terra, 1979; Michael Hall, "Italianos em São Paulo", em Anais do Museu Paulista, 29, 1979; "Emigrazione italiana a San Paolo tra 1880 e 1920", em Quaderni Storici, 9, 25, 1974; "Immigration and the Early São Paulo working class", em Jahrbuch fur Geschichte von Staat, Wirtschaft und Gesellschaft Lateinamerikas, 12, 1975; e Ângelo Trento, Do outro lado do Atlântico: um século de imigração italiana no Brasil, São Paulo, Nobel, 1989, pp. 40-1.

[51] Claudia Petraccone, Le due civiltà: Settentrionali e meridionali nella storia d'Italia, Roma/Bari, Laterza, 2000; V. Teti, La razza maledetta: Origini del pregiudizio antimeridionale, Roma, Il Manifesto, 1993. Ver também os documentos reunidos por Claudia Petraccone em Federalismo e autonomia in Italia dall'unità a oggi, Roma/Bari, Laterza, 1995.

[52] Um tópico interessante a esse respeito é que, em geral, a baixa natalidade e o envelhecimento populacional, apesar de presentes em toda a Itália hoje, são muito mais acentuadas no rico Norte do que no Sul. Isso leva setores da mídia italiana a discutir o risco da "meridionalização" do país, com todas as implicações políticas e culturais daí decorrentes. Na verdade, o simples fato de essa questão se colocar demonstra como o problema do relacionamento entre meridionais e setentrionais continua a existir na Itália.

[53] Apenas para citar os clássicos, ver Antonio Gramsci, A questão meridional, Rio de Janeiro, Paz e Terra, 1987; Gaetano Salvemini, Scritti sulla questione meridionale, Torino, Einaudi, 1955; e a coletânea de documentos organizada por Rosário Villari, Il Sud nella storia d'Italia: Antologia della questione meridionale, Roma/Bari, Laterza, 1984.

[54] Curioso observar realmente como o problema do Sul da Itália tem sido utilizado como parâmetro de comparação para a análise de outros casos de desequilíbrios regionais, como o Sul dos Estados Unidos e o Nordeste brasileiro. Ver Enrico Dal Lago e Rick Halpern, The American South and the Italian Mezzogiorno: Essays in Comparative History, New York, Palgrave, 2002; e Otamar de Carvalho, Desenvolvimento regional: um problema político, Rio de Janeiro, Campus, 1979.

[55] Para alguns analistas, inclusive, a própria criação intelectual do "problema meridional" colaborou para sua não solução. Ver John Davis, "Changing perspectives on Italy's 'Southern Problem', em Carl Levy, Italian Regionalism: History, Identity and Politics, Oxford/New York, Berg, 1996, pp. 53-68; Jane Schneider, Italy's "southern question": Orientalism in one country, Oxford/New York, Berg, 1998. Ver também o excepcional livro de Silvana Patriarca, Numbers and nationhood: Writing statistics in nineteenth century Italy, Cambridge, Cambridge University Press, 1996, em que a autora demonstra como o pensamento estatístico, ao mesmo tempo em que colaborou para solidificar a ideia da nação italiana, também ajudou a cristalizar o regionalismo e a construir mentalmente a diferença entre o Sul e o Norte.

[56] Vasta bibliografia foi publicada a esse respeito. Ver, para um exemplo típico dessa, Kenichi Ohmae, La fine dello Stato-nazione: L'emergere delle economie regionali, Milano, Baldini & Castoldi, 1996.

[57] Ver as reflexões de Eric Hobsbawm a respeito em O novo século: entrevista a Antonio Polito, São Paulo, Companhia das Letras, 2000. Ver também o meu Geopolítica e relações internacionais nos anos 90: uma história do tempo presente, Maringá, Eduem, no prelo.

[58] Sobre o tópico da criação, pela globalização, de regiões e cidades desvinculadas, ou que procuram se desvincular, de seus Estados Nacionais, ver Pierre Veltz, Mondialisation, Villes et territoires, Paris: PUF, 1996.

[59] Maurílio Barozzi, "L'Euregio Tirolo, um passo verso la Mitteleuropa", em Limes – Rivista Italiana di Geopolítica, 1, 1996.

[60] O tema da independência do Norte é objeto, como seria óbvio esperar, de grande número de livros e artigos publicados na Itália nos últimos anos, sendo impossível citar todos. Coleções de artigos muito interessantes e úteis para o presente capítulo, ainda que nem sempre com opiniões que compartilho e envelhecidos em alguns aspectos, estão nos volumosos dossiês "L'Italia tra Europa e Padania", em Limes – Rivista Italiana di Geopolítica, 3, 1996; e "Italie – La question nationale", em Hérodote – Revue de géografie et de géopolitique, 89, 1998.

[61] Um livro interessante, que demonstra como as Ligas e, posteriormente, a Lega Nord têm sua origem mais nas mudanças do cenário político italiano nas décadas de 1980 e 90 e nas demandas de novos grupos sociais do que em um despertar etnonacional da "Padânia", é Margarita Gomes-Reino Cachafeiro, Ethnicity and nationalism in Italian Politics: Inventing the Padania – Lega Nord and the northern question, Ashgate, Aldershot, 2002.

[62] Ver cálculos a respeito das vantagens econômicas da secessão do norte em Federico Rampini, "Conviene alla Padania la secessione?", em Limes – Rivista Italiana di Geopolítica, 1, 1996.

[63] Tal revisão histórica já havia sido esboçada durante a ocupação nazista no Friuli, quando os alemães tentaram refazer a identidade friuliana reforçando seu folclore e identificando os friulianos com o antigo Império Habsburgo. Ver Xosé M. Nunez Seixas, Movimentos nacionalistas em Europa, op. cit., p. 256 e seguintes. Para os leitores de inglês, um resumo útil das técnicas de construção identitária da Lega via revalorização das supostas raízes celtas e habsburgouicas do Norte em oposição à herança árabe e bourbônica do Sul está em Damian Tambini. Nationalism in Italian Politics: The stories of the Northern League, 1980-2000, London, Routledge, 2001.

[64] Aliás, a imensa maioria das pessoas do norte da Itália compartilha, ainda que defenda mais autonomia para sua região, essa identidade "italiana", o que ajuda a explicar, inclusive, por que os ideais de independência da Liga Norte acabaram por cair no vazio, forçando-a a moderar seu discurso. Ver algumas pesquisas de opinião pública em Ilvo Diamanti, "Il Nord senza l'Italia?", em Limes – Rivista Italiana di Geopolítica, 1, 1996; "La tentazione del Nord: meno Italia e meno Europa", em Idem, 1, 1998; e outros posteriores na imprensa italiana.

[65] Na década de 1990, por exemplo, diante dos debates sobre a unidade da Itália, surgiu a ideia de identificar a nação italiana com a cidadania. Proposta provavelmente pouco prática, mas que representaria, na verdade, quase uma volta ao conceito de nacionalidade do início do século XIX e indica os dilemas do nacionalismo nesse início do milênio. Ver, a respeito, Giuseppe Vacca, "Il problema della nazione italiana e gli storici", em Vent'anni dopo: La sinistra fra mutamenti e revisioni, Torino, Einaudi, 1997, pp. 231-52.

UM POVO DE EMIGRANTES

AS RAZÕES DO ÊXODO ITALIANO[1]

Entre 1870 e 1970, cerca de 26 milhões de pessoas deixaram a península para viver em outros países, número igual à população da Itália em 1870. É verdade que a maioria acabou voltando para casa, mas um número bastante elevado – cerca de 7 a 8 milhões – não retornou à pátria de origem. Esses números demonstram a importância do fenômeno migratório na história do país e como os italianos eram, realmente, um povo de emigrantes. Tentar entender a Itália e seu povo sem abordar a emigração seria difícil, talvez impossível.

Como indicamos no capítulo "Os italianos antes da Itália", a própria geografia italiana ajuda a explicar essa presença constante da migração no modo de ser dos italianos. Com a proximidade do mar e grande parte do território coberta por montanhas que dificultavam a obtenção de recursos necessários para o sustento, migrar para territórios vizinhos, para as planícies ou para as cidades era uma constante, no mínimo, desde o período medieval.

Também a migração de longa distância não era desconhecida dos povos italianos mesmo antes que existisse uma Itália. Comerciantes, artesãos e intelectuais emigravam com regularidade, para estadas menores ou maiores, para o exterior, especialmente no período moderno, quando a demanda pela arte e pela cultura italianas era imensa nas cortes europeias e os comerciantes italianos controlavam boa parte do comércio mediterrâneo. Eles formaram, inclusive, prósperas colônias de comerciantes nos países do norte da África já em meados do século XIX, e a presença comercial dos genoveses na América Latina sempre foi uma constante, sobretudo na região do rio da Prata (Argentina e Uruguai), nesse período. Grupos de exilados políticos, de inimigos das monarquias reinantes na Itália, também existiram e se espalhavam por toda a Europa e parte da América, em particular no Prata.[2] A maioria dos emigrantes era constituída, contudo, de trabalhadores, pessoas em busca de trabalho inexistente em suas áreas de origem e a predominância dos emigrantes pobres em relação aos de elite (intelectuais, artistas e comerciantes) apenas cresceu com o decorrer do tempo.

Desse modo, os habitantes do norte da península se deslocavam de modo contínuo em busca de trabalho não apenas internamente, como também na França, na Suíça, no Império austríaco e até na Alemanha, mesmo antes da Unificação. Para eles, as fronteiras nacionais pouco importavam e eles as atravessavam aos milhares para participar das colheitas e das grandes obras públicas desses países, as quais requeriam muita mão de obra. Essas migrações não apenas não se interromperam, como se intensificaram, entre fins do século XIX e início do XX.

O ato de emigrar, seja para as cidades na própria Itália, seja para fora da península, nunca foi, portanto, algo desconhecido na história italiana. Pelo contrário, a emigração é um dos fenômenos mais característicos e duradouros da vida dos italianos e não pode ser reduzida a uma simples fuga da fome ou da pobreza em momentos difíceis. Era um mecanismo de sobrevivência econômica e um modo de vida que se reproduzia por gerações e implicava viver e trabalhar pelo menos uma parte da vida fora de seu lugar de origem.[3]

Nos anos anteriores a 1870, contudo, o número de italianos que partiam para fora da Europa era relativamente pequeno, em especial se comparado ao imenso volume de alemães, irlandeses, escandinavos e britânicos que emigravam. A partir dessa época, então, os italianos passaram a emigrar para a América em massa, além de continuar a procurar trabalho em outros países da Europa. É o início do que os italianos chamam de "a grande emigração" e, para entender como e por que ela se deu, temos de esquecer um pouco da Itália e pensar na história da Europa e do capitalismo no século XIX como um todo.

Na primeira metade do século XIX, o norte da Europa estava entrando na Revolução Industrial. Ela causou imensas transformações na sociedade, permitindo grande melhoria do sistema de transportes (por meio de ferrovias e navios maiores e mais rápidos), controle de doenças e da mortalidade e também grande aumento na capacidade de produção de mercadorias, tanto no campo quanto na cidade.

Ao mesmo tempo, a concorrência das grandes propriedades agrícolas que iam se formando e das novas indústrias (as quais podiam, por terem mais capitais e tecnologia, produzir alimentos e produtos manufaturados melhores e mais baratos) arruinava milhões de pequenos agricultores e artesãos. O crescimento rápido da população tornava ainda mais difícil conseguir trabalho. Muitas pessoas viram-se sem meios de ganhar a vida ou com as opções de morrer de fome, trabalhar como operários nas fábricas ou tentar a vida em outros locais, o que grande parte delas preferiu fazer. Essa situação atingiu primeiro a Grã-Bretanha e, logo depois, a Alemanha e os países escandinavos. Emigrantes desses países (e também da Irlanda) partiram às dezenas de milhões, especialmente para os Estados Unidos, onde a demanda de mão de obra era imensa e as oportunidades maiores, conforme demonstra a tabela a seguir:

Um povo de emigrantes | 83

Partida dos italianos no porto de Gênova.

Principais países de emigração e imigração – 1846-1932[4]

Países de emigração (em milhões de emigrantes)

Escandinávia	2,1
Polônia e Império Russo	2,9
Alemanha	4,9
Império Austro-Húngaro	6,2
Espanha e Portugal	6,5
Itália	11,1
Grã-Bretanha e Irlanda	16,0

Países de imigração (em milhões de imigrantes)

Estados Unidos	32,4
Argentina e Uruguai	7,1
Canadá	5,2
Brasil	4,4
Austrália e Nova Zelândia	3,5

Com o passar dos anos, e a continuidade do processo de industrialização, o crescimento da população diminuiu e as indústrias começaram a absorver toda a mão de obra que saía do campo. Como resultado, a emigração desses países diminuiu, apesar de ainda se manter relativamente alta na segunda metade do século XIX e início do XX.

Claro que esse é apenas um quadro geral. Nesse mesmo período, europeus e asiáticos também emigravam por outros motivos, como fuga de perseguições religiosas ou políticas, em busca de oportunidades para fazer fortuna nas colônias ou uma soma de motivos econômicos e de opressão política, como na Polônia e no Império Russo. No entanto, é no contexto mais geral da mudança social no campo europeu com a entrada do modo capitalista de produção em cena no século XIX que está a chave para compreender a emigração europeia no período, incluindo a originária da Itália.

Na Itália, efetivamente, a industrialização e a chegada dos métodos capitalistas ao campo deram-se mais tarde em comparação ao norte da Europa, mas com efeitos semelhantes. Milhões de camponeses italianos viram-se incapazes de enfrentar a concorrência dos grandes produtores (e também do trigo americano e russo, que começou a chegar ao mercado europeu por volta de 1880) e pagar os impostos e outras despesas e faliram, tendo de vender suas terras e escolher entre a miséria, o trabalho incessante e mal pago nas fábricas ou a velha conhecida, a emigração.

O processo de industrialização na Itália (e também em outros países, como os do Leste europeu), contudo, foi mais fraco e levou muito mais tempo para transformar o país e conseguir absorver toda a mão de obra disponível.[5] A população italiana, além disso, apesar da imensa emigração, continuou a crescer, tanto que passou de 28 para 36 milhões de habitantes entre 1880 e 1914. Como resultado, enquanto a emigração foi diminuindo pouco a pouco na Alemanha e na Grã-Bretanha, ela cresceu sem parar na Itália a partir de 1870, continuando relevante até os anos 60 do século XX.

A Unificação italiana teve papel fundamental na construção dessa situação, pois foi com ela que a Itália se formou como mercado capitalista unificado, o que permitiu a entrada da concorrência capitalista no campo e acentuou a crise camponesa. Além disso, a política do novo Estado em privilegiar a indústria em prejuízo do campo (taxando este último e aplicando os recursos na infraestrutura industrial) e de não se esforçar para combater os latifúndios do sul da Itália (que mantinham os camponeses em intensa pobreza) para poder contar com o apoio político dos grandes proprietários de terra agravava ainda mais a situação dos trabalhadores rurais italianos no período.

Parece evidente que essa visão geral do problema emigratório na Itália deve ser flexível para incluir os muitos italianos que emigraram por motivos outros, como procurar novos mercados para suas empresas e negócios, fugir do serviço militar e da perseguição política (como foi o caso de muitos militantes operários ou de inimigos do fascismo) ou outros os mais variados. Também parece óbvio que a "cultura da emigração" já existente na Itália foi fundamental para explicar o processo. Ainda assim, é na entrada do capitalismo no campo, agravado pelas peculiaridades da economia e da sociedade italianas do período, que encontraremos o motivo principal que levou os italianos a emigrarem em números espetaculares a partir, *grosso modo*, de 1870.[6]

Evidentemente, o impulso para emigrar não teria maiores consequências se, entre fins do século XIX e início do século XX, não tivessem acontecido mudanças tecnológicas de importância, como a invenção do navio a vapor e das ferrovias, que permitiam aos emigrantes italianos e, europeus em geral, se deslocar com rapidez em busca de oportunidades de trabalho.

A demanda de mão de obra era realmente chave. Sem a constituição de um mercado mundial de trabalho nesse período, dificilmente teríamos visto a maciça emigração dos europeus e dos italianos em particular. Afinal, dada a situação já identificada, muitos italianos queriam emigrar. Mas para onde eles poderiam ir, se não existissem empregos e oportunidades de ganhar a vida fora das fronteiras do novo Estado italiano? Para sua sorte, contudo, um mercado mundial de mão de obra havia se formado no decorrer do século XIX e os italianos se encaixaram perfeitamente nele.

Efetivamente, desde o século XVI, com as grandes navegações, um mercado mundial foi se formando em torno da Europa. Em uma primeira fase, os europeus (espanhóis e portugueses, em particular) colonizaram a América e exploraram suas riquezas com o uso de mão de obra escrava e indígena, enquanto a Itália, como vimos no primeiro capítulo, ficava à parte.

Em uma segunda fase, por sua vez, ingleses, franceses e holandeses criaram vastos impérios coloniais na África e na Ásia, ao passo que várias das antigas colônias (como o Brasil, a Argentina e os Estados Unidos) europeias adquiriram independência. Como veremos no capítulo "A última potência europeia", o Estado italiano ficou novamente à margem desse processo, mas os italianos se integraram a essa nova economia internacional sem dificuldade, como trabalhadores.

Três fatores impulsionaram essa demanda global por mão de obra nos séculos XIX e XX, à qual os italianos responderam com rapidez: o fim da escravidão nas antigas colônias europeias na América, a difusão da sociedade industrial por todo o mundo e a constituição de Estados independentes no continente americano.

O primeiro fator abriu um vasto campo de trabalho na agricultura, enquanto o segundo gerou milhões de empregos braçais na construção civil, na indústria e nos serviços urbanos. O terceiro fator, por sua vez, implicou a construção de Estados nacionais novos que acreditavam na imigração europeia como elemento de progresso e civilização de suas sociedades, o que gerou imensa demanda por povoadores e colonos.

Com isso, abriu-se imensa demanda mundial por mão de obra, que foi preenchida por diversos povos e migrações. Indianos foram convocados para trabalhos agrícolas na Guiana britânica ou na África do Sul e chineses foram empregados na construção de ferrovias na Califórnia. Ucranianos colonizaram as planícies canadenses e irlandeses seguiram para trabalhos urbanos nos Estados Unidos. O século XIX, até a Primeira Guerra Mundial, foi o século da movimentação dos povos e os italianos se encaixaram perfeitamente no processo.

Assim, os italianos forneceram os músculos para a construção de túneis e canais nos passos alpinos da Áustria e da Suíça, para levantar represas e ferrovias na América do Norte e trilhos de bonde em Montevidéu. Foram colonizadores agrícolas no sudoeste francês, no sul do Brasil e em áreas da Argentina e mineiros na Bélgica, na Alemanha ou nos Estados Unidos. Eles trabalharam nos canaviais da Luisiana e da Austrália e nos cafezais do Brasil.

Os italianos também foram industriais em São Paulo, comerciantes em Buenos Aires ou Túnis e artesãos em Paris. Formaram, ainda, em alguns países de industrialização atrasada e aonde chegaram precocemente, como o Brasil e a Argentina, a base do operariado nacional. Mas, em geral, os emigrantes italianos que se dispersaram pelo mundo eram trabalhadores braçais, rurais ou urbanos, voltados às atividades menos qualificadas e do sexo masculino, ansiosos por ganhar a vida.

Depois da Segunda Guerra Mundial, a situação apresentada nos parágrafos anteriores se modificou em vários aspectos, mas continuou, em linhas gerais, no padrão apresentado. O mundo rural italiano entrou em colapso em virtude do rompimento das possibilidades de emigração temporária, ao mesmo tempo em que a guerra e a inflação destruíam os parcos recursos dos camponeses. Isso gerou nova e profunda onda emigratória, dessa vez para as áreas industriais da própria Itália ou para o exterior.[7]

Por qualquer padrão de comparação, relativo ou absoluto, a emigração dos italianos foi realmente espantosa. Mais indianos, por exemplo, deixaram a Índia no período, mas a população indiana era muito superior à italiana. Em termos proporcionais, mais irlandeses deixaram a Irlanda permanentemente após a grande fome dos anos 40 e 50 do século XIX, mas, em termos absolutos, os emigrantes irlandeses foram menos numerosos. Além disso, a esmagadora maioria deles se concentrou em dois destinos – Grã-Bretanha e Estados Unidos – e apenas uma pequena proporção retornou para casa, o que forma um contraste notável com o caso italiano.[8]

Realmente, essas são algumas especificidades da emigração italiana em um período da história em que a migração era comum: alto índice de retorno, grande representatividade numérica, continuidade no decorrer de um período de tempo muito longo e dispersão geográfica acentuada, o que levou à criação de coletividades italianas por todo o mundo.

Imigrantes italianos nos cafezais brasileiros.

OS ITALIANOS PELO MUNDO

Em boa medida, a dispersão dos italianos pelo mundo se explica pela inexistência de um Império colonial italiano de porte e em que as oportunidades econômicas fossem grandes. Enquanto os franceses ou os ingleses, por exemplo, podiam optar por emigrar para suas próprias colônias e portugueses e espanhóis escolhiam suas antigas possessões americanas (como o Brasil e a Argentina), nas quais a existência de um mesmo idioma tornaria mais cômoda sua vida, os italianos não possuíam tais facilidades e tinham de se sujeitar às condições do mercado global de mão de obra. Também o fato de os italianos emigrarem, como veremos depois, por meio de redes de emigração locais e regionais é importante para compreendermos a sua crescente, e comparativamente relevante, dispersão pelo mundo.

Em termos geográficos, de fato espanta como os oriundos da península foram expandindo sua zona de emigração até abarcar, virtualmente, todo o mundo. Nos anos entre o fim da Idade Média e o período moderno, eles emigraram para as terras africanas e asiáticas ao redor do mar Mediterrâneo e atravessaram os Alpes em direção à Europa central e ocidental. Nos séculos XIX e XX, acrescentaram o mundo atlântico (as Américas) às destinações anteriores e, depois de 1900, aventuraram-se até mesmo no oceano Pacífico, na Austrália.

Se juntarmos esses dados sobre a dispersão geográfica dos italianos com as informações disponíveis sobre as várias fases da emigração italiana, teremos um quadro muito mais completo sobre esse processo.

Muitos italianos deixaram a península já no final da Idade Média e alguns cálculos indicam entre um e dois milhões de pessoas emigrando entre 1790 e 1870. A partir desse ano, com a unificação do país e os motivos já mencionados, o número de emigrantes cresceu exponencialmente e iniciou-se a "grande emigração".

Em uma primeira fase (1870-1900), deixaram a Itália cerca de cinco milhões e duzentas mil pessoas, em especial os oriundos do Norte da península, com ênfase para o Piemonte e o Vêneto. Em um segundo momento (1900-1915), mais oito milhões e setecentas mil partiram, com vênetos, lombardos e piemonteses, continuando a emigrar em grandes números, mas com os meridionais (sicilianos, calabreses, napolitanos) assumindo a primazia. Nas décadas de 1920 e 1930, outros três milhões de emigrantes deixaram a Itália, número este superado entre os decênios de 1950 a 1970, quando cerca de sete milhões e meio de italianos emigraram.

Esses emigrantes foram para quase todos os países do mundo. Em meados do século XX, era possível encontrar italianos e descendentes de italianos trabalhando como comerciantes e artesãos em toda a América Latina, nas colônias europeias da África e da Ásia e no Leste europeu, além de grupos consideráveis no norte da África, em especial na Tunísia e no Egito, e na Austrália. A Europa, a América do Norte e o Cone Sul latino americano foram, porém, os destinos preferenciais dos italianos, como é possível verificar na tabela a seguir:

Emigração italiana – 1870-1970 (em milhões)[9]	
Estados Unidos	5,6
França	4,1
Suíça	3,0
Argentina	2,9
Alemanha	2,4
Brasil	1,5
Império Austro-Húngaro	1,1
Canadá	0,6

Bélgica	0,5
Austrália	0,4
Venezuela	0,2
Grã-Bretanha	0,2
Europa	**12,5**
América e Austrália	**11,5**

Os números dessa tabela devem ser vistos, contudo, com muito cuidado. Em primeiro lugar, porque incluem apenas as entradas de italianos em cada país, e não aqueles que voltaram à Itália. E, em segundo, porque a emigração italiana tem fases e momentos muito distintos, tanto em termos de tempo quanto de espaço.

Realmente, nos anos entre 1870 e 1900, mais ou menos, muitos setentrionais se dirigiram para a América Latina, com os vênetos que partiram de maneira preferencial para o Brasil e os piemonteses, para a Argentina. A grande maioria dos habitantes do Norte da península, contudo, continuou, mesmo nesse período, a preferir emigrar para trabalhos agrícolas ou manuais na Suíça, no Império Austríaco ou na França, mas com a maior parte retornando à Itália e emigrando novamente anos depois, o que aumenta as estatísticas desses países apresentadas.

Entre 1900 e 1915, a crise do campo italiano atingiu com mais força as regiões do Sul do que as do Norte e os meridionais começaram a superar os setentrionais em número de emigrantes. O destino do fluxo também mudou: os meridionais preferiam se dirigir à América e muitos chegaram ao Brasil e à Argentina nesse período. A maioria, contudo, emigrou para os Estados Unidos.

Depois do fim da Primeira Guerra Mundial, em 1918, com a diminuição das oportunidades econômicas na América Latina e as leis de controle de imigração nos Estados Unidos, os italianos, sobretudo os do Norte, voltaram a se dirigir preferencialmente à Europa. A França, em especial, recebeu um vultoso número de imigrantes italianos, dada sua necessidade de mão de obra (pois suas perdas na Primeira Guerra Mundial foram, proporcionalmente, mais altas do que as de qualquer outro país) e ao acolhimento que ela dava aos refugiados antifascistas, que tiveram de fugir da Itália quando da chegada ao poder de Benito Mussolini em 1922. A Bélgica também recebeu muitos italianos nesse processo, em particular para os trabalhos nas minas e na siderurgia, assim como houve um incremento da imigração italiana em algumas colônias de povoamento britânicas, como a Austrália e o Canadá.

Com o fim da Segunda Guerra Mundial em 1945, esses dois últimos países abriram suas portas à imigração, o que levou ao aumento expressivo do número de italianos ali residentes, tal como ocorreu com a Venezuela, então em pleno auge do ciclo do petróleo. Estados Unidos e Argentina também receberam novos fluxos de italianos, enquanto as antigas colônias do norte da África desapareceram, com o retorno de italianos e descendentes para a Itália.

A Europa continuou, porém, o destino preferencial dos italianos, o que foi facilitado, além disso, pela constituição do Mercado Comum Europeu, hoje União Europeia, que aboliu as fronteiras para os trabalhadores europeus. Com isso, houve novos fluxos de imigrantes italianos para a França, a Suíça e a Bélgica e aumentou de forma substancial o número de italianos, especialmente meridionais, dirigindo-se à Alemanha para trabalhar na reconstrução do país nos decênios de 1950 e 60.

Essas décadas representaram, contudo, o momento final da emigração italiana em massa. Nos anos que se seguiram, a migração dos italianos para fora da península diminuiu drasticamente, e trabalhadores estrangeiros apareceram em Roma, Milão, Palermo e outras cidades. A Itália deixava de ser um país de emigração para se tornar um de imigração, com todos os desafios daí decorrentes.

O FIM DA EMIGRAÇÃO ITALIANA

A transição italiana de nação expulsora para receptora é realmente espantosa. Já nos anos 50 e 60, quando milhões de italianos deixavam a terra natal, estava claro que alguma coisa diferente acontecia no país. Em primeiro lugar, como veremos no capítulo "Um povo de emigrantes", a economia italiana começou a crescer em ritmo acelerado, abrindo imensas possibilidades de emprego na própria Itália. E, em segundo, como consequência do primeiro, houve imensa transferência populacional do Sul para o Norte da península, onde o milagre econômico italiano tinha seu centro.

Migrações do Sul para o Norte da Itália não eram, na verdade, nenhuma grande novidade na história italiana. No início do século xx, já havia centenas de milhares de pessoas originárias do sul da península trabalhando no norte. Apesar das tentativas de controle do fascismo, esse número já havia subido para mais de 600 mil em 1931 e um milhão em 1951.[10]

Nas décadas de 1950 e 1960, entre oito e nove milhões de pessoas deixaram o Sul para trabalhar nas indústrias do Norte (com outros três milhões deixando o país) e, entre idas e vindas, houve substancial ganho populacional para o Norte. Esse "ímã" sugou boa parte da emigração potencial italiana para o exterior e, como resultado desse e de outros fatores (como a queda da natalidade na Itália e a crise econômica nas nações industriais do norte da Europa), as ondas de emigrantes italianos para o exterior começaram a desaparecer. Nos anos 70, a saída de pessoas da península tinha caído a níveis mínimos e, na verdade, mais italianos voltavam do que saíam da Itália.[11]

Essa situação continuou nos anos seguintes e, hoje, são poucos os italianos que emigram como trabalhadores ou operários, como seus pais e avós o fizeram. Os poucos que hoje deixam a Itália o fazem como comerciantes, industriais, funcionários das grandes multinacionais italianas ou, ainda, como artistas, músicos ou cientistas.

Esses últimos parágrafos merecem, com certeza, algum aprofundamento, pois nos indicam várias coisas. Em primeiro lugar, fica claro como a Itália, apesar de todo seu desenvolvimento, ainda é uma nação que conserva alguns dos problemas de antigamente, como uma incapacidade de desenvolver um sistema científico realmente de peso, o que leva muitos de seus mais brilhantes cientistas a procurar melhores condições de trabalho nos Estados Unidos, na França ou na Inglaterra.

Em segundo, é interessante notar como a emigração italiana, hoje, retornou ao que era séculos atrás, ou seja, uma emigração de números reduzidos e de elite, de artistas, músicos, empresários e comerciantes, os quais vendem os produtos culturais italianos (filmes, moda, arte) e espalham ali a nova imagem da Itália como uma nação rica, sofisticada e culturalmente desejável. São emigrantes de elite, que têm pouco em comum, e muitas vezes até evitam, os remanescentes da velha emigração de trabalhadores pobres de décadas atrás?[12]

Outro efeito da transformação da Itália em uma economia moderna e em uma sociedade de bem-estar social foi a chegada de imigrantes ao país, incipiente na década de 1970 e crescente daí em diante.

Uma parte desses imigrantes não é estrangeira, em um certo sentido. Muitos são filhos e netos de italianos nascidos na América do Sul que, utilizando-se de seus direitos de cidadania e querendo fugir do caos econômico de seu país, dirigem-se à Itália para tentar uma vida melhor. Claro que são beneficiados pelo fato de serem legalmente cidadãos italianos, brancos e de sobrenome italiano. Mas quase todos foram educados em outras línguas (português, espanhol) e em outras realidades, o que sempre é uma dificuldade para a real integração e gera imensos conflitos de identidade. De fato, esses "novos italianos" trazem elementos novos para a cultura da Itália moderna e oferecem novos desafios para a tentativa de definir a "italianidade".

Os *oriundi* (termo que designa as pessoas de origem italiana, com ou sem cidadania italiana, nascidos em outros países), de qualquer forma, são relativamente poucos e não chamam tanto a atenção. Ao menos não tanto como os imigrantes estrangeiros de fato e de direito, que também têm escolhido a Itália para se fixar nos últimos 30 anos.

Na verdade, em comparação com a França, a Alemanha, os Estados Unidos e os demais países, há poucos estrangeiros na Itália. A estimativa mais recente é de que cerca de 1,5 milhão de estrangeiros vivem no país, o que significa apenas 2,5% da população. Mas eles estão chegando em número crescente, dadas as necessidades de mão de obra da economia italiana (em especial para os empregos humildes que os italianos não querem mais assumir) e a crise em seus países de origem, apesar das medidas restricionistas do governo italiano.[13]

Muitos desses estrangeiros são estudantes, artistas ou funcionários de grandes empresas, que não causam grande comoção. Também os muitos imigrantes europeus ou americanos não são fonte de problemas. Caso muito mais sério é o dos imigrantes pobres e não brancos originários da África e da Ásia (árabes, senegaleses, filipinos etc.), que, apesar de relativamente poucos, levam a constantes demonstrações racistas e xenófobas na Itália,[14] além de preocupações de que os italianos, com sua baixa natalidade, serão minoria no seu próprio país em algumas décadas.

Apesar de exageradas, tais preocupações indicam algumas das notáveis mudanças vivenciadas pela Itália contemporânea. Hoje, esta se tornou um dos países com a natalidade mais baixa e a maior idade média do mundo. Na realidade, a natalidade tem decaído, de forma gradual, mas contínua, na Itália há muito tempo e o próprio fascismo, que tendia a ver população como poder, fez um grande esforço, sem bons resultados, para reverter essa queda.[15]

O problema só se tornou dramático, contudo, nos últimos anos, quando a fertilidade chegou a níveis tão baixos que impede a renovação populacional. Realmente, as italianas, nesse início do século XXI, têm menos filhos (ao redor de 1,2 por mulher) do que o necessário para manter a população atual e esta já está diminuindo. Até 2050, os italianos, que hoje são 57 milhões, serão apenas 50 milhões ou menos.[16]

Esse tópico da baixa natalidade na Itália de hoje é interessante, inclusive, se quisermos conhecer melhor a própria cultura italiana. A Itália, em dias atuais, tem índice de natalidade inferior até mesmo a países que conheceram a "revolução demográfica" muito antes, como a Europa do norte ou a França. Ou seja, os italianos não apenas se equipararam a seus vizinhos nesse quesito, como os superaram.[17] Para explicar isso, temos de levar em conta, com certeza, problemas típicos da sociedade e da cultura italianas (e latinas, em geral), como a falta de estrutura (creches, auxílios estatais etc.) capaz de apoiar as mulheres que queiram ter filhos[18] e a resistência a ideias como filhos fora do casamento ou que as mães (a famosa *mamma* italiana) não se dediquem cem por cento a sua prole. Tendo de escolher entre ser mãe, esposa e dona de casa ou profissional, sem nenhum meio-termo possível, muitas mulheres optam pela segunda condição, com o consequente colapso da natalidade.[19]

Como resultado, a Itália hoje é um país onde o número de idosos com mais de 65 anos já supera o de crianças com menos de 14, o que gera imensos problemas econômicos e sociais. Uma retração demográfica e um envelhecimento geral que são comuns a outros países desenvolvidos (como a Alemanha e o Japão), mas que causam

A Itália é vista hoje como um país de idosos.

estranheza em um país conhecido por suas famílias com muitos filhos, que se orgulhava de sua capacidade de reprodução. O país das crianças está se tornando uma sociedade de velhos. Mais uma vez, a imagem da Itália se altera diante das mudanças históricas.

Para uma nação acostumada a famílias numerosas, a enviar pessoas para fora e a ter seus filhos discriminados ao redor do mundo, espanta de fato como a Itália moderna se adaptou rápido ao padrão da Europa rica de poucos filhos, de contenção e de restrição à imigração. Mas os imigrantes continuam a chegar e, novamente, mudam o panorama cultural e demográfico italiano.

Seja enviando pessoas para fora, seja recebendo, de boa ou má vontade, estrangeiros em seu território, a Itália continua a ser definida, em boa medida, pelo vaivém das pessoas de e para ela.

UMA EMIGRAÇÃO ITALIANA?

Quando usamos os termos "emigração italiana", "coletividades italianas no exterior" ou outros correlatos, a imagem que vem à mente é a de italianos emigrando para outros países e se reunindo lá em associações e grupos baseados em uma língua e em uma identidade comuns.

No entanto, essa não é a realidade. Como vimos no capítulo anterior, a questão da identidade dos italianos foi um problema que atravessou os séculos XIX e XX e, até certo ponto, ainda não foi resolvida. Não espanta, assim, que boa parte das estratégias emigratórias dos italianos durante esse longo processo que foi a emigração em massa tenha se baseado em aldeias e regiões e não, necessariamente, no país Itália, o que leva muitos pesquisadores a questionarem se, mesmo depois da unificação italiana, havia de modo efetivo uma emigração de italianos propriamente ditos.[20]

Em outras palavras, é verdade que, em muitos momentos, os italianos emigravam de forma, digamos, natural, respondendo a demandas do mercado global por seus músculos e braços. Um agente do governo brasileiro ou argentino dizendo maravilhas da vida na América do Sul e oferecendo a passagem de navio, ou uma reportagem no jornal local a respeito das oportunidades nos Estados Unidos ou na França, podiam induzir pessoas de várias aldeias e regiões a partirem e eles se misturariam a pessoas de outras aldeias e regiões da Itália já nos navios. Também houve momentos, como o da emigração de italianos para o Terceiro Reich alemão, entre 1938 e 1943,[21] em que o fluxo era originado de várias regiões e dirigido pelo próprio Estado. Eram, nesse sentido, migrações italianas.

Nem sempre, contudo, foi assim e, muitas vezes, não havia uma emigração de italianos apenas para o exterior, onde todos se confraternizariam na qualidade de oriundos do mesmo país, mas de pessoas originárias da península itálica sem necessariamente forte identidade comum.

O próprio sistema de recrutamento de italianos ajudava a formar comunidades e identidades que iam além de uma "Itália". Afinal de contas, para conseguir empregos no mercado global, a primeira exigência era a informação. Como, porém, um camponês de uma aldeia vêneta ou siciliana poderia saber de ofertas de trabalho na zona rural paulista ou em Nova York? Agenciadores desempenhavam, muitas vezes, esse papel, mas os aldeões serviam-se da mesma forma de colegas de profissão, amigos ou vizinhos que voltavam para casa, depois de uma temporada no exterior, com dicas e conselhos. Cartas e mensagens também circulavam, gerando um fluxo de informações que estimulava a partida.

Portanto, em muitos casos, o sistema emigratório dos italianos funcionava segundo estratégias baseadas no relacionamento familiar, de aldeia e região ou mesmo de afinidade profissional e política. Assim, em vez de uma emigração de italianos, o que identificamos, em muitos momentos, foram emigrações várias que se entrecruzavam e formavam uma rede mais complexa do que pode parecer à primeira vista.

Assim, explica-se a forte preferência de emigrantes de uma certa região da Itália por um determinado destino no exterior. Os sicilianos e napolitanos preferiam os Estados Unidos e os vênetos, o Brasil, enquanto os lígures davam preferência à Argentina e os lombardos, à Suíça. Surgiram assim, em um primeiro momento, bairros sicilianos em Nova York e vênetos em São Paulo convivendo com outros bairros calabreses ou lombardos, todos com vida associativa e cultural própria. Bairros "italianos" simplesmente não existiam nesses locais, ao menos não inicialmente.

Nesse contexto, o quadro podia se tornar ainda mais característico, com redes se formando entre duas cidades ou regiões específicas (como os habitantes de Polignano al Mare com São Paulo ou os de Cavriago com Argenteuil, França)[22] ou com os emigrantes da mesma aldeia fazendo escolhas emigratórias geograficamente distintas segundo sua profissão ou suas relações familiares.

Em boa medida, as escolhas diversas de meridionais e setentrionais refletiam problemas geográficos e financeiros, pois era muito mais fácil e barato, em virtude da geografia e dos meios de transporte disponíveis na época, para um piemontês emigrar para a França e um siciliano, para Nova York do que o contrário. As cadeias migratórias também ajudam a explicar essa situação.

Por cadeias migratórias entende-se o processo pelo qual muitas pessoas emigram para outro país ou cidade por causa de contatos já estabelecidos lá. Em geral, funciona da seguinte forma: um indivíduo consegue autorização para se instalar em um outro país por algum motivo e informa a um parente, amigo, conterrâneo ou companheiro de fé política que tem um emprego ou contatos para ele. Se esse outro indivíduo também deseja partir, ele logicamente preferirá ir para algum lugar em que já conheça alguém ou tenha contatos, auxílio para os primeiros tempos etc. Este último, por sua vez, trará outros e a cadeia se repete.

Esse sistema de "redes" também obedecia a clivagens outras, como as de classe, as quais sempre foram uma constante no mundo da diáspora italiana.

Já no período pré-grande emigração (1790-1870) essa situação era visível. Da península, estavam partindo pessoas da elite (comerciantes, artistas, intelectuais), exilados políticos e trabalhadores comuns. Os primeiros e os segundos dirigiam-se centralmente ao continente europeu, enquanto os últimos, muito mais numerosos, tomavam, naqueles anos, o caminho da América do Sul.

Os emigrantes dirigiam-se, portanto, a locais diferentes e, mesmo quando se encontravam na mesma região no exterior, raramente se reuniam ou confraternizavam como italianos. Os exilados políticos do século XIX tinham um pouco mais de preocupação com os emigrantes pobres (que viam como aliados em potencial para construir a Itália que eles queriam), mas, em geral, emigrantes pobres e de elite viviam em mundos separados por classe e origem social e apenas as estatísticas dos países de imigração e alguns estrangeiros os viam todos como "italianos". Essa situação se alterou um pouco com o passar do tempo, mas a clivagem de classe nas colônias nunca desapareceu, gerando identidades entre os "italianos do exterior" que iam além da origem comum da península.

Tal fenômeno também ocorreu com as diferenças regionais. Com o passar do tempo, esse campanilismo ou identidade local (aldeia/província) e regionalismo ou identidade regional (regiões) que caracterizava os imigrantes italianos foi enfraquecendo dada a força do movimento nacionalista que emanava da própria Itália e atingia as coletividades italianas do exterior e a formação de uma nova identidade étnica a partir da vivência dos imigrantes no novo mundo. Mas campanilismo e regionalismo foram elementos constantes na emigração dos italianos para o exterior até, pelo menos, o fim da Segunda Guerra Mundial.

Pós-1945, efetivamente, a situação mudou de forma quase completa. As antigas redes regionais e locais haviam sido desfeitas pela experiência da guerra e não foi tão simples reconstruí-las, ainda que isso tenha acontecido em alguns casos. O Estado italiano também passou a se esforçar para gerir e controlar a emigração, dirigindo seus fluxos por meio de acordos e tratados com outros países. Ao mesmo tempo, a identidade nacional italiana se consolidou, como vimos no capítulo "Um povo em busca de sua identidade nacional", dentro de casa, enquanto a economia do país também se desenvolveu, abrindo novos espaços para migração na própria península.[23] A emigração dos povos da península itálica evoluiu, assim, para uma emigração de italianos, mas foi um processo cheio de nuances que demandou décadas e mesmo séculos.

Em resumo, a emigração dos italianos foi complexa e reflete muito bem a própria problemática da construção da nação e do povo italianos. De qualquer modo, foi como italianos que eles enfrentaram o contínuo racismo voltado contra os oriundos da península itálica.

O RACISMO ANTI-ITALIANO

Falar de racismo contra os italianos é, para nós, que vivemos no século XXI, algo quase incompreensível. Afinal, os italianos são europeus e o racismo seria algo "voltado contra negros, asiáticos, árabes ou outros povos". Falar em racismo anti-italiano ou mesmo discutir se os italianos são brancos parece um absurdo e, no contexto dos nossos dias, realmente o é.

No auge da grande emigração italiana e europeia, nos séculos XIX e XX, contudo, essa discussão estava longe de ser considerada equivocada. As elites ocidentais do período tendiam a ver o problema racial de forma muito mais específica que a nossa. Elas aceitavam, em geral, a ideia de uma raça branca europeia superior às outras, mas a subdividiam em outras (anglo-saxônica, latina, eslava, germânica etc.), que também se diferenciavam em pureza, capacidade de trabalho, engenhosidade etc., estabelecendo uma rígida hierarquia entre elas. Por fim, discutiam quais povos pertenceriam a quais raças e se certos grupos de habitantes da Europa podiam ser classificados como europeus ou não. Assim, havia dúvidas, por exemplo, se os mediterrâneos e alguns povos do Leste europeu podiam ser considerados brancos e se a constituição racial mista da França (germânicos, alpinos e mediterrâneos) seria um impedimento a seu progresso.[24]

É evidente que esses debates, hoje, não têm mais significado. No entanto, tiveram um peso muito grande na história das grandes migrações dos séculos XIX e XX, ainda que seus desdobramentos variassem muito conforme os povos e os países envolvidos, como uma comparação entre o caso americano e o brasileiro pode comprovar.

No Brasil, por exemplo, a imigração de negros e asiáticos foi vetada por muito tempo, pois se queria "branquear" o país como forma de civilizá-lo. Como país latino e católico, é claro que o Brasil aceitou italianos, espanhóis e portugueses, considerando-os europeus e, portanto, superiores. Mesmo aqui, contudo, havia a ideia da superioridade dos anglo-saxões e germânicos, o que levou à preferência, enquanto foi possível, por emigrantes dessas regiões e, entre os italianos, pelos oriundos do norte.[25]

No caso dos Estados Unidos, a preocupação não era tanto a de atrair europeus, mas de atrair os europeus "certos", ou seja, germânicos e anglo-saxões. Tanto que, quando a emigração do norte da Europa começou a diminuir e o número de mediterrâneos e oriundos do Leste europeu cresceu, já no século XX, foram implantadas várias leis para restringir a sua entrada no país. Uma visão racial de que havia diferenças significativas entre os europeus foi fundamental, ainda que não exclusiva, para explicar esse processo.[26]

Os italianos foram claramente afetados por esse tipo de visão racial. Pobres, analfabetos em boa parte e com hábitos peculiares, aos italianos foram logo atribuídos vários estereótipos: pouco higiênicos, com padrões morais pouco elevados (violentos, devassos, delinquentes, entre outros), subversivos. Mesmo que algumas dessas acusações se aproximassem da realidade, o que havia era uma imensa generalização e, em especial, a atribuição à raça como fonte última de todos os "defeitos" dos italianos.[27] Daí ao preconceito racial era um pequeno passo, com efeitos na vida dos italianos ao redor do mundo.[28]

Evidentemente, houve variações imensas, no mundo da emigração italiana, no tocante ao problema do racismo anti-italiano. De fato, se é verdade que houve discriminação e preconceito contra os italianos no Brasil, na Argentina (como indicam as manifestações anti-italianas em São Paulo em 1892, 1896 e 1928[29] ou o massacre de italianos em Tandil, na Argentina, em 1872[30]) ou em outros países latinos, estas não foram comparáveis às tensões étnicas profundas que marcaram a inserção dos italianos nas sociedades anglo-saxãs. Mesmo o caso da França, onde as tensões étnicas entre italianos e franceses foram longas e persistentes (e lembro aqui o episódio de linchamento de italianos em Aigues-Mortes em 1893[31]) não é comparável, a meu ver, com a situação nos países germânicos[32] e, em particular, nos anglo-saxões.

Nos Estados Unidos, na Inglaterra e nas colônias de povoamento (os *Dominions*) britânicas, como o Canadá e a Austrália, efetivamente, os italianos foram muito discriminados. *Pogrons* anti-italianos ocorreram em vários locais dos Estados Unidos, sendo sobretudo relevantes os da Luisiana, em 1890 e 1899,[33] e em Kalgoorlie (Austrália), em 1934;[34] eles eram preteridos e mal pagos, em boa medida por serem considerados não brancos nas minas australianas e canadenses ou nas fábricas americanas e boa parte das leis anti-imigração desses países, nos anos 30, visava justamente a combater a imigração de italianos e de outros mediterrâneos.[35]

A fonte inicial para a ênfase anti-italiana nesses países foram as imagens difundidas pela literatura em língua inglesa dos séculos XIX e XX sobre a Itália, que enfatizavam a pouca higiene, os hábitos inferiores e a quase selvageria dos italianos. Os próprios hábitos culturais e religiosos dos imigrantes italianos causavam estranheza entre os anglo-saxões e germânicos, e a forte presença da Máfia nos Estados Unidos (apesar de também existirem gângsteres irlandeses, ingleses e, em especial, judeus[36]) também ajudou a comprometê-los, em particular os do Sul, como povo. Mas ainda mais importante foi o fato de esses países serem especialmente sensíveis às ideias dos "nórdicos" do norte da Europa como superiores racialmente e protestantes, o que levava de forma automática a um desprezo pelos povos latinos e católicos da bacia do Mediterrâneo, mesmo europeus.

Além disso, o grosso da emigração italiana para esses países se originou do sul da Itália, do *Mezzogiorno*, justamente a área da Itália sobre a qual pairavam as maiores dúvidas se era habitada realmente por europeus brancos. Tanto que os italianos do Norte, apesar de também sofrerem com o racismo anti-italiano, eram menos visados e tentavam até mesmo se desvincular de seus conacionais do Sul, para fugir dos estereótipos e dos preconceitos.[37] Como já explicitado pelo historiador canadense Robert Harney,[38] talvez seja possível dizer que a italofobia era uma "*English speaking malady*" (doença do mundo de língua inglesa), com toda as implicações daí decorrentes.

Isso se refletiu, inclusive, no problema das prisões e das perseguições aos italianos na época da Segunda Guerra Mundial. Como inimigos de guerra, eles foram evidentemente perseguidos e postos sob vigilância e custódia em todos os países que guerrearam contra a Itália. Elas ocorreram, com bastante rigor, na França, na Bélgica e nas colônias francesas do norte da África e em países latino-americanos, como o Peru e o Brasil, em 1942 (apesar do foco da repressão ali ter sido dirigido aos alemães e aos japoneses).[39]

No entanto, nos Estados Unidos e, acima de tudo, no Reino Unido e nos *Dominions* britânicos, a perseguição foi muito mais intensa.[40] O clima de terror do ano crítico, para o Império britânico, que foi 1940, com certeza ajuda a explicar esse rigor. Impossível não levar em consideração também, contudo, a especial desconfiança com que os italianos eram vistos pelos anglo-saxões naquela época.

Assim, enquanto nos países latinos, por motivos de afinidade cultural, linguística e mesmo racial, os italianos sempre foram vistos como europeus e brancos, ainda que, muitas vezes, como inferiores por serem pobres e terem hábitos diferentes, nas regiões de língua inglesa e alemã a situação foi, comparativamente, muito pior, com os italianos sendo associados à imagem de delinquentes, violentos e inferiores que muito os marcou.

Nas últimas décadas, contudo, a situação se alterou. Os imigrantes italianos rapidamente foram assimilados em seus novos países, enquanto as teorias de superioridade da raça nórdica caíram por terra depois do nazismo e da Segunda Guerra Mundial. Além disso, com a chegada maciça de imigrantes do Terceiro Mundo à Europa e à América do Norte, os italianos, mesmo os do Sul, foram alçados à condição de imigrantes preferenciais, irmãos de sangue e raça, em locais como a França e a Bélgica.[41]

Já nos Estados Unidos, eles passaram por um processo de "branqueamento",[42] sendo considerados hoje, em essência, parte do grupo branco. Preconceitos ainda existem, como a persistente identificação dos italianos com a Máfia[43] e dúvidas residuais sobre a "branquitude" dos ítalo-americanos permanecem,[44] mas são bem menos evidentes do que no passado.

De qualquer forma, mesmo com todas as dificuldades e os preconceitos, os emigrantes italianos construíram, em suas idas e vindas pelo mundo, uma rede de proporções globais, a qual não podia deixar de ter reflexos na própria história da península e do povo italianos.

A REDE INTERNACIONAL DA EMIGRAÇÃO ITALIANA

Um ponto interessante a ser observado nessa imensa rede criada pelos italianos ao redor do mundo é a maneira pela qual se relacionavam com a própria Itália, ou, se quisermos ser mais precisos, com aldeias, regiões e famílias que deixavam para trás ao embarcar nos navios ou nos trens que os levavam para fora.

De fato, uma imagem muito presente em quem pensa em emigração é aquela da família emigrante com suas valises e bagagens, pronta para deixar a Itália em direção ao Brasil ou ao Canadá para nunca mais voltar. Em algum momento, isso aconteceu, em especial no caso de agricultores que abandonavam a Itália em busca de terras no sul do Brasil ou no sudoeste francês. Nesse caso, a intenção da emigração era permanente desde o início e um sinal disso é que essa era uma emigração de famílias, com os homens acompanhados de suas mulheres, filhos e outros parentes.

Também é verdade que muitos emigrantes acabaram por não retornar à Itália, mesmo que essa tenha sido sua intenção inicial, seja porque conseguiram construir um futuro melhor no exterior, seja porque não tinham condições de pagar a passagem de volta depois de uma experiência frustrante fora de seu país. Também deve ser ressaltado que, no pós-Segunda Guerra Mundial, a emigração permanente cresceu bastante.

Apesar disso, não foi esse o padrão habitual dos emigrantes italianos. Em linhas gerais, eles eram homens,[45] sozinhos e iam para fora da Itália com a firme intenção de retornar para sua aldeia natal, com a qual mantinham vínculos fortes, ali deixando mulheres, filhos e amigos e aplicando o dinheiro amealhado durante o trabalho no exterior, no que se diferenciavam, por exemplo, de irlandeses ou judeus do Leste europeu que emigravam para os Estados Unidos, que tinham, habitualmente, índices de retorno muito inferiores.

Criou-se, assim, um verdadeiro sistema em que as mulheres ficavam em casa, cuidando das propriedades familiares e dos filhos, enquanto os homens partiam para ao menos alguns períodos de trabalho no exterior, voltando posteriormente para casa e partindo outra vez, nem sempre para o mesmo destino, em busca de trabalho e salários.

Certos dados numéricos indicam bem essa situação. Alguns cálculos mostram como 90% dos vênetos que partiam em busca de trabalho na França ou na Alemanha nos anos 90 do século XIX voltaram para casa. Para a Suíça, o Império Austríaco e outros países europeus próximos, os índices de retorno também sempre foram altos.[46]

Mesmo no caso da emigração para a América, mais distante, os índices de retornos são impressionantes e bem maiores que aqueles de outros povos. Entre 1905 e 1930, um em cada dois italianos que partiram para os Estados Unidos voltou para a Itália e números semelhantes, ainda que um pouco menores, existem para o Brasil e a

Argentina. É claro que muitos voltavam apenas por decepções, para investir o ganho local em casa, para se aposentar ou por outros motivos, mas a maior parte fazia essas idas e vindas simplesmente por ser esse seu modo de vida.[47]

Ou seja, o que estava em jogo aqui não era um desejo de ser cosmopolita, de viver parte da vida no exterior, nem uma firme necessidade patriótica de retornar à Itália, pátria amada. O que havia eram economias familiares nas quais a emigração para "postos avançados" no exterior era um elemento-chave. Em geral, as famílias só eram levadas quando era economicamente possível e rentável, como no caso da emigração subsidiada dos vênetos para as fazendas de café em São Paulo ou aquela para os pampas argentinos.

Esse modo de vida era verdadeiramente transnacional, conectando família e trabalho em mais de um território nacional. O caso da família Sola, de Valdengo, perto de Biella, é exemplar disso. O primeiro membro da família a deixar a Itália o fez ainda em 1850, trabalhando em uma variedade de empregos na França, Brasil, Argentina e África. Três dos seus sobrinhos também emigraram, um indo para Lyon, outro circulando entre a Europa, a África e os Estados Unidos e um terceiro indo para a Argentina. Todos, menos o último, voltaram para casa, mas vários de seus filhos também partiram, indo para Cuba, para encontrar os parentes em Buenos Aires, e para Nova Jersey. O *paese* (aldeia) de origem servia de centro para uma rede em que os membros da família, dinheiro e notícias circulavam.[48]

Montaram-se, assim, várias redes que se espalhavam por diversos países. Para os emigrantes, a diferença realmente séria era entre os países europeus e os americanos, dado o oceano que os separava. Nesses universos, as variações entre os diferentes países não eram realmente relevantes.[49]

Mesmo os emigrantes políticos italianos, que não dependiam dessas redes familiares para sobreviver, seguiram padrões de emigração semelhantes, ainda que não iguais. Já no século XIX, como visto, os refugiados políticos mazzinianos e garibaldinos circulavam em uma rede que englobava a Europa, a América e o litoral do Mediterrâneo. Para os muitos anarquistas, socialistas ou comunistas que tiveram de deixar a Itália nos séculos XIX e XX, pode-se fazer semelhante afirmação com eles circulando entre vários países, apoiados por seus companheiros de fé locais, em busca de espaço para continuar sua luta política e, às vezes, voltar à Itália.

Um exemplo perfeito dessa situação na história italiana, contudo, é a rede mundial construída pelos italianos antifascistas quando esses tiveram de deixar a Itália durante as décadas de 1920 e 1930. Sem entrar em detalhes sobre seu sistema de funcionamento, é fácil perceber como seu sangue vital estava na circulação de jornais, publicações, notícias, cartas e militantes entre os mais diversos países e continentes. Seus "nós" eram as coletividades de origem italiana e, nelas, os intelectuais e os líderes políticos antifascistas (como Omero Schiassi, na Austrália, Antonio Piccarolo, no Brasil, Luigi Fabbri, no Uruguai, e Gaetano Salvemini, nos Estados Unidos, entre muitos outros[50]), as sessões das grandes associações italianas antifascistas ou dos partidos políticos italianos reconstruídos no exterior (como a Lidu, a Concentrazione, Giustizia e Libertà, o PCI, o PSI, o PRI, entre outros), as quais estavam espalhadas pelos cinco continentes, e os organismos supranacionais de esquerda (como as Internacionais Comunista e Socialista e os partidos que delas faziam parte).

Tais "nós" serviam para ligar as células antifascistas mesmo a milhares de quilômetros umas das outras, garantindo a globalização de sua luta e uma identidade maior. Redes de emigração regionais que levavam à criação de grupos antifascistas específicos com conexões próprias (como as de oriundos da Emília-Romanha na França, na Argentina e no Brasil,[51] as de piemonteses de Biella na Argentina[52] e as dos migrantes socialistas e antifascistas oriundos de Morano, Calábria, presentes em toda a América Latina[53]) e a enorme dispersão internacional dos refugiados judeus italianos pós-1938 (com suas relações específicas e, a partir de então, muito próximas ao antifascismo) são outros exemplos nesse sentido.[54]

Na verdade, o fascismo italiano também não agia de forma muito diferente nesses anos. A partir de um núcleo central – a Itália –, jornais, publicações, notícias e diretrizes seguiam para todos os países de imigração italiana do mundo e os militantes fascistas italianos circulavam, com os "nós" sendo constituídos por sessões dos *fasci all'estero* (núcleos do partido fascista instalados fora da Itália), por intelectuais e militantes fascistas e também pela rede de embaixadas e consulados italianos espalhados pelo mundo.[55] Os contatos com os partidos de caráter fascista em todo o mundo e cadeias de emigração próprias também permitiam a criação de uma identidade fascista italiana internacional, que se contrapunha à antifascista.

O que identificamos, portanto, são redes que podiam ter caráter "italiano" ou não, mas que acabavam por dar um caráter realmente internacional à diáspora italiana. Por intermédio de seus emigrantes, ricos e pobres, revolucionários ou funcionários do governo, os italianos conseguiram "colocar a Itália no mundo", com consequências profundas para a própria vida e história da península, consequências essas que se mantêm até hoje.

A COMMONWEALTH ITALIANA

Estimativas italianas do ano 2000 indicam que quase 4 milhões de italianos viviam fora das fronteiras nacionais. Desses, quase 70% estão na Europa, especialmente na Alemanha (660 mil), na Suíça (520 mil) e na França (370 mil). Outra área de grande presença de italianos é a América, com mais de 1,1 milhão de italianos na América do Sul (dos quais quase 500 mil na Argentina, 300 mil no Brasil e 125 mil na Venezuela), 360 mil no Canadá e nos Estados Unidos e outros 14 mil no México e na América Central.[56]

Além dessas grandes concentrações na Europa e na América, cerca de 120 mil italianos vivem atualmente na Austrália, enquanto outros 25 mil habitam os diversos países da Ásia e outros 70 mil estão na África, dos quais mais da metade na África do Sul.

Essas comunidades, em linhas gerais, estão em processo de desaparecimento. Bairros italianos como o Brás em São Paulo ou o Little Italy em Nova York, convertem-se de forma progressiva em bairros nordestinos e chineses, respectivamente, e as coletividades vão perdendo sua coesão à medida que os remanescentes da última grande onda emigratória morrem ou retornam para casa.

Ao lado deles, quase 60 milhões de *oriundi* estão espalhados pelo planeta. Quase 2 milhões deles estão na França, com mais algumas centenas de milhares espalhados pela Bélgica, pela Inglaterra e por outros países da Europa. Na Ásia e na África, eles são poucos, na casa das dezenas de milhares. A única exceção no Oriente é a Austrália, onde mais de meio milhão de australianos são de origem italiana.

A maior parte dos *oriundi*, no entanto, vive no continente americano. São quase 600 mil pessoas no Canadá, um milhão no Uruguai e algumas dezenas de milhares na América Central, no México e em países da costa pacífica da América do Sul. As maiores concentrações, contudo, estão no Brasil, na Argentina e nos Estados Unidos, com mais ou menos 15 milhões de descendentes de italianos em cada um desses países.[57]

Esses dados, com certeza, são totalmente aproximados. De um lado, por problemas estatísticos (pois a maioria dos países não indica origem étnica em seus censos) e jurídicos (pois alguns países, como os do continente americano, consideram os filhos e netos de italianos nascidos em seu solo seus cidadãos, enquanto outros, como a Alemanha, os consideram italianos e os incluem nessa rubrica em seus censos, o que causa divergências de números), mas também por dilemas de identidade e identificação.

Evidentemente, quando falamos da identidade dos descendentes de italianos no mundo hoje, devemos ter em mente que as possibilidades de variações em torno desse tema são enormes, tanto quanto que elementos como a cultura específica de cada país de imigração,[58] a antiguidade da imigração (com a consequente passagem das gerações) e a proximidade da Itália explicam por que dificilmente generalizações podem ser úteis aqui, bem como que a situação, em termos de "italianidade", de um bisneto de vênetos nascido em São Paulo é muito diferente da de um filho de calabreses nascido na Alemanha. Ainda assim, se quisermos generalizar, podemos dizer que poucos desses descendentes de italianos conservam uma "pureza" étnica italiana, falam italiano ou procuram manter algum vínculo ou contato com a Itália. A esmagadora maioria dessas pessoas aqui classificadas, para fins estatísticos, como "italianos" não o são, portanto, na realidade.

No entanto, boa parte dessas pessoas continua pertencendo, em maior ou menor grau, ao universo cultural italiano e são tanto agentes como pacientes no processo de criação e recriação de novas definições do que vem a ser um italiano. Agentes, pois, muitas vezes sem terem consciência disso, repetem os padrões de comportamento de seus antepassados e reafirmam, diante de outros, aos não italianos, os estereótipos do que vem a ser um "italiano". E pacientes, pois os *oriundi* também são beneficiados ou prejudicados por esses mesmos estereótipos, além de continuarem, ao menos até certo ponto, a ser vítimas da atenção do próprio Estado italiano, que continua a pensar em utilizá-los em benefício de interesses comerciais e políticos italianos.

Eles produzem, reproduzem e são influenciados, portanto, por estereótipos positivos (o povo alegre, os amantes da boa mesa e do vinho, os trabalhadores sem descanso) ou negativos (os mafiosos, os novos-ricos mal-educados etc.), que variam enormemente de país para país (a identificação do italiano com a Máfia, por exemplo, é típica da cultura norte-americana e quase inexistente em outros locais[59]). Mesmo quando fazem fila nos consulados italianos em países em crise (como Brasil, Argentina e Uruguai) reafirmando uma italianidade que, na maioria das vezes, não existe mais e é apenas um argumento para obter um passaporte italiano que os permite ascender à condição de italiano e europeu, eles estão reafirmando a nova imagem da Itália como país rico, moderno e europeu e mantendo tensa e dinâmica essa identidade.

A comunidade italiana global colabora, assim, para a cultura e para a construção da identidade italiana. Nada espantoso, pois essa comunidade é formada pelos sobreviventes e pelos descendentes dos homens e das mulheres que participaram de um processo de longuíssima duração sem o qual a Itália não seria o que é hoje, tendo ocorrido de maneira paralela e quase independente à atuação do Estado italiano.

O ESTADO ITALIANO, AS CLASSES DIRIGENTES E OS EMIGRANTES

Em face do intenso movimento populacional que afetava a própria essência da Itália e dos italianos, as discussões entre as elites dirigentes do novo Estado foram intensas. O bem-estar dos italianos pobres que deixavam a península não era realmente uma preocupação, mas os possíveis efeitos do deslocamento dessa massa humana para a economia, o sistema político e as ambições internacionais italianas foram tópicos de intensa discussão entre governantes, empresários e intelectuais italianos.

Esses homens mantinham, de fato, um olhar de cima, de representantes do poder do Estado e de pessoas pertencentes a classes sociais privilegiadas sobre pobres imigrantes instalados em terras distantes. Suas ideias e preocupações representavam, efetivamente, os valores e a ideologia das classes dirigentes italianas e estavam mais centradas nas perspectivas de ganho comercial, econômico e político para eles próprios e na defesa do que consideravam os interesses da Itália do que na defesa dos imigrantes em si, que muitos deles, inclusive, desprezavam por sua ignorância e falta de "italianidade".[60]

Uma forma de acompanhar esses debates na elite italiana é seguir a legislação relacionada à emigração promulgada pelo Estado italiano pós-1870, a qual deixa claro como o tema foi sendo pensado e repensado no decorrer do tempo.

No início da história da Itália unificada, a legislação sobre a emigração era virtualmente inexistente, o que é coerente com relativamente pequena (e, em geral, temporária e de curta distância) emigração de massa até então e as dificuldades de organização do recém-formado Estado. Também os contrastes e os questionamentos que a questão migratória suscitava nos dirigentes italianos dificultavam a aprovação de leis que cristalizassem o pensamento dominante.

Realmente, a elite italiana discutiu de forma intensa se a emigração seria uma perda para o novo Estado, já que significava um dreno de mão de obra e efetivo militar ou um benefício para a economia e a política externa italianas, por meio de remessas financeiras, criação de mercados para produtos italianos, manutenção de uma válvula de controle dos problemas sociais, além de criar um potencial instrumento para aumentar a influência italiana no mundo.[61]

Esses debates[62] atravessaram os anos 70 e 80 do século XIX e só começaram a enfraquecer no final da década de 1880, quando se percebeu que a emigração havia atingido nível tal que dificilmente poderia ser interrompida pela ação estatal e, sobretudo, que ela claramente podia trazer mais benefícios do que prejuízos à estrutura econômica e social italiana.

A lei de 1888 estabeleceu algumas regras para a emigração, mas claramente autorizando-a, o que refletiu essa lenta vitória dos defensores da emigração na estrutura de poder do Estado italiano. As enormes discussões sobre ela no parlamento mostram, porém, como o debate ainda não havia se esgotado nos meios intelectuais financeiros e políticos da Itália. Ainda assim, fica evidente como a visão positiva da emigração foi lentamente se impondo.

Tal lei, na realidade, foi uma emanação direta do caráter liberal que marcava a vida política italiana no período: a liberdade de emigrar seria parte da liberdade de atividade no campo do trabalho e, com poucas exceções, não havia porque interferir no processo a não ser com medidas de disciplina e regulamentação. Por isso mesmo, contudo, essa lei foi muito criticada tanto por contemporâneos como por analistas posteriores.

Uma nova lei sobre a emigração foi promulgada em 1901. Ela aprimorou o trabalho da anterior sobre a regulamentação do fenômeno emigratório na Itália e levou à criação de órgãos próprios para exercer o papel de protetor dos emigrantes, como o *Commissariato Generale dell'emigrazione*.[63]

Esse esforço para disciplinar o fluxo emigratório, mas sem o desejo real de bloqueá-lo, prosseguiu, de qualquer forma, nas primeiras décadas do século XX, assim como o debate intelectual e político sobre seus vários aspectos. Ainda assim, como já explicitado, a preponderância dos que viam a emigração como um bem para o país foi crescendo de modo contínuo nesse período.

A lei de 1901 aumentava a ação do Estado em relação à emigração, mas não previa grande trabalho de tutela e apoio aos emigrantes após seu desembarque em terra estrangeira. No início do século XX, o governo Giolitti promulgou várias outras leis aumentando a ação estatal em face dos emigrantes e assumindo alguma tutela jurídica sobre eles. Ainda assim, a falta de atenção real do Estado italiano com a situação dos italianos no exterior prosseguiu pelo menos até a Segunda Guerra Mundial.

Desse modo, com seu foco mais centrado no que os emigrantes podiam trazer à Itália e menos em seus labores e problemas fora da península, não espanta que a proteção dada a eles pelo Estado italiano tenha deixado a desejar, nem que a esmagadora maioria das escolas, associações, jornais e outros órgãos de vida coletiva dos italianos no exterior tenham sido criados e mantidos pelos próprios emigrantes. A enormidade da tarefa de tutelar e manter os laços de milhões de emigrantes com a Itália diante das limitações financeiras e materiais do novo Estado também ajudam sua relativa incapacidade de proteger e cuidar dos italianos residentes no exterior, gerando um vácuo que foi preenchido por órgãos privados da Igreja e do Partido Socialista e de outros organismos e associações operárias.

O INTERNACIONALISMO OPERÁRIO, A IGREJA E OS ITALIANOS NO EXTERIOR

A atuação do Partido Socialista Italiano (principal força da esquerda italiana pré-Primeira Guerra Mundial) teve menor amplitude e se concentrou basicamente na reflexão teórica sobre o fenômeno emigratório[64] e no trabalho de catequese socialista entre os trabalhadores italianos emigrados na Europa, deixando os emigrados além-oceano por conta própria, restando a recomendação de aderirem aos partidos socialistas dos seus novos locais de residência.[65]

Mesmo com essa paralisia relativa do Partido Socialista, os italianos que emigravam acabavam por encontrar militantes de esquerda italianos – anarquistas, socialistas e, depois, comunistas – em seu novo local de trabalho. Desde o final do século XIX, houve fluxos de socialistas e anarquistas italianos para o exterior e, no período entreguerras, com a emigração forçada de milhares de socialistas, anarquistas e comunistas da Itália fascista, a presença de uma militância de esquerda italiana no mundo da diáspora italiana só cresceu.[66]

Esses homens procuraram atingir e catequizar seus conacionais, no que foram apoiados por seus irmãos de fé política dos países de imigração. As contradições desse esforço foram numerosas, com manifestações de discriminação e de solidariedade entre imigrados e nativos se sucedendo, assim como a presença simultânea de choques nacionalistas e vivência do internacionalismo operário.[67] Também as dificuldades para conseguir convencer os imigrantes pobres e apolíticos a se politizarem foram numerosas e de sucesso relativo.

Mesmo assim, os italianos assumiram, em vários lugares, as ideologias de esquerda como a base de sua identidade, especialmente nas regiões onde os italianos tornaram-se operários, trabalhadores das fábricas e minas e/ou nos locais onde participaram ativamente do movimento operário e dos movimentos contestatórios de esquerda.

Na verdade, a esmagadora maioria dos emigrantes italianos, como visto, dedicou-se aos trabalhos de construção urbana e, secundariamente, à agricultura comercial e familiar. Também é verdade que a maioria dos emigrantes italianos eram apolíticos, dedicados sobretudo ao trabalho e à família. Eles se tornaram operários e tiveram participação ativa no movimento operário apenas em regiões localizadas, como em algumas cidades da América do Norte (onde os italianos e, em particular, as italianas formaram boa parte da mão de obra da indústria têxtil[68]) e, posteriormente, na França e na Bélgica, onde os italianos trabalharam nas minas e na indústria siderúrgica e foram muito ativos no movimento sindical e, no entreguerras, no antifascismo.[69] Foi apenas na América Latina, e, em especial, em São Paulo, contudo, que eles formaram a base da mão de obra fabril e do movimento operário por várias décadas.[70]

Nesses locais, a identidade dos italianos ficou muito marcada por essa condição de trabalhador e militante de esquerda. Mesmo que a esmagadora maioria dos italianos fosse apolítica, a imagem que percorria a sociedade os identificava, muitas vezes, ao mundo operário e da esquerda e, para um habitante de São Paulo de fins do século XIX, por exemplo, associar "italiano" a "anarquista" seria algo quase natural. O termo "italiano" assumia, ali, significados que iam além da origem geográfica e que identificava posicionamentos políticos e classes sociais.[71]

Outra grande organização que preencheu o espaço deixado pelo Estado italiano na tutela dos italianos nos países de imigração foi a Igreja Católica, a qual atuou maciçamente, seja na Europa, seja na América, para proteger os italianos e manter sua fé católica.[72]

A Igreja, na realidade, começou a se preocupar com a migração de europeus católicos para fora de seus territórios de origem já na Idade Moderna, procurando evitar que católicos emigrassem para áreas dominadas pelos protestantes. Na era da "grande emigração", essas preocupações aumentaram pois, ao mesmo tempo em que a dispersão dos povos católicos (italianos, espanhóis, portugueses, irlandeses, entre outros) pelo mundo abria imensas possibilidades de evangelização para a Igreja, também gerava o risco de perda de almas para os protestantes e para os movimentos anticlericais. Razão, pois, para a Igreja acompanhar com atenção esses fluxos e procurar criar mecanismos para diminuir o risco de perda de fé dos emigrantes.

Nesse sentido, houve uma tentativa de reestruturar as várias Igrejas nacionais dos países que recebiam imigrantes para que elas fossem mais permeáveis aos recém-chegados. Além disso, as várias ordens religiosas (salesianos, franciscanos, capuchinhos etc.) começaram a se dedicar aos emigrantes e logo surgiram outras, em especial dedicadas a esse objetivo e organizadas por nacionalidade.

No caso dos italianos, iniciativas esporádicas apareceram já na metade do século XIX, mas foi só entre fins desse século e o início do XX que surgiram grupos mais organizados e efetivos de missionários italianos voltados aos emigrantes italianos, como a Congregação dos escalabrinianos (1887), a *Opera Bonomelli* (1900), a *Italica Gens* (1909), entre outras.

Tais organizações espalharam padres, escolas, associações e hospitais pelos países de imigração italiana, mas com especial ênfase no continente americano, tendo seu auge no período pré-Primeira Guerra Mundial. Nos anos entre as duas guerras mundiais, a assimilação dos italianos em seu novo país, a diminuição dos fluxos de italianos para fora da Itália e problemas internos das organizações católicas levaram a um enfraquecimento de suas atividades. Elas foram retomadas pós-1945, com a nova onda de emigração italiana e existem até hoje, apesar de estarem sendo afetadas, evidentemente, pelo envelhecimento e pelo desaparecimento das coletividades italianas disseminadas pelo mundo.

As dificuldades enfrentadas pelos missionários italianos em sua missão de manter os imigrantes italianos na região católica e na nação italiana foram muitas: desconfianças das Igrejas dos países de imigração, mais interessadas em que os recém-chegados se assimilassem com rapidez; hostilidade de largos setores das coletividades italianas (em especial no norte da África e nos países do Prata, onde as velhas elites maçônicas e anticlericais dominavam as coletividades italianas e nas comunidades de operários italianas, permeadas por ideais comunistas e socialistas, na América e na Europa); conflitos com autoridades dos vários países em que atuavam e com os próprios funcionários do governo italiano[73] e dificuldades materiais e financeiras.

Outro problema grave enfrentado pelos missionários, emblemático do que era a Itália naqueles anos, era que os emigrantes da península, apesar de oficialmente católicos e italianos, tinham uma visão particular do que era catolicismo e de sua filiação nacional, a qual, com frequência, não coincidia com a dos padres.

De fato, os camponeses italianos, sobretudo os do *Mezzogiorno*, cultivavam uma religiosidade popular que nem sempre era compreendida pelos padres, a maioria oriunda do Norte, com desconfianças e hostilidades se sucedendo. Também o regionalismo continuava a dividir os imigrantes, com oriundos do Sul e do Norte se recusando a participar, nos mais diferentes lugares, de missas e cerimônias comuns e com muitos grupos preferindo ficar à margem da Igreja oficial, cultuando seus próprios santos e tradições.

De qualquer modo, as organizações missionárias da Igreja Católica se constituíram, em muitos países, na única assistência disponível aos imigrantes e ajudaram a consolidar, ao menos em alguns locais, uma identidade italiana que conjugava italianidade com catolicismo. Foi o caso, por exemplo, dos países anglo-saxões[74] e, sobretudo, em regiões em que agricultores do Norte da Itália formaram comunidades rurais relativamente isoladas e sob forte influência da Igreja e da religião católica. Ali, até certo momento e com algumas ressalvas, as fronteiras entre italianidade e catolicismo eram fluidas o suficiente para permitir confusões. É o caso de várias pequenas comunidades vênetas espalhadas pelos Estados Unidos, pela Romênia, pelo México e por outros países e, em particular, do sudoeste francês e do sul do Brasil.[75]

AS INFLUÊNCIAS DOS EMIGRANTES NA ECONOMIA E NA SOCIEDADE ITALIANAS

Um dos efeitos mais visíveis da criação dessa rede internacional de imigrantes italianos ao redor do mundo foi, com certeza, o fluxo de dinheiro do exterior para a Itália. "Uma fantástica chuva de ouro", assim era chamada, no período da grande emigração, a massa de dinheiro representada pelas remessas dos emigrantes a suas famílias, a qual se distribuía capilarmente por toda a península.

Os dados numéricos a esse respeito realmente impressionam. Somando as remessas efetuadas pelo Banco de Nápoles àquelas feitas via vale postal e por outros meios oficiais, chegamos a médias anuais de 290 milhões de liras entre 1902 e 1913. Mas esses são, claro, números subestimados, pois muitos emigrantes enviavam dinheiro para casa por outros métodos (por intermédio de parentes que voltavam para a Itália, em cartas comuns, nos próprios bolsos quando do retorno etc.). Cálculos recentes estimam que, entre 1902 e 1914, quase 450 milhões de liras eram enviados pelos emigrantes por ano para suas famílias na Itália e esse número só aumentou nos anos seguintes, atingindo a casa dos cinco bilhões de liras em 1920, dois em 1922 e um em 1931.

Mesmo levando-se em conta a inflação, eram números notáveis, tanto que a soma total das remessas até 1915 era maior do que a arrecadação do Estado italiano com impostos diretos. As remessas também ajudaram a cobrir o déficit crônico da balança de pagamentos italiana no período da "grande emigração", sendo, sozinhas, responsáveis por 61% dessa cobertura.

Interessante observar também as imensas diferenças de valores enviados pelos italianos nos vários países para onde se dirigiram. Restringindo nossa comparação aos três principais destinos transoceânicos e ao período 1866-1920, verificaremos como os italianos da Argentina enviaram ao país natal, por via oficial, cerca de 7,1 milhões de liras por ano entre 1886 e 1920. No mesmo período, os italianos do Brasil enviaram 5,2 milhões e os dos Estados Unidos 110 milhões de liras por ano, o que refletia tanto as maiores possibilidades de ganhar dinheiro e economizar na América do Norte, como o caráter mais permanente e familiar da emigração italiana para o Cone Sul latino-americano.[76]

De qualquer modo, fica claro como foram as entradas financeiras do turismo, da marinha mercante e da emigração que permitiram à Itália se provisionar de matérias-primas e máquinas para sua indústria e manter condições macroeconômicas mais favoráveis ao desenvolvimento industrial no período pré-Primeira Guerra Mundial.[77] Os recursos dos emigrantes depositados nos bancos e investidos em títulos públicos também ampliaram a capacidade financeira do Estado italiano, que a utilizou para apoiar a indústria com créditos, financiamentos e pedidos. Nesse sentido, foi uma verdadeira transferência indireta de renda do campo italiano para a indústria, via exportação do que a Itália tinha em maior abundância, ou seja, homens dispostos a trabalhar.

É claro que a emigração não representou apenas vantagens para a economia italiana. Demograficamente, houve acentuada perda de força de trabalho e não foram poucas as aldeias que desapareceram, com o abandono de campos de cultivo, de obras de contenção em montanhas e outros elementos de infraestrutura do país. Pessoas educadas também emigraram, representando a perda do investimento intelectual nelas efetuado. Em linhas gerais, contudo, em especial se levarmos em conta que dificilmente essas pessoas encontrariam emprego em uma Itália ainda em transição da sociedade rural para a urbana (tornando-se, ali, fonte potencial de problemas sociais), as vantagens, em termos macroeconômicos, superaram em larga medida as desvantagens.

O transporte de tantos milhões de emigrantes também ofereceu amplo mercado que ampliou o desenvolvimento industrial italiano, enquanto os serviços bancários foram beneficiados pelo trânsito das remessas financeiras entre os cinco continentes

Cartaz de propaganda de companhia de navegação
italiana que ligava a Itália às Américas.

e a Itália. Mesmo com grande parte desse fluxo de pessoas e créditos sendo feito em navios e bancos estrangeiros e com a indústria naval e os bancos italianos deficientes em vários aspectos, não resta dúvida de que o transporte de tantos homens de e para a Itália e os fluxos financeiros ampliaram as oportunidades de lucro e investimento para ao menos alguns setores da economia do país.[78]

Também o comércio italiano para o exterior foi beneficiado pela presença fora da Itália de tantas pessoas desejosas de consumir produtos italianos. Problemas como a falta de estrutura de exportação da Itália e a própria rapidez dos imigrantes em produzir localmente produtos da culinária e outros típicos italianos diminuíram esse potencial, mas não resta dúvida de que o comércio exterior italiano mais se beneficiou do que foi prejudicado pela emigração.

O dinheiro dos emigrantes também permitiu aos parentes que ficaram em casa uma situação de vida melhor. Muitos camponeses conseguiram adquirir propriedades e terras e o número de proprietários agrícolas cresceu de modo substancial na Itália no final do século xix e primeiros decênios do xx.

Tais alterações não significam que a "chuva de ouro" da emigração alterou profundamente o campo italiano, permitindo a criação de uma democracia rural de pequenos proprietários ou a modernização do espaço rural italiano. Pelo contrário: foi o dinheiro dos emigrantes que permitiu a sobrevida do modo de vida camponês na Itália.

De fato, as novas propriedades camponesas que se formaram continuavam a ser extremamente pequenas, com pouco mercado para seus produtos e frágeis financeira e tecnologicamente, com os capitais que chegavam no exterior sendo usados para consumo ou acumulados para dias piores. O campo italiano só seria de fato transformado após as grandes crises das décadas de 1930 e 40 (quando os camponeses, privados de suas fontes de recursos do exterior e enfrentando forte inflação, faliram em massa) e com as mudanças estruturais da economia italiana pós-Segunda Guerra Mundial.[79]

Mesmo sem uma mudança estrutural, porém, não há dúvida de que o mundo dos camponeses italianos foi profundamente afetado. Débitos e dívidas antigas foram pagas, adquiriram-se melhores roupas e utensílios e casas foram compradas ou reformadas. Tudo isso se refletiu em menor mortalidade e em melhoramento das condições sanitárias e higiênicas. Os costumes e os hábitos também foram transformados, em uma mescla de conservação e inovação que alterou, de qualquer modo, a sociedade de onde os emigrantes partiram.

A questão da alimentação é em particular interessante nesse aspecto. O dinheiro vindo do exterior permitiu aos camponeses italianos se alimentarem melhor, ao mesmo tempo em que a experiência da emigração os pôs em contato com alimentos novos ou com os quais seu contato era limitado em casa (café, carne etc.), gerando hábitos novos que conservaram ao voltar para suas aldeias e cidades na Itália.

Isso não significa, contudo, que tenham apenas trocado a *pasta* ou a pizza pela carne argentina ou pelo arroz com feijão brasileiro, pelo contrário. De fato, quando no exterior, muitos dos emigrantes faziam grande esforço para manter sua alimentação, tanto por hábito quanto como forma de defender sua identidade cultural. Prova disso, aliás, foi a imensa rede de restaurantes, empórios e bares abertos por italianos em todo o mundo para, em um primeiro momento, atender justamente seus compatriotas.[80]

Havia, assim, grande intercâmbio de hábitos e elementos culinários, e não simplesmente a substituição de um pelo outro, intercâmbio esse bem típico do processo de trocas culturais vividos pelos emigrantes durante suas idas e vindas pelos continentes, o qual transformou de modo profundo o universo cultural dos camponeses italianos.[81]

As vivências internacionais dos emigrantes também tiveram efeitos relevantes na política italiana. Camponeses acostumados à vida em pequenas aldeias expandiam seu mundo e viam outras experiências políticas e sociais no exterior e se transformavam em operários, trabalhadores com uma visão maior do universo do trabalho ou ingressavam em sindicatos e partidos de esquerda. Também a circulação dos líderes do movimento operário os ajudava a redefinir identidades e estratégias e a própria Constituição da República Italiana em 1945 deveu muito à experiência deles e dos militantes comunistas e socialistas em um sem-número de países europeus e americanos nos anos entreguerras.[82]

Tais emigrações também ajudaram a definir melhor o que era um "italiano". De um lado, as especificidades geográficas das cadeias emigratórias ajudaram a reforçar ainda mais as identidades regionais, com os sicilianos, muitas vezes, mais ligados a Nova York do que a Roma, por exemplo. Ao mesmo tempo, os imigrantes italianos debateram-se, em suas idas e vindas pelo mundo, com a necessidade de lidar com um incontável número de identidades: trabalhadores internacionalistas, oriundos de aldeias específicas, súditos do Estado italiano etc., o que tornou sua identidade múltipla e nem sempre coerente.

Efetivamente, a emigração e os diferentes agentes (padres católicos, líderes operários de matriz socialista, comunista ou anarquista etc.) que interagiram com ela fizeram, assim, que a palavra "italiano" assumisse significados outros, que não fosse o de oriundo da península itálica, ao redor do globo. Ela podia significar católico fervoroso em alguns locais, anarquista em outros ou simplesmente trabalhador pobre na maioria dos casos.

Por outro lado, a experiência no exterior ajudou a formar uma identidade "italiana" por parte dos imigrantes. Isso é importante ressaltar mais uma vez, não significou a eliminação total das identidades locais e regionais e não impediu, em certos casos, a convivência com alguma identificação com o internacionalismo proletário, no caso dos operários, mas representou uma mudança significativa na história do povo italiano.

De fato, a convivência forçada de italianos das mais diversas origens e regiões na vida em seu novo país, a discriminação comum e a tendência das sociedades hospedeiras a vê-los e tratá-los todos como "italianos" ampliara seus interesses e a identidade comum, de "italianos", em um período da história italiana em que, como vimos no capítulo anterior, essa identidade ainda não estava consolidada na própria Itália.[83]

A emigração pode não ter sido a única responsável pela criação dos "italianos" que faltavam à Itália nem para formar a imagem com que os italianos se veem e são vistos pelo mundo, mas, com certeza, foi importante em ambos os processos, sendo impossível escrever a história da Itália daqueles anos sem abordá-la.[84]

Notas

[1] A mais recente discussão historiográfica sobre a emigração italiana está nos numerosos artigos reunidos em Emílio Franzina, Andreína De Clementi e Piero Bevilacqua, Storia dell'emigrazione italiana, Roma, Donzelli Editore, 2001 e 2002, 2v. Como tais textos representam o "estado da arte" da historiografia italiana sobre o tópico e apresentam ampla bibliografia auxiliar, serão citados com constância neste capítulo, eximindo-nos, a não ser quando necessário, de um excesso de notas bibliográficas que comprometeria a fluidez do texto.

[2] Para a emigração dos mazzinianos e de outros refugiados políticos italianos do século XIX, ver um excelente resumo, com indicações de bibliografia auxiliar, em Emílio Franzina, Gli italiani al Nuovo Mondo: L'Emigrazione italiana in America (1492-1942), Milano, Mondadori, 1995, cap. 3, pp. 87-140. Uma visão geral a respeito dos refugiados políticos europeus nos séculos XIX e XX está em Bruno Groppo, "Os exílios europeus no século XX", em Diálogos – Revista do Departamento de História da Universidade Estadual de Maringá, n. 6, 2002.

[3] Para a emigração dos italianos pré-unificação, ver Giovanni Pizzorusso, "I movimenti migratori in Italia in antico regime", em Storia dell'emigrazione italiana, Roma, Donzelli Editore, 2001, v. 1, pp. 3-16, o qual cita vasta bibliografia auxiliar. Também de utilidade é Matteo Sanfilippo, "Tipologie dell'emigrazione di massa", em op. cit., pp. 77-94.

[4] Dados compilados a partir de M. Bacci, Storia mínima del mondo, Torino, 1989.

[5] Detalhes a respeito do processo de industrialização italiano serão vistos no capítulo "Dos pobres da europa à *dolce vita*".

[6] Há uma bibliografia imensa a respeito das causas da "grande emigração" italiana.Uma boa introdução pode ser encontrada em Patrizia Audenino e Paola Corti, L'emigrazione italiana, Milano, Fenice 2000, 1994; Emílio Franzina, Gli italiani al Nuovo Mondo & La Grande emigrazione: L'esodo dei rurali al Veneto durante il secolo XIX, Padova, Marsílio, 1976. Para uma reavaliação da crise agrária europeia e italiana no século XIX e seus efeitos na emigração em massa, ver Piero Bevilacqua, "Società rurale e emigrazione", em Storia dell'emigrazione italiana, v. 1, pp. 95-112. Em português, vale a pena consultar Zuleika Alvim, Brava gente: os italianos em São Paulo (1870-1920), São Paulo, Brasiliense, 1986; e Ângelo Trento, Do outro lado do Atlântico: um século de imigração italiana no Brasil, São Paulo, Nobel/Instituto Italiano di Cultura, 1989.

[7] Amoreno Martellini, "L'emigrazione transoceânica tra gli anni quaranta e sessanta", em Storia dell'emigrazione italiana, v. 1, pp. 369-84; e Federico Romero, "L'emigrazione operaia in Europa (1948-1973)", em op. cit., pp. 397-414.

[8] Para os dados mencionados nos últimos parágrafos, foram especialmente úteis os trabalhos de Donna Gabaccia. Ver especialmente Italy's many diasporas: elites, exiles and workers of the world, Seattle, University of Washington Press, 1999; "Worker Internationalism and Italian Labour Migration (1870-1914)", em International Labour and Working Class History, n. 45, 1994; "Italian History and gli italiani nel mondo, Part I", em Journal of Modern Italian Studies, 2, 1, 1997; e "Italian History and gli italiani nel mondo, Part II", em Journal of Modern Italian Studies, 3, 1, 1998.

[9] Patrizia Audenino e Paola Corti, L'emigrazione italiana, Milano, Fenice 2000, 1994, p. 22.

[10] Oscar Gaspari, "Bonifiche, migrazioni interne, colonizzazioni (1920-1940)", em Storia dell'emigrazione italiana, v. 1, p. 323-41; Enrico Pugliese, L'Italia tra migrazioni internazionali e migrazioni interne, Bologna, Il Mulino, 2002; Ercole Sori, "Emigrazione all'estero e migrazioni interne in Italia tra le due guerre", em Quaderni Storici 10, 29/30, 1975; Ugo Ascoli, Movimenti migratori in Italia, Bologna, Il Mulino, 1979; e Anna Treves, Le migrazioni interne nell'Italia fascista, Torino, Einaudi, 1976.

Um povo de emigrantes | 115

[11] Gianfausto Rosoli, Un secolo di emigrazione italiana (1876-1976), Roma, Centro Studi Emigrazione, 1978.

[12] Essa situação afetou, e afeta, as coletividades italianas espalhadas por todo o mundo. Para o caso do Brasil, uma boa discussão a respeito está em Ana Maria Chiarini, "Imigrantes e italiani all'estero – Os diferentes caminhos da italianidade em São Paulo", Dissertação de mestrado em Antropologia, Campinas, Unicamp, 1992.

[13] Ver, entre outros, Maurizio Ambrosini, Utili invasori, L'inserimento degli immigrati nel mercato del lavoro italiano, Milano, Franco Angeli Editore, 1999; Corrado Bonifazi, L'immigrazione straniera in Italia, Bologna, Il Mulino, 1998; Enrico Pugliese, "L'immigrazione", em Francesco Barbagallo, Storia dell'Italia repubblicana, v. 3 – L'Italia nella crisi mondiale: L'ultimo ventennio, Torino, Einaudi, 1996, pp. 931-83.

[14] O tópico tem gerado imensa discussão nos últimos anos na mídia e na academia italianas. Ver, por exemplo, Franco Pittau e Nino Sergi, Emigrazione e immigrazione: nuove solidarietà, Roma, Lavoro, 1989; Carla Collicelli, "Immigration and cultural anxiety in Italy", em Affari Sociali Internazionali, 23, 2, 1995; Marco Jacquemet, "The discourse on migration and racism in Contemporary Italy", em Salvatore Sechi, Deconstructing Italy: Italy in the nineties, Berkeley, International Area studies, 1995 e André Jacques, Lo straniero in mezzo da noi: gli sradicati nel mondo d'oggi – La situazione in Italia, Torino, Claudiana, 1987. Ver também a coleção da revista Studi Emigrazione nos últimos anos.

[15] Carl Ipsen, Demografia totalitária: Il problema della popolazione nell'Italia fascista, Bologna, Il Mulino, 1997.

[16] O tópico tem atraído muito a atenção da mídia e da academia italianas, dados os temores de "desaparecimento" dos italianos. Para uma visão de longo prazo, ver Lorenzo del Panta et al., La popolazione italiana dal medioevo ad oggi, Roma/Bari, Laterza, 1996; e Massimo Livi-Bacci, A History of Italian fertility during the last two centuries, Princeton, Princeton University Press, 1977.

[17] Susan Cotts Watkins, From provinces into nations: Demografic integration in Western Europe (1870-1960), Princeton, Princeton University Press, 1991.

[18] Para uma experiência cotidiana com o sistema de creches e pré-escolas italiano, muito prático no papel, mas cheio de problemas na realidade, ver Tim Parks, Uma educação à italiana: um inglês descobre como e faz um italiano, São Paulo, Publifolha, 2003, pp. 149-60.

[19] Ver Eugenio Sonnino, "La popolazione italiana: dall'espansione al contenimento", Francesco Barbagallo, Storia dell'Italia repubblicana, 2 – La trasformazione dell'Italia: Sviluppo e squilibri, Torino, Einaudi, 1995, pp. 529-76. Ver também Paolo de Sandre et al., Matrimonio e figli: tra rinvio e rinuncia, Bologna, Il Mulino, 1997.

[20] Um livro fundamental para o tema das redes baseadas nas aldeias e para esse capítulo como um todo, ainda que eu não compartilhe de todas as opiniões ali expressas, é o de Donna Gabaccia, Italy's many diasporas, op. cit., caps. 2-5. Também de interesse sobre o tema das redes familiares e de aldeia é Franco Ramella, "Reti sociali, famiglie e strategie migratorie", em Storia dell'emigrazione italiana,v. 1, pp. 143-60.

[21] Brunello Mantelli, Camerati del Lavoro: I lavoratori italiani emigrati nel terzo Reich nel periodo dell'asse (1938-1943), Firenze, La Nuova Italia, 1992; e "Gli emigrati italiani in Francia fra Roma, Berlino e Vichy (1940-1944)", em Gianni Perona, Gli italiani in Francia (1938-1946), Milano, Franco Angeli Editore, 1994, pp. 367-97.

[22] Antonio Canovi, "L'emigrazione dei reggiani in Francia. Cavriago ad Argenteuil: identità e memorie in questione", em Emílio Franzina, Gli emiliano romagnoli e l'emigrazione italiana in America Latina: Il caso modenese, Módena, Centro Stampa Província di Módena, 2003, pp. 92-8; Constantino Ianni, Homens sem paz: os conflitos e os bastidores da imigração italiana, Rio de Janeiro, Civilização Brasileira, 1972, pp. 130-2; e Carlo Castaldi, "O ajustamento do imigrante à comunidade paulistana: estudo de um grupo de imigrantes italianos e seus descendentes", em Bertram Hutchinson, Mobilidade e trabalho: um estudo na cidade de São Paulo, Rio de Janeiro, Centro Brasileiro de Pesquisas Educacionais, 1960, pp. 281-359.

[23] Segundo Donna Gabaccia, apenas no pós-Segunda Guerra Mundial, por diversos motivos, é que esse sistema de emigração baseado em redes locais terminou e a emigração dos povos da península pôde ser considerada verdadeiramente uma emigração de italianos. Ver Italy's many diasporas, op. cit., cap. 7. Ver também Matteo Sanfilippo, "Tipologie dell'emigrazione di massa", op. cit., pp. 89-94.

[24] Sobre o racismo do século XIX e o "darwinismo social" a ele relacionado, ver boas introduções, em português, em Eric Hobsbawm, A era do capital, 1848-1875, Rio de Janeiro, Paz e Terra, 1996, cap. 14 e Arno Mayer, A força da tradição: a persistência do Antigo regime (1848-1914), São Paulo, Companhia das Letras, 1990, cap. 5.

[25] Ver, entre outros, Célia Maria Marinho de Azevedo, Onda negra, medo branco: o negro no imaginário das elites – século XIX, Rio de Janeiro, Paz e Terra, 1987. Também útil é Cacilda Estevão dos Reis, "Civilidade e progresso: ideais da imigração europeia nos discursos da elite política brasileira (1846-1888)", Dissertação de mestrado em História, Maringá, Universidade Estadual de Maringá, 2004. Ver também o meu Imigração italiana no Brasil, São Paulo, Saraiva, 2004.

116 | Os italianos

[26] Há vasta bibliografia norte-americana a respeito das leis restritivas da década de 1920. Um bom resumo pode ser encontrado em Roger Daniels, Coming to América – A history of immigration and ethnicity in American life, New York, Harper Collins, 1991, cap. 10. Um clássico a respeito é John Higham, Strangers in the land, New Brunswick, Rutgers University Press, 1955. Em português, uma análise equilibrada está em Charles Sellers et al., Uma reavaliação da história dos Estados Unidos, Rio de Janeiro, Jorge Zahar, 1990, cap. 24. Também útil, apesar de um pouco envelhecido, é Stanley Cohen, "Os primeiros anos da América Moderna. 1918-1933", em William Leuchtenburg, O século inacabado: a América desde 1900, Rio de Janeiro: Zahar, 1976, v. 1, pp. 267-365.

[27] Gian Antonio Stella & Emilio Franzina, "Brutta gente. Il razzismo anti-italiano", em Storia dell'emigrazione italiana, v. 2, pp. 283-311; Matteo Pretelli, "La risposta del fascismo agli stereotipi degli italiani all'estero", AltreItalie – Rivista Internazionale di studi sulle popolazioni di origine italiana nel mondo, n. 28, 2004.

[28] O outro lado, evidentemente, também estava presente, com os emigrantes italianos assumindo, muitas vezes, o papel de racistas diante dos negros no Brasil ou nos Estados Unidos ou explorando os indígenas na América Latina e nas próprias colônias italianas e europeias na África. Ver Nicola Labanca, "Nelle colonie", em Storia dell'emigrazione italiana, v. 2, pp. 193-204; Francesco Surdich, "Nel Levante", em Op. cit., pp. 181-91; e, especialmente, Ferdinando Fasce, "Gente di mezzo. Gli italiani e gli altri", em Op. cit., pp. 235-43.

[29] Para os acontecimentos de fim do século XIX, ver Ângelo Trento, Do outro lado do Atlântico, op. cit., pp. 191-4. Para os de 1928, ver o meu "Observando o littorio do outro lado do Atlântico: a opinião pública brasileira e o fascismo italiano, 1922-1943", em Tempo, n. 9, 2000. Ver também Maria Teresinha Janine Ribeiro, "Desejado e temido – Preconceito contra o imigrante italiano em São Paulo na Primeira República", Dissertação de mestrado em História, São Paulo, Universidade de São Paulo, 1985.

[30] C. Lida, Inmigración, etnicicidad y xenofobia em la Argentina: la massacre de Tandil, México, Colégio de México, 1998.

[31] E. Barnabá, Morte agli italiani: Il massacro di Aigues-Mortes, Montenegro, Bucolo, 2001; Aigues-Mortes, uma tragédia dell'emigrazione italiana in Francia, Torino, 1994; e Pierre Milza, "Le racisme anti-italien en France: La tuerie d'Aigues-Mortes", em L'Histoire, 10, 1, 1979.

[32] Para o caso da Suíça, onde houve uma onda de ataque aos italianos em Zurique em 1896 e onde a preocupação com a "invasão italiana" era contínua, ver Gian Antonio Stella e Emilio Franzina, "Brutta gente. Il razzismo anti-italiano", op. cit., pp. 302-7.

[33] Roberto Gambino, Vendetta!, Milano, Sperling & Kupfer, 1978; e Antonio Petacco, L'annarchico che venne dall'America, Milano, Mondadori, 2000.

[34] R. Gerritsen, "The 1934 Kalgoorlie riots: a western Australia crowd", University Studies in History, 5, 3, 1969; e Adelma Longton, "Wiluna in the thierties: the Italian presence. A case study", Studi Emigrazione, 34, 125, 1997.

[35] Ver, entre vasta bibliografia disponível, Bénédicte Deschamps, "Le racisme anti-italien aux Etats Unis (1880-1940)", em Michel Prun, Exclure au nom de la race (États-Unis, Irlande, Grande-Bregtagne), Paris, Syllepse, 2000; William Douglass, From Italy to Ingham: Italians in North Queensland, St. Lucia, University of Queensland Press, 1995; Salvatore LaGumina, Wop! A Documentary History of Anti Italian discrimination in the United States, San Francisco, Straight Arrow Books, 1973; e Stefano Luconi, "Anti-Italian prejudice and discrimination and the persistence of Ethnic voting among Philadelphia's Italian Americans, 1928-1953", em Studi Emigrazione, 29, 105, 1992.

[36] Rich Cohen, Tough Jews – Fathers, sons and gangsters dreams in Jewish America, New York, Simon & Schuster, 1998.

[37] C. Petraccone, Le due civiltà: Settentrionali e meridionali nella storia d'Italia, Roma/Bari, Laterza, 2000; Vito Teti, La razza maledetta: Origini del pregiudizio antimeridionale, Roma, Il manifesto, 1993.

[38] Robert Harney, "Italophobia: English speaking malady?", em Studi Emigrazione, 22, 77, 1985.

[39] Sobre o Brasil, ver Priscila Perazzo, Prisioneiros de guerra: os cidadãos do Eixo nos campos de concentração brasileiros, Tese de doutorado em História, São Paulo, Universidade de São Paulo, 2002. Sobre a França, a Bélgica e as colônias francesas do norte da África, ver, entre outros, Gianfausto Rosoli, "Gli emigrati italiani nei campi di concentramento francesi nel 1940. Considerazioni di alcuni diari di prigionieri", em Studi Emigrazione, 17, 59, 1980; Juliette Bessis, La Mediterranee fasciste: L'Italia mussolienne et la Tunisie, Paris, Karthala, 1981; e Anne Morelli, "La communaute italienne de Belgique et la seconde guerre mondiale", em Affari Sociali Internazionali, 18, 1, 1990.

[40] Justamente pela força da repressão anti-italiana, a produção historiográfica a respeito do tema nesses países é incrivelmente vasta. Ver, para citar apenas os trabalhos mais relevantes, Richard Bosworth, War, internment and mass migration: the Italo Australian experience (1940-1990), Roma, Gruppo Editoriale Internazionale, 1992; Roberto Perin et al., Enemies within: Italians and other internees in Canada and abroad, Toronto, University of

Toronto Press, 2000; Terry Colpi, "The Impact of the Second World War on the British Italian community", em David Cesarani, The Internment of Aliens in twentieth century Britain, London, Frank Cass, 1993, pp. 167-87; Lawrence DiStasi, Una Storia Segreta: The Secret History of the Italian American evacuation and internment during World War II, Berkeley, Heyday Books, 2001; Stephen Fox, Unknown Internment: an Oral History of the relocation of Italian Americans during the World War II, Boston, Twayne Publishers, 1990; Norman Hillmer, On Guard for thee: war, ethnicity and the Canadian State (1939-1945), Ottawa, Ottawa University Press, 1988; e Gabriele Sani, History of the Italians in South Africa (1489-1989), Edenvale, Zonderwater Block, 1990.

[41] A bibliografia em francês sobre a xenofobia francesa contra os italianos e sua modificação em anos posteriores é imensa. Boas introduções críticas estão em Marie Claude Blanc-Chaléard. "Les migrants italiens en France: mythes et realités", Migration Sociétés, 14, 84, 2002; Pierre Milza, Voyage en Ritalie, Paris, Plon, 1993; e Eric Vial, "In Francia", em Storia dell'emigrazione italiana, Roma, Donzelli, 2002, v. 2, pp. 133-46. Para a Bélgica, boa introdução pode ser encontrada em Roger Aubert, L'immigration italienne en Belgique: Histoire, Langues, Identitè, Bruxelles/Louvain, Instituto Italiano di Cultura/Universitè Catholique de Louvain, 1985; e, especialmente, em Anne Morelli, "In Belgio", em Storia dell'emigrazione italiana, op. cit., v. 2, pp. 159-70.

[42] Jennifer Guglielmo e Salvatore Salerno, Are Italians white? How race is made in America, New York/London, Routledge, 2003; Thomas Guglielmo, White on arrival: Italians, race, color and power in Chicago (1890-1945), Oxford, Oxford University Press, 2003; e Stefano Luconi, From Paesani to White Ethnics: the Italian Experience in Philadelphia, Albany, State University of New York Press, 2001.

[43] Salvatore Lupo, "Cose nostre: máfia siciliana e máfia americana", em Storia dell'emigrazione italiana, op. cit., v. 2, pp. 245-70.

[44] Para uma bibliografia sobre os preconceitos atuais contra os italianos nos Estados Unidos, ver Patrizia Audenino e Danilo Romeo, "L'immagine e L'identità degli italo-americani nelle politiche dell' Order of Sons of Italy", em AltreItalie – Rivista Internazionale di studi sulle popolazioni di origine italiana nel mondo, 29, 2004.

[45] Há todo um esforço historiográfico recente para redimensionar o papel das mulheres na emigração italiana, demonstrando tanto como seu número relativamente pequeno nos fluxos totais de emigrantes (ao redor de 20 a 30%) é subdimensionado, quanto como foram fundamentais no processo emigratório, seja partindo sozinhas para o exterior a fim de trabalhar nas indústrias têxteis americanas ou brasileiras ou em serviços urbanos na França, seja acompanhando esposos e pais em emigrações familiares. Mesmo quando não emigravam, o papel feminino era chave, já que as mulheres retinham o controle da economia familiar em casa e administravam as remessas enviadas por maridos e filhos do exterior. Para um resumo atualizado dos atuais debates historiográficos, ver Bruno Bianchi, "Lavoro ed emigrazione femminile", em Storia dell'emigrazione italiana, v. 1, pp. 257-74; e Donna Gabaccia e Franca Iacovetta, "Women, work and protest in the Italian Diaspora: gendering global migration, rethinking family economies, nationalisms and labour activism", em Labour/Le Travail, 42, 1998.

[46] Ver Donna Gabaccia, Italy's many diásporas, op. cit., pp. 67-73.

[47] Para uma interessante tipologia dos retornos, ver Francesco Paolo Cerase, "L'onda di ritorno: i rimpatri", em Storia dell'emigrazione italiana, op. cit., v. 1, pp. 113-25.

[48] Ver Samuel Baily e Franco Ramella, One family, two worlds: an Italians family's correspondance across the Atlantic (1901-1922), New Brunswick, Rutgers University Press, 1988.

[49] Vale a pena ressaltar novamente como esse modo de vida "transnacional" era apenas uma das maneiras pelas quais os italianos se adaptavam ao mercado global de mão de obra, a qual se articulava com outras maneiras mais tradicionais, como a emigração permanente, seguida da adaptação ao país de acolhida. Ver reflexões ponderadas a esse respeito, ainda que dirigidas às migrações contemporâneas, em Alejandro Portes, "Debate y significaciòn del transnacionalismo de los inmigrantes", em Estudios Migratorios Latinoamericanos, 16, 49, 2001.

[50] Nesse ponto, concordo com Fraser Ottanelli e Donna Gabaccia quando estes apresentam os fuorusciti italianos como pioneiros na organização de estratégias transnacionais de luta política. Ver Donna Gabaccia e Fraser Ottanelli, "Diaspora or International Proletariat? Italian Labor, Labor migration and the making of Multhethnic states, 1815-1939", em Diaspora, 6, 1, 1997.

[51] Ver, entre outros, Salvatore Pálida, "Scaldini, Ciociari et reggiani entre indifference, inefiance, fascisme et antifascisme dans les années 1920", em L'immigration italienne en France dans les années 20, Paris, Editions du cedei, 1988, pp. 223-46; Franco Ramella, "Biografia di un operaio antifascista: ipotesi per una storia sociale dell'emigrazione politica", em Pierre Milza, Les italiens en France de 1914 a 1940, Roma, École Française de Rome, 1986, pp. 385-406; e João Fábio Bertonha, "Fascisti e antifascisti dell'Emilia Romagna in Brasile (1919-1945)", em Emílio Franzina, Gli emiliano romagnoli e l'emigrazione italiana in America Latina, op. cit., pp. 153-60.

118 | Os italianos

[52] Ver Paola Corti, "Emigrazione, associazionismo e comportamenti politici in una comunità piemontese (1870-1931)", em Fernando Devoto, Asociacionismo, trabajo e identidad etnica: Los italianos en America Latina en una perspectiva comparada, Buenos Aires, Cemla, 1992, pp. 267-85; e Maria Rosário Ostuni, "Operai e antifascismo a Buenos Aires: la società 'Liber Piemont'", em Op. cit., pp. 303-9.

[53] Vittorio Cappelli, "Emigrazione transoceanica e socialismo. Il caso di Morano Calabria", em Paolo Borzomati, L'emigrazione calabrese dall'Unità ad oggi, Roma, Centro Studi Emigrazione, 1982, pp. 115-33.

[54] Há ampla bibliografia, nos mais diferentes países, a respeito do tema dos judeus refugiados e sua relação com o antifascismo italiano. Ver, por exemplo, Pietro Rinaldo Fanesi, "Gli ebrei italiani rifugiati in America Latina e l'antifascismo (1938-1945)", Storia e Problemi Contemporane, 7, 1994; Joseph Gentili, "Italian Jewish Refugees in Australia", Australian Jewish Historical Review, 10, 5, 1989; Vera Jarach e Eleonora Smolensky, Colectividad judia italiana emigrada a la Argentina (1932-1943), Buenos Aires, Centro Editor de América Latina, 1993; Giorgina Levi e Manfredo Montagnana, I Montagnana: una famiglia ebraica piemontese e il movimento operaio (1914-1948), Firenze, Editrice La Giuntina, 2000; falta, porém, uma visão unificada e mais geral.

[55] Ver João Fábio Bertonha, "Emigrazione e politica estera: La 'diplomazia sovversiva' di Mussolini e la questione degli italiani all'estero, 1922-1945", em AltreItalie – Rivista internazionale di studi sulle popolazioni di origine italiana nel mondo, Torino, 23, 2001; e O fascismo e os imigrantes italianos no Brasil, Porto Alegre, EDIPUCRS, 2001. Bibliografia complementar é indicada nestes textos.

[56] Esses números podem ser questionados, pois, no censo brasileiro de 1980, por exemplo, os italianos eram apenas 98.790 e esse número caiu para menos de 50 mil em 2000. Já os dados italianos, como visto, indicam um número de italianos que giraria em torno de 300 mil pessoas. Muito provavelmente, essa diferença de números origina-se do fato de o governo italiano considerar cidadãos italianos residentes no exterior os descendentes (filhos, netos e bisnetos) que conseguiram a dupla cidadania. Outros problemas e detalhes estatísticos também devem ser levados em conta na análise desses números, ainda que não eliminem sua validade por completo.

[57] Tais dados originam-se de Matteo Sanfilippo, "Tipologie dell'emigrazione di massa", 77 e "Gli italiani nel mondo: dati statistici aggiornati", em Affari Sociali Internazionali, 29, 1, 2001.

[58] Donna Gabaccia, por exemplo, fez a proposta de agrupar os países de imigração italiana em três blocos culturais – anglo-saxões, germânicos e latinos –, dadas suas diferentes maneiras de conviver com os imigrantes e incorporá-los em suas sociedades. Ver Donna Gabaccia, "Italian History and gli italiani nel mondo". Ver também, para um comentário sobre essas ideias, João Fábio Bertonha, "Italiani nel mondo anglofono, latino e germanico. Diverse prospettive sul fascismo italiano?", AltreItalie – Rivista internazionale di studi sulle popolazioni di origine italiana nel mondo, 26, 2003.

[59] Salvatore Lupo, "Cose nostre: máfia siciliana e máfia americana". Op. cit.

[60] Emílio Franzina, Gli italiani al Nuovo Mondo, pp. 186-214; Ludovico Incisa Di Camerana, "La diplomazia", em Storia dell'emigrazione italiana, v. 2, pp. 457-79; e Luiza Horn Iotti, O olhar do poder: a imigração italiana no Rio Grande do Sul de 1875 a 1914 através dos relatórios consulares, Caxias do Sul, Editora da Universidade de Caxias do Sul, 1996.

[61] Esse tópico será desenvolvido em detalhes no capítulo "A última potência europeia".

[62] Há imensa bibliografia a respeito dessas discussões, incluindo abordagens regionais, sobre jornais, grupos específicos etc. Ver, para títulos gerais, Antonio Annino, "La politica emigratoria dello stato post unitario", em Il Ponte, 30, 11/12, 1974; Zeffiro Ciuffoletti & Maurizio Degl'Innocenti, L'emigrazione nella storia d'Italia, Firenze, Valecchi, 1979; Fernando Manzotti, La polemica sull'emigrazione nell'Italia Unita (fino alla Prima Guerra Mondiale), Roma, Dante Alighieri, 1962; Ercole Sori, "Il dibattito politico sull'emigrazione italiana dall'unità alla crisi dello stato liberale", em Bruno Bezza, em Gli italiani fuori d'Italia: Gli emigrati italiani nei movimenti operai dei paesi d'adozione (1880-1940), Milano, Franco Angeli Editore, 1983, pp. 19-44.

[63] Para as leis e a estrutura montada para atingir os italianos do exterior, convém consultar os trabalhos de Maria Rosário Ostuni, "I fondi archivistici del Commissariato Generale dell'emigrazione e della Direzione Generale degli italiani all'estero", em Studi Emigrazione, 59, 1980; "Momenti della 'contrastata vita' del Commissariato Generale dell'emigrazione", em Bruno Bezza, Gli italiani fuori d'Italia: Gli emigrati italiani nei movimenti operai dei paesi d'adozione (1880-1940), op. cit., pp. 101-18; e "Leggi e politiche di governo nell'Italia liberale e fascista", em Storia dell'emigrazione italiana, op. cit., v. 1, p. 309-19.

[64] Pier Paolo D'Atorre, "L'evoluzione storica dell'emigrazione attraverso alcune analisi del movimento operaio", em Affari Sociali Internazionali, 2, 1/2, 1974; e Maurizio Degl'innocenti, "Emigrazione e politica dei socialisti dalla fine del secolo all'età giolittiana", em Il Ponte, 30, 11/12, 1974. Ver também Adolfo Pepe e Ilaria del Biondo, "Le politiche sindacali dell'emigrazione", Storia dell'emigrazione italiana, op. cit., v. 1, pp. 275-92.

[65] Ver Ernesto Ragionieri, "Italiani all'estero ed emigrazione di lavoratori italiani: un tema di storia del movimento operaio", em Belfagor, 17, 1962. Para casos específicos, ver, entre outros, Luigi Di Lembo, "L'organizzazione dei socialisti italiani in Francia", em L'emigrazione socialista nella lotta contro il fascismo, Firenze, Sansoni, 1982, pp. 221-61; e Jean Hugli, "Socialisme antifasciste a Lausanne de la premiere a la deuxieme guerre mondiale", em op. cit., pp. 263-91. Para informações sobre a Società Umanitaria di Milano e seu trabalho de divulgação do socialismo entre os trabalhadores italianos da Europa, ve Zeffiro Ciuffoletti, "La Società Umanitaria e l'emigrazione operaia oltreoceano", em Vanni Blengino, em La Riscoperta delle Americhe: Lavoratori e sindacato nell'emigrazione italiana in America Latina (1870-1970), Milano, Teti Editore, 1994, pp. 250-64.

[66] João Fábio Bertonha, Sob a sombra de Mussolini: os italianos de São Paulo e a luta contra o fascismo (1919-1945), São Paulo, Annablume, 1999.

[67] Donna Gabaccia, Italy's many diasporas, op. cit., caps. 3-5; Militants and Migrants: rural Sicilians become American workers, New Brunswick/London, Rutgers University Press, 1988; Donna Gabaccia e Fraser Ottanelli, "Diaspora or International Proletariat? Italian Labor, Labor migration and the making of Multhethnic states, 1815-1939", em Diaspora, 6, 1, 1997.

[68] Gary Mormino e George Pozzetta, The Immigrant World of Ybor City: Italians and their Latin Neighbors in Tampa (1885-1985), Chicago, University of Chicago Press, 1987; Jo Ann Argersinger, Making the Amalgamated: Gender, Ethnicity and Class in the Baltimore Clothing Industry (1899-1939), Baltimore: The Johns Hopkins University Press, 1999; Stephen Fraser, "Landslayt and paesani: ethnic conflict and cooperation in the Amalgamated Clothing Workers of America", em Dirk Hoerder, Struggle a Hard Battle: Essays on Working class Immigrants, DeKalb, Northern Illinois University Press, 1987, pp. 283-8; e Elisabetta Vezzosi, "Sciopero e rivolta. Le organizzazioni operaie italiane negli Stati Uniti", em Storia dell'emigrazione italiana, op. cit., v. 2, pp. 271-82.

[69] Gerard Noiriel, "Les immigrès italiens en Lorraine pendant l'entre deux guerres: du rejet xenophobe aus strategies d'integration", em Pierre Milza, Les italiens en France de 1914 a 1940, pp. 609-32; Fabrice Sugier, "Les Mines du Gard, 1938-1940", em Dennis Peschanski e Pierre Milza, Exils et migration: Italiens et espagnols en France, 1938-1945, Paris, Editions L'Harmattan, 1994, pp. 411-25.

[70] Para um resumo da historiografia, ver João Fábio Bertonha. "Trabalhadores imigrantes entre identidades nacionais, étnicas e de classe: o caso dos italianos de São Paulo, 1890-1945", em Varia História, 19, 1998.

[71] Faço uma discussão mais aprofundada a respeito dos dilemas da construção da identidade dos operários italianos em São Paulo no artigo citado. Ver também Donna Gabaccia, From Italy to Elisabeth Street: Housing and social change among Italian immigrants (1880-1930), Albany, 1983; e Ricardo Falcón, "Immigración, Cuestion Etnica y movimento obrero (1870-1914)", em Fernando Devoto, Associacionismo, trabajo e identidad etnica, op. cit., pp. 251-85.

[72] A bibliografia sobre esses grupos, em geral produzida pelos próprios missionários, é imensa. Entre eles, destaque-se Padre Gianfausto Rosoli, que escreveu intensamente, até sua morte, a respeito do tema. Um conjunto de seus artigos pode ser encontrado em Gianfausto Rosoli, Insieme oltre le frontiere: Momenti e figure dell'azione della Chiesa tra gli emigrati italiani nei secoli xix e xx, Caltanisseta-Roma, Salvatore Sciascia Editore, 1996. Outros textos relevantes, mais gerais, produzidos pelos próprios membros das ordens religiosas são: Antonio Perotti, Il Pontificio Collegio per l'emigrazione, Roma, 1970; e "La società italiana di fronte alle prime migrazioni di massa. Il contributto di Mons. Scalabrini e di Mons. Bonomelli alla tutela egli emigrati", em Studi Emigrazione, 5, 11/12, 1968; e Gian Battista Sacchetti, "L'impegno sociale di Mons. G. B. Scalabrini e di Mons. Bonomellinel'assistanza agli emigrati italiani", em Affari Sociali Internazionali, 2, 1/2, 1974. Ver também Matteo Sanfilippo, "Chiesa, ordini religiosi ed emigrazione", em Storia dell'emigrazione italiana, op. cit., v. 1, pp. 127-42; "La Chiesa cattolica", em Storia dell'emigrazione italiana, op. cit., v. 2, pp. 481-7; e Emílio Franzina, Gli italiani al Nuovo Mondo, op. cit., pp. 215-33. Esses últimos textos também foram utilizados para a redação dos parágrafos a seguir.

[73] Em geral, as relações dos cônsules e demais funcionários do governo italiano no exterior eram cordiais, dado que compartilhavam o interesse em manter os vínculos dos emigrantes com a Pátria de origem. A situação só mudou no período fascista, quando o regime tentou exercer um controle mais direto da atividade dos missionários, que reagiram, em geral, com simpatia, mas sem se submeterem completamente, o que gerou problemas e contrastes entre a Igreja e o fascismo. Para uma discussão a respeito do tópico em português, ver João Fábio Bertonha, "Entre a cruz e o fascio littorio: a Igreja Católica brasileira, os missionários italianos e a questão do fascismo, 1922-1943", História e Perspectivas, 16/17, 1997.

[74] Uma completa identificação de catolicismo com italianidade não se consolidou, por vários motivos, nesses países, mas o domínio protestante neles foi um estímulo a ela que não existia nos países católicos de imigração italiana, como o Brasil ou a Argentina. Ver, entre outros, Peter De Agostino, "The Scalabrini fathers, the Italian emigrant Church and ethnic nationalism in America", em Religion and American culture, 7, 1, 1997; Luigi Pautasso, "I

salesiani a Toronto (1924-1934)", em Italian Canadiana, 9, 1993; Luigi Pennacchio, "The Torrid Trinity: Toronto's fascists, Italian priests and archbishops during the fascist Era, 1929-1940", Mark McGovan e Brian Clarke,Catholics at the Gathering Place, Toronto, The Canadian catholic historical Association, 1993, pp. 233-53; e Silvano Tomasi, "Fede e Patria: the 'Italica Gens' in the United States and Canadá, 1908-1936. Notes for the history of an emigration association", em Studi Emigrazione, 38, 103, 1991.

[75] Ver, entre outros, Agostino Lazzaro, Lembranças camponesas: a tradição oral dos descendentes de italianos em Venda Nova do Imigrante, Vitória, Editora da Fundação Ceciliano Abel de Almeida, 1992; Carmela Maltone e Aroldo Buttarelli, Une petite Italie a Blanquefort du Gers — Histoire et memoire (1924-1960), Bordeaux, Ed. Maison des Sciences de l'homme d'Aquitaine, 1993; e Gianfausto Rosoli, "Chiesa ed emigrati italiani in Brasile, 1880-1940", em Studi Emigrazione, 19, 66, 1982. Para os interessantes casos das comunidades vênetas de Chipilo, México e Cataloi, Romênia, ver, respectivamente, Franco Savarino, México e Italia: Politica y diplomacia en la época del fascismo (1922-1942), México, Secretaria de Relaciones Exteriores, 2003, 69; e Oscar Gaspari, "Una comunità veneta tra Romania ed Italia (1879-1940)", em Studi Emigrazione, 89, 1988.

[76] Ângelo Trento, Do outro lado do Atlântico, op. cit., p. 74. Dados retrabalhados por mim.

[77] As remessas dos emigrantes foram vitais para o balanço de pagamentos italiano até os anos 70 do século xx. Ver Gino Massullo, "L'economia delle rimesse", em Storia dell'emigrazione italiana,v. 1, pp. 161-83; L. Mittone, "Le rimesse degli emigrati sino al 1914", em Affari Sociali Internazionali. 4, 1984; e F. Baletta, Le rimesse degli emigranti italiani e la bilancia dei pagamenti internazionali (1861-1974), Napoli, 1976. Em português, um livro ainda útil sobre os interesses econômicos no sistema emigratório italiano, apesar de seu caráter de "denúncia", é Constantino Ianni, Homens sem paz: os conflitos e os bastidores da imigração italiana, Rio de Janeiro, Civilização Brasileira, 1972.

[78] Augusta Molinari, "Porti, transporti e compagnie", em Storia dell'emigrazione italiana, em v. 1, pp. 237-55. Ainda bastante útil é Luigi De Rosa, Emigranti, capitali e banche (1896-1906), Napoli, Edizioni del Lavoro, 1980.

[79] Gino Massullo, "L'economia delle rimesse", op. cit., pp. 179-83.

[80] Paola Corti, "Emigrazione e consuetudini alimentari. L'esperienza di una catena migratoria", Alberto Capatti, "L'alimentazione", em Ruggiero Romano e Corrado Vivanti, Storia d'Italia. Annali 13, Torino, Einaudi, 1998, pp. 681-719.

[81] Vito Teti, "Emigrazione, alimentazione, culture popolare", em Storia dell'emigrazione italiana, op. cit., v. 1, pp. 575-97. Ver também Donna Gabaccia, We are what we eat: Ethnic food and the making of Americans, Cambridge/London, Harvard University Press, 1998. Uma coletânea interessante, relacionando alimentação com as variações da identidade cultural italiana em Toronto, é Jo Marie Powers, Buon Appetito! Italian foodways in Ontário, Willowdale (Ontario), The Ontario Historical Society, 2000.

[82] Ver João Fábio Bertonha, Sob a sombra de Mussolini, op. cit., especialmente cap. 1.

[83] Emílio Franzina, "Conclusione a mo'di premessa. Partenze e arrivi", op. cit., pp. 623-5; e Matteo Sanfilippo, "Nationalisme, italianità et emigration aux Ameriques (1830-1990)", em European Review of History/Revue Europeenne d'histoire, 2, 2, 1995.

[84] Curiosamente, por razões de tradição historiográfica e até psicológicas, de preconceito em face do emigrante, apenas agora a história da emigração começa a sair de seu "gueto" e a receber seu devido valor na historiografia italiana. Ver Emílio Franzina, "Conclusione a mo'di premessa. Partenze e arrivi", em Storia dell'emigrazione italiana, v. 2, pp. 601-37. Para uma defesa do estudo da influência da emigração na história da própria Itália, ver Donna Gabaccia, "Per una storia italiana dell'emigrazione", em AltreItalie – Rivista internazionale di studi sulle popolazioni di origine italiana nel mondo, 16, 1997.

DOS POBRES DA EUROPA À *DOLCE VITA*

A ECONOMIA DA PENÍNSULA ITÁLICA ENTRE OS SÉCULOS XIX E XX

Quando, a partir de 1860, a península itálica foi reunida sob um único Estado e formou-se, portanto, uma economia nacional, a Itália não era mais uma das áreas mais ricas da Europa Ocidental. Muitas de suas antigas cidades comerciais, como Veneza ou Gênova, continuavam a ter grandes lucros com o comércio no Mediterrâneo e havia áreas prósperas, mas, no geral, a economia italiana estava entre as mais pobres e atrasadas da Europa.

De fato, no final do século XIX, mais de 60% da população economicamente ativa da Itália trabalhava no campo, sendo que 80% não possuíam terras. Grandes propriedades dominavam a maior parte das terras férteis, em especial no Sul. A economia italiana era fortemente agrícola e de uma agricultura, em geral, arcaica e pouco produtiva.

Isso se refletia, claro, nos níveis de vida. A maior parte dos 22 milhões de italianos era camponesa (pequenos proprietários, assalariados, meeiros) trabalhando em um sistema agrícola extremamente primitivo e submetidos à malária, à cólera e a outras doenças. Viviam, em geral, em uma situação de quase isolamento e com um índice de analfabetismo que atingia os 80%. A Itália, por qualquer critério, era um país pobre.

Quando da unificação, além disso, a nova Itália teve de se adaptar a uma nova situação, a da Revolução Industrial, que estava se espalhando, nas décadas finais do século XIX pela Europa e pela América do Norte.[1]

A Revolução Industrial foi, provavelmente, a maior alteração nas condições econômicas do homem desde a invenção da agricultura milênios atrás. Em uma conjuntura histórica específica – a da Inglaterra de fins do século XVIII e início do XIX – o homem aprendeu a utilizar fontes de energia mais eficientes e a empregá-las para mover máquinas que, com sua precisão e regularidade, permitiam um aumento da produção de bens absolutamente inimaginável para o período anterior.

A pobreza do campo italiano no século XIX.
Camponeses de Concórdia (Módena) aram a terra como há séculos,
com vacas e burros puxando os arados.

Realmente, as consequências da adoção da maquinaria nos processos produtivos foi uma explosão de produtividade na economia. Na década de 1820, por exemplo, um operário, controlando vários teares movidos a vapor, produzia 20 vezes mais tecidos do que um trabalhador manual, enquanto uma fiandeira a vapor podia produzir 200 vezes mais do que uma antiga roda de fiar. Locomotivas ou navios a vapor também podiam levar centenas de vezes mais carga que tropas de burros ou veleiros, e muito mais rápido.[2]

A Revolução Industrial não se resumiu, contudo, à adoção de máquinas no processo produtivo. Também criou um novo mundo ao modificar as antigas relações sociais existentes, eliminando os antigos artesãos, fortalecendo os burgueses, donos das fábricas, e gerando outro grupo social, os operários. Todo o mundo do trabalho foi modificado, com a imposição de uma divisão do trabalho capitalista, e custos sociais terríveis foram impostos ao nascente proletariado que trabalhava em fábricas e minas, como cidades insalubres e superpovoadas, salários miseráveis, horas infindáveis de trabalho etc.

De qualquer maneira, mesmo levando em consideração o imenso custo social da industrialização, bem como que a modernidade industrial e urbana demorou bastante tempo para transformar efetivamente a sociedade ocidental,[3] é impossível negar que ela permitiu uma explosão da produtividade e da riqueza nos países em que se manifestou. A riqueza aumentava de forma constante, superando largamente até mesmo, o que era inédito na história, o aumento da população, e permitindo, com o tempo, melhoras na situação social até mesmo da parcela mais pobre da sociedade. Até hoje, a regra é clara: sociedades que não passaram pela Revolução Industrial e continuam presas aos limites do mundo agrário são incapazes de atingir os níveis de riqueza e bem-estar das que o fizeram.

O ponto inicial dessa Revolução, como já indicado, foi a Inglaterra entre, *grosso modo*, 1780 e 1860 e seus elementos-chave eram o carvão, o ferro e as ferrovias. Nesses aspectos, o domínio da Inglaterra foi realmente excepcional. Em 1860, por exemplo, mais de 50% da produção de ferro e carvão do mundo saía das fábricas britânicas e o Reino Unido era o país mais densamente coberto por ferrovias e o mais urbanizado do mundo.

Enquanto a Inglaterra passava por esse processo, os Estados italianos pré-unitários eram basicamente agrícolas, com algumas pequenas indústrias e uma agricultura mais desenvolvida apenas no norte da península. A título de comparação, eles dispunham de 357 quilômetros de ferrovias em 1848 e 986 quilômetros em 1859, ao passo que, na mesma época, a Inglaterra tinha mais de 11 mil quilômetros de ferrovias em seu território.[4]

Na segunda fase da Revolução Industrial, já na segunda metade do século XIX, o petróleo lentamente substituiu o carvão como fonte energética e as ferrovias, apesar de ainda importantes, perderam espaço para os automóveis. A indústria química e a eletricidade também adquiriram maior destaque, mudando os padrões anteriores de industrialização.

Ainda nesse período, capitais e tecnologia britânicos começaram a procurar oportunidades de negócios no exterior, o que ajudou a difundir a sociedade industrial por toda a Europa e América do Norte. As próprias vantagens do sistema, em termos de produtividade, também estavam mais do que claras para os que observavam a Inglaterra, o que estimulava a difusão dos métodos industriais em outros países e setores da economia mundial.

Essa difusão acabou por beneficiar nações ou regiões que dispunham de recursos naturais abundantes a ser explorados, de burocracia eficiente, de condições políticas e sociais adequadas à liberdade empresarial ou de um bom sistema escolar. Foi o caso, por exemplo, da Bélgica, de alguns distritos franceses e, sobretudo, da Alemanha e dos Estados Unidos.

A Itália, em particular o norte da península, não ficou fora desse momento econômico europeu. Quando da unificação, em 1860, ela não tinha, é verdade, um grande sistema escolar nem recursos naturais (como carvão, petróleo ou ferro) que facilitassem a industrialização,[5] mas parece evidente que a Itália não era, no momento de sua unificação, um país completamente subdesenvolvido, colonial ou semifeudal como tantos da Europa e, especialmente, do mundo extra europeu de então.

De modo efetivo, a servidão já havia sido abolida na maior parte dos Estados italianos bem antes de 1860, um sistema de manufaturas havia se desenvolvido e os princípios iluministas e burgueses já estavam presentes na cultura do país há séculos.[6] Bases, ao menos mentais, para uma economia moderna existiam e, além disso, o desenvolvimento econômico e industrial podia contar com o apoio do Estado.

De fato, as elites italianas acreditavam que o país tinha de dispor de uma base econômica e industrial adequada, se realmente quisesse ser independente e respeitado, e agiram em defesa da indústria e da modernização da economia nacional. Após alguns flertes com o livre-comércio nos primeiros anos, o Estado italiano adotou leis protecionistas a partir sobretudo de 1887, as quais atendiam aos interesses das elites agrárias e industriais nascentes e refletiam o próprio momento protecionista de boa parte das economias europeias nesse período.

O protecionismo e o apoio do Estado à indústria (incluindo financiamentos, pedidos de compras e subsídios) permitiram, depois de um período de crise e transição, que esta se desenvolvesse com maior vigor, especialmente entre 1896 e 1913. O Estado também investiu de forma maciça em ferrovias, infraestrutura e estrutura militar, o que, depois de uma fase de transição, ajudou a dinamizar o crescimento industrial.[7] O protecionismo também permitiu que a agricultura do norte da península se modernizasse, o que não se repetiu, por vários motivos, no Sul, ampliando a distância econômica entre as regiões.

Vale a pena ressaltar, nesse momento, que a identificação do apoio estatal e do protecionismo como fatores-chave para o crescimento industrial italiano não significa dizer que a burguesia industrial nascente fosse completamente inoperante e/ou que atuava em completa dependência do Estado. Pelo contrário. A burguesia tinha suas ideias e perspectivas[8] e é mais correto dizer que o Estado, ao mesmo tempo em que mantinha uma política própria, por seus próprios interesses, de desenvolvimento industrial, também respondia às demandas de uma burguesia que também compartilhava desse projeto.[9]

Outros fatores também colaboraram para um crescimento maior da indústria e da economia italianas nos anos imediatamente anteriores a 1914, como a reorganização do sistema bancário e das finanças públicas e a maior disponibilidade de capitais estrangeiros.[10] A própria mudança do padrão da industrialização nas décadas finais do século XIX e início do XX, que diminuiu a importância de fatores de produção escassos no território italiano, como água em abundância, canais navegáveis e carvão, em favor de outros dos quais a Itália estava mais favorecida (como a disponibilidade de energia elétrica) apoiou o maior crescimento industrial italiano nesse momento.[11]

De qualquer forma, mesmo com o protecionismo e o apoio estatal, a economia italiana permaneceu ligada à economia internacional nesses anos, recebendo empréstimos franceses e ingleses, e depois alemães, que financiavam, com as remessas dos emigrantes, boa parte do desenvolvimento industrial. Subdesenvolvida e carente de capitais, a economia italiana não tinha a massa necessária para ir na direção contrária dos ciclos econômicos internacionais. Ela crescia de modo acentuado ou entrava em crise, nesses anos, aproveitando a demanda e a oferta internacional de mão de obra, capitais e produtos.[12]

De qualquer modo, o desenvolvimento econômico e industrial da Itália foi apreciável entre 1896 e 1913, conforme atestam até mesmo os admirados observadores contemporâneos,[13] levando alguns historiadores a chamarem esse período de "revolução industrial italiana". No norte do país (sobretudo no "triângulo industrial" entre Milão, Turim e Gênova) houve considerável crescimento da indústria pesada – ferro, aço, estaleiros, automóveis –, assim como da indústria têxtil.

A riqueza nacional, nesse período, aumentou em 50%, enquanto a produção de aço decuplicou, a produção industrial geral quase dobrou e o número de operários cresceu de 1,2 para 3,5 milhões de trabalhadores, dos quais quase 90 mil na indústria siderúrgica e 475 mil na mecânica.[14] Na mesma época, o sistema financeiro se solidificou, a população urbana cresceu e houve alguma modernização agrícola, especialmente no Piemonte e na Planície do Pó. O sul da Itália, por diversos motivos, foi menos afetado por essas mudanças e sua indústria e agricultura continuaram incipientes e atrasadas. Como um todo, contudo, não resta dúvida de que a Itália ficou mais rica nesses anos.

Um olhar mais cuidadoso sobre esse processo revela, no entanto, vários problemas. A indústria italiana era em essência, ainda em 1911, voltada à produção de bens de consumo, com pouca aplicação de tecnologia ou técnicas de produção mais elaboradas. Pequenas

Operários trabalhando em uma fábrica de tecelagem, em Brescia, região norte ocidental da Itália.

empresas, com até cinco operários, compunham a grande maioria do parque industrial, perpetuando, ao menos até certo ponto, o trabalho artesanal e pouco produtivo.[15]

A modernização italiana também perde seu brilho quando colocada em perspectiva comparada. Realmente, se acompanhamos algumas estatísticas referentes à produção industrial no século XIX, perceberemos que os Estados italianos (e, depois, a Itália unificada) tinham uma participação na produção manufatureira mundial de 2,5% em 1800, número esse que não se modificou um século depois, em 1900. Enquanto isso, a Inglaterra passava de 4,3% para 18,5%, a Alemanha, de 2,9 para 13,2% e os Estados Unidos, de 0,1 para 23,6%. Em termos proporcionais, a Itália não saiu do lugar.

Mesmo a economia italiana como um todo, incluindo setores como a agricultura e o comércio, não estava em uma posição de destaque durante o século XIX. Enquanto a riqueza nacional russa praticamente dobrou entre 1830 e 1890, a britânica foi multiplicada por 3,6, a alemã, por 3,7 e a francesa, por 2,3; a economia dos Estados italianos/Itália cresceu apenas 1,7.

Dados esses índices relativamente baixos de crescimento econômico e o aumento da população, não espanta que a renda *per capita* italiana tenha praticamente estagnado nesses 60 anos, passando de 265 a 311 dólares. Na mesma época, a Grã-Bretanha passava de 346 para 785 dólares, a Alemanha, de 245 para 537 e a França, de 264 para 515. Só o Império Russo tinha índices semelhantes aos italianos (170 para 182 dólares), mas com base econômica e populacional muito maior.

Muitos outros dados estatísticos confirmam esse atraso italiano em se integrar à sociedade industrial. Ainda em 1910, apenas 11% dos italianos viviam nas cidades, contra 35% dos britânicos e 22% dos americanos. Em 1890, a Itália produzia apenas 10 mil toneladas de ferro por ano, contra 9,3 milhões nos Estados Unidos, 8 milhões na Grã-Bretanha e 4,1 milhões na Alemanha. Em 1920, a produção italiana já havia crescido para 730 mil toneladas, mas apenas a americana, isoladamente, já havia sido ampliada para 42 milhões de toneladas/ano.[16]

Mesmo no tocante aos níveis de vida da população, os números são bastante instrutivos. Entre 1861 e 1911, a expectativa de vida dos italianos cresceu de 30 para 47 anos, enquanto a mortalidade geral caiu de 31 para 18,7 por mil e a mortalidade infantil no primeiro ano desabava de 223 para 138 por mil. Imensos avanços, mas a Itália ainda estava atrás de quase todos os outros grandes países ocidentais, como França, Alemanha e Estados Unidos, ainda que melhor do que a Espanha ou o Império Russo.[17]

Apesar da sua aridez, essas estatísticas deixam bem clara a situação italiana. Ela estava modernizando sua economia e não era, com certeza, um país pobre do Terceiro Mundo, mas não crescia no ritmo necessário para uma integração rápida e bem-sucedida ao mundo moderno e industrial. Isso se refletia no nível de vida da população e na própria posição da Itália na Europa, como ficou evidente na Primeira Guerra Mundial.

A ECONOMIA ITALIANA E A PRIMEIRA GUERRA MUNDIAL

No período da Primeira Guerra, efetivamente, a Itália foi envolvida em uma luta de grandes proporções e sua economia teve de ser mobilizada para dar conta das imensas necessidades do campo de batalha. Em apenas três anos, a indústria italiana fabricou quase 12 mil canhões e outro tanto de aviões, mais de quinhentos navios, 71 submarinos, 70 milhões de projéteis de artilharia e mais de 3,6 bilhões de cartuchos, além de roupas, botas e todo tipo de suprimento militar.[18]

Estimulada por essas imensas encomendas estatais, a indústria pesada teve um crescimento espantoso. Apenas em 1917, as aciarias italianas estavam produzindo mais de 2 milhões de toneladas de aço e todos os indicadores de produção industrial cresceram enormemente.

Certas áreas da indústria foram especialmente beneficiadas por esse processo, com destaque para a mecânica e a automobilística. Nos anos da guerra, apenas a título de exemplo, a Fiat, aumentando seu quadro de operários para quase 50 mil homens, conseguiu produzir dezenas de milhares de veículos para uso militar, enquanto a Pirelli, do ramo de pneus de borracha, também sofreu acentuada expansão.

O grupo Ansaldo também é um ótimo exemplo do esforço da economia e da indústria italiana durante a guerra. Esse gigante da indústria siderúrgica, mecânica e elétrica expandiu seu quadro de operários de 6 para 110 mil pessoas durante a guerra e, sozinho, construiu 10 mil canhões, milhares de aviões, milhões de projéteis e quase cem navios de guerra.[19]

A indústria italiana, assim, foi grandemente beneficiada pela guerra e, na verdade, boa parte dos grandes empresários a desejava e a apoiou justamente por considerar que um grande conflito seria a oportunidade para fazer a indústria italiana superar a lacuna que a separava dos outros países europeus.[20] Até certo ponto e em um primeiro momento, não estavam errados. De fato, sob a proteção do Estado (que se utilizou de leis de exceção para coibir greves e protestos sociais) e estimuladas por suas encomendas, as grandes empresas italianas se expandiram e conseguiram ampliar suas atividades até mesmo para setores industriais que, antes da guerra, eram apenas embrionários na Itália. Grandes cartéis e oligopólios foram criados e se articularam com o mundo das finanças e com o próprio Estado. Mesmo a preço de sangue, a época da guerra foi de imensos lucros e crescimento para a indústria italiana.[21]

No entanto, a demanda do esforço de guerra em uma economia ainda tão precária também foi bastante danosa para a sociedade, e a situação teria sido muito pior sem o apoio externo. Os operários, por exemplo, foram submetidos a horas sem fim de trabalho e a salários reduzidos. A agricultura também foi imensamente penalizada pela requisição de animais, pelo recrutamento dos filhos dos camponeses e pela falta de fertilizantes e financiamentos, o que gerou escassez de alimentos e inflação.[22] Apenas a ajuda aliada impediu problemas maiores no país.

Realmente, o povo italiano, apesar de sofrer muito com a inflação, com a perda do poder aquisitivo dos salários e com outros problemas impostos pela guerra, teria sofrido muito mais sem os créditos ingleses e americanos e as importações de trigo, carvão e outros produtos. Entre abril de 1917 e novembro de 1918, por exemplo, os Estados Unidos emprestaram cerca de 2 milhões de dólares por dia para que a Itália pagasse seus compromissos e importações. A economia e o povo italianos pagaram caro pela aventura bélica.[23]

Além disso, com o fim do conflito, em 1918, a artificialidade da expansão industrial italiana ficou clara. Sem as encomendas militares, a indústria italiana não tinha clientes para sua produção, que nem o mercado interno nem o externo eram capazes de absorver. A crise financeira do Estado, a inflação e a enormidade da dívida pública[24] também diminuíam a possibilidade de recuperação econômica do país. Isso para não mencionar, evidentemente, a perda de centenas de milhares de homens em idade produtiva e a dívida externa com os antigos Aliados, o que levou a várias desvalorizações da moeda.[25] Assim, se a reconversão da indústria de tempo de guerra para a de tempo de paz e os problemas financeiros foram gerais em todo o continente europeu pós-1918, a situação da Itália, dada a fragilidade de sua economia, foi ainda pior.

A crise econômica oriunda de todos esses problemas e a incapacidade dos governos italianos em resolvê-la foram intensas na Itália entre 1918 e 1922 e logo tiveram desdobramentos políticos e sociais, desembocando no fascismo. Evidentemente, como veremos em detalhes no capítulo "Uma maneira própria de fazer política?", não se explica o fascismo tão só pela imensa crise econômica vivenciada pelos italianos nesses anos, mas esquecê-la seria, com certeza, problemático.

O FASCISMO E A ECONOMIA ITALIANA[26]

No campo econômico, a política seguida pelo fascismo tem alguns marcos temporais bem delimitados. Entre 1922 e 1930, o contexto mundial é de expansão econômica e a prioridade do recém-instalado regime era sanear os problemas da crise do pós-guerra e se fixar no poder. Na década seguinte, o sistema capitalista entrou em profunda crise e a Itália fascista teve de se adaptar à nova conjuntura. Mesmo esses dois grandes períodos, contudo, podem ser subdivididos, de forma a deixar claro os vaivéns da política econômica fascista.

Seria exagero afirmar que o fascismo foi uma emanação pura e simples do grande capital, bem como que todas as diretrizes fascistas para a economia italiana tenham se originado dos desejos e dos interesses dos grandes empresários.[27] No entanto, não resta dúvida de que tais interesses estavam muito bem representados no governo de Mussolini, sobretudo em seus primeiros anos.

É relevante observar, de fato, como o fascismo, para chegar ao poder, se aliou aos grandes empresários e aos princípios do liberalismo econômico. Ideias que estavam no programa original dos fascistas, como impostos mais altos sobre o capital e nacionalização de empresas, foram rapidamente esquecidas para que o apoio financeiro e político das grandes empresas ao fascismo fosse mantido.

Em um primeiro momento (1922-1925), assim, o governo Mussolini adotou medidas que visavam basicamente a garantir, aos investidores estrangeiros e italianos, a segurança para seus investimentos. O sistema fiscal foi modificado, beneficiando especialmente os mais ricos, e outras medidas foram adotadas para atrair capitais estrangeiros. O aparato de controle da economia da época da Primeira Guerra também foi desestruturado, com a eliminação das barreiras ao livre funcionamento do mercado. Enormes cortes nas despesas estatais e medidas de estímulo à exportação também foram adotadas, em um figurino claramente liberal.

Em um contexto em que a economia internacional se recuperava, esse esforço levou à melhora da situação econômica geral do país. Mas muitos problemas (como inflação e déficit da balança de pagamentos, esse ampliado pela diminuição das receitas com o turismo e das remessas dos emigrantes) permaneceram, o que levou o governo fascista a abandonar de modo progressivo, na fase seguinte (1925-1930), o liberalismo.

Para tanto, o governo, mesmo hesitante, adotou, nesses anos, várias medidas para tentar resolver os problemas das dívidas interna e externa. Um acordo muito favorável com os Estados Unidos (aos quais a Itália devia, em valores da época, 12 bilhões de dólares) em 1925 e com a Inglaterra (que tinha 600 milhões de libras a receber de Roma) em 1926 permitiram à Itália voltar ao mercado internacional de capitais, o que melhorou a situação geral. Esses acordos, mais um imenso empréstimo de 150 milhões de dólares feito por um consórcio de bancos americanos, permitiram a recuperação do valor da lira, que se impunha para assegurar o fornecimento barato de matérias-primas e de outros produtos importados e também para garantir o prestígio internacional da Itália.

As informações presentes no último parágrafo nos permitem notar algo óbvio, mas que nem sempre é recordado pelos economistas, ou seja, que a economia dificilmente é uma ciência exata e que questões políticas, culturais e outras a influenciam de forma poderosa, assim como são influenciados por ela. Afinal, boa parte da motivação para a valorização da lira vinha de elementos completamente subjetivos, pois Mussolini considerava inaceitável que a moeda de uma grande potência, a Itália, valesse menos, por exemplo, do que a moeda francesa. Os problemas de ordem macroeconômica e financeira eram graves e determinantes,[28] é evidente, mas o governo fascista também se preocupava, ao pensar a economia, em questões de prestígio, orgulho nacional e outras não diretamente econômicas, o que revela a complexidade do tema.

Também o acordo favorável com os Estados Unidos só pôde ser assinado graças à preocupação do governo americano com a estabilização econômica da Europa[29] e à simpatia que a figura de Mussolini provocava nos meios financeiros americanos,[30] o que permitiu, ao governo fascista, margens de negociação bem mais confortáveis. Também foi de grande valia a pressão dos ítalo-americanos,[31] em uma prova da capacidade do regime em desfrutar de todas as possibilidades políticas, culturais e outras de que dispunha para atingir seus objetivos econômicos.

Não obstante, os resultados dessa valorização da lira (cujo valor passou de 155 liras por libra esterlina em abril de 1926 para 90 em dezembro de 1927) foram contraditórios, pois as exportações desabaram e as divisas estrangeiras tornaram-se mais difíceis de obter, o que, para uma economia dependente do exterior como a italiana, era trágico. O fascismo reagiu a esse problema de sua maneira particular, lançando grandes campanhas de mobilização popular para o aumento da produção doméstica de trigo e de outros produtos alimentares. O Estado também começou a ampliar seus gastos e a fazer grandes obras públicas.

Assim, de forma lenta, o fascismo foi deixando de lado o liberalismo e adotando políticas cada vez mais intervencionistas no campo econômico. Tais tendências já estavam presentes na própria estrutura de pensamento do fascismo (que privilegiava a política sobre a economia), mas foram sendo aplicadas pouco a pouco, à medida que o regime se consolidava no poder e os problemas oriundos da própria estrutura da economia italiana iam se manifestando. Muitos dos grandes empresários provavelmente não viram com bons olhos essa mudança, mas, com seus interesses centrais de ordem e proteção estatal atendidos, o grosso da classe se manteve unida ao redor do regime até seu final.[32]

A grande crise do capitalismo pós-1929 alimentou decisivamente o lado intervencionista do fascismo nos campos econômico e social. A crise, financeira e bancária em seu início, logo se espalhou para todos os setores da economia mundial, afetando o comércio e o fluxo de capitais internacionais e gerando generalizada contração das atividades econômicas.

A crise atingiu com mais força os países desenvolvidos e altamente integrados ao sistema internacional. A Itália não era um deles e seu próprio atraso a protegeu de alguns dos efeitos dessa crise, mas não totalmente. Alguns setores industriais foram afetados de modo acentuado, houve superprodução e o desemprego explodiu. Nesse contexto, as rendas do Estado se contraíram e as despesas para auxiliar empresas e pessoas aumentaram. Como resultado, o déficit público e os problemas da balança de pagamentos cresceram.

O resultado dessa situação foi o repúdio final dos princípios do liberalismo e a conversão da economia italiana em uma economia cada vez mais dirigida e controlada pelo Estado (sem deixar de ser, contudo, uma economia capitalista[33]) e autárquica, ou seja, isolada, na medida do possível, do mercado mundial. Uma tendência geral nesses anos que não se limitou à Itália ou mesmo aos Estados fascistas, mas que afetou fortemente a economia do país.

Fatores não diretamente econômicos também influíram nos rumos da economia e da política econômica italianas nesses anos. Em primeiro lugar, a política externa fascista levou a aventuras custosas na Abissínia e na Espanha nos anos 30 e a gastos militares crescentes, o que representou novos ônus à combalida economia italiana. O empenho fascista em garantir a independência econômica da Itália também tinha, além disso, motivações não econômicas, como a busca de prestígio internacional e de elementos para consumo político interno.[34]

Dada essa soma de determinações diretamente econômicas e não econômicas, não espanta como o intervencionismo e a busca da autossuficiência econômica cresceram de forma contínua e, a partir, *grosso modo*, de 1936, a Itália entrou em uma verdadeira economia de guerra.[35]

Em tal sistema, a economia italiana teve alguns resultados positivos, com crescimento da produção agrícola e industrial e desenvolvimento de alguns setores-chave, como a indústria mecânica e a química.[36] No entanto, ela foi mantida em uma verdadeira redoma de vidro, protegida da concorrência internacional e produzindo bens a custos muito superiores. O nível de vida dos italianos – cujos canais de protesto social foram eliminados – também decresceu durante o fascismo, e o regime quase levou as finanças públicas à falência.

Dada essa situação, é difícil acreditar que o fascismo tenha representado[37] um instrumento para a Itália (ou outros países atrasados) fazer a transição entre um país agrário e subdesenvolvido e um industrializado e moderno. No caso italiano, pode-se até aceitar que o fascismo apoiou a modernização industrial (apesar de seu discurso ruralista) e ajudou, em vários aspectos, a economia italiana a entrar no século XX, mas dificilmente poderíamos dizer que representou, em termos econômicos, algo de fato inovador na história da economia italiana ou mesmo na economia mundial naqueles anos. É possível, até mesmo, pensar que durante esse tempo, a economia italiana se modernizou apesar do fascismo e não por causa dele.[38]

Mais importante do que tudo, porém, era que os italianos continuavam pobres e, em relação aos países mais avançados da Europa, subdesenvolvidos. Ainda em 1938, 82% dos italianos viviam no campo, diante de apenas 61% na Grã-Bretanha ou 70% na Alemanha. No período fascista, apenas para citar alguns dados básicos, a produção de aço italiana passou de 730 mil para 2,3 milhões de toneladas/ano, mas só a alemã cresceu de 7,6 para 23,2 milhões.[39] Em 1929, os italianos produziram apenas 55 mil automóveis, enquanto a Alemanha fabricava 130 mil e os americanos, 5 milhões.[40]

Mais uma vez, apesar dos imensos esforços, a economia italiana não havia saído, em termos relativos, do lugar, pois os principais problemas e dificuldades não haviam sido equacionados e os italianos continuavam tão pobres como antes, se não mais. Tal situação seria apenas agravada pela aventura italiana na Segunda Guerra Mundial.

Cartão-postal de propaganda de concurso para premiar agricultores que ajudassem a Itália a adquirir autossuficiência em trigo. A independência da economia italiana era uma das obsessões fascistas.

A DESTRUIÇÃO DA ITÁLIA E O IMEDIATO PÓS-GUERRA

Como já havia acontecido 25 anos antes, a economia e a sociedade italianas foram mobilizadas de imediato para a guerra. No entanto, a indústria do país ainda era quase totalmente dependente de matérias-primas e de energia do exterior (ferro, carvão, petróleo) e o poder naval aliado fechou seu acesso a essas fontes,[41] que a Alemanha não podia compensar. Alguns setores mais ligados ao esforço de guerra (como a extração mineral, as indústrias mecânicas e química) foram evidentemente privilegiados e tiveram algum desenvolvimento durante o conflito, enquanto outros, como a agricultura e a indústria alimentar, foram afetados com mais rigor. Em linhas gerais, contudo, a produção agrícola e industrial não apenas não cresceu, como caiu regularmente no período bélico.

Para impedir o colapso, foi necessário impor rigoroso racionamento que, aliado a uma vertiginosa inflação, afetou duramente as classes populares. Em 1944, a ração diária de calorias da população italiana era uma das mais baixas da Europa, com 1.065 calorias diárias. Até a Polônia ocupada pelos nazistas conseguia um suprimento maior de alimentos para seus cidadãos.

Os efeitos da Segunda Guerra Mundial na economia e no nível de vida dos italianos foram, portanto, muito maiores do que na Primeira, e prosseguiram por longos anos após o fim da guerra. No conflito de 1915-1918, como visto, a população italiana sofreu com a falta de alimentos, a inflação e as ansiedades e os problemas típicos da guerra. No entanto, com exceção da região do Vêneto, o território italiano, com suas indústrias, campos de cultivo e cidades, foi poupado da destruição e a população civil permaneceu longe da violência dos combates.

No conflito de 1940-1945, contudo, a situação foi completamente diversa. O território italiano foi transformado em campo de batalha, com imensa destruição da infraestrutura industrial e urbana, além de grande perda de vidas civis. Um cálculo aproximado indica que a guerra custou, à Itália, o equivalente a três anos de produção nacional, nos valores de 1939. A Itália, em 1945, era um país destruído.

Realmente, a situação italiana no final da guerra era próxima da catástrofe. Muitas cidades estavam cobertas de escombros em virtude dos combates e dos bombardeios aéreos; as estradas estavam em pedaços e as ferrovias paralisadas a tal ponto que, ainda em 1948, muitas linhas estavam fora de serviço. A maior parte das fábricas e das usinas elétricas havia sobrevivido, mas o caos nos transportes impedia a retomada da produção. Também havia generalizada falta de carvão, de petróleo e de matérias-primas, enquanto a frota mercante estava reduzida à 10% de seus navios. O sistema econômico italiano não passava de um agrupamento disforme de fábricas, fazendas e outros fatores de produção isolados uns dos outros e semidestruídos.

Os números indicam bem a situação. Em 1945, a produção industrial e agrícola havia caído cerca de 40 e 70%, respectivamente, em relação aos níveis de antes da guerra, enquanto os preços tinham, em alguns casos, se multiplicado por 50 desde 1938. Um pão, que custava 2,23 liras o quilo em 1940, passou a custar 73 liras em 1947. No mesmo período, o quilo da *pasta* (massa) passou de 2,78 liras centavos para 120 liras. Com essa situação, os salários reais perderam mais da metade de seu valor e o desemprego geral apenas piorava a situação.[42]

Nesse período, portanto, os italianos estavam no pior momento, em termos econômicos e sociais, que sua sociedade já havia enfrentado. Milhões de italianos tiveram de sobreviver oferecendo serviços às tropas aliadas, no mercado negro, na prostituição e em expedientes de todo tipo. A ajuda alimentar dos americanos também foi fundamental para impedir uma catástrofe ainda maior.

Pobreza, claro, é um valor relativo e, na década de 1940, a renda *per capita* italiana, se comparada à de países pobres do Terceiro Mundo ou às colônias, não era tão pequena assim. Era, por exemplo, 10 vezes maior do que a filipina e praticamente igual à Argentina.[43] Mas, além dos danos e prejuízos da guerra ainda estarem por toda parte, o padrão de comparação dos italianos era, claro, o rico mundo ocidental e, diante desse, a situação italiana era muito ruim. Ainda em 1950, quando boa parte dos danos da guerra já tinha sido reparada, a soma das riquezas italianas equivalia a um terço da americana e a renda *per capita* italiana era equivalente a um quarto da americana e a metade da britânica.[44]

No mesmo ano, segundo pesquisas de época, 6 milhões de italianos viviam em situação de indigência e 2 milhões estavam desempregados. Dos 18,7 milhões de trabalhadores, quase a metade ainda estava no campo, com apenas 6 milhões na indústria e 4 milhões nos serviços.[45] Se houve um período em que a imagem da Itália como país pobre e sem futuro correspondeu à realidade, foi esse. Poucos italianos, com certeza, imaginariam então a prosperidade que se avizinhava.

O "MILAGRE ECONÔMICO" E A ASCENSÃO ECONÔMICA ITALIANA

Não resta dúvida de que a economia italiana já estava se recuperando no período imediatamente posterior à Segunda Guerra. Afinal, a maior parte da infraestrutura industrial de antes da guerra, apesar de fragmentada e com falta de créditos e matérias-primas, estava intacta, incluindo o vital "triângulo industrial" formado por Gênova, Milão e Turim, o que fornecia boa base para a retomada. As necessidades de reconstrução da infraestrutura, das casas e da própria vida dos italianos implicavam certa demanda e a economia italiana respondeu, melhorando as condições gerais do país.

Quando essa fase terminou, por volta de 1953, surgiram preocupações sobre uma possível crise econômica, a qual se revelou vã e, entre, *grosso modo*, 1955 e 1963, a Itália passou pelo chamado "milagre econômico", com índices inéditos de crescimento da economia. Foi um *boom* industrial que fez, em poucos anos, a economia italiana se transformar e modificar o país, que abandonou a sua faceta agrícola para se afirmar como potência econômica e industrial.

Alguns números indicam bem essa situação. Entre 1900 e 1954, a economia italiana cresceu uma média anual de 2 a 2,5%, ao passo que, entre 1955 e 1963, a média subiu para 6 a 8%. Se pensarmos na renda *per capita*, o crescimento é ainda mais espantoso, passando de 0,6% ao ano entre 1913-1950 para 5,6% entre 1948 e 1962. A produção de aço e de automóveis explodiu, o consumo de energia cresceu exponencialmente e a fabricação de bens de consumo, de produtos têxteis e alimentares atingiu índices nunca antes vistos no país, assim como a taxa de investimentos e o consumo das famílias. Nesses anos e nos sucessivos, a riqueza dos italianos cresceu mais do que em todo o século XIX.[46]

As razões desse milagre são numerosas. Antes de tudo, devemos nos recordar que toda a Europa Ocidental viveu um período de elevado e constante crescimento econômico entre os anos 1950 e 1973. Esse crescimento foi observado tanto no núcleo industrial do noroeste europeu (Alemanha, Bélgica e França) quanto na bacia do Mediterrâneo e nas ilhas britânicas. Na verdade, foram "anos dourados"[47] para a economia mundial como um todo, mas para a Europa, beneficiada por sua integração, pela paz e pela estabilidade propiciadas pela proteção dos Estados Unidos e pelo desejo de construir sociedades prósperas e mais igualitárias, foram anos ainda melhores.

Contudo, em que pese o contexto internacional favorável, certas mudanças na realidade italiana também permitiram que o país entrasse nesse trem geral de prosperidade. Afinal, a Itália poderia ter ficado, como já tinha acontecido outras vezes, em posição marginal diante do surto de desenvolvimento de seus vizinhos, mas isso não ocorreu.

Em primeiro lugar, devemos mencionar o espírito empreendedor e a iniciativa dos empresários italianos, que, livres das restrições ideológicas e políticas do fascismo, inventaram produtos que caíram no gosto das massas urbanas ocidentais, como a Vespa e a Lambretta, entre outros. A estabilidade política da década de 1950 e a proteção militar e o apoio financeiro dos norte-americanos, mediante o Plano Marshall, também ajudaram a estabilizar a economia e gerar condições para o crescimento.[48]

A atriz Anita Ekberg em cena do filme *La dolce vita* (1960), de Federico Fellini, premiado com a Palma de Ouro no Festival de Cannes.

A Vespa, o mais europeu de todos os veículos do velho continente, nasceu na Itália, em 1946. Barata, econômica, além de charmosa e elegante, ela tornou-se sinônimo da prosperidade italiana no período pós-Segunda Guerra Mundial.

A plena integração da Itália ao sistema econômico europeu e americano também foi chave, pois abriu um amplo mercado aos produtos italianos e permitiu que a Itália comprasse, a bom preço e sem grandes restrições, no mercado internacional, o petróleo, o carvão e as matérias-primas de que necessitava para crescer.[49]

No caso italiano, efetivamente, a abertura do comércio internacional foi altamente benéfica. Na época fascista, por exemplo, os italianos importavam as matérias-primas e produtos de que necessitavam a preços elevados e tinham dificuldade em colocar seus produtos no mercado internacional, dadas as imensas barreiras tarifárias impostas por quase todos os países do mundo nesse período.

No plano interno, isso tinha algumas vantagens, pois permitia a sobrevivência de setores inteiros da economia, protegidos da concorrência internacional, mas tornava os produtos italianos caros e os levava a desperdiçar recursos e mão de obra na produção de bens, como o trigo, que seria muito mais conveniente importar. Na nova conjuntura, os italianos podiam importar matérias-primas, alimentos e outros produtos industriais a preço reduzido e exportar em massa os seus. Também tiveram acesso a modernas máquinas e equipamentos europeus e americanos e puderam, assim, ampliar sua produtividade.

Em resumo, a incorporação de uma economia no mercado internacional nem sempre leva a resultados positivos em termos de crescimento econômico e bem-estar social, como mostra a experiência latino-americana da década de 1990, mas, no caso da Itália, foi importante para permitir que os italianos explorassem melhor a potencialidade de sua economia e a desenvolvessem.

Também os baixos salários dos operários italianos em relação aos do restante da Europa permitiram a produção de produtos mais baratos, o que os tornou competitivos no mercado europeu, sendo exportados em massa. A intervenção estatal, por meio de empresas como a IRI (Istituto per la Ricostruzione Industriale) e ENI (Ente Nazionale Idrocarburi) também foi importante para garantir o crescimento econômico.

A própria mobilidade dos italianos apoiou esse crescimento. Como veremos em detalhes no próximo capítulo, milhões de italianos deixaram a Itália nesse período, aliviando a crise social e enviando divisas estrangeiras para casa. Ao mesmo tempo, milhões de agricultores do Sul da Itália se mudaram para o Norte, alimentando a atividade industrial.

O milagre, mesmo baseado em baixos salários em um primeiro momento, acabou por beneficiar também os mais pobres – camponeses e operários. O desemprego diminuiu de maneira significativa e os salários tiveram um crescimento acentuado, em especial no decênio de 1960. Entre 1951 e 1981, os salários reais triplicaram na Itália, gerando mercado interno e impulsionando ainda mais a economia. Se, no milagre econômico brasileiro da década de 1970, a distribuição de renda foi esquecida e isso ajudou a fazer o próprio crescimento da economia perder força, a democracia italiana não incorreu, com certeza, nesse erro.

À parte as repercussões culturais e de comportamento, a serem examinadas no capítulo "Cultura e estilo de vida próprios?", os efeitos do crescimento econômico, da distribuição da renda e da construção de um sistema, ainda que cheio de defeitos, de bem-estar social pelo Estado[50] na vida dos italianos foi impressionante. O consumo de carne e de outros alimentos mais ricos aumentou e todos os índices sociais e de qualidade de vida apresentaram melhoras acentuadas, aproximando a Itália dos índices europeus. Os italianos também passaram a consumir máquinas de lavar, televisores, geladeiras e outros produtos da moderna sociedade de consumo. Um país que tinha apenas 425 mil automóveis em 1951, contava com 5,5 milhões 14 anos depois.[51] A Itália entrava na sociedade de consumo moderna, com maior disponibilidade de bens, renda e bem-estar do que em qualquer outra época anterior.

O crescimento acelerado trouxe, com certeza, problemas ambientais e apresentou imensos desafios aos serviços públicos, que não se modernizaram de forma tão rápida. A burocracia italiana, por exemplo, continuou a ser incrivelmente ineficiente e confusa. A prosperidade também não se distribuiu de forma uniforme por todo o país e bolsões de pobreza continuaram a existir, em especial no Sul. A partir dos anos 60, além disso, a economia italiana teve seu crescimento diminuído e passou a alternar momentos de crises, como na década de 1970, por causa da crise do petróleo, que gerou forte inflação, e momentos de expansão mais acelerada, como na de 1980.

Ainda assim, apesar de todos os poréns, parece evidente que a economia italiana nunca mais foi o que era antes e atingiu um nível de maturidade e de desenvolvimento comparável, mas não equivalente, a de outros países europeus.[52]

OS DILEMAS DA ECONOMIA ITALIANA NA ERA GLOBALIZADA

No início do século XXI, a Itália está em uma situação econômica bastante favorável e inédita em sua história. Segundo dados do ano 2000, seu Produto Interno Bruto está na casa dos 1,1 trilhão de dólares, o sétimo do mundo, atrás apenas da Alemanha, da China, dos Estados Unidos, da França, do Japão e do Reino Unido. A renda *per capita* dos italianos chegou a 20.160 dólares, quase igual à da França e equivalente a quase sete vezes a brasileira.

O setor industrial italiano, hoje, é moderno e com grande destaque nos mais variados campos, como o químico, o mecânico e o automobilístico, enquanto a agricultura italiana, mais especializada, perdeu muito da importância que tinha antes, mas é moderna e produtiva. No entanto, uma análise comparativa demonstra como a indústria italiana ainda é fraca diante, por exemplo, da alemã (em particular nas áreas química e eletrônica), assim como que há outros países europeus, como a França, com um setor agrícola mais forte.

Além disso, parece estar havendo certa regressão, na Itália, das matrizes industriais tradicionais em favor de um novo sistema de produção econômica, o qual emprega a tecnologia do século XXI e parece especialmente adaptado ao novo mundo globalizado, mas que, em alguns momentos, recorda o sistema produtivo pré-industrial.

Sobretudo difuso no nordeste, na área do Vêneto, da Emília-Romanha e de Marcas, ou seja, na chamada Terceira Itália (em oposição ao Sul e ao triângulo industrial[53]), esse modelo econômico merece alguma atenção, pois tem sido chamado, com razão ou não, de "modelo italiano" de desenvolvimento e atraído a atenção internacional por seu sucesso e por suas contradições.[54]

Sua origem pode ser localizada na década de 1970, quando a economia italiana sofreu mutações determinadas pela crise do petróleo e pelas transformações do sistema monetário internacional. Contando com uma moeda desvalorizada, os italianos foram de forma progressiva ocupando certos nichos produtivos que haviam sido abandonados pelos países mais ricos, como sapatos, roupas e outros bens de consumo, fabricados em pequenas empresas familiares. Uso intensivo de mão de obra familiar, flexibilidade, resposta imediata às demandas do mercado, trabalho em domicílio e divisão de tarefas entre numerosas microempresas localizadas na mesma região são características desse sistema.[55] Além disso, estão fortemente ligadas ao mercado internacional, exportando parte substancial de sua produção. Exemplos dessas empresas familiares italianas de grande sucesso no mundo são a Benetton, a Versace e a Prada.

A indústria tradicional, nesse contexto, efetivamente enfraqueceu, em termos proporcionais, no conjunto da economia italiana. Tanto isso é verdade que, enquanto nos anos 70, os grandes nomes da indústria italiana eram Fiat, Pirelli, Olivetti e outros representantes de setores industriais tradicionais, hoje os nomes mais lembrados são Ferrero, Barilla, Gucci ou outras empresas ligadas aos novos setores.

Além disso, um simples exame da pauta de exportações italiana indica como a Itália, hoje, é uma exportadora em essência de bens de consumo pessoais (moda, tecidos, calçados) e de materiais de uso doméstico (móveis, decoração, cerâmica, lustres, eletrodomésticos etc.), com relativamente pouca presença de produtos de alta tecnologia ou mesmo de serviços como os de mídia e bancários.[56] Há um setor industrial moderno e importante, claro, mas ele convive com uma rede de pequenas empresas voltadas a esse tipo de produtos de forma muito mais acentuada do que em outros países europeus.

Poderíamos até dizer, para citar apenas alguns exemplos, que, hoje, a Alemanha ainda tem uma economia fortemente industrializada que convive com outra da era da informação e a Inglaterra, depois de ser a "oficina do mundo" no século XIX, praticamente se desindustrializou, tornando-se uma economia pós-industrial, ou seja, voltada às finanças, à produção de produtos midiáticos e culturais e a serviços de todo tipo. A Itália, por sua vez, parece estar caminhando para uma sociedade pós-industrial sem ter passado integralmente pela industrial.

Muitos analistas veem esse sistema com desconfiança, pois, se é verdade que ele sustentou o emprego, o investimento e o bem-estar na região nordeste da Itália, levando os níveis de vida na região ao padrão do norte da Europa, representaria também certa "regressão industrial"[57] italiana, com o país perdendo sua capacidade industrial tão duramente conquistada e ainda não de todo desenvolvida, o que seria danoso a longo prazo.

Outros economistas, no entanto, consideram que esse lamento pela indústria é uma posição evolucionista (como se fosse necessário, como ocorreu na Inglaterra, completar um estágio para depois passar ao próximo) ultrapassada e são entusiastas do modelo, considerando que foi esse novo processo produtivo que permitiu à Itália continuar no crescimento econômico, o qual indica como os italianos entenderam perfeitamente as novas características do mundo globalizado. Se isso é uma vantagem ou uma desvantagem para a Itália a longo prazo é fator em aberto, mas, por enquanto, o modelo parece funcionar razoavelmente bem.

Nem tudo, porém, é positivo no cenário italiano de hoje. Seus serviços públicos, por exemplo, não conseguiram ainda atingir os padrões de eficiência e transparência de outros países europeus. É difícil, de fato, encontrar algum italiano que não se queixe da infinita burocracia do Estado italiano, de suas leis confusas e contraditórias e da grosseria e arrogância de alguns servidores públicos. Nada espantoso para um brasileiro, que também vive essa situação diariamente, mas que se torna ainda mais irritante para quem tem, como padrão de comparação, burocracias eficientes, como a alemã ou a francesa.

Além disso, sua dívida interna continua alta e seu Estado de bem-estar social não é tão eficiente e abrangente como o alemão. Tanto que os italianos tiveram de negociar muito e fazer um imenso sacrifício para aderirem ao euro em fins da década de 1990. Foram bem-sucedidos, mas a adoção da moeda europeia trouxe não apenas vantagens, mas também desafios à economia italiana, como a impossibilidade de corrigir distorções na balança de pagamentos via desvalorização cambial.

Também o *Mezzogiorno* continua um problema. Fortunas foram gastas na região pelo Estado na tentativa de promover o desenvolvimento desde os anos 40,[58] mas boa parte desses recursos se perdeu em uma infinidade de escoadouros ilegais e/ou em negócios não rentáveis e por causa da falta de uma cultura empresarial local desenvolvida. Como consequência, resultados positivos foram obtidos, com a melhoria geral das condições econômicas e de vida no Sul nas últimas décadas. Ainda assim, falta ao Sul uma estrutura produtiva sólida, o que se reflete em níveis de desemprego mais altos do que a média nacional e em falta generalizada de dinamismo econômico.

Além disso, as empresas italianas estão, atualmente, entre as menos internacionalizadas da Europa, com pouca presença relativa nos mercados mundiais de bens e serviços, o país continua muito dependente do petróleo importado e o ritmo de crescimento da economia tem sido inferior, nos anos recentes, ao de seus vizinhos europeus. Tanto que a Itália, após comemorar, em 1986, o *sorpasso* (ultrapassagem) que a levou ao posto de quinta potência econômica mundial e terceira da Europa, viu Inglaterra e China a ultrapassarem nos anos recentes, com a Espanha também se aproximando.

Os problemas relacionados à educação e à ciência e tecnologia também jogam a Itália para baixo na Europa. Os analfabetos, por exemplo, são muito poucos no país hoje, mas o número de semianalfabetos é relativamente alto e as escolas não têm a mesma qualidade das alemãs ou das francesas, por exemplo.

Em 2001, além disso, a Itália tinha apenas 131,8 pesquisadores e cientistas para cada 100 mil habitantes, bem longe dos 265,9 da França e 283,1 da Alemanha, para não falar dos 367,6 dos Estados Unidos e 490,9 do Japão. A Itália gastou, em 2001, apenas 1,03% do PIB em pesquisa e desenvolvimento, contra 2,32% na Alemanha e 2,20% na França. O risco de a Itália ficar para trás na corrida científica e tecnológica que define o mundo atual parece razoável e preocupa os italianos.

Parece evidente que essas preocupações dos italianos só fazem sentido quando sabemos que suas comparações são feitas com outros países europeus ou do Primeiro Mundo e não com as nações pobres da Ásia ou da África. Realmente, as condições das escolas e das universidades da Itália podem deixar a desejar quando comparadas ao conjunto da União Europeia, mas seriam um sonho para muitos povos do Terceiro Mundo. Na realidade, contudo, o próprio fato de a Itália se comparar de modo contínuo, hoje, com seus vizinhos, e não com os africanos ou os sul-americanos, indica o quanto o país, em termos econômicos e sociais, cresceu e se modificou nas últimas décadas.

A NOVA ITÁLIA EUROPEIA

Também quando examinamos os índices sociais italianos, é importante nos recordarmos sempre dos padrões de análise que estão sendo seguidos. De modo efetivo, se, em comparação com os países pobres do Terceiro Mundo, as condições de vida na Itália são excepcionais, o país ainda tem imensas debilidades perante outros países europeus e ocidentais.

A renda média italiana e seu Índice de Desenvolvimento Humano (IDH – índice da Organização das Nações Unidas para medir o bem-estar dos povos e cujo valor máximo é 1,0), por exemplo, são inferiores aos de outros países da União Europeia, ou seja, França, Alemanha e Reino Unido. Isso se reflete, por exemplo, nos níveis de pobreza, que, por menor que sejam perto de um país africano ou latino-americano, ainda são altos perto da Alemanha ou da França. Também os índices de distribuição de renda e mobilidade social italianos deixam a desejar quando comparados com a Europa ao norte dos Alpes.

Café em Verona. O povo da península aprecia muito os momentos agradáveis em cafés, com suas mesinhas espalhadas pelas ruelas.

No entanto, essas restrições não diminuem o brilho dos avanços da sociedade italiana nos últimos anos. No ano 2000, por exemplo, as estatísticas revelavam que os italianos vivem em média 75,5 anos (homens) e 81,9 anos (mulheres), com um IDH de 0,913. A quase totalidade das casas italianas dispõe, hoje, de energia elétrica, água, telefone e de outras amenidades modernas. Os italianos vivem, atualmente, em uma sociedade afluente e próspera, com baixo índice de analfabetismo (2,1%), miséria e violência urbana.

Tal progresso foi mais alto no Norte do que no Sul, refletindo as eternas diferenças regionais, já abordadas no capítulo anterior. No entanto, mesmo no Sul o progresso da Itália é notável. A Sicília, por exemplo, teve a longevidade de sua população aumentada em mais de 20 anos nas últimas décadas, enquanto desabavam os índices de analfabetismo, atualmente em cerca de 4%. Mesmo que aceitemos as críticas de algumas pessoas de que boa parte desse desenvolvimento foi baseado em transferências, via impostos e benefícios sociais, da riqueza do Norte, isso não diminui a importância da nova situação.

Em resumo, os italianos não criaram, se esquecermos o caso da "Terceira Itália" atual, ainda por demais recente para análise mais aprofundada, um modelo ou sistema próprio de desenvolvimento econômico. Eles absorveram aspectos de vários modelos (como o sistema de administração americano, o modelo de industrialização inglês ou a intervenção estatal maciça japonesa) em momentos distintos, copiando-os e adaptando-os, nem sempre de forma coerente com o original. Também acabaram demorando mais do que a maioria de seus vizinhos para atingir os padrões de produção e renda do restante do Ocidente, mas, em linhas gerais, o conseguiram,[59] o que alterou de modo substancial a maneira pela qual os italianos se veem e são vistos pelo mundo e a própria definição de "italiano".

A ITÁLIA AFLUENTE E O NOVO ITALIANO

Seria um grande exagero afirmar que a imagem positiva ou negativa de um povo se define tão só pela sua situação econômica. Afinal, essa afirmação indicaria uma relação automática "riqueza = imagem positiva" que nem sempre é real. No entanto, ela também oferece um potencial interpretativo que, com alguns limites, pode nos ajudar a compreender como a riqueza modificou a maneira pela qual os italianos se veem como povo e são vistos pelos outros povos.

De fato, quem quiser compreender um pouco a psicologia coletiva dos argentinos ou dos chineses, por exemplo, deve levar em conta tanto fatores subjetivos quanto outros, mais objetivos, relacionados com a situação econômica do país. Os argentinos, por exemplo, sempre tiveram imenso orgulho de seu país, de sua forte economia e de sua sociedade afluente, orgulho esse visto como arrogância por seus vizinhos e o qual sofreu amplo golpe nas últimas décadas, com a decadência econômica. Do lado inverso, o orgulho e o sentimento de autoconfiança dos chineses só aumentam graças à sua história de crescimento econômico intenso nos últimos anos, passando a ser cortejados e temidos.

Com os italianos, aconteceu processo semelhante. A ideia de que a Itália era pobre e seria assim por todo o sempre tinha raízes tão fortes na psicologia dos italianos que levou décadas para eles começarem a aceitar o fato de que não eram mais uma nação pobre em busca de um lugar ao sol, mas que, apesar dos problemas, já estava do "outro lado". Não espanta, assim, as dificuldades do Estado italiano para reagir diante de problemas que não poderiam ser, seguindo a visão anterior, da Itália, como a imigração, e sentimentos comuns a povos ricos, como a arrogância e o desprezo aos pobres, comecem lentamente a se tornar comuns entre os italianos.

Hoje, com o progresso econômico e social, os italianos realmente se europeizaram, até mesmo aos olhos dos outros. Nos Estados Unidos, por exemplo, os italianos, depois de décadas de desconfiança e dúvidas, como visto no capítulo anterior, sobre se eles, especialmente os meridionais, eram ou não membros da raça branca, receberam esse *status* e outros privilégios de povos ricos, como a participação no Programa Visa Waiver, que dispensa os italianos de visto para viagens curtas aos Estados Unidos. De pobres e inferiores a ricos e bem-vindos. Foi-se também o tempo em que o ministro da Economia italiano era o "patinho feio" das reuniões da União Europeia, ou em que a Itália pedia auxílio a seus vizinhos para sobreviver.

Mesmo a imagem dos italianos em filmes e seriados de TV tem se modificado com rapidez. Nos Estados Unidos, a imagem do italiano pobre ainda é muito forte em Hollywood e nas séries de TV, mas isso está se transformando, o que também ocorre em algumas novelas brasileiras. Um americano, brasileiro ou argentino a quem seja solicitado ir buscar um italiano no aeroporto nos dias de hoje vai imaginar imediatamente encontrar um homem sofisticado, muito bem-vestido, ou uma mulher belíssima e não um homem pobre, com suas malas puídas em busca de trabalho.

Evidentemente, não é apenas a transformação da Itália em um país rico que explica essa alteração da imagem dos italianos no mundo. No entanto, a riqueza foi fundamental para fazer os italianos, aos poucos, perderem a antiga imagem de pobres ou de "pessoas tão trabalhadoras",[60] mas miseráveis, em favor de uma imagem de indivíduos ricos, sofisticados, que gostam e sabem apreciar a vida. Uma alteração notável, que um italiano vivendo há apenas algumas décadas não poderia imaginar e a qual representa, sem dúvida, uma grande conquista para a Itália.

Notas

[1] Para uma primeira abordagem, em português, do tema da Revolução Industrial e o desenvolvimento do capitalismo no século XIX, são úteis Eric Hobsbawm, A era das revoluções, 1789-1848, Rio de Janeiro, Paz e Terra, 1997, pp. 43-69; e A era do capital, 1848-1875, Rio de Janeiro, Paz e Terra, 1996; David Landes, Prometeu desacorrentado: transformação tecnológica e desenvolvimento industrial na Europa Ocidental desde 1750 a nossa época, Rio de Janeiro, Nova Fronteira, 1994; e Edgar De Decca, O nascimento das fábricas, São Paulo, Brasiliense, 1995.

[2] Para esses dados, Paul Kennedy, Ascensão e queda das grandes potências: transformação econômica e conflito militar de 1500 a 2000, Rio de Janeiro, Campus, 1989, p. 145.

[3] Ver, a esse respeito, Arno Mayer, A força da tradição: a persistência do Antigo regime, 1848-1914, São Paulo, Companhia das Letras, 1990, especialmente pp. 33-52.

[4] Mario Cattaldo, Storia dell'industria italiana, Roma, Newton Compton, 1996, p. 14.

[5] Sobre a economia italiana e seus problemas, no período imediatamente pós-unificação, ver o clássico de Gino Luzzatto, L'economia italiana dal 1861 al 1894, Torino, Einaudi, 1994. Também útil e didático, apesar de um pouco envelhecido, é Roberto Romano, Nascità dell'industria in Italia: Il decollo delle grandi fabbriche (1960-1940), Roma, Riuniti, 1984.

[6] Vera Zamagni, Dalla periferia al centro. La seconda rinascita economica dell'Italia (1861-1990), Bologna, Il Mulino, 1993, pp. 15-28. Esse livro é especialmente útil sobre a história econômica italiana e o recomendamos para uma abordagem de longa duração, mas sem perder de vista as especificidades históricas da economia italiana.

[7] Vera Zamagni, Dalla periferia al centro, op. cit., p. 215.

[8] Franklin Hugh Adler, Italian industrialists from liberalism to fascismo: The political development of the industrial bourgeoisie, 1906-1934, Cambridge, Cambridge University Press, 1996; Guido Baglioni, L'ideologia della borghesia industriale nell'Italia liberale, Torino, Einaudi, 1974.

[9] Luciano Cafagna, "Contro tre pregiudizi sulla storia dello sviluppo economico italiano", em Pierluigi Ciocca e Gianni Toniolo, Storia Econômica d'Italia, 1 – Interpretazioni, Roma/Bari, Laterza, 1998, pp. 297-325. Ver também Vera Zamagni, Dalla periferia al centro, op. cit., pp. 205-37.

[10] Mario Cattaldo, Storia dell'industria italiana; Valério Castronovo, L'industria italiana dall'800 ad oggi, Milano, Mondadori, 1980; M. Romani, Storia economica d'Italia nel secolo XIX (1815-1914), Milano, 1968; B. Caizzi, Storia dell'industria italiana dal XVIII secolo ai giorni nostri, Torino, 1965; S. Clough, The economic history of Modern Italy (1830-1914), New York, 1964, entre outros. Também fundamental é Franco Amatoti et al., "L'Industria", em Ruggiero Romano e Corrado Vivanti, Storia d'Italia, Annali 15, Torino, Einaudi, 1999. Todos esses textos trazem extensa bibliografia auxiliar.

[11] Stefano Fenoaltea, "Lo sviluppo economico italiano dell'Italia nel lungo periodo: riflessioni su tre fallimenti", em Pierluigi Ciocca e Gianni Toniolo, Storia Econômica d'Italia, 1 – Interpretazioni, op. cit., pp. 15-29.

[12] Marcello de Cecco e Gian Giacomo Migone, "La collocazione internazionale dell'economia italiana", em Richard Bosworth e Sérgio Romano, La Política Estera Italiana (1860-1985), Bologna, Il Mulino, 1991, pp. 147-96.

[13] Ernesto Ragionieri, Italia giudicata (1861-1945): Ovvero la storia degli italiani scritta dagli altri, Torino, Einaudi, 1976, pp. 251-312.

[14] Arno Mayer, A força da tradição, op. cit., pp. 70-1.

[15] Idem, p. 52.

[16] Paul Kennedy, Ascensão e queda das grandes potências, op. cit., pp. 148, 169 e 197. Para outros dados sobre o predomínio da agricultura e da manufatura sobre a indústria na Itália, ver também Arno Mayer, A força da tradição, op. cit., especialmente pp. 52-73.

[17] Vera Zamagni, Dalla periferia al centro, op. cit., p. 246.

[18] Idem, p. 287.

[19] Enzo Santarelli, Storia del fascismo, Roma, Riuniti, 1981, v. 1, p. 81.

[20] Valério Castronovo, Storia economica d'Italia dall'Ottocento ai nostri giorni, Torino, Einaudi, 1995; G. Porisini, Il capitalismo italiano nella prima guerra mondiale, Firenze, La Nuova Italia, 1969; Richard Webster, L'imperialismo industriale italiano: Studi sul prefascismo (1908-1915), Torino, Einaudi, 1974; entre outros.

[21] Paul Kennedy, Ascensão e queda das grandes potências, op. cit., cap. 5. Para o crescimento dos grandes grupos industriais italianos durante a guerra e a formação dos cartéis e oligopólios na Itália, ver, entre outros, Rosário Romeo, Breve storia della grande industria in Italia (1861-1961), Bologna, Cappelli, 1972; e M. Falchero, La Banca italiana di sconto (1914-1921): Sette anni di guerra, Milano, Franco Angeli, 1990. Para um bom resumo e bibliografia auxiliar, ver Nicola Tranfaglia, La Prima Guerra Mondiale e il fascismo, Milano, Utet, 1995, pp. 74-82.

[22] Giuliano Procacci, Stato e classe operaia in Italia durante la prima guerra mondiale, Milano, Franco Angeli, 1983; C. Daneo, Breve storia dell'agricoltura italiana (1860-1970), Milano, Mondadori, 1980; entre outros.

[23] Para os dados do último parágrafo, Paul Kennedy, Ascensão e queda das grandes potências, op. cit., cap. 5; e Nicola Tranfaglia, La Prima Guerra Mondiale e il fascismo, op. cit., p. 112.

[24] O custo financeiro da guerra, para a Itália, foi de cerca de 157 bilhões de liras, tendo a dívida pública saltado de cerca de 15,7 bilhões em 1914 para 69,2 bilhões em 1919. Ver, para tais números, Nicola Tranfaglia, La Prima Guerra Mondiale e il fascismo, op. cit., pp.172-3. Para as dificuldades dos governos italianos do imediato pós-guerra para conseguir dar conta do imenso passivo financeiro deixado pelo conflito, ver Giancarlo Falco, L'Italia e la politica finanziaria degli alleati, Pisa: ETS, 1983; P. Frascani, Politica econômica e finanza pubblica in Italia nel primo dopoguerra, Napoli, Giannini, 1975; entre outros.

[25] Giancarlo Falco, L'Italia e la politica finanziaria degli alleati, op. cit., e Marcello de Cecco e Gian Giacomo Migone, "La collocazione internazionale dell'economia italiana", em Op. cit., pp. 157-66.

[26] Excelentes panoramas gerais, com amplas indicações de bibliografia auxiliar, da economia italiana no período fascista, e das políticas seguidas pelo regime nesse campo, estão em Pierre Milza e Serguei Berstein, Storia del fascismo: da Piazza San Sepolcro a Piazzale Loreto, Milano, Rizzoli, 1995, pp. 262-302; Nicola Tranfaglia, La Prima Guerra Mondiale e il fascismo, op. cit., pp. 397-486; e Enzo Santarelli, Storia del fascismo, op. cit., pp. 9-68. Quando não citado em contrário, são essas as fontes dos parágrafos a seguir.

[27] Era essa, tradicionalmente, a visão marxista clássica do problema. Ver Daniel Guerin, Fascismo y gran capital, Madrid, Editorial Fundamentos, 1973. Ver também Nicos Poulantzas, Fascismo e ditadura, São Paulo, Martins Fontes, 1978; e Ângelo Tasca, Nascita e avvento del fascismo: L'Italia del 1918 al 1922, Firenze, La Nuova Italia, 1950.

[28] Marcello de Cecco e Gian Giacomo Migone, "La collocazione internazionale dell'economia italiana", em Op. cit., pp. 167-82.

[29] Gian Giacomo Migone é o grande especialista italiano nessa questão. Ver os seus I banchieri americani e Mussolini: Aspetti internazionali della quota novanta, Torino, 1979; Gli Stati Uniti e il fascismo: Alle origini dell'egemonia americana in Italia, Milano, Feltrinelli, 1980; e "Gli Stati Uniti e le prime misure di stabilizzazione della lira (estate 1926)", em Giorgio Pini e Massimo Teodori, Italia e America dalla grande guerra a oggi, Venezia, Marsílio, 1976, pp. 33-62. Para uma análise geral dos investimentos americanos na Europa nos anos 1920, que não se restringiram à Itália, ver Richard Meyer, Banker's diplomacy: Monetary stabilization in the twenties, New York, 1970.

[30] Philip Cannistraro, Blackshirts in Little Italy: Italian Americans and fascism (1921-1929), Lafayette (Indiana), Bordighera, 1999; "Il fascismo italiano visto dagli Stati Uniti: cinquant'anni di studi e di interpretazioni", em Storia Contemporanea, 2, 3, 1971; John Diggins, L'America, Mussolini e il fascismo, Roma/Bari, Laterza, 1972; e David Schmitz, The United States and Fascist Italy, 1922-1940, Chapel Hill/London, The University of North Carolina Press, 1988.

[31] Stefano Luconi, "Italiani all'estero o cittadini americani fascisti? Gli immigrati negli Stati Uniti come massa di manovra politica negli anni del regime", em Michele Abbate, L'Italia fascista tra Europa e Stati Uniti d'America, Civita Castellana, CEFASS, 2002, pp. 133-48; La "Diplomazia Parallela"- Il regime fascista e la mobilitazione politica degli italo americani, Milano, Franco Angeli Editore, 2000, cap. 1; e Gian Giacomo Migone, "Il regime fascista e le comunità italo-americane: La missione di Gelasio Caetani (1922-1925)", em Problemi di Storia nei rapporti tra Italia e Stati Uniti, Torino, Rosenberg e Sellier, 1971, pp. 25-41.

[32] Ver, entre outros, Piero Melograni, Gli industriali e Mussolini: Rapporti tra Cofindustria e fascismo dal 1919 al 1929, Milano, Longanesi, 1972; e Roland Sarti, Fascism and the industrial leadership in Italia (1919-1940), Berkeley, University of California Press, 1971.

[33] Gianni Toniolo, L'economia dell'Italia fascista, Bari, Laterza, 1980.

[34] Paul Corner, "L'economia italiana tra le due guerre", em Giovanni Sabbatucci e Vittorio Vidotto, Storia d'Italia. 4 – Guerre e fascismo (1914-1943), Roma/Bari, Laterza, 1997, pp. 305-78.

[35] Franco Catalana, L'Economia Italiana di Guerra: La Política Economico-Finanziaria del Fascismo dalla Guerra d'Etiopia alla Caduta del Regime (1935-1943), Milano, Franco Angeli, 1963; Ernesto Cianci, Nascita dello stato impreditore in Italia, Milano, Mursia, 1972; entre outros.

[36] Vera Zamagni, Dalla periferia al centro, op. cit., pp. 349-88.

[37] Para um exemplo dessa visão, ver Barrington Moore Jr., As origens sociais da ditadura e da democracia: senhores e camponeses na construção do mundo moderno, São Paulo, Martins Fontes, 1983. Um resumo em português, envelhecido, mas ainda útil, do debate sobre a relação modernização/fascismo está em Renzo De Felice, Explicar o fascismo, Lisboa, Edições 70, 1976, pp. 157-70.

[38] Carl Levy, "From fascism to post-fascists: Italian roads to modernity", em Richard Bessel, Fascist Italy and Nazi germany: Comparisons and contrasts, Cambridge, Cambridge University Press, 1996, pp. 165-96.

[39] Paul Kennedy, Ascensão e queda das grandes potências, op. cit., pp. 197-98.

[40] Vera Zamagni, Dalla periferia al centro, op. cit., p. 370.

[41] Entre 1940 e 1942, apenas para ficar em dois exemplos, as importações de trigo italianas caíram de 690 mil para 32 mil toneladas/ano, enquanto as de ferro e aço caíram de 313 para 42 mil toneladas/ano. Ver Mario Cattaldo, Storia dell'industria italiana, op. cit., p. 46.

[42] Giampiero Carocci, Storia dell'Italia moderna: Dal 1861 ai nostri giorni, Roma, Newton Compton, 1995, pp. 63-4.

[43] Sidney Pollard, The International Economy since 1945, London, Routledge, 1997, citado em Donna Gabaccia, Italy's many diasporas: elites, exiles and workers of the world, Seattle, University of Washington Press, 1999, p. 155.

[44] Paul Kennedy, Ascensão e queda das grandes potências, op. cit., p. 353.

[45] Franco Cangini, Storia della Prima Repubblica, Roma, Newton Compton, 1994, p. 27.

[46] Para esses números, Giampiero Carocci, Storia dell'Italia moderna, op. cit., pp. 76-82. Ver também as estatísticas e a bibliografia citadas em Paul Kennedy, Ascensão e queda das grandes potências, op. cit., pp. 402-3; e em Vera Zamagni, Dalla periferia al centro, op. cit., pp. 44-64.

[47] Retiro a expressão de Eric Hobsbawm, A era dos extremos: breve século XX (1914-1991), Rio de Janeiro, Paz e Terra, 1997, pp. 253-81. Esse texto também oferece um bom panorama desses anos de crescimento econômico mundial e suas causas. Ver também David Landes, Prometeu desacorrentado, op. cit., pp. 501-54.

[48] Na verdade, os recursos do Plano Marshall destinados à Itália, cerca de 1,4 bilhão de dólares em valores da época, apesar de úteis na balança de pagamentos e para a recuperação geral, foram menos importantes do que os efeitos psicológicos e políticos, indicando a plena adesão italiana ao sistema capitalista e ao Ocidente, no mundo empresarial. Ver Federico Romero, "Gli Stati Uniti in Italia: Il Piano Marshall e il Patto Atlântico", em Francesco Barbagallo, Storia dell'Italia repubblicana: 1 – La costruzione della democrazia. Dalla caduta del fascismo agli anni cinquanta, Torino, Einaudi, 1994, pp. 234-89; e John Harper, L'America e la ricostruzione dell'economia italiana (1945-1948), Bologna, Il Mulino, 1987.

[49] Para a adesão italiana ao sistema de Bretton Woods e ao liberalismo, ver Marcello de Cecco e Gian Giacomo Migone, "La collocazione internazionale dell'economia italiana", em Op. cit., pp. 182-96.

[50] Ugo Ascoli, Welfare State all'italiana, Roma/Bari, Laterza, 1984.

[51] Para as transformações sociais e culturais, ver Guido Crainz, Storia del miracolo italiano: Cultura, identità, trasformazioni fra anni cinquanta e sessanta, Roma, Donzelli, 1996; e Donald Sasson, Contemporary Italy: Politics, Economy and society since 1945, London/New York, Longman, 1986. Outros dados úteis em Giampiero Carocci, Storia d'Italia dall'Unità ad oggi, Milano, Feltrinelli, 1975; Dennis Mack Smith, Storia d'Italia dal 1861 al 1997, Roma/Bari, Laterza, 2002; e Danilo Veneruso, Storia d'Italia nel novecento, Roma, Studium, 2002.

[52] Ainda sobre esse período, ver, entre outros, Andréa Leonardi, Alberto Cova e Pasquale Gálea, Il novecento economico italiano: dalla grande guerra al "miracolo economico" (1914-1962), Bologna, Monduzzi, 1997; e para os dados relativos à indústria, ver Mario Cattaldo, Storia dell'industria italiana, op. cit., pp. 56-91.

[53] O termo foi cunhado por Arnaldo Bagnasco, Tre Italie: La problematica territoriale dello sviluppo italiano, Bologna, Il Mulino, 1977.

[54] Há grande interesse brasileiro sobre esse modelo italiano, o que pode ser comprovado pelos livros publicados nos últimos anos. Ver André Urani et al., Empresários e empregos nos novos territórios produtivos: o caso da Terceira Itália, São Paulo, DP/A Editora, 1999; e Maria Lúcia Maciel, O milagre italiano, caos, crise e criatividade, Rio de Janeiro, Relume Dumará, 1998.

[55] Richard Locke, Remaking the Italian Economy, Ithaca/London, Cornell University Press, 1995.

[56] Paul Ginsborg, Storia d'Italia – 1943-1996: famiglia, società, stato, Torino, Einaudi, 1998, pp. 487-531; e Vera Zamagni, Dalla periferia al centro, op. cit., pp. 467-70.

[57] A expressão vem de Marcello de Cecco e Gian Giacomo Migone, "La collocazione internazionale dell'economia italiana", em Op. cit., p. 192.

[58] Luciano Ferrari Bravo e Alessandro Serafini, Stato e sottosviluppo: Il caso del Mezzogiorno italiano, Milano, Feltrinelli, 1972; Giuseppe Barone, "Stato e Mezzogiorno (1943-1960): Il 'primo tempo' dell'intervento straordinario", em Francesco Barbagallo, Storia dell'Italia repubblicana: 1 – La costruzione della democrazia, op. cit., pp. 241-409; e Francesco Barbagallo e Giovanni Bruno, "Espansione e deriva del Mezzogiorno", em Francesco Barbagallo, Storia dell'Italia repubblicana: 3 – L'Italia nella crisi mondiale: L'ultimo ventennio, Torino, Einaudi, 1996, pp. 399-470.

[59] Vera Zamagni, Dalla periferia al centro, op. cit., pp. 483-7.

[60] Retiro a expressão do livro de Franca Iacovetta, Such hardworking people: Italian immigrants in postwar Toronto, Montreal/Kingston, McGill – Queen's University Press, 1992.

A ÚLTIMA POTÊNCIA EUROPEIA

A ITÁLIA UNIFICADA E A POLÍTICA INTERNACIONAL NOS SÉCULOS XIX E XX

Depois de tantos séculos servindo como campo de batalha entre franceses, espanhóis e outras potências, a simples existência de uma Itália unificada parecia representar uma modificação importante no cenário europeu. Em vez de uma série de pequenos Estados, em parte sob soberania estrangeira, e em competição, havia agora um sólido bloco de 30 milhões de pessoas, que crescia, demograficamente, em ritmo acelerado.

Além disso, os efetivos militares da nova nação, apesar de não serem excepcionais, eram respeitáveis, atingindo 216 mil homens em 1880, 284 mil em 1890, 255 mil em 1900, 322 mil em 1910 e 345 mil em 1914. Seus efetivos navais também eram razoáveis, com 100 mil toneladas de navios de guerra em 1880, 242 mil em 1890, 245 mil em 1900, 327 mil em 1910 e 498 mil em 1914.

Também se observarmos o aspecto dos investimentos, fica claro o imenso esforço italiano para se afirmar como força militar. Entre 1860 e 1914, as despesas com as Forças Armadas representavam entre um quarto e um quinto da despesa pública ou entre 3 e 3,5% do PIB italiano.[1] Um esforço excepcional para um país ainda bastante pobre.

Essa Itália unida e militarmente importante parecia, enfim, um ator a ser considerado na diplomacia europeia e, na virada do século XIX para o XX, Roma, em teoria ou ao menos no terreno dos mitos,[2] estava em pé de igualdade com Londres, Paris, Berlim, São Petersburgo, Viena e outros centros de decisão do Velho continente.

No entanto, a aparência de grande potência da Itália escondia fraquezas enormes. Seus exércitos e frotas podiam parecer impressionantes à primeira vista e, com certeza, eram uma grande realização para um Estado recém-unificado. No entanto, os efetivos terrestres e navais italianos sempre foram pequenos em comparação com os de seus vizinhos europeus e, o que era ainda pior, cresceram em ritmo muito mais lento.

Realmente, em 1880, enquanto as oito principais potências mundiais (Rússia, França, Alemanha, Grã-Bretanha, Áustria-Hungria, Estados Unidos e Japão) dispunham de 2,694 milhões de homens em seus exércitos permanentes, além de 1,553 milhões de toneladas de navios de guerra, a Itália respondia por apenas 8% do efetivo terrestre e 6,4% do naval. Trinta anos depois, em 1914, com os efetivos dos principais exércitos subindo para 4,944 milhões de homens e as marinhas crescendo para 8,153 milhões de toneladas, a participação italiana caiu para, respectivamente, 6,9 e 6,1%. Mesmo sem contar o quesito qualidade do armamento, fica clara a dificuldade italiana em se afirmar, nas primeiras décadas após a sua unificação, como potência militar de expressão.

Tal situação fica ainda mais clara quando examinamos em detalhes o problema naval. Naqueles anos, o grande instrumento de poder era a Marinha de guerra, com qual as grandes potências mantinham contato com seus impérios coloniais e exerciam sua influência sobre outros povos. A Itália fez um grande esforço para adquirir esse instrumento de poder e seus 54 grandes navios de guerra no início do século XX representavam uma Marinha substancial, mas bastante atrás, por exemplo, dos 260 britânicos, 114 franceses ou 73 russos.[3] Isso sem contar, claro, as deficiências em bases além-mar, combustível e outras. Tanto que, em 1896, quando a Itália pensou em lançar uma expedição punitiva contra o Brasil por causa de vários incidentes entre imigrantes italianos e brasileiros em São Paulo, a ideia teve de ser abandonada por simples falta de condições.[4]

Na verdade, um rápido exame da "folha corrida" da Itália como grande potência nesses anos indica claramente sua situação de inferioridade. As próprias guerras de unificação tinham se valido da intervenção da França (em 1859) e da ameaça da Prússia contra a Áustria-Hungria (em 1866). Os italianos eram ignorados, algumas vezes, em convenções e acordos internacionais, enquanto a opinião dos estrategistas ingleses a respeito da frota italiana era tudo, menos lisonjeira.

Vários elementos colaboravam para essa fraqueza militar (e, consequentemente, política) da Itália. O novo país tinha um grau de coesão nacional bastante baixo, com as lealdades existentes na sociedade, conforme visto em capítulo anterior, passando por vínculos familiares, locais e até mesmo regionais, mas não nacionais. Isso dificultava o recrutamento de tropas e diminuía a confiança nelas. A burocracia de Estado também era de competência duvidosa, assim como a oficialidade. Para completar, sua rede ferroviária era inadequada a grandes movimentos de tropas (e isso em um momento em que a ferrovia era a chave do planejamento militar), os financiamentos para a aquisição de armamentos modernos eram escassos e boa parte dos recursos dos militares era destinada à segurança interna.[5] A tendência a seguir o modelo "muitos homens, meios escassos" (modelo esse que perseguirá as Forças Armadas italianas por décadas) e a falta de planejamento estratégico também eram outros problemas graves.[6]

Em essência, contudo, essa fraqueza militar vinha do imenso atraso econômico italiano, conforme evidenciado no capítulo anterior. Não há necessidade, aqui, de retomar todos os dados vistos, mas convém recordar como o índice de analfabetismo na Itália era o maior dos grandes Estados da Europa ocidental, sua agricultura era pequena e atrasada e sua economia, em geral, totalmente dependente de energia (carvão, petróleo) e matérias-primas importadas. O PIB *per capita* italiano era comparável ao das sociedades camponesas da península ibérica ou do Leste europeu e não ao das suas rivais na Europa ocidental e central.

Tal fraqueza industrial foi ainda mais trágica para a Itália porque, no momento em que se unificou, estava em curso uma revolução militar na Europa, a qual relacionava de forma direta o poder militar com o econômico/industrial. Acompanhar essa revolução foi o grande desafio do novo Estado.

Realmente, no período da Idade Moderna, entre os séculos XVI e XVIII, as Forças Armadas europeias, que haviam absorvido e desenvolvido a tecnologia das armas de fogo, estavam ligeiramente à frente, em termos tecnológicos, de seus rivais de fora da Europa. Entre os Estados europeus, contudo, não havia um diferencial tecnológico expressivo e as armas que equipavam espanhóis ou franceses nas guerras do século XVII não eram muito diferentes.

Nessa época, o que levava à vitória ou à derrota no confronto entre os Estados europeus era o fator financeiro. A produção de armas e a manutenção dos Exércitos consumiam enormes somas de dinheiro e o vencedor em geral era aquele que conseguia levantar mais recursos para manter suas forças em campo.

Com a Revolução Industrial do século XIX, os recursos financeiros continuaram importantes, mas as Forças Armadas foram lentamente ficando dependentes das novas fábricas que se espalhavam por boa parte do mundo. Essas indústrias recentes produziam armamento cada vez mais desenvolvido tecnologicamente (navios movidos a vapor, metralhadoras, canhões etc.) e em larga escala, o que permitia criar Exércitos e Marinhas cada vez maiores e mais poderosos.

Essa nova situação gerou um grande desafio aos Estados e às Forças Armadas de boa parte do mundo. De fato, se agora o que representava a diferença entre um Exército poderoso e um fraco, entre conquistar e ser conquistado, era uma capacidade industrial desenvolvida, obter essa capacidade tornou-se algo vital para todos os Estados. Não é à toa que muitos países tenham se lançado, entre fins do século XIX e início do XX, em um frenético esforço para converter suas economias e suas forças militares para o novo padrão que ia aos poucos se impondo, bem como que quase todas as guerras dos últimos 150 anos tenham sido vencidas pelos países superiores em termos industriais e científicos.

Os resultados obtidos pelos vários países nesse esforço variaram muito. O Reino Unido, berço da Revolução Industrial e grande potência dominante na primeira metade do século XIX, continuou a principal potência mundial, mas sem a hegemonia econômica e militar de que desfrutara antes. Já Estados Unidos e Alemanha cresceram em ritmo acelerado e se destacaram no cenário econômico e industrial mundial. Os Estados Unidos também criaram uma força naval (mas não terrestre) respeitável, ao passo que a Alemanha lançou-se em verdadeira corrida para criar um Exército e uma Marinha com capacidade mundial.[7]

O Império Russo, a França, o Japão e a Áustria-Hungria também se lançaram no caminho do desenvolvimento industrial e conseguiram bons resultados, mas sem repetir o sucesso alemão ou norte-americano. Ou seja, todos conseguiram crescer e expandir seus parques industriais, Exércitos e Marinhas, mas sem conseguir alcançar os primeiros na corrida. A Itália, com certeza, encaixava-se nesse grupo de países de sucesso relativo. O problema não é apenas que ela pouco saiu do lugar, mas também que já havia iniciado a corrida em desvantagem, o que fazia do país a "última das grandes potências".[8]

A Itália, assim, entrava na arena internacional com uma debilidade econômica, financeira e industrial acentuada, o que se refletia em baixa capacidade de sustentar grandes forças militares e exercer efetivamente o papel de grande potência. Mas desempenhar esse papel era exatamente o que os governantes do novo Estado mais queriam.[9]

Participar do jogo global como ator de primeira grandeza e fazê-lo, mas infelizmente sem os elementos de poder para sustentar essa ambição. Eis o grande dilema italiano, que atravessou décadas de história do país, e levou o país a aventuras coloniais, a duas guerras mundiais e à contínua busca de alternativas para ampliar seu poder nacional e se igualar a seus rivais.

A ITÁLIA NA CORRIDA COLONIAL

A segunda metade do século XIX foi um momento de mudança no cenário internacional. Não apenas, como visto, novos atores entraram em cena, trazendo instabilidade, como a ocorrência de uma verdadeira globalização da política e da economia internacionais. Um sistema econômico e político global foi montado, tendo como centro a Europa e com as grandes nações do continente procurando adquirir colônias, protetorados e territórios em todo o mundo.

General Baratieri, comandante das forças italianas
na batalha de Adua, com oficiais do seu Estado-Maior, 1896.

Na realidade, as potências europeias, como França e Inglaterra, já criavam colônias no mundo tropical e procuravam formar um sistema econômico internacional desde pelo menos o século XVII e, se pensarmos em Espanha e Portugal, até mesmo antes. No final do século XIX, contudo, as colônias adquiriram uma importância ainda maior, servindo não só para o comércio e para o abastecimento da Europa de produtos tropicais (como havia sido nos séculos anteriores), como também para fornecer matérias-primas e consumir os produtos produzidos nas crescentemente industrializadas metrópoles europeias.

Além disso, houve uma mudança substancial na mentalidade das elites europeias nesse período. Dispor de colônias não era mais simplesmente uma questão de escolha, mas algo fundamental para demonstrar vitalidade e força. No momento em que o nacionalismo exacerbado tornava-se, por diversas razões, uma das bases da política europeia, não dispor de colônias e de forças militares poderosas era sinal de fracasso nacional. Adquirir um império e conseguir desfrutá-lo e protegê-lo não era nenhuma desonra. Pelo contrário, era uma prova de vitalidade e força nacional, e a maioria das nações europeias lançou-se nesse desafio de adquirir territórios na África e na Ásia.

Entre esses impérios, com certeza, destacavam-se os Impérios franceses (senhor de vastas áreas na África norte-ocidental e no Sudeste asiático) e russo (em franco crescimento na Sibéria e na Ásia Central) e, acima de tudo, o britânico, cujos domínios pelos cinco continentes faziam dele "o Império onde o sol nunca se põe".

Outros países também conseguiram manter ou criar seus próprios territórios imperiais. A Bélgica conquistou o rico Congo, enquanto a Holanda manteve a atual Indonésia e a Alemanha, mesmo recém-chegada na disputa, conseguiu se apossar de alguns milhões de quilômetros quadrados na África tropical e na Polinésia. Os Estados Unidos, após completarem a conquista do Oeste, também adquiriram colônias na Ásia e no Caribe (como as Filipinas e Porto Rico), às expensas da Espanha. Mesmo essa última conseguiu compensar um pouco essas perdas no Marrocos, enquanto Portugal, em especial graças à aliança e proteção inglesa, conseguiu ampliar e consolidar seu domínio em Angola, Moçambique e outros territórios africanos.

Em resumo, o mundo, em pouco mais de 50 anos, foi praticamente dividido entre as principais nações ocidentais, formando impérios gigantescos. Continentes como a Oceania ou a África foram retalhados por completo, ao passo que outras regiões, como a América Latina e a China, foram mantidas em situação semicolonial, sem incorporação direta aos impérios, mas em subordinação política e econômica.[10]

Nesse contexto, a posição italiana era completamente subalterna. Não apenas o Império colonial italiano era pequeno, como se restringia, em essência, a áreas exíguas e de pouco valor econômico ou comercial, como a Eritreia e partes da Somália, na África Oriental, ocupadas de modo gradativo a partir de 1882, e a Líbia (conquistada em uma guerra contra o Império Turco em 1911-1912). Não havia, no Império italiano, uma "joia da coroa", como a Índia britânica ou a Argélia francesa, ou grandes áreas temperadas para onde o país pudesse enviar seu excedente populacional, como o Canadá ou a Austrália. Na maior parte do tempo, a conquista e a manutenção do Império deu mais gastos e problemas do que lucros e vantagens à Itália.

Os italianos, além disso, tinham a reputação de ter sido o único exército europeu derrotado por um africano. Em 1896, um exército italiano de 15 mil homens, comandado pelo general Oreste Baratieri, foi enviado à Abissínia com o intuito de ampliar o Império italiano na África oriental. Mal comandado e subestimando tanto o inimigo quanto as dificuldades climáticas e logísticas, foi derrotado pelos abissínios, com a perda de milhares de homens, na Batalha de Adua.[11]

Quarenta anos depois, já no governo fascista, tropas italianas finalmente conquistaram a Abissínia. Centenas de milhares de soldados, tanques, gás venenoso, aviação e todas as armas disponíveis foram usadas para garantir a vitória italiana, a qual efetivamente se deu. Em 1936, finalmente, com a anuência das outras potências europeias, a Abissínia foi anexada ao Império italiano (o qual seria mais tarde de todo perdido com a derrota do Eixo na Segunda Guerra Mundial).[12]

A Itália participou plenamente, portanto, do momento imperial europeu. Nesse plano geral, evidentemente, as variações existiam. O sistema imperial britânico, por exemplo, era distinto do francês, enquanto o Império americano sempre se manteve informal. Os russos, por sua vez, preferiam colonizar terras contíguas a seu território e não se arriscavam em aventuras além-mar. Nada mais natural, portanto, que o imperialismo italiano tivesse, como teve, características muito particulares.

No entanto, essa naturalidade não esgota a questão. O imperialismo italiano foi efetivamente muito especial, destacando-se perante os outros em vários aspectos. De fato, os italianos lançaram-se à aventura colonial com relativo atraso e foram os agentes da última guerra de conquista europeia, ou seja, a da Abissínia. Também foram incapazes de adquirir territórios de algum valor, e, o que é mais importante, a própria motivação desse imperialismo é bastante particular no contexto europeu da época.

Afinal de contas, como visto, o imperialismo europeu entre o final do século XIX e o início do XX pode ser explicado, em termos gerais, pela fusão de interesses econômicos e pelo desejo de prestígio político, de autoafirmação como *povo*, para usar os termos de época, *viril, masculino, colonizador*, em oposição a *povos fracos, femininos, colonizados*.

No caso italiano, contudo, a própria fraqueza e o atraso da economia italiana tornavam pouco necessárias aventuras coloniais em busca de matérias-primas, mercados consumidores ou locais onde investir capital, o qual era, aliás, muito escasso na Itália. Claro que certos setores da indústria italiana apoiaram a conquista de fontes externas de petróleo ou carvão, por exemplo, e é exagerada a afirmação de que o imperialismo italiano foi desprovido de bases econômicas.[13] Contudo, não resta dúvidas de que era um imperialismo *sui generis*, em que o Estado tinha papel-chave em sua promoção e o qual não se originou diretamente das necessidades do capitalismo italiano. Em outras palavras, foi um imperialismo, em grande parte, artificial, movido pelo desejo do governo e da opinião pública italianas de equipararem-se às outras nações europeias e de se afirmarem como grande potência.[14]

158 | Os italianos

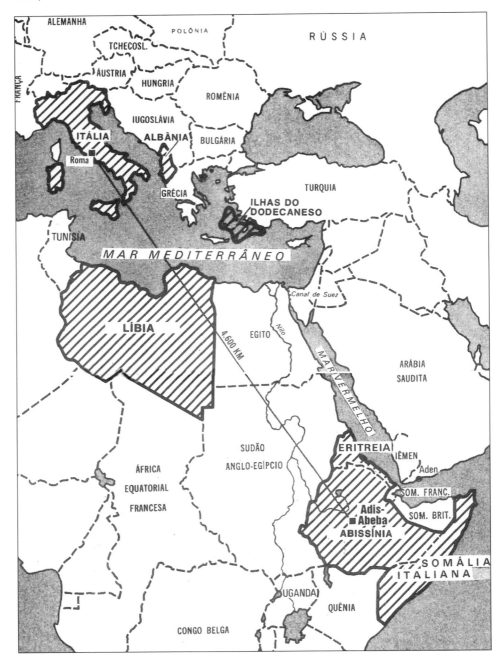

O Império colonial italiano no seu auge, após a conquista da Abissínia em 1936.

As próprias campanhas dos italianos na Abissínia em 1896 e 1935-1936 confirmam a força do fator psicológico, cultural, no imperialismo italiano. A derrota inicial, de 1896, deixou marcas profundas na autoimagem dos italianos, que se tornaram vítimas do desprezo de outros europeus. Não espanta, assim, que uma das obsessões do governo fascista, ao assumir o poder em 1919, tenha sido a de "vingar a honra italiana", conquistando a Abissínia. Mussolini, na verdade, queria construir um império a qualquer custo e a Abissínia era um alvo lógico, já que era a única parte da África livre e que podia ser conquistada. Não resta dúvida, contudo, de que a vingança pela humilhação passada e o desejo de autoafirmação contaram, tanto que a opinião pública italiana apoiou em peso a guerra, dentro e fora da Itália.[15]

Os problemas do fortalecimento nacional, da criação de um Império e da expansão do poder adquiriram, portanto, caracteres bastante específicos no contexto italiano, em uma relação evidente com a dicotomia entre força e pretensões que a Itália atravessava naquele período. Essa dicotomia fica ainda mais evidente no debate que perpassou décadas de vida italiana e indica o esforço das elites para tentar superá-la: a discussão sobre o uso dos emigrantes como instrumento no jogo imperialista global.

O ESTADO ITALIANO E OS EMIGRANTES COMO INSTRUMENTO DE POLÍTICA EXTERNA[16]

Desde a grande emigração dos séculos XIX e XX, os países da Europa identificaram em seus cidadãos vivendo no exterior uma fonte potencial de influência geopolítica. Isso é válido em vários contextos e situações. Certas metrópoles coloniais imaginavam, por exemplo, que uma emigração maciça de seus cidadãos para certas colônias era um elemento a mais para garantir sua soberania nas regiões e, portanto, estimulavam-na. Isso foi feito, por exemplo, no Canadá e na Austrália pelo Reino Unido e em Angola e Moçambique por Portugal, para não falar dos franceses na Argélia, dos italianos na Eritreia etc.

Outra possibilidade de uso dos emigrantes na política externa era recorrer a sua presença maciça em algumas regiões como forma de aumento de influência política sobre os governos locais. Os governos da Alemanha, de Portugal e da Espanha lançaram imensas campanhas para conectar as colônias de emigrantes com a pátria mãe no período entreguerras e vários países do Leste europeu, em diferentes gradações, fizeram o mesmo em outros momentos. Enfim, essa política não é nem de longe desconhecida no continente europeu, que, afinal de contas, era um continente de emigração até décadas atrás.

No caso italiano, contudo, a discussão sobre as possibilidades de fusão da emigração/imigração com a política externa atingiu refinamentos intelectuais e políticos particularmente acentuados,[17] formando o que o historiador australiano Richard Bosworth chamou de "política externa dos pobres".[18]

O grande dilema dos italianos não era, efetivamente, se a Itália devia procurar a construção de seu Império. Para um país desejoso de se apresentar como grande potência e de se fortalecer econômica e militarmente, a aquisição de colônias era, no espírito do tempo, algo simplesmente imperativo e a discussão nunca foi no sentido de ser imperial ou não. O problema era estabelecer mecanismos para ser imperial sem dispor dos recursos para tanto.

A partir desse dilema, surgiram imensos debates sobre os caminhos que deviam ser seguidos: um imperialismo tradicional de conquista, dirigido prioritariamente à África, ou um pacífico, intermediado pelos emigrantes, criando uma "Nova Itália" no exterior, mais especificamente na América do Sul?

Essa discussão atravessou décadas e oscilou continuamente diante dos acontecimentos internos e externos, terminando com a vitória dos defensores do colonialismo direto, ainda que desdobramentos desse debate tenham chegado mesmo ao período fascista.[19]

De qualquer forma, o que nos interessa é perceber como as duas concepções não eram sempre excludentes, sendo possível fazê-las conviver no interior de uma concepção imperialista maior e até mesmo na política estatal, como fez o governo Crispi (1887-1896). Não houve sempre, assim, uma dicotomia entre ideias de colonização livre na América e imperialismo na África, e a própria colonização na América do Sul deveria assumir, para alguns autores, caráter de domínio político e econômico se houvesse oportunidade, o que revela tanto essa curiosa especificidade do imperialismo italiano (a ênfase na questão emigratória) como sua inequívoca filiação ao corpo teórico do imperialismo europeu do século XIX.

OS NACIONALISTAS

Entre os participantes desse debate, destacam-se os nacionalistas, cujos posicionamentos não apenas redefiniram os termos do problema em fins do século XIX, como tiveram influência até mesmo em seus desdobramentos posteriores, já na época do fascismo.

Como visto no capítulo "Um povo em busca de sua identidade nacional", a *Associazione Nazionalista Italiana* surgiu oficialmente em 1910, mas desde décadas anteriores (e em especial depois da derrota de Adua em 1896) pensadores diversos criavam as bases de um pensamento nacionalista italiano. Desses, o grande destaque foi Enrico Corradini, incansável em seu esforço em defesa do expansionismo italiano e da reorganização interna da Itália no sentido de um Estado forte e de uma sociedade italiana mais coesa e integrada.

Com relação à questão emigratória, é conhecida a forte oposição dos nacionalistas a ela e sua obstinada defesa de conquistas imperialistas clássicas em detrimento da ideia das "colônias livres". De fato, por todo o início do século, os nacionalistas trabalharam febrilmente para anular a ideia da emigração como criadora de um Império italiano na América Latina e demonstrar não só que ela era um desperdício para a nação ao dispersar o sangue italiano pelo mundo como também que a única solução para as necessidades econômicas e demográficas italianas era o expansionismo direto.

No entanto, a posição dos nacionalistas em face da emigração não era uma simples e absoluta recusa. De fato, não só as posições nacionalistas diante da questão sofreram nuances com o tempo, como acabaram incorporando a emigração em seu raciocínio imperial: a emigração era algo negativo e a prioridade era a conquista real de colônias, mas os emigrantes haviam tido a coragem de iniciar um novo tipo de imperialismo e a Itália tinha de se aproveitar disso.

Esse aproveitamento só se daria, porém, se a migração pudesse ser transformada e instrumentalizada em arma de conquista ou, ao menos, de aumento da influência italiana no mundo. Tal condição implicava, por sua vez, a manutenção da italianidade dos emigrantes e seus filhos e a disciplinarização destes pelo Estado. Sem essa manutenção dos contatos e a tutela dos emigrantes, a emigração seria de fato um dreno inútil das forças da nação e não poderia servir, assim, para a expansão italiana no mundo.[20]

Foi com base nesses debates, filtrados pelo pensamento nacionalista, que o regime fascista construiu sua própria política de utilização dos emigrantes italianos na política externa de Roma. Antes de abordarmos, contudo, as mudanças e as permanências que o fascismo trouxe à política externa e à posição da Itália no mundo, convém estudarmos a participação italiana na política das alianças europeia pré-1914 e na Primeira Guerra Mundial, as quais, em última instância, permitiram a própria ascensão do fascismo ao poder.

A ITÁLIA, AS ALIANÇAS EUROPEIAS E A PRIMEIRA GUERRA MUNDIAL

Nacionalismo exacerbado, disputas coloniais e militarismo formavam a base do relacionamento entre os países europeus na virada dos séculos XIX e XX, compondo um coquetel explosivo e gerando grande tensão entre as grandes potências europeias, que temiam ficar isoladas e sem aliados em caso de conflito, o que significaria derrota certa. Uma das maneiras encontradas para tentar resolver esse temor foi a construção de alianças, que acabaram formando dois grandes blocos: os amigos da Alemanha (Império Austro-Húngaro, Bulgária), de um lado, e os amigos da França (Rússia e Inglaterra), do outro.

Alianças não eram, na verdade, novidade no cenário europeu. Essas, contudo, do início do século XX, tinham uma particularidade: eram fixas. Antes, os europeus faziam e desfaziam suas alianças conforme os acontecimentos, sempre tentando impedir que o país mais forte dominasse os outros. Um método talvez pouco leal, mas que impedia que blocos rivais se formassem, bem como que o ódio entre eles crescesse (pois os inimigos de hoje podiam ser os amigos de amanhã). No início do século XX, essa flexibilidade se foi e até a Inglaterra, uma das maiores defensoras dessa política de todos contra todos para impedir o mais forte de triunfar, acabou por se unir definitivamente à França contra a Alemanha depois que esta começou a construir uma grande Marinha de guerra, a qual poderia ameaçar o Império britânico.

O resultado foi um continente dividido em dois blocos rivais em contínua tensão um contra o outro. Uma simples fagulha poderia incendiar todo o edifício. E essa fagulha ocorreu em 1914, quando o arquiduque austríaco Francisco Ferdinando foi assassinado por um sérvio. A Áustria ameaçou a Sérvia, a qual recebeu o apoio da Rússia. Em pouco tempo, a Alemanha apoiava a Áustria e a França ameaçava a Alemanha. Todas as antigas tensões, todos os planos de guerra vieram à tona e a máquina da morte se colocou em movimento, sendo impossível pará-la. O simples assassinato de um arquiduque austríaco não deveria abalar o mundo, mas acabou levando, no contexto mencionado, à Primeira Guerra Mundial.[21]

Nesse contexto, a Itália foi especialmente ativa e flexível no que concerne ao sistema de alianças, o que reflete de forma clara a própria fraqueza italiana e seu esforço em compensar isso se equilibrando entre as demais potências europeias.

Tal flexibilidade é facilmente observável mesmo em um exame sumário das alianças italianas no período. Após uma fase de indefinição entre 1870 e 1876, a Itália acabou por se aproximar da Áustria-Hungria e da Alemanha. Uma aliança com a Alemanha era mais razoável, dados os grandes investimentos alemães na Itália e a posição de ambas como recém-chegadas à corrida colonial. Mas a associação com o Império Austro-Húngaro era claramente instrumental e cheia de contradições, dado o interesse de Roma em absorver as áreas de língua italiana (Trento e Trieste) ainda em mãos austríacas.

De qualquer forma, a crise do Egito de 1882 (na qual as grandes potências, sobretudo França e Inglaterra, dividiram entre si a África do Norte) mostrou claramente à Itália os limites de suas alianças e de seus poderes, pois ela foi ignorada em suas demandas na região e não foi apoiada nem mesmo por seus aliados germânicos, que também não a tinham em alta conta e aceitavam sua aliança apenas em caráter instrumental.

Assim, nos anos seguintes, a Itália, apesar de ainda formalmente ligada à aliança austro-germânica e de conseguir manter boas relações com esse bloco, procurou outras alternativas, como um acordo com a Inglaterra (potência naval predominante no Mediterrâneo), enquanto se sucediam conflitos e tentativas de acomodação com a França.

Soldados italianos em ação na frente austríaca, 1915-1916.

Quando da crise que originou a Primeira Guerra Mundial em 1914, ficou clara a ambiguidade italiana, que, apesar dos compromissos formais assumidos com austríacos e alemães, proclamou sua neutralidade (motivada, contudo, também por outras razões, como o reconhecimento da falta de capacidade militar para uma ação imediata[22]) e só entrou na guerra em 1915, a favor de franceses e ingleses.

No momento decisivo em que as tensões europeias acumuladas em décadas se convertiam em guerra, a Itália agiu de forma realmente maquiavélica, pesando de forma cuidadosa o que cada bloco em disputa estava disposto a oferecer em troca de sua participação (territórios, colônias etc.) e optando pelo lado que mais ofereceu.

A opinião pública também se dividiu. Muitas pessoas estavam apavoradas com a ideia da guerra. Outras não confiavam na capacidade da Itália em participar dela. Muitos nobres, conservadores e católicos preferiam a aliança com a Alemanha e a Áustria ou, no máximo, a neutralidade. Vários industriais e intelectuais acreditavam nas vantagens da participação no conflito ao lado da Inglaterra e da França para "regenerar" a nação italiana e conquistar territórios na África, enquanto alguns socialistas acreditavam que a guerra poderia muito bem levar à revolução mundial.[23]

Em 24 de maio de 1915, de qualquer forma, apesar dessas divisões no governo e na opinião pública, a Itália declarou guerra à Áustria-Hungria e, em 1916, à Alemanha, confiante de que teria um conflito curto, com poucas baixas e grandes ganhos.[24]

Tal era uma esperança realmente vã para qualquer um que conhecesse a geografia do nordeste italiano. As fronteiras da Itália e da Áustria-Hungria estavam nos Alpes, em um semicírculo de altas montanhas que formavam verdadeiras fortalezas naturais, as quais os austro-húngaros dominavam quase inteiramente. Para qualquer exército, tomar essas montanhas e platôs partindo de baixo seria uma tarefa hercúlea, e tropas alpinas, muito bem equipadas e conhecedoras do ambiente, seriam a única resposta razoável ao desafio.

As tropas alpinas italianas, contudo, eram pequenas e insuficientes para a tarefa, pelo que o Exército como um todo a assumiu. Esse, contudo, estava muito longe da eficiência necessária à guerra moderna e, em especial, para a luta nas montanhas. Realmente, como já observado, o Exército italiano tinha deficiências em armamento e equipamento notáveis e, seus soldados, muitos originários do Sul, não apenas tinham dúvidas quanto à necessidade da guerra, como desconheciam o terreno, o que era um mau prognóstico para a batalha.

De qualquer forma, os planos do chefe do Estado-Maior italiano, general Luigi Cadorna, eram ambiciosos. Depois de superar a barreira das montanhas a partir da região do rio Isonzo, seria possível conquistar as áreas italianas do império inimigo e, então, avançar para seu interior. Em junho de 1915, os italianos atacaram, no que seria a primeira de 12 ofensivas entre 1915 e 1916.

O resultado delas foi um massacre. Sem apoio eficiente de artilharia, atacando inimigos entrincheirados e em um terreno que amplificava o efeito dos estilhaços das explosões, milhares e milhares de soldados italianos morreram, com ganhos territoriais mínimos. Mas eles eram renovados sem alteração, apenas aumentando os efetivos, o que revela o estilo de Cadorna e a própria tendência de muitos oficiais italianos a ver, em seus soldados de origem camponesa, mera carne de canhão a ser consumida.

Em outubro de 1917, depois de repelirem as ofensivas italianas nos anos anteriores, os austro-húngaros, apoiados pelos alemães, lançaram uma contraofensiva que culminou na Batalha de Caporetto. O Exército italiano tinha, então, 65 divisões, com quase 600 mil homens, mas já havia sofrido imensas baixas. Envolvidas por uma manobra audaciosa do inimigo e com o moral baixo depois de tantos sacrifícios inúteis, as divisões italianas entraram em colapso. Duzentos e setenta e cinco mil italianos foram capturados e os austro-germânicos chegaram às portas de Veneza.

Após esse desastre, o general Cadorna foi substituído pelo general Armando Diaz, que conseguiu reorganizar o que sobrou do Exército e impedir maiores avanços do inimigo. O Exército italiano só voltaria a atacar, contudo, em 1918, quando uma ofensiva vitoriosa dos italianos, a de Vittorio Vêneto, foi lançada e ajudou a destruir o Exército austro-húngaro. Nessa ofensiva, contudo, só houve sucesso graças à situação de quase total colapso do Estado austro-húngaro e ao substancial apoio francês e, em especial, inglês.[25]

A Batalha de Caporetto e os insucessos da Itália no campo de batalha da Primeira Guerra Mundial ajudaram a consolidar uma imagem que já estava se formando quando da corrida colonial e da derrota em Adua, mas que se cristalizou a partir daí: a dos italianos como povo desprovido de qualidades militares, a qual eles não conseguiram eliminar durante a Segunda Guerra Mundial e mesmo até hoje.

Tal reputação é um pouco injusta, pois os habitantes das cidades italianas do Renascimento tinham sido excelentes soldados e o Exército do Piemonte havia lutado de igual para igual contra os russos ao lado de ingleses e franceses na guerra da Crimeia. Isso sem mencionar, claro, os antigos romanos. Além disso, a bravura dos soldados italianos na luta cruel das montanhas na Primeira Guerra Mundial foi notável e o colapso do Exército italiano em 1917 não foi o único ocorrido nesse conflito. Não havia, e não há, assim, um gene no povo italiano que o faria inepto à vida militar ou covarde por natureza.[26]

No entanto, como já observado, faltava à Itália o poder econômico e industrial para armar de modo adequado seus militares e seus problemas de organização do Estado e de coesão nacional acabavam por se refletir na eficiência militar. Conforme indicado em detalhes no capítulo anterior, um esforço imenso foi feito durante a guerra para superar esses problemas, com resultados positivos, mas insuficientes. Algo comum a outros Estados europeus do período, como Grécia, Romênia ou Portugal. Mas esses

Estados não tinham as ambições dos governantes italianos, que levaram as Forças Armadas italianas a assumir tarefas para as quais não estavam prontas.

De qualquer modo, no final da guerra, em 1918, a Itália estava completamente exaurida. Milhões de homens haviam passado pelas fileiras do Exército, dos quais cerca de 460 mil estavam mortos e outros mutilados. Mais de três bilhões de dólares, aos preços de 1913, haviam sido gastos, o que representava uma fortuna inimaginável para o Estado italiano. É verdade que outros países, como a Alemanha, a França ou a Rússia, tinham gasto somas maiores ou perdido mais homens do que a Itália, mas os recursos de que ela dispunha para se recuperar eram menores, o que agravava sua situação.

Em resumo, a participação italiana na Primeira Guerra Mundial deixou claro que a Itália havia tentado uma política de grande potência econômica e militar sem o ser e imposto um sacrifício além das possibilidades para um país ainda atrasado e pobre. Seu esforço foi notável, mas o país só não entrou em colapso militar em 1917 graças ao apoio de seus aliados. Em termos econômicos, a situação piorou e a dependência italiana da França, da Inglaterra e, cada vez mais, dos Estados Unidos, só cresceu.

No fim de tantos sacrifícios, a Itália não teve as recompensas que esperava. Na Conferência de Paz de 1919, ela era claramente o irmão menor diante da França, da Inglaterra e dos Estados Unidos. Ela recebeu as áreas italianas do Império Austríaco e algumas pequenas concessões em outros pontos, mas suas ambições de colônias, áreas estratégicas no mar Adriático e outras foram recusadas.

Essa situação gerou imenso clamor na Itália, com a criação do mito da "vitória mutilada" e da "traição das grandes potências" aos imensos sacrifícios dos italianos. Criou-se um caldo de revisionismo e revolta que, justificado ou não, apoiou, como veremos melhor em capítulo posterior, a ascensão do movimento fascista ao poder em 1922, o qual seguiu as tradições da política externa italiana e, ao mesmo tempo, as modificou profundamente.

A POLÍTICA EXTERNA DO FASCISMO

Na sua primeira década no poder, ou seja, entre 1922 e 1932, o fascismo manteve algumas das estratégias e dos padrões que já haviam caracterizado a política externa italiana no período anterior, como o equilibrismo entre as grandes potências, a amizade com a Grã-Bretanha, a ênfase nas ambições italianas no Mediterrâneo e no Adriático, uma certa moderação etc. Para os observadores externos parecia que o fascismo, apesar da retórica nacionalista, não mudaria em essência a tradicional política externa italiana e, de fato, não o fez.

O Eixo Roma-Berlim em formação. Mussolini visita a Alemanha em 1937.

Nos anos 20, efetivamente, apesar de alguns atos isolados de agressão militar, como o bombardeio da ilha grega de Corfu[27] e a invasão da cidade iugoslava de Fiúme, ambos em 1923, o fascismo foi bastante moderado em suas ambições internacionais e, ao contrário, esteve sempre ao lado da França e da Inglaterra nas principais crises europeias do período. Tanto que, já em 1925, Mussolini assinou um acordo – o Pacto de Locarno – de amizade e paz com franceses e ingleses, o que indica como ele ainda se prendia aos valores tradicionais da diplomacia italiana e reconhecia seus limites.

Já na década de 1930, por motivos tanto de ordem interna quanto de mudança do contexto internacional,[28] o fascismo implantou uma política externa muito diferente daquela do período anterior, caracterizada por intensa agressividade, objetivos imperiais mundiais, rompimento da tradicional aliança com a Inglaterra e a criação de uma "diplomacia paralela" de base expressivamente subversiva e ideológica[29] e o uso dela para a mobilização e mudança internas. A Itália tornou-se um país muito mais agressivo[30] e ligou claramente, a partir da metade da década, seus destinos aos da Alemanha de Hitler.

Assim, na década de 1930, a Itália entrou em uma espiral de agressividade da qual não sairia mais, e que se iniciou concretamente com a invasão e a conquista da Etiópia em 1935-1936. No ano seguinte, começou a Guerra Civil entre a esquerda e a direita na Espanha. Movido por desejos geopolíticos de ampliar sua influência na península Ibérica e por um senso de solidariedade fascista, Mussolini engajou-se a fundo nesse conflito: foram enviados dezenas de milhares de soldados italianos (dos quais seis mil morreram), centenas de aviões, milhares de veículos e canhões, centenas de milhares de armas portáteis etc. Os adeptos do general Francisco venceram a guerra, o que deu a Mussolini a certeza de que a Itália estava no caminho certo para que seu sonho de torná-la grande potência se tornasse realidade.[31]

Tais atos de agressão fascista levaram ao distanciamento da Itália da França e da Inglaterra e a consequente aproximação – por razões ideológicas, mas também estratégicas e geopolíticas[32] – com a Alemanha nazista, sendo assinados pactos de ajuda militar mútua em 1937 e 1939. Com isso, os destinos da Itália fascista passaram a depender cada vez mais do poder da Alemanha nazista. Foi como aliada da Alemanha que a Itália entrou em sua maior e mais desastrosa aventura militar, ou seja, a Segunda Guerra Mundial.[33]

A ITÁLIA NA SEGUNDA GUERRA MUNDIAL

Com o início da Segunda Guerra Mundial em 1939, a Itália, reconhecendo que não tinha os recursos para uma participação efetiva no conflito, declarou-se neutra. Era uma análise racional. Os relatórios que chegavam a Mussolini sobre a situação do país deixavam clara a precariedade da situação: as reservas de matérias-primas e material de guerra eram mínimas, as finanças do Estado estavam em ruínas depois das aventuras na Abissínia e na Espanha e, militarmente, a penúria era geral, com falta, inclusive, de armas portáteis, uniformes etc.

As rápidas vitórias dos alemães sobre a Polônia e a França em 1939-40 deram a Mussolini, porém, a impressão de que a guerra já estava ganha. Ele decidiu, então, jogar a cartada decisiva de sua carreira de estadista: declarar guerra aos Aliados para poder estar do lado vencedor quando das negociações de paz. E assim foi feito, com uma multidão em Roma ouvindo Mussolini declarar a guerra em 10 de junho de 1940.

A primeira ofensiva italiana foi claramente dirigida a esse fim de garantir um lugar na mesa das negociações de paz, atacando, sem sucesso, a fronteira francesa e devendo se conformar, após a derrota da França pelos alemães, com magras compensações territoriais.

Mussolini inspeciona suas tropas, de partida para o *front*.

Ainda em 1940, Mussolini decidiu, para não perder espaço e prestígio perante os alemães vitoriosos em toda parte, conquistar a Grécia, que foi invadida por tropas italianas em outubro. Contudo, mesmo empenhando um número imenso de soldados, os italianos foram incapazes de dominar a resistência grega, tendo de apelar para a ajuda alemã. Em três semanas, os soldados alemães fizeram o que os italianos não tinham conseguido em quatro meses.

No ano seguinte, a dependência italiana dos alemães cresceu quando tropas inglesas conquistaram o império colonial italiano na África Oriental (Eritreia, Somália e Abissínia) e ameaçaram tomar a Líbia, aprisionando centenas de milhares de italianos. Os alemães tiveram de enviar ajuda, no formato de um corpo expedicionário depois famoso – o Afrika Korps do renomado general alemão Erwin Rommel –, e assumindo o comando sobre os italianos.

Mesmo empenhado a fundo na África e com sua Marinha combatendo os britânicos no Mediterrâneo (normalmente em situação desvantajosa, com perda contínua de navios), Mussolini não aceitava ficar atrás de Hitler e enviou, em 1941, um corpo expedicionário de 220 mil homens, alpinos, para apoiar a invasão nazista da URSS. Soldados de qualidade, os alpinos foram empenhados exaustivamente em combate e perderam quase a metade de seus efetivos entre 1942 e 1943.

Foi na África, contudo, que a situação italiana ficou ainda pior. Em 1942 e 1943, britânicos e americanos pouco a pouco expulsaram os alemães e os italianos do continente e, finalmente, os cercaram na Tunísia, onde se renderam em maio de 1943. Pouco depois, os Aliados desembarcaram na Sicília. A Itália estava em verdadeiro colapso militar nesse momento, sem recursos para defender seu território sem auxílio alemão.

A situação tornou-se tão grave que, em 24 de junho de 1943, o rei se voltou contra Mussolini e, com o apoio de outros fascistas, derrubou-o do poder. Foi formado um governo provisório pró-aliado e Mussolini foi preso. Tropas nazistas ocuparam, porém, a Itália e libertaram Mussolini, que criou um governo na área ocupada pelos alemães, enquanto o sul era ocupado pelos Aliados e formava um governo antifascista e antinazista. Nos anos seguintes, a Itália deixou de ser protagonista da guerra para ser campo de batalha entre os alemães e os Aliados, até a vitória final destes em 1945.

O desempenho militar italiano durante a Segunda Guerra, assim, foi ainda mais precário do que na Primeira e, se um dos objetivos do fascismo ao lançar uma política agressiva na década de 1930 e ao participar da Segunda Guerra Mundial era o de restaurar ou construir o prestígio dos italianos como povo conquistador, guerreiro e temido, o efeito foi justamente o contrário.

Observe-se que essa situação foi percebida já durante o conflito e não espanta, assim, que os italianos, incomodados com as contínuas insinuações alemãs de fraqueza e falta da frieza necessárias aos que queriam um Império, tenham procurado imitar a brutalidade nazista em locais como a Eslovênia e a Grécia ocupadas, com fuzilamento, prisão e confinamento de civis etc.[34] Ações que não se comparam, em termos numéricos, aos horrores nazistas e não diminuem o mérito de outros soldados italianos, que, muitas vezes, protegeram civis ou ajudaram judeus a fugir das tropas nazistas.[35] Porém, esses atos heroicos foram convenientemente esquecidos depois da guerra e essas ações macularam a imagem dos italianos *buona gente*.

Na verdade, há uma explicação para que a eficácia militar dos italianos, que já não tinha sido excepcional no conflito de 1914-1918, tenha sido ainda pior no de 1939-1945. O fascismo, apesar de sua retórica guerreira e de sua dedicação ao engrandecimento militar do país, não havia conseguido realmente militarizar a sociedade[36] nem permeá-la por completo com seus ideais belicosos. Corrupção, ineficiência generalizada e outros problemas tradicionais das Forças Armadas italianas também não tinham sido resolvidos, e o fato de a Itália entrar no conflito ao lado da Alemanha desagradava parte substancial da sociedade italiana, diminuindo sua vontade de lutar. Para completar o quadro, o regime fascista foi incapaz de definir estratégia e objetivos claros, o que levou à dispersão de esforços e de recursos.[37]

Em última instância, porém, o que explica o fracasso italiano na Segunda Guerra Mundial foi a tradicional dicotomia entre suas imensas ambições (com a consequente atribuição de tarefas desmedidas a seus militares) e os parcos recursos econômicos e científicos da nação, o que se refletia em suas Forças Armadas. Problema que, como vimos, já vinha de muito antes, mas que se agravou ainda mais no contexto do século XX.

Realmente, os desenvolvimentos na tecnologia militar nas décadas de 1920 e 1930 tornaram as Forças Armadas das grandes potências ainda mais dependentes da capacidade produtiva de seus países. Sem uma base industrial altamente desenvolvida e sem ampla comunidade científica capaz de ser mobilizada pelo Estado para acompanhar os novos avanços em armas, a vitória na guerra era quase impossível.

A ciência e a tecnologia estavam transformando os sistemas de armamentos de forma cada vez mais acelerada, realmente, nesses anos entre as duas grandes guerras. Os aviões de caça tornavam-se maiores, mais rápidos e mais bem armados do que nunca, assim como os bombardeiros. Os grandes encouraçados eram mais rápidos, tinham mais blindagem e melhor defesa antiaérea do que aqueles da geração anterior, o que se verificava também com os tanques, os canhões, os submarinos e vários outros armamentos, da mesma forma afetados pelas modificações nos equipamentos elétricos e de comunicações, entre outros. Os louros da vitória dependiam cada vez mais da tecnologia, da ciência e da produção em massa e eram justamente esses elementos de poder que faltavam à Itália.[38]

Alguns dados numéricos indicam as dificuldades italianas. Em 1937, o PIB somado das sete maiores potências mundiais era de 146 bilhões de dólares, com participação italiana de 8,76%, ou seja, 6 bilhões. Mesmo investindo 14,5% do PIB em armamentos nesse ano (o que era mais do que as potências ocidentais investiam, mas menos do que os outros), ela não conseguia igualar o orçamento dos outros países com os quais disputava a primazia mundial.

Além desse fator financeiro, a economia italiana, como vimos no capítulo anterior, era ainda insuficientemente industrializada para produzir os armamentos da guerra moderna em larga escala. Mesmo durante a guerra, a Itália não conseguiu fabricar mais do que uma fração do armamento produzido pela sua aliada alemã, para não falar dos soviéticos e dos americanos.

Um simples dado estatístico pode evidenciar isso. Entre 1939 e 1945, a indústria alemã fabricou quase 120 mil aviões para uso militar, enquanto o Japão produziu 80 mil. Números que perdem vigor frente aos 605 mil aviões produzidos pelos Aliados (120 mil pelo Império britânico, 160 mil pela União Soviética e 325 mil pelos Estados Unidos) no mesmo período, mas adquirem relevo em face dos meros 10 mil dos italianos. Alguns desses eram de alta qualidade e excelente projeto, mas os italianos nunca conseguiram produzi-los na quantidade e no ritmo necessário. A Itália havia entrado em um jogo de grandes proporções sem os músculos para tanto.

Tal situação se repetia em outros aspectos. Os líderes militares italianos reconheciam a importância da mecanização das tropas terrestres, mas não tiveram dinheiro nem condições de formá-las a contento. Seus tanques eram velhos, poucos (apenas 350 foram produzidos em 1943, contra 17 mil na Alemanha e dezenas de milhares no conjunto aliado), com canhões de calibre pequeno, mal protegidos e sem veículos de apoio. Os italianos foram a um campo de batalha dominado por aviões e tanques com divisões de infantaria e carroças puxadas a cavalo. Mesmo a Marinha italiana, com sua frota substancial de couraçados, cruzadores e submarinos, não dispunha de radar, porta-aviões, defesa antiaérea de peso e mesmo bons estoques de combustível.[39]

Em resumo, os italianos lutaram a Segunda Guerra Mundial com equipamentos da Primeira ou mesmo de antes. Isso era percebido na época, tanto que muitos estrategistas britânicos chegaram a avaliar se a entrada da Itália na guerra ao lado da Alemanha seria prejudicial ou favorável à causa da Grã-Bretanha. Era quase impossível exigir deles um desempenho militar excepcional.

Com isso, a situação da Itália quando do final do conflito, em 1945, era a pior possível em termos militares e estratégicos. Mussolini havia dado, aos italianos, a ilusão de que eles eram, finalmente, um povo temido e respeitado, herdeiros à altura do Império Romano. Mas quando o mundo dos discursos e da agressividade verbal teve de ser substituído pela prática, pela guerra de homens e material modernos para a qual a Itália não estava pronta, a ilusão se desfez como manteiga no asfalto, para grande choque dos que acreditaram nas ilusões fascistas.

Assim, de um país que sempre se arvorara, desde sua formação, em grande potência internacional, a Itália transformou-se em um país humilhado por derrotas sem fim, com seu território marcado pelas batalhas ali travadas por estrangeiros e, finalmente, ocupada pelos anglo-americanos. O sonho italiano de poder e glória havia terminado de forma melancólica e a imagem dos italianos como um povo adorável, mas fraco e incapaz militarmente, se consolidou.

A ITÁLIA NO SISTEMA NORTE-AMERICANO E OCIDENTAL: OTAN E UNIÃO EUROPEIA

No imediato pós-guerra, a Europa viu-se claramente em posição subordinada diante dos novos colossos extraeuropeus que surgiam e dariam as cartas na política mundial nos anos a seguir, ou seja, os Estados Unidos e a União Soviética. Econômica e militarmente, os europeus estavam reduzidos a uma posição subordinada.

Se tal situação era verdadeira até mesmo para países que haviam estado do lado vencedor, como a França e a Inglaterra, o que dizer da Itália? Ainda ocupada por tropas americanas e britânicas e vista com desconfiança e até com desprezo pelos vencedores e também pelos outros Estados europeus, a Itália parecia ser um país à margem do sistema internacional e incapaz de desempenhar, nele, qualquer papel.

No entanto, a Itália gozava de algumas vantagens perante os outros grandes derrotados na guerra, ou seja, a Alemanha e o Japão. Seu território não fora dividido pelas potências ocupantes nem estava na linha de frente da confrontação Leste-Oeste, como o alemão. Além disso, o armistício italiano de 1943 havia tornado a Itália, ao menos em teoria, um país aliado e não inimigo. Por fim, uma vasta comunidade de imigrantes italianos instalada em um dos centros de poder mundial – os Estados Unidos – e pressionando por maior tolerância em relação à Itália era um elemento a mais a seu favor.[40]

Com esses fatores e argumentos, a Itália lutou para salvar o que fosse possível da sua antiga posição e de sua soberania. A primeira prioridade foi tentar evitar uma mutilação territorial excessiva, em especial das regiões não povoadas por italianos que haviam sido conquistadas por Roma em 1918, como parte da Dalmácia e da Ístria (de população eslava) e o Tirol do Sul, habitado por alemães. Também se procurou manter algum grau de controle sobre as antigas colônias italianas na África, mesmo que sob a cobertura de um mandato na ONU. Ou seja, a nova Itália, republicana, tentava, apesar de tudo, preservar as suas fronteiras tradicionais e ao menos alguma coisa de seu antigo império colonial.

Tais objetivos não foram atingidos no Tratado de Paz de 1947, a não ser em parte mínima. Trieste e Tirol do Sul continuaram italianos, mas houve várias perdas territoriais na fronteira francesa e quase toda a península da Ístria passou à Iugoslávia. As colônias italianas também foram transferidas para a jurisdição das Nações Unidas.

A Itália também foi obrigada a renunciar a suas fortificações de fronteira, reduzir suas forças militares a um máximo de 250 mil homens e entregar a maior parte do que restava de sua frota aos vencedores. Além disso, renunciava à posse de artilharia pesada, armas atômicas e bombardeiros. Como estava acontecendo também com a Alemanha e o Japão, os Aliados procuravam garantir que a Itália não fosse mais uma ameaça.

Em última instância, contudo, o preço pago pela Itália poderia ter sido bem maior. Afinal, como já observado, o país não foi dividido em zonas de ocupação e muito cedo recebeu permissão para reconstruir suas Forças Armadas, permissão essa que alemães e japoneses só teriam anos depois.

Ainda assim, esse tratamento dispensado à Itália causou ressentimentos na opinião pública local, que acreditava que o país não merecia ser punido. Mas era difícil fazer os Aliados aceitarem os argumentos italianos em favor de melhor destino para seu país. Aliás, nos anos imediatamente após a Segunda Guerra Mundial, o sentimento predominante entre ingleses e americanos era o desprezo e a desconfiança com relação aos italianos, os quais seriam um povo sempre pronto a mudar de posição e mesmo a trair em defesa de seus interesses. Parecia se confirmar, naquele momento, que era impossível confiar nos italianos.

O fato de o governo provisório italiano, entre 1944 e 1947, contar com a participação de comunistas e socialistas, e a imensa força popular desses movimentos na Itália pós-fascismo, apenas aumentavam as desconfianças das potências ocidentais (sobretudo os Estados Unidos e a Grã-Bretanha) de que, como haviam feito antes, os italianos podiam trair seus aliados e se unir aos soviéticos.

Tais temores eram, provavelmente, exagerados. Os líderes conservadores italianos, como veremos no capítulo "Uma maneira própria de fazer política?", logo conseguiram dominar a política do país e, no contexto da Guerra Fria, optaram claramente pelo campo norte-americano. Além disso, um país arrasado e cujo povo dependia do fornecimento de alimentos, de carvão e de petróleo dos norte-americanos, não poderia se dar ao luxo de romper os laços com Washington.[41]

A opção italiana pelo bloco capitalista, apesar de não deixar de causar polêmicas internas, foi clara no decorrer das décadas de 1940 e 1950. A Itália foi membro fundador da Organização do Tratado do Atlântico Norte (Otan) e do Conselho da Europa em 1949.[42] Mais tarde, com a entrada da Itália na ONU, em 1955, e na Comunidade Europeia do Carvão e do Aço em 1952 (que se tornou a Comunidade Europeia em 1957, depois União Europeia), entre outros organismos internacionais, a inserção italiana no mundo ocidental ficava ainda mais evidente.

Também a revisão prematura do tratado de paz de 1947, ocorrida já em 1951, a qual liberou a Itália das restrições à sua soberania e às suas Forças Armadas (a Alemanha, em contraste, só recuperou essa soberania em 1990) e a cessão, pela ONU, da administração da antiga colônia italiana da Somália à Roma, em 1950, indica como a Itália estava conseguindo se firmar como país europeu e ocidental e defender seus interesses nesses anos.

Realmente, esses tratados permitiram que a Itália fosse aceita como um membro pleno do bloco capitalista, bem como que as relações com seus vizinhos europeus melhorassem bastante. Mais do que isso, refletem as pedras angulares da política externa italiana e da própria visão dos italianos sobre seu papel no mundo depois da Segunda Guerra Mundial, ou seja, a incorporação à Europa e ao Ocidente capitalista.[43]

Tal situação representou enorme mudança na maneira pela qual os italianos se autoidentificavam diante de seus vizinhos. De um povo que se via como injustiçado e perseguido pelas outras potências europeias e que tentava usufruir de todas as oportunidades para "romper o cerco" e adquirir o poder e a glória que desejava, os italianos se converteram em fiéis aliados dos norte-americanos e das outras potências ocidentais. Uma conversão que afetou todos os países europeus depois da guerra, mas que, no caso da Itália, foi especialmente forte.

Interessante observar que a adesão italiana ao campo ocidental teve a oposição, ao menos no início, de diversas forças nos Estados Unidos, na França e no Reino Unido. Havia suspeitas sobre as intenções italianas e sua fidelidade aos pactos que assinava, assim como o temor de que levar a Itália a esses organismos apenas os enfraqueceria.[44] O empenho italiano e a pressão de outros interesses nos governos ocidentais permitiram que essas desconfianças fossem vencidas, mas fica claro como a ideia de que os italianos eram fracos e pouco confiáveis ainda estava presente no olhar de seus vizinhos e aliados. Esse parece ter sido um padrão que perdeu força com o decorrer dos anos, mas que nunca desapareceu por completo.

Tal fato pode ser percebido, inclusive, por uma simples análise estratégica. Na estrutura da Otan, a linha central de defesa era formada pelos exércitos alemães, americanos, britânicos e franceses (para citar apenas os principais) estacionados no coração da Alemanha. Esses sempre estiveram em inferioridade numérica e material perante os soviéticos, mas nunca se cogitou, por exemplo, a transferência de tropas italianas para a Europa central a fim de reforçar as defesas principais da Aliança. À parte problemas logísticos e políticos, fica claro que, para muitos planejadores da Otan, os italianos não seriam confiáveis e, sobretudo, não teriam poder militar para representar um acréscimo substancial à defesa da Alemanha.

É verdade que, entre 1945 e 1985, uma indústria militar de porte se desenvolveu no país, assim como o próprio crescimento econômico, a partir dos anos 50, permitiu maiores gastos, na faixa de alguns bilhões de dólares ao ano, nas Forças Armadas. No entanto, esses investimentos eram relativamente pequenos diante dos de outros países europeus, como França e Inglaterra, para não falar dos Estados Unidos e da União Soviética, tanto em termos absolutos quanto em proporção da riqueza nacional.[45]

Além disso, o imenso Exército italiano, com cerca de 300 mil homens na década de 1970, tinha uma estrutura excessivamente burocrática e corporativa, que consumia imensos recursos apenas para sua manutenção, e um armamento precário e antigo, em geral fornecido pelos Estados Unidos, o que também acontecia com a Marinha e a Força Aérea, que se reduziam quase a forças auxiliares dos americanos. Não espanta que os Aliados ocidentais os tivessem em relativamente baixa conta.

Nesse aspecto, aliás, houve uma continuidade no tocante ao período anterior, com a Itália privilegiando o mesmo modelo militar da época do fascismo e mesmo da era liberal, ou seja, aquele que dava preferência a contingentes numerosos e espalhados por todo o país (inclusive, para garantir a vigilância interna), mas mal armados, treinados e equipados, em detrimento de forças menores, mas tecnologicamente melhores e treinadas a contento.[46]

Na verdade, os Estados Unidos e demais aliados ocidentais não pediram muito à Itália, em termos militares, nas décadas posteriores à Segunda Guerra Mundial.

Grandes bases aéreas e navais americanas foram instaladas no país e a Sexta Frota dos Estados Unidos instalou na Itália seu quartel-general, em uma admissão italiana de que o mar, considerado por décadas italiano de direito, era agora norte-americano. Essas bases eram a contribuição central da Itália à defesa ocidental e não se exigia muito mais dela.

Tal admissão não significa, claro, que a Itália tenha esquecido por completo da sua posição geográfica e/ou perdido sua autonomia como Estado-nação. Pelo contrário: o próprio desenvolvimento econômico deu à República italiana, com o decorrer do tempo, os recursos e a confiança para agir com mais vigor no cenário internacional. Assim, uma política de aproximação com os países da bacia do Mediterrâneo e da África foi efetivada desde os anos 1950, algumas vezes em oposição aos interesses americanos (como em 1986, quando Roma não permitiu o pouso dos aviões americanos que bombardearam Trípoli). No entanto, a Itália nunca mais imaginou que pudesse dominar o Mediterrâneo, a não ser como parte integrante da aliança ocidental e ao lado dos americanos.

Portanto, a Itália seguiu uma política externa realmente diferenciada no pós-Segunda Guerra Mundial, abandonando sua pretensão à grande potência e o oportunismo para aderir à construção da Europa unida e tornando-se fiel aliada dos Estados Unidos.[47] Ela se tornou, no dizer de alguns, um "país feliz, sem história e sem política externa". Avaliação talvez exagerada, mas, dadas as desgraças que a mentalidade de grande potência sem a possibilidade real de sê-lo trouxeram à Itália, é possível concordar com Richard Bosworth[48] que a política externa da República italiana foi a mais bem-sucedida e trouxe mais benefícios ao país.

A situação modificou-se um pouco apenas depois do fim da União Soviética, no contexto das grandes transformações geopolíticas que convulsionaram a Europa e, na verdade, todo o mundo.

OS ITALIANOS NO MUNDO HOJE: ENTRE IRRELEVÂNCIA, PACIFISMO E EUROPEÍSMO[49]

Com o fim da Guerra Fria e da União Soviética, a realidade geopolítica que havia condicionado quase 50 anos de história europeia se alterou e todos os países europeus começaram a diminuir suas forças militares e a modificá-las para os desafios estratégicos do século XXI. Em essência, as reformas giram em torno do fim do serviço militar obrigatório (e dos grandes exércitos de recrutas) e da constituição de forças mais leves e ágeis, formadas por soldados profissionais, para atuação imediata fora da Europa.

O poder militar da Itália hoje. Soldado italiano da Brigada Garibaldi em ação na Bósnia, em 1995.

A Itália acompanha esse processo e mais recursos têm sido destinados à compra de equipamentos e desenvolvimento de armas. O número de soldados profissionais tem crescido, enquanto os recrutas, até mesmo por causa da diminuição da natalidade, perdem expressão. Problemas e desafios imensos ainda estão diante dos militares italianos, mas as Forças Armadas do país, hoje, estão, provavelmente, na melhor forma de sua história.

Isso significa, então, que a Itália dispõe, atualmente, de imensa capacidade militar? Dificilmente. As forças italianas ainda são inferiores em capacidade de atuação e projeção perante a França e a Inglaterra, por exemplo, e estão, como todas as forças da Europa, a anos-luz da máquina de guerra americana. Elas ainda podem melhorar muito, mas é difícil imaginar que possam se tornar de fato uma força bélica de primeira ordem, com capacidade de intervenção maciça além-mar. Quando muito, e mesmo essa hipótese é discutível, terão essa capacidade quando e se a Europa unida construir um grande dispositivo militar. Em resumo, qualquer possibilidade de a Itália voltar a influir nas decisões mundiais está na construção, diplomática e militar, de uma Europa unida.

A Itália continua, portanto, integrada aos sistemas de defesa e estratégico europeu e norte-americano e nada indica que isso vá mudar. Essa opção, no entanto, não significa que o país tenha aceitado o total e completo desaparecimento de sua política externa dentro de uma maior, europeia. Um padrão seguido por todas as nações europeias, mas especialmente forte no caso italiano.

De fato, um exame do cenário internacional recente revela que o fato de um Estado nacional pertencer a um bloco econômico ou político (como a União Europeia ou o Mercosul) não implica abdicação de uma política externa independente. Realmente, as intervenções francesas nos países da África central (pouco dependentes da posição de Paris na União Europeia), os imensos conflitos entre Londres, Paris e Berlim sobre a invasão norte-americana no Iraque e outros exemplos mostram que os Estados nacionais europeus ainda mantêm seus interesses próprios, que só se diluirão em uma real política externa europeia se realmente a Europa se constituir em um Estado único, com forças militares e política externa unificadas, o que é de difícil previsão.

A realidade internacional mostra, porém, que o oposto também é verdadeiro, ou seja, que as políticas externas das nações da União Europeia também têm de levar em conta atualmente as políticas comunitárias e as interações entre os países membros. Um exemplo dessa situação pôde ser observado, por exemplo, quando a França procurou renovar seu arsenal nuclear via testes em 1995 para ampliar seu cacife como potência além-Europa, mas também dentro dela, realinhando as posições em face do poder econômico superior da Alemanha. A geopolítica e a competição entre os Estados continuam, pois, atuando nas relações internacionais, mas reorganizadas em uma nova realidade de grandes blocos regionais.

No caso italiano, essa é uma realidade mais do que clara. A Itália exerce uma política externa independente, mantendo, por exemplo, tropas no Iraque para apoiar a ocupação do país pelos Estados Unidos desde 2003 e exercendo forte influência sobre a Albânia (tradicional quintal geopolítico do país desde o início do século xx), mas, ao mesmo tempo, compete com vigor pela influência na União Europeia. Ou seja, mesmo que agora não se concebam mais guerras entre os Estados europeus, não resta dúvida de que a competição entre eles, no interior das estruturas da União Europeia, continua intensa.

Mesmo nesse novo padrão de disputas, boa parte das armas e dos problemas dos italianos continua a mesma. O contexto é outro, com absoluta certeza, mas certos tipos de comportamento e ação parecem se repetir de forma surpreendente.

Antes de tudo, os italianos continuam a não aceitar a ideia de ser um país de segunda classe na União. Diante do crescente domínio, nesta, do bloco franco-alemão, vários pequenos países europeus, como Portugal ou Dinamarca, sentem-se incomodados e diminuídos, mas a maioria só pode aceitar. Os italianos, contudo, se consideram importantes demais para ser excluídos do processo decisório e querem que Roma seja um dos centros do poder europeu, ao lado de Londres, Paris e Berlim.

No entanto, mesmo tendo, nos dias atuais, uma economia avançada e rica, a Itália não dispõe do poder econômico de uma Alemanha ou da força diplomática ou militar (incluindo armas nucleares) de uma França ou Inglaterra. A Itália, além disso, continua a pagar o preço de sua derrota na Segunda Guerra Mundial e sua imagem de país fraco e pouco confiável ainda está presente na Europa, o que dificulta a busca dessa posição almejada de destaque.

O modo como a Itália aparece no noticiário internacional é sintomático da desconfiança e até do desprezo com que o país é visto por outros países da Europa e pelos Estados Unidos. O desastre da presidência de Silvio Berlusconi na União Europeia e a consequente troca de farpas entre alemães e italianos, por motivos banais, em 2003; o tradicional sentimento de superioridade dos franceses diante dos italianos (ajudando a ampliar crises, como a dos testes nucleares franceses em 1995) e a desconfiança resídua dos americanos sobre a confiabilidade da Itália são exemplos nesse sentido.[50]

Mas nada deixa os italianos mais ofendidos e até magoados do que sua exclusão das reuniões das potências europeias quando assuntos sérios são discutidos. Em 2001, por exemplo, foram mantidos de fora quando franceses, ingleses e alemães discutiam o problema do Afeganistão em Gand, o que se repetiu em outras reuniões sobre tópicos internacionais nos anos seguintes. A ideia de que a Espanha, por exemplo, possa substituir a Itália como a potência mediterrânea da União Europeia também assusta e escandaliza.[51]

A reação dos italianos tem se servido de armas conhecidas. Eles ressaltam sua aliança com Washington e, em alguns momentos, tentam se aproximar de Londres para contrabalançar o poder franco-alemão; cogitam mobilizar os descendentes de italianos no mundo como forma de ampliar sua força política na Europa e no mundo[52] e tentam se tornar os "padrinhos" para a adesão à União de países como a Eslovênia, equilibrando a preponderância alemã sobre os novos membros da Europa central.[53]

Outra arma italiana tem sido usar as próprias estruturas e leis da União Europeia para se fortalecer. Desde a década de 1990, quando começou a discussão sobre a ampliação do Conselho de Segurança da ONU, uma opinião consensual era que Japão e Alemanha deveriam ser incluídos, além de representantes da África, da Ásia e da América Latina.

A Itália reagiu propondo que França e Inglaterra desistissem de suas cadeiras no Conselho, assim como a Alemanha, em favor de uma representação unificada da União Europeia e/ou um rodízio. Em essência, uma proposta lógica, mas que visa, claramente, a reequilibrar as forças na Europa e assegurar maior representação à Itália.

Tal tipo de proposta alternativa, aliás, é exatamente o que propõem Argentina e México em face das pretensões brasileiras de assumir a vaga latino-americana, o que não espanta. Sem poder suficiente para ambicionar uma cadeira para si mesmas, potências médias, como a Itália e a Argentina, passam a perseguir o objetivo mais factível de enfraquecer as pretensões dos rivais e garantir o máximo de representação possível.

Em resumo, a Itália, nesse novo mundo, tem buscado o mesmo que outras potências médias, ou seja: ampliar seu cacife no jogo internacional usando os instrumentos disponíveis para tanto. O particular, no caso italiano, é que, em essência, a Itália continua a empregar vários mecanismos tradicionais que, em diferentes gradações, vem utilizando há mais de um século. Nesse sentido, talvez possamos mesmo dizer que há um jeito italiano de fazer política externa.

UMA POLÍTICA EXTERNA ITALIANA?

É sempre complicado propor que certos países seguem tendências "inatas" ou "naturais", como se eles fossem seres vivos, autônomos. A esse respeito, o diplomata e escritor italiano Sérgio Romano[54] escreveu palavras elucidativas, mostrando que foi o positivismo do século XIX que criou a ideia de que a política externa estaria separada da interna, bem como que os países teriam, se não fossem mal influenciados, objetivos permanentes e comportamentos naturais determinados pela geografia e pela natureza. Na realidade, como demonstra esse autor, os interesses permanentes de um país são historicamente datados – o objetivo nacional só existe a partir da concepção momentânea que uma nação, suas elites e seu povo têm de si e de seu papel no mundo – e seus objetivos internacionais, assim, podem variar de modo substancial segundo cada período histórico.

No entanto, a geografia, os traços culturais presentes nas elites dominantes e outros elementos permitem que identifiquemos tendências na ação internacional de determinados Estados. Não no sentido de leis imutáveis que nunca podem ser quebradas, mas de padrões que, segundo determinados limites e balizas temporais precisas, permitem que compreendamos o "estilo" de um determinado Estado e povo em relação com os demais.

No caso italiano, isso é visível. Em geral, os dirigentes italianos, desde o século XIX, foram lúcidos o suficiente para reconhecer a fraqueza italiana para uma ação internacional efetiva e procuraram alternativas para suprir essa dificuldade. Essas alternativas giraram normalmente em torno da busca de alianças com Estados mais fortes – seja a Inglaterra no século XIX, a Alemanha no entreguerras ou os Estados Unidos no pós-1945 –, na oscilação entre as grandes potências para a defesa dos interesses italianos e na busca de métodos criativos, como o uso dos emigrantes ou a liderança dos mais fracos contra os mais fortes – para ampliar o cacife do país na luta internacional.[55] Claro que houve momentos, como a década de 1930 ou o pós-1945, em que esses padrões e limites foram rompidos e os contornos em que eles se aplicam no mundo real se alteram continuamente, mas, em geral, estão presentes na história do país desde o século XIX.

Além disso, um traço que acompanha décadas de política externa italiana pós-Unificação é a firme convicção de suas elites, ao menos em termos gerais, de que a Itália tinha, dada sua história e origens gloriosas (incluindo aqui os mitos do período do *Risorgimento*), não apenas o direito, como quase o dever de ser uma grande potência.[56]

Realmente, fica claro, desde o primeiro momento, como a Itália estava em uma situação ímpar entre os Estados europeus, e essa posição explica boa parte dos dilemas e catástrofes vividas pelo país no século XX. Ela era e é grande demais para aceitar, como a Noruega ou a Grécia, uma posição subalterna no sistema europeu e mundial de poder, mas pequena demais para influenciar de fato os acontecimentos. Os dilemas desse "estágio intermediário", modificado e suavizado no decorrer do tempo, mas nunca eliminado, parecem perseguir a Itália e os italianos desde a Unificação.

Os efeitos desse estilo de política externa, realmente, acabaram por se refletir no próprio modo pelo qual os italianos veem o mundo e o mundo os vê. Um povo com ambições imensas, mas que não consegue realizá-las; um Estado que se pretende grande potência, mas que é fraco e desorganizado demais para sê-lo; um povo e um país continuamente oscilando, que não é confiável e, portanto, respeitável. Tudo isso parece estar impregnado no consciente coletivo europeu, talvez mundial, e conduz a uma imagem particular dos italianos como povo.

A imagem que surge hoje, efetivamente, é de que os italianos são um povo adorável e é impossível deixar de amá-lo. No entanto, seria bobagem exigir deles eficiência ou coerência e não faria sentido respeitá-los ou temê-los. Um grande contraste, por exemplo, com a imagem dos alemães, que a Europa teme e respeita, mas raramente aprecia.

Se tal imagem é ou não verdadeira e justa, se está desaparecendo ou se fortalecendo são, obviamente, pontos de discussão. Também parece óbvio que não foi tão só a política externa italiana e suas contradições que a criaram. Mas estas foram chave na sua formatação ao longo das décadas e dos séculos e não resta dúvida de que essa imagem ajuda a definir o que é um "italiano" hoje.

Notas

[1] Fabrizio Battistelli, Armi: Nuovo Modello di Sviluppo? L'Industria Militare in Italia, Torino, Einaudi, 1980, pp. 30-40.

[2] Richard Bosworth analisa em detalhes essa questão, indicando como a Itália foi aceita no rol dos Estados importantes da Europa não por sua força em si, mas essencialmente pela imagem de grande potência gerada pelo Estado e pelas elites intelectuais italianas. Posição talvez exagerada, mas não equivocada. Ver "Mito e Linguagio nella Política Estera italiana", em Richard Bosworth e Sérgio Romano, La Política Estera Italiana (1860-1985), Bologna, Il Mulino, 1991, pp. 35-67.

[3] Sérgio Romano, Histoire de l'Italie du Risorgimento à nos jours, Paris, Editions du Seuil, 1977, pp. 152-5.

[4] Mariano Gabriele, "Su un progetto di spedizione navale italiana contro il Brasile nell'anno 1896", em Storia e Politica, 5, 2, 1967.

[5] Richard Bosworth, "The Italian military in war and peace, 1860-1960", em Italy and the wider world, 1860-1960, London, Routdledge, 1996, pp. 57-75.

[6] Fabrizio Battistelli, Armi: Nuovo Modello di Sviluppo?, op. cit., 25. Ver também Fortunato Minniti, "Gli Stati Maggiori e la politica estera italiana", em La Política Estera Italiana (1860-1985), op. cit., pp. 91-120.

[7] Paul Kennedy, Ascensão e queda das grandes potências: transformação econômica e conflito militar de 1500 a 2000, Rio de Janeiro, Campus, 1989, caps. 4 e 5.

[8] Retiro a expressão do livro, fundamental para esse capítulo, de Richard Bosworth, Italy – the least of great powers: Italian foreign policy before the first world war, London, Cambridge University Press, 1979.

[9] Isso não significa afirmar, evidentemente, que a política externa italiana entre 1860 e 1914 tenha sido homogênea e sem variações. Mudanças de governo na Itália, os humores da opinião pública e as próprias variações do contexto internacional implicavam mudanças na política externa do país. Sobre esse tema, ver Brunello Vigezzi, "L'Italia dopo l'Unità: liberalismo e politica estera", em La Política Estera Italiana (1860-1985), op. cit., pp. 231-86; "Politica estera e opinione pubblica in Italia dal 1870 al 1945", em Nuova Rivista Storica, 63, 5/6, 1979; e Sérgio Romano, "Opinione Pubblica e Política Estera", Storia Contemporanea, 14, 1, 1983.

[10] Em português, não é extensa a bibliografia a respeito dos Impérios europeus do século XIX. Uma visão mais clássica e ligada ao marxismo pode ser encontrada em Hector Bruit, O imperialismo, Campinas, Ed. Unicamp, 1988. Para uma visão mais cultural, ver Edward Said, Cultura e imperialismo, São Paulo, Companhia das Letras, 1995. Obras mais recentes que trazem dados e avaliações úteis (além de indicações bibliográficas em outras línguas) são Eric Hobsbawm, A era dos impérios (1875-1914), Rio de Janeiro, Paz e Terra, 1988, pp. 87-124; e Marc Ferro, História das colonizações: das conquistas às independências (séculos XIII a XX), São Paulo, Companhia das Letras, 1996.

[11] Há vasta bibliografia, na Itália, a respeito do tema. Ver, por exemplo, o clássico Ângelo del Boca, Gli italiani in África Orientale: la conquista dell'Impero, Roma/Bari, Laterza, 1979; e, do mesmo autor, Adua: La ragioni di una sconfitta, Roma/Bari, Laterza, 1997. Também útil é Nicola Labanca, Oltremare: Storia dell'espansione coloniale italiana, Bologna, Il Mulino, 2002.

[12] A bibliografia italiana a respeito da conquista fascista da Abissínia em 1935-1936 é realmente vasta. Para uma abordagem inicial, convém consultar Giuliano Procacci, Dalla parte dell'Etiopia, Milano, Feltrinelli, 1984; Fulvio D'Amoja, La Política Estera dell'Impero, Padova, Cedam, 1967; Renato Mori, Mussolini e la Conquista dell'Etiopia, Firenze, Le Monnier, 1978; e George Baer, La Guerra Italo Etiopica e la Crisi dell'Equilibrio Europeo, Roma/Bari, Laterza, 1970. Em português, ver A. J. Parker, A conquista da Etiópia: sonho de um Império, Rio de Janeiro, Renes, 1979.

[13] Para ampla discussão sobre as ligações do imperialismo italiano com o estágio de desenvolvimento do capitalismo no país, ver Giampiero Carocci, "Appunti sull'Imperialismo Fascista negli Anni 20", em Studi Storici, 8, 1967; "Contributo alla Discussione sull'Imperialismo Fascista", em Il Movimento di Liberazione in Italia, 103, 1971; Salvatore Secchi, "Imperialismo e Política Fascista (1882-1939)", em Problemi del Socialismo, 14, 11/12, 1972; Enzo Santarelli, "Guerra d'Etiopia, Imperialismo e Terzo Mondo", em Il Movimento di Liberazione d'Italia, 21, 97, 1969; e Richard Webster, "Autarky, Expansion and the Underlying Continuity of the Italian State", em Italian Quarterly, 8, 32, 1964.

[14] A discussão a respeito desse tópico é intensa na historiografia italiana. Ver, para uma primeira abordagem, Valério Castronovo, "Il mito della grande proletaria", em Pierre Milza, Opinion Publique et politique exterieure, Roma, Ecole Française de Roma, 1981, pp. 329-39; Alberto Aquarone, "La ricerca di una politica coloniale dopo Adua. Speranze e delusioni fra politica e economia", em Op. cit., pp. 295-327; e "The impact of emigration on Italian Public Opinion and Politics", em Humbert Nelli, The United States and Italy: the first two hundred years, New York, 1970, pp. 133-46. Ver também Cláudio Segré, "Il Colonialismo e la Política Estera: Variazioni Liberali e Fasciste", em La Política Estera Italiana (1860-1985), op. cit., pp. 121-46; e J. Miège, L'Imperialismo Coloniale Italiano dal 1870 ai Nostri Giorni, Milano, Rizzoli, 1976.

[15] O apoio dos imigrantes italianos à conquista da Abissínia gerou, inclusive, atritos com africanos e seus descendentes nos mais variados locais do mundo, com especial destaque para os Estados Unidos. Ver, apenas como seleção em uma vasta literatura, S. Asante, Pan African protest in West Africa and the Italo Ethiopian crisis, London, Longman, 1977; Joseph Harris, African American reaction to war in Ethiopia (1936-1941), Baton Rouge/London, Louisiana State University Press, 1994; William Scott, The sons of sheba's race – African Americans and the Italo Ethiopian

War (1935-1941), Indianapolis, Indiana University Press, 1993; e Nádia Venturini, Neri e Italiani ad Harlem: Gli anni trenta e la guerra d'Etiopia, Roma, Edizioni Lavoro, 1990. Para o Brasil, ver João Fábio Bertonha, O fascismo e os imigrantes italianos no Brasil, Porto Alegre, EDIPUCRS, 2001, pp. 318-20.

[16] Remeto a alguns artigos de minha autoria para uma discussão mais aprofundada desse tópico e para ampla listagem bibliográfica auxiliar, o que me exime de citar extensivamente os numerosos trabalhos da historiografia italiana sobre o tema, a não ser quando estritamente necessário. Ver João Fábio Bertonha, "Emigrazione e politica estera: La 'diplomazia sovversiva' di Mussolini e la questione degli italiani all'estero, 1922-1945", em AltreItalie – Rivista internazionale di studi sulle popolazioni di origine italiana nel mondo, 23, 2001; e "A migração internacional como fator de política externa. Os emigrantes italianos, a expansão imperialista e a política externa da Itália, 1870-1943", em Contexto Internacional, 21, 1, 1999.

[17] Antonio Annino, "El debate sobre la emigraciòn y la expansiòn a la America en los origenes de la ideologia imperialista in Italia (1841-1911)", em Jahrbuch für Geschichte von Staat, Wirtschaft und Gesellschaft – Lateinamerikas, 13, 1976.

[18] Richard Bosworth, "Mito e Linguagio nella Política Estera italiana", em Richard Bosworth e Sergio Romano, op. cit. Ainda desse autor, vale a pena consultar, sobre o tópico da emigração e seus vínculos com a política externa italiana, "The rise and rise of the Empire of the Italians, Emigration 1860-1960", em Italy and the wider world (1860-1960), op. cit., pp. 114-36.

[19] Para um documento de época relacionado ao tópico e traduzido para o português, ver Umberto Sala, A emigração italiana no Brasil (1925), trad. e apres. João Fábio Bertonha, Maringá, Eduem, 2005.

[20] Essa posição dos nacionalistas levou, no pós-Primeira Guerra Mundial, à criação da *Lega Italiana per la tutela degli interessi nazionali*, com o objetivo de unir os italianos do exterior ao redor da Pátria mãe. Ver Domenico Fabiano, "La Lega italiana per la tutela degli intressi nazionali e le origini dei fasci italiani all'estero (1920-1923)", em Storia Contemporanea, 16, 2, 1985.

[21] Ao contrário de outras historiografias, é extremamente limitada a bibliografia em português sobre as origens da Primeira Guerra Mundial. Ver Paul Kennedy, Ascensão e queda das grandes potências, op. cit.; Eric Hobsbawm, A era dos impérios (1875-1914), op. cit.; e Henry Kissinger, Diplomacia, Rio de Janeiro, Francisco Alves, 1999. Apesar de seu caráter introdutório, ainda é útil Luiz César B. Rodrigues, A Primeira Guerra Mundial, São Paulo/Campinas, Atual/Ed. Unicamp, 1985. Para o clima da época, convém consultar Arno Mayer, A força da tradição: a persistência do Antigo regime (1848-1914), São Paulo, Companhia das Letras, 1990. Em inglês, um livro brilhante e excelente para uma primeira abordagem ao tema é John Keegan, The First World War, Toronto, Vintage Canada Edition, 2000.

[22] Em 1914, a artilharia italiana tinha canhões obsoletos e aquém das necessidades, além de poucas metralhadoras. Faltavam 7.500 oficiais nos quadros, roupas para os convocados e todo tipo de suprimentos, e os estoques de munição se resumiam a 1.200 tiros por canhão e setecentos cartuchos por fuzil. Também havia falta generalizada de matérias-primas e de capacidade de produção bélica. Para esses dados, E. Faldella, La Grande Guerra, Milano, Longanesi, 1965, v. 2, 19, citado em Nicola Tranfaglia, La Prima Guerra Mondiale e il fascismo, Milano, Utet, 1995, p. 22.

[23] Para um excelente panorama desses conflitos, dos vários interesses e das questões de política interna que também conduziram à decisão italiana de intervir no conflito, ver Nicola Tranfaglia, La Prima Guerra Mondiale e il fascismo, op. cit., pp. 9-59; e Giuliano Procacci, "L'Italia nella grande guerra", em Giovanni Sabbatucci e Vittorio Vidotto, Storia d'Italia, 4 – Guerre e fascismo (1914-1943), Roma/Bari, Laterza, 1997, pp. 3-99.

[24] Em português, é praticamente inexistente a bibliografia sobre a política de alianças italiana pré-Primeira Guerra Mundial e sua entrada no conflito. Para a bibliografia internacional, ver bons resumos em C. J. Lowe e F. Marzari, Italian Foreign Policy (1870-1940), Londres/Boston, Routledge e Keegan, 1971; e Richard Bosworth, Italy – the least of great powers, op. cit. A historiografia italiana, obviamente, produziu muito a respeito. Boa listagem bibliográfica está em Ennio Di Nolfo, "Storia delle relazioni internazionali", em Luigi Bonaparte, Studi Internazionali, Torino, Fondazione Giovani Agnelli, 1990, pp. 71-112.

[25] Nicola Tranfaglia, La Prima Guerra Mondiale e il fascismo, op. cit., pp. 96-130.

[26] John Keegan, The First World War, op. cit., pp. 344-50.

[27] James Barros, The Corfu Incident of 1923: Mussolini and the League of Nations, Princeton, Princeton University Press, 1965.

[28] Para a imensa discussão bibliográfica italiana a respeito das continuidades e diferenças entre a política externa liberal e a fascista, ver, entre outros, Sérgio Romano, "Diplomazia Nazionale e Diplomazia Fascista: Continuità e Rottura", em Affari Esteri, 16, 64, 1984; e "Introduzione", em La Política Estera Italiana (1860-1985), op. cit.,

pp. 11-5; Alan Cassels, "Was there a Fascist Foreign Policy? Tradition and Novelty", em International History Review, 5, 2, 1983; McGregor Knox, "Conquest, Foreign and Domestic in Fascist Italy and Nazi Germany", em Journal of Modern History, 56, 1984; e "Il Fascismo e la Politica Estera Italiana", em La Politica Estera Italiana (1860-1985), op. cit., pp. 287-330; e Carlo Vallauri, "Alcune Considerazioni sulla Politica Externa Fascista", em Storia e Politica, 3, 1, 1964, entre outros. Um resumo, em português, da discussão, está em João Fábio Bertonha, "Entre continuidade e ruptura: a política externa fascista como um problema histórico e político", em Contexto Internacional, op. cit., 23, 2, 2001.

29 Stefano Luconi, La "Diplomazia Parallela": Il Regime Fascista e la Mobilitazione Politica degli Italo Americani, Milano, Franco Angeli, 2000. Ver também alguns artigos meus: "A Questão da 'Internacional Fascista' no Mundo das Relações Internacionais: a Extrema Direita entre Solidariedade Ideológica e Rivalidade Nacionalista", em Revista Brasileira de Política Internacional, 43, 1, 2000; "Between Sigma and Fascio. An analysis of the relationship between Italian Fascism and Brazilian Integralism", em Luso Brazilian Review, 37, 1, 2000; "Entre Mussolini e Plínio Salgado: o fascismo italiano, o Integralismo e o problema dos descendentes de italianos no Brasil", em Revista Brasileira de História, 21, 40, 2001; "Fascism and Italian communities in Brazil and in the United States: a comparative approach", em Italian Americana, 19, 2, 2001; "Fascism and the Italian Immigrant Experience in Brazil and Canada: A Comparative Perspective", em International Journal of Canadian Studies, 25, 2002; e "Emigrazione e politica estera: La 'diplomazia sovversiva' di Mussolini e la questione degli italiani all'estero, 1922-1945", em Op. cit.

30 A crescente belicosidade italiana pode ser confirmada, inclusive, pelo estudo de seus gastos militares. Entre 1911 e 1930, esses seguem a média histórica de 4% do PIB de 1860 a 1945, mas sobem para 12% do PIB entre 1931 e 1940. Ver Fabrizio Battistelli, Armi: Nuovo Modello di Sviluppo, op. cit.; e Carlo Vallauri, "Alcune Considerazioni sulla Politica Externa Fascista", op. cit.

31 Denis Mack Smith, Le Guerre del Duce, Roma/Bari, Laterza, 1976.

32 Há vasta produção histórica italiana discutindo as razões da aliança ítalo-alemã. Ver, entre muitos outros, James Burgwyn, "Recent Books on Italian Foreign Policy in the 1930's: A Critical Essay", em Journal of Italian History, 1, 3, 1978; Il Revisionismo Fascista: La Sfida di Mussolini alle Grandi Potenze nei Balcani e sul Danubio, 1925-1933, Milano, Feltrinelli, 1979; e Italian Foreign Policy in the Interwar Period (1918-1940), Westport/London, Praeger, 1997; e Ennio Di Nolfo, Mussolini e la Politica Estera Fascista (1919-1933), Padova, Cedam, 1960.

33 Sobre o tema da entrada da Itália na Segunda Guerra Mundial, a bibliografia italiana é vasta. Ver, além de vários outros textos gerais já citados, Ennio Di Nolfo, "Mussolini e la decisione Italiana di entrare nella Seconda Guerra Mondiale", em L'Italia e la Politica di Potenza in Europa (1938-1940), Milano, Marzorati, 1988, pp. 19-38; e McGregor Knox, Mussolini Unleashed, 1939-41: Politics and Strategy in Fascist Italy's Last War, Cambridge, Cambridge University Press, 1982.

34 Enzo Collotti e Teodoro Sala, Le Potenze dell'Asse e la Jugoslavia: Saggi e documenti, Milano, Feltrinelli, 1974; L'Italia in guerra, Brescia, Fondazione Luigi Micheletti, 1992; e Tone Ferenc, La província italiana di Liubiana, Documenti (1941-1942), Udine, Istituto per la storia del movimento di liberazione, 1994. Pode-se fazer a mesma afirmação a respeito do uso do gás venenoso ou dos fuzilamentos sumários contra os abissínios na guerra de 1935-1936, desnecessários do ponto de vista militar, mas úteis para reafirmar a superioridade e o espírito guerreiro dos "novos italianos". Ver Ângelo Del Boca, I gas di Mussolini, Roma, Riuniti, 1996.

35 Claro que soldados italianos colaboraram, muitas vezes, com os nazistas na perseguição aos judeus, tanto na Itália quanto nos territórios ocupados. Em linhas gerais, contudo, o povo italiano foi dos menos afetados pelo antissemitismo, conforme será visto em detalhes no capítulo "Uma maneira própria de fazer política?", o que se refletiu em sua menor cumplicidade diante do holocausto e na atitude de muitos soldados, que permitiam, muitas vezes, a fuga de judeus.

36 Franco Catalana, L'Economia Italiana di Guerra: La Politica Economico-Finanziaria del Fascismo dalla Guerra d'Etiopia alla Caduta del Regime (1935-1943), Milano, 1963.

37 Fortunato Minniti, "L'ultima guerra. Obiettivi e strategie", em Giovanni Sabbatucci e Vittorio Vidotto, Storia d'Italia: 4 – Guerre e fascismo (1914-1943), op. cit., pp. 561-649.

38 Para essa discussão sobre o papel do poder econômico e industrial nos resultados da Segunda Guerra Mundial, ver, entre outros, Ernest Mandel, O significado da Segunda Guerra Mundial, São Paulo, Ática, 1989; e Richard Over, Why the allies won, London, Random House, 1995. Ver também João Fábio Bertonha, A Segunda Guerra Mundial, São Paulo, Saraiva, 2001; e Paul Kennedy, Ascensão e queda das grandes potências, op. cit., caps. 6 e 7. Os dados numéricos dos parágrafos a seguir se originam deste último.

[39] Para uma boa análise das debilidades militares italianas durante a guerra, ver Paul Kennedy, Ascensão e queda das grandes potências, op. cit., pp. 282-8. Em português, um bom livro sobre a participação italiana na Segunda Guerra Mundial e, especialmente, sobre a guerra naval no Mediterrâneo, é R. de Belot, A guerra aeronaval no Mediterrâneo (1939-1945), Rio de Janeiro, Record, s.d.

[40] Ver, para o apoio dos ítalo-americanos à Itália, entre outros, James Miller, "Carlo Sforza e l'evoluzione della politica americana verso l'Italia", em Storia Contemporânea, 7, 4, 1976; Ernest Rossi, "Italian Americans and U. S. Relations with Italy in the Cold War", em Humbert Nelli, The United States and Italy: The first two hundred years, op. cit., pp. 108-29; e Nadia Venturini, "Italian American Leadership, 1943-1948", em Storia Nordamericana, 2, 1, 1985.

[41] Para as relações entre Itália e Estados Unidos nos anos imediatamente posteriores à guerra, ver Rosária Quartararo, Italia e Stati Uniti: gli anni difficili (1945-1952), Napoli, Esi, 1986; e James Miller, The United States and Italy (1940-1950), Chapel Hill, University of North Carolina Press, 1986.

[42] Para a adesão italiana à Otan, ver Pietro Pastorelli, "L'adesione d'Italia al Patto Atlântico", em Storia Contemporânea, 14, 1983.

[43] Para os parágrafos anteriores e para bibliografia auxiliar a respeito do tema, ver Cristopher Seton-Watson, "La politica estera della Repubblica italiana", em La Política Estera Italiana (1860-1985), op. cit., pp. 331-60. Ver também Antonio Varsori, La politica estera italiana nel secondo dopoguerra (1943-1957), Milano, Led, 1993; e Sergio Romano, Guida alla politica estera italiana, Milano, Rizzoli, 2002.

[44] Ainda em 1975, o presidente francês Valery Giscard d'Estaing hesitava diante da inclusão da Itália no grupo dos sete países mais industrializados do mundo, ou G7, só recuando no último minuto. Ver Paul Ginsborg, Storia d'Italia (1943-1996): famiglia, società, stato, Torino, Einaudi, 1998, p. 485.

[45] Fabrizio Battistelli, Armi: Nuovo Modello di Sviluppo?, op. cit.

[46] Apesar de antigo, um texto útil a respeito desse tópico é o de Fabrizio De Benedetti, "Apuntes para um estúdio critico de las fuerzas armadas italianas", em El poder militar en Italia, Barcelona, Fontanella, 1973, pp. 241-64.

[47] Para uma análise equilibrada desse momento em que a Itália teve de, finalmente, reconhecer seus limites como potência, ver Antonio Varsori, "Le scelte internazionali", em Giovanni Sabbatucci e Vittorio Vidotto, Storia d'Italia: 5 – La Repubblica, Roma/Bari, Laterza, 1997, pp. 253-312.

[48] Richard Bosworth, "Mito e Linguagio nella Política Estera italiana", em Op. cit., pp. 63-7.

[49] Para um aprofundamento dos tópicos que se seguirão, ver coletânea dos meus textos em Uma história do tempo presente: gepolítica e relações internacionais na virada do século XXI, Maringá, Eduem, 2005, no prelo.

[50] Há ampla discussão, na mídia italiana, a respeito de como os "outros" europeus e americanos veem a Itália e sua política externa. Sem querer esgotar o tema, ver "L'Italia vista da fuori", em Limes – Rivista Italiana di Geopolítica, 4, 2001; Sérgio Romano, "Francia e Italia, la possibilita di um'intesa", em Il Mulino – Europa, 44, 1, 1995; e Antonio Missiroli, "Italia-Germania: le affinità selettive", em Il Mulino – Europa, 44, 2, 1995.

[51] Ludovico Incisa Di Camerana, La vittoria dell'Italia nella terza guerra mondiale, Roma/Bari, Laterza, 1996, p. 76.

[52] Ver, por exemplo, Andréa Riccardi, "A che serve la comunità italiana", e Andrea Bianchi Andréa, "Alla ricerca degli oriundi perduti", em Limes – Rivista Italiana di Geopolitica, 1, 1998.

[53] Tais discussões estão muito presentes nos jornais italianos e também em espaços especializados como a *Limes – Rivista Italiana di Geopolítica*. Para discussões sobre o uso dos descendentes de italianos, da língua italiana e da Igreja a fim de ampliar o papel italiano do mundo, ver especialmente seu número 1/1998. Um bom resumo dessa problemática, e uma apaixonada defesa de maior atuação internacional italiana, está em Ludovico Incisa Di Camerana, La vittoria dell'Italia nella terza guerra mondiale, op. cit.

[54] Sérgio Romano, "Introduzione", em Matteo Pizzigallo, Mediterraneo e Russia nella Política Italiana (1922-1924), Milano, Giuffrè Editore, 1983, pp. ix-xxii.

[55] Sobre esse tópico, ver as discussões presentes em Carlo Santoro, La Política Estera di una Media Potenza: L'Italia dall'Unità ad Oggi, Bologna, Il Mulino, 1991; Ludovico Incisa Di Camerana, La vittoria dell'Italia nella terza guerra mondiale, op. cit.; Carlo Jean, "Le constante geopolitiche della politica estera italiana", em Geopolitica, Roma/Bari, Laterza, 1995, pp. 225-44; e B. Malvolio, "Alcuni Costanti della Política Estera Italiana dall'Unità ad Oggi", Affari Esteri, 7, 27, 1975.

[56] Sérgio Romano, "La Cultura della Política Estera Italiana", em La Política Estera Italiana (1860-1985), op. cit., pp. 17-34; Richard Bosworth, "Mito e Linguagio nella Política Estera italiana", op. cit.; e Carlo Jean, "Le constante geopolitiche della politica estera italiana", op. cit., pp. 237-8.

UMA MANEIRA PRÓPRIA DE FAZER POLÍTICA?

Há uma "cultura política italiana", ou seja, um conjunto de ideias, atitudes, padrões de comportamento e estruturas políticas que possa ser classificado como especificamente italiano? Para responder a isso, é necessário localizar os padrões da política italiana nos padrões maiores da política ocidental, de forma comparativa. Em seguida, observar como essa "cultura política italiana", se é que existe, ajudou a formar a imagem pela qual os italianos se veem e são vistos, e se e como ela se alterou no decorrer dos quase 150 anos de história da Itália unificada.

OS PADRÕES POLÍTICOS DA EUROPA DO SÉCULO XIX

A Revolução Francesa representou um momento único na história política ocidental, com o rompimento do próprio conceito de político que havia anteriormente e o advento de um novo. Todos as ideias que regiam e justificavam o poder no período anterior (como o "direito divino dos reis", a tradição e a religião) foram questionadas. Novos padrões então se firmaram. O povo como fonte última do poder, a democracia representativa, a igualdade jurídica entre todos os cidadãos e outras ideias formaram a base da idealização da política a partir de então, com reflexos imediatos nas estruturas de poder dos Estados europeus e do mundo como um todo.[1]

O ideal democrático, contudo, estava bem distante do que era vivido na prática e o século XIX europeu foi um período de intensa disputa entre as forças da modernidade democrática, burguesa e capitalista, e as forças da reação, aristocratas e autoritárias.[2] Também foi o período em que as classes populares pressionaram para que os direitos democráticos saíssem do papel e fossem estendidos efetivamente para toda a sociedade.

Para as classes dominantes, o dilema era de fato grande. Depois das grandes agitações pós-1789, era ingênuo imaginar, mesmo com o refluxo revolucionário desde meados do século XIX, que as massas populares pudessem ser mantidas longe do cenário político. Além disso, o próprio liberalismo burguês, que formava a ideologia básica da nova política, implicava igualdade jurídica, assim como que todos os homens eram cidadãos a serem representados pelo poder.

No entanto, conceder os direitos de cidadania a todos os habitantes de um Estado poderia significar ceder o poder aos pobres, aos analfabetos, às mulheres e aos incapazes, o que era inaceitável para as classes dirigentes. Por outro lado, negar por completo esses direitos seria negar a própria base da qual o novo sistema político tirava sua legitimidade. Um problema que as classes dirigentes europeias do século XIX tiveram de tentar resolver.

Uma forma de diminuir os riscos era restringir os direitos de cidadania. Para tanto, analfabetos, pobres e mulheres eram automaticamente excluídos das listas de votantes. A Inglaterra, na década de 1850, tinha um milhão de eleitores em quase 28 milhões de habitantes, enquanto a Bélgica tinha 60 mil em 4,7 milhões. Mesmo nos democráticos Estados Unidos, apenas 4,7 milhões de eleitores votaram nas eleições de 1860, diante de uma população de 31 milhões.[3] Além disso, muitas das assembleias eleitas tinham pouco poder ou conviviam com outras em que as classes dirigentes, em especial as aristocratas, eram mais representadas.

A pressão popular nas décadas seguintes modificou esse quadro. Na Inglaterra, por exemplo, as leis de reforma eleitoral de 1867 e 1883 elevaram o eleitorado de 8 para 29% da população, enquanto, na Bélgica, o aumento foi de 3,9 para 37,3%. O sufrágio universal masculino também se difundiu, atingindo quase todos os países ocidentais antes da Primeira Guerra Mundial.[4]

Mesmo no final do século XIX, contudo, os direitos políticos eram restritos na maioria dos países ocidentais. Alguns países escandinavos já adotavam o voto feminino, mas, em linhas gerais, ele era quase totalmente desconhecido, assim como o voto dos analfabetos. Outras restrições, como idade mínima do votante e nível educacional, também reduziam o número de eleitores potenciais, enquanto vários países continuavam a manter estruturas políticas que diminuíam o poder das assembleias eleitas pelo sufrágio universal. Sistemas de pressões montados com base no voto nominal e não secreto, clientelismo e outros mecanismos também ajudavam a manter as massas "em seu devido lugar".

Mesmo com esses problemas, contudo, o final do século XIX demonstrou claramente como a política democrática não podia ser protelada, assim como que os políticos teriam, cada vez mais, de levar em conta a pressão dos eleitores e da população. Em linhas gerais, o mundo ocidental marchava claramente para a modernidade capitalista e democrática.

Em tal modernidade, a base do sistema político era um eleitorado amplo e no qual, por motivos óbvios, o povo comum era dominante. A consequência lógica disso era a mobilização política das massas para as eleições ou para pressionar os governos, via movimentos e associações. Nesse contexto, apareceram também os partidos e movimentos de direita e de esquerda, que podiam ser cooptados ou reprimidos pelas classes dirigentes.

Formou-se, assim, um sistema político que, apesar de suas imensas variações e ambiguidades, forneceu os elementos para definir o que era "fazer política". A Itália estava claramente nessa conjuntura ao se constituir em Estado unificado em 1860.

A POLÍTICA ITALIANA NA ERA LIBERAL, 1860-1919

Na Itália recém-unificada, a presença da antiga nobreza ainda era grande. Os antigos condes, viscondes e nobres não retinham mais a quase total hegemonia da época anterior. A nobreza italiana, além disso, nunca teve as prerrogativas militares dos *Junkers* da Prússia ou a legitimidade e a fama de sua equivalente britânica. Mas os nobres, muitos deles burgueses enriquecidos que adquiriam títulos, ainda possuíam muito poder, riqueza e influência.

Em termos comparativos, pode-se dizer que a Itália estava em um estágio intermediário no que se refere ao poder da nobreza. Ela não era tão forte a ponto de conseguir controlar parte substancial do poder do Estado como na Alemanha e, especialmente, na Rússia. Mas também não era tão fraca a ponto de poder ser ignorada no jogo de poder do Estado italiano, como acontecia, ao menos no aspecto estritamente político, na França e na Inglaterra. Afinal, a nobreza controlava parte substancial da riqueza do país, sobretudo no campo, e estava super-representada no Senado.

Sobre a monarquia é possível dizer a mesma coisa. Vittorio Emmanuele e seus sucessores tinham poderes rigorosamente limitados pela Constituição e não detinham o grau de autonomia e poder dos imperadores alemão, russo e austríaco, por exemplo. No entanto, a monarquia ainda conservava poderes e privilégios especiais na estrutura do Estado italiano e estava longe de ser mera figura decorativa. A própria instabilidade política italiana dava ao rei mais margem de manobra para atuar do que, por exemplo, os reis possuíam na Inglaterra.[5]

A Itália caminhava, contudo, na direção da modernidade democrática e capitalista, ainda que a passos lentos. Em 1860, com as restrições de renda e escolaridade, meros 2,5% da população, 400 mil pessoas, eram eleitores. Em 1882, a redução na exigência de impostos pagos de 40 para 19 liras e a diminuição da idade mínima dos votantes de 25 para 21 anos aumentou o número de eleitores para 2 milhões, cerca de 6,9% do total dos italianos de então. A exigência de alfabetização, em um país onde a maioria da população não sabia ler e escrever, contudo, mantinha o grosso da população fora do mundo da política oficial.

Em 1892, o número de votantes atingiu 9,5% da população, porcentual que caiu, devido a cortes nas listas eleitorais por alfabetização deficiente, para 7% nos anos seguintes. Apenas em 1912 o voto universal masculino foi instituído, abandonando-se as restrições anteriores. Em 1913, votavam 8,4 milhões de italianos.[6]

O sistema político italiano era, assim, restritivo, ainda que essas restrições fossem sendo relativizadas com o decorrer do tempo. As massas populares olhavam com descrédito o Estado e a luta pelo poder, sendo que eram normalmente vistas, e se viam, mais como recrutas para o Exército e pagadores de impostos do que como cidadãos com direitos.

Realmente, as elites dominantes conseguiam controlar as eleições com o uso do clientelismo (ou seja, a troca de votos por favores, empregos e proteção), a adoção de medidas restritivas ao voto popular e outros mecanismos. Além disso, quando necessário, simplesmente sufocavam as manifestações populares. Um exemplo disso foi a violenta repressão aos camponeses sicilianos, que reivindicavam uma divisão mais justa da terra e melhores contratos de trabalho em 1892-94. Outro pode ser encontrado em 1898, quando um inverno em particular forte e o aumento dos preços dos alimentos provocaram insurreições em várias cidades italianas. A repressão foi mais uma vez vigorosa e resultou, apenas em Milão, em 78 mortos.[7]

Nas décadas finais do século XIX, a política italiana esteve dividida entre dois grupos-chave, a *Destra* (direita) e a *Sinistra* (esquerda), chamadas de "históricas" ou "clássicas" para não haver confusão com movimentos e grupos políticos posteriores. Não eram partidos no sentido atual do termo, mas agrupamentos de pessoas e classes sociais em torno de algumas ideias base.

De 1861 a 1876, esteve no poder a *Destra*, que aglutinava os herdeiros políticos de Cavour. Constituída centralmente de grandes proprietários de terras e outros membros das classes mais altas, em especial do norte da Itália, defendia valores do liberalismo clássico do século XIX, como o regime parlamentar, o Estado de direito e laico, o domínio das elites sobre a política e a sociedade e a economia liberal.

Em 1876, ascendeu ao poder a *Sinistra*. Guiados por Agostino Depretis e, depois de 1887, por Francesco Crispi, os políticos da *Sinistra* dominaram a política italiana até 1896. Ela reunia antigos mazzinianos convertidos à monarquia, outras forças progressistas de toda a Itália e também políticos do Sul dispostos a contestar a hegemonia política do Norte. Apesar de alguns pontos de concordância com a *Destra* (como a defesa do Estado laico), os dois grupos se diferenciavam em outras questões. A *Sinistra* era favorável, por exemplo, à participação mais efetiva das massas nas eleições, pelo que defendia reformas nas leis eleitorais. Também propunha a garantia e a obrigatoriedade do ensino primário e uma política econômica mais protecionista, apoiando a nascente indústria italiana. Já nos primeiros anos de vida parlamentar italiana, entretanto, ficou claro como os políticos italianos, em especial os da *Sinistra*, não respeitavam as regras do sistema liberal. Ao contrário do previsto

Giovanni Giolitti, político que conduziu o Estado Italiano
entre 1901 e 1914, em selo impresso em 2003.

no sistema parlamentar clássico, não havia uma "maioria" e uma "minoria" definidas pelas eleições. Essas eram criadas e desfeitas pelo governo conforme as conveniências, desconsiderando as bandeiras políticas dos partidos e distribuindo favores e prêmios como forma de cooptação de adeptos. Na história italiana, isso ficou conhecido como trasformismo, pois, o papel da maioria e da minoria se transformava continuamente, confundindo-se no Parlamento.

Os políticos italianos conseguiram, assim, manter a estabilidade e a governabilidade do país, mas fazendo cair muito o nível moral e intelectual da política italiana. Crispi, por exemplo, além de reprimir fortemente o movimento operário, tinha fama de corrupto.

Coube à *Sinistra*, de qualquer modo, promulgar a lei de 1882, a qual ampliou de modo substancial o corpo de cidadãos da Itália com direitos políticos. Nessa lei, nota-se claramente a diferença de concepção entre a *Destra* e a *Sinistra* no que se refere a esses direitos. Para a primeira, o direito ao voto era uma derivação da propriedade e apenas as classes dominantes deveriam ter o direito de participar da política, pelo que exigiam uma renda mínima para o alistamento eleitoral. Já para a segunda, o voto era um direito natural e pessoal, e, portanto, potencialmente universal.

A lei de 1882, de qualquer forma, praticamente deu a luz à democracia na Itália ao ampliar de maneira significativa o número de eleitores e indicar o voto como potencialmente universal, ao menos entre os homens, quando o analfabetismo fosse eliminado. Para a Direita, conceder o direito de voto aos pobres era inaceitável, não sendo espantoso que ela tivesse combatido a lei de 1882 enquanto pôde e, no fim do século, visse ainda uma tentativa, frustrada, dos conservadores, liderados por Sidnei Sonnino, de modificar a Constituição italiana em uma linha menos democrática e de reforço do controle do Estado sobre a sociedade.[8]

Em 1896, Crispi perdeu o poder e, após alguns anos de indefinição, o governo foi assumido por outro "homem forte", Giovanni Giolitti, o qual conduziu o Estado italiano de 1901 a 1914. Ele era próximo da *Sinistra* histórica, mas representou cada vez mais um governo de centro perante uma Direita que se tornava cada vez mais conservadora e a uma Esquerda que assumia aos poucos tons socialistas. Nesses anos, os termos *Destra* e *Sinistra* históricas perdem boa parte de seu sentido original.

De forma coerente com seu posicionamento no centro do espectro político, Giolitti manteve uma política menos repressiva no tocante ao movimento operário e procurou cooptar outras forças sociais e políticas em ascensão. A lei eleitoral de 1912, ampliando ainda mais as bases do eleitorado italiano, foi o auge dessa política que procurava fortalecer as forças de sustentação do Estado e diminuir a distância entre esse e a sociedade.[9] Giolitti governou até 1914, quando sua política de equilibrismo entre socialistas e conservadores entrou em colapso, sendo sucedido pelo conde Antonio Calandra, um liberal da *Destra*.[10]

Entre as novas forças políticas e sociais que Giolitti procurou cooptar, as mais importantes foram os socialistas e os católicos, cuja ascensão, só possível pelo desenvolvimento de uma democracia de massas no país entre 1882 e 1912, modificou os padrões da política italiana no início do século xx e convém examinar em detalhes.

Os anos iniciais do século xx foram de fato de mudanças intensas na política e na sociedade italianas. Antes de mais nada, houve crescimento dos movimentos e partidos operários e de esquerda. Entre eles, destacavam-se os anarquistas,[11] fortemente reprimidos e, por isso mesmo, constrangidos, muitas vezes, a deixar a Itália,[12] e, em especial, o *Partido Socialista Italiano*. Este nasceu no Congresso de Gênova em 1892, com base operária, tendência marxista e forte inspiração de um dos seus líderes-chave, Filippo Turati.[13] A obra de organização do partido completou-se com o Congresso de Parma, em 1895, e a fundação do jornal *Avanti*, em 1896.

Desde seu início, o PSI caracterizou-se por ideais reformistas, com os socialistas acreditando nas vantagens que o operário adquiriria atuando nas engrenagens do Estado democrático e em uma transição longínqua e pacífica, porém segura, para o socialismo. As críticas aos reformistas, por parte dos assim chamados sindicalistas revolucionários, defensores de ações diretas e mais efetivas em defesa do socialismo, cresceram sem parar nos primeiros anos de vida do PSI, marcando a história do Partido Socialista Italiano nesses anos.[14] Os socialistas, participantes legais do sistema político italiano, elegeram um número crescente de deputados desde 1892, atingindo 50 cadeiras (cerca de 10% do total) em 1913.

Também os católicos fizeram sua entrada na política italiana nesses anos iniciais do século XX. Desde a conquista de Roma por tropas italianas em 1870, o papa se considerava um prisioneiro do Estado e a Igreja desaprovava tanto a unificação da Itália quanto a forma como essa havia sido realizada. Ela teria preferido uma Itália que, gradualmente, formasse uma confederação de Estados guiados pelo papa e não a Itália que de fato surgiu em 1860. Além disso, os católicos não gostavam dessa nova Itália, moderna e secular, que confiscara as terras da Igreja e não governava segundo seus princípios e interesses. O Estado italiano, para o Vaticano e muitos católicos, era um inimigo a ser combatido.

Assim, a orientação inicial dada pela Igreja aos católicos italianos era a de se abster das eleições, de forma a não dar legitimidade ao Estado. A partir de 1904, o crescimento eleitoral dos socialistas assustou a Santa Sé, que permitiu então a seus fiéis exercerem seu direito de voto, normalmente em apoio aos candidatos ligados a Giolitti ou aos liberais. Só após a Primeira Guerra Mundial, como veremos, é que os católicos se integraram de forma plena ao sistema político italiano.

De qualquer modo, o que fica evidente a partir desse rápido histórico da política italiana pré-Primeira Guerra Mundial[15] é que a evolução da democracia italiana não difere muito do padrão observado no restante da Europa ocidental, mas comporta algumas especificidades de peso.

Em primeiro lugar, o caso italiano parece estar em um meio-termo entre países que promoveram a plena integração das massas na política e aperfeiçoaram seu sistema democrático, como França e Inglaterra, e aqueles que seguiram para o mundo moderno por uma via autoritária, como a Alemanha.[16] Uma vitória de Sidnei Sonnino e dos conservadores na virada do século podia ter significado uma guinada para a "via autoritária" e uma "modernização conservadora" mais efetiva, mas isso não ocorreu e a Itália continuou seguindo o modelo constitucional e os padrões gerais da cultura política europeia da época, porém sem colocá-los por completo em prática. Portanto, conclui-se que a Itália mesclou as vantagens e as desvantagens dos dois sistemas, o que pode ajudar a compreender os problemas da estrutura política italiana na era do liberalismo.

Outra especificidade italiana foi a pouca legitimidade das suas elites perante a maioria da população. A falta de representatividade dos políticos diante das massas populares, na verdade, não era uma exclusividade, como vimos, da Itália, mas vários elementos colaboraram para que, na península, essa situação ficasse ainda mais evidente.

Antes de mais nada, o fato de a unificação do país ter-se dado de cima para baixo e de existir uma imensa fratura cultural entre a elite, rica e culta, e a massa de camponeses, pobres e analfabetos, vista com desprezo pela primeira, contribuíram para reforçar esse distanciamento entre as pessoas no poder e o povo. Depois, no próprio processo de unificação da península, grupos importantes da população, como os católicos, acabaram alijados da construção do Estado, terminando por formar núcleos de oposição a ele. Para completar, a intensa pobreza do campo italiano, especialmente no Sul, favoreceu o clientelismo (já que uma população muitíssimo carente estava mais disposta a trocar seus votos por vantagens imediatas) de forma ainda mais acentuada do que em outros países, o que se refletiu na política local.

Em resumo, a era do liberalismo, na Itália, foi um período complexo. O país era governado por uma monarquia, com o rei tendo poderes importantes, mas não absolutos. O papa, apesar de não participar diretamente do Estado, tinha imensa influência sobre a massa católica, enquanto a industrialização e a urbanização colaboraram para a constituição de forças ligadas ao operariado e ao socialismo. Tais forças ou interagiam com o Estado, como os socialistas, ou se opunham definitivamente a ele, como os anarquistas.

Tal Estado italiano pré-1919 representou, com certeza, uma experiência liberal, ainda que com defeitos e problemas diante dos modelos do liberalismo clássico dos seus vizinhos mais desenvolvidos, já que comportava eleições, revezamento de partidos e grupos no poder e um Estado de direito. Essa experiência liberal à italiana foi eliminada pela ditadura fascista a partir de 1919.

OS ITALIANOS E O FASCISMO[17]

O fascismo surgiu em 1919. É um erro pensar, contudo, que ele foi mera criação de seu líder máximo, Benito Mussolini[18] ou que era tão só uma reação ao contexto de crise geral que a Itália atravessava em 1919, após sair da Primeira Guerra Mundial. Claro que Mussolini é figura-chave para se entender o fascismo e é evidente que as ideias fascistas surgiram para dar conta dos problemas que a Itália vivia naquele momento. Ainda assim, é importante perceber que o fascismo foi se adaptando às necessidades políticas que iam surgindo, assim como que as ideias que os fascistas usaram para criar seu movimento já estavam presentes há um bom tempo na sociedade italiana.

De fato, o fascismo bebeu claramente nos nacionalistas, nos sindicalistas revolucionários e nos intelectuais futuristas (defensores da entrada da Itália no mundo moderno via rompimento radical com o passado, renovação artística e estética e nacionalismo[19]), entre outros, para criar boa parte do seu corpo doutrinário, o qual reciclou e combinou, muitas vezes de forma contraditória, com os modelos anteriores.

Assim, ideais e conceitos dos nacionalistas, já abordados em capítulos anteriores, como a recuperação das glórias que a Itália havia tido na época do Império Romano e a substituição da "luta de classes" entre patrões e operários pela "luta das nações" pela hegemonia mundial ou pelo menos por um lugar ao sol entre as grandes potências foram, assim, apropriadas sem esforço.

Também os sindicalistas revolucionários, apesar de pertencerem à esquerda, influenciaram o fascismo com suas ideias de organização social e sindical, que, reelaboradas, deram origem às políticas sindical e social do fascismo.

Os intelectuais futuristas, por sua vez, inspiraram os apelos fascistas dirigidos à juventude a fim de mudar o mundo e em defesa da guerra como momento mágico de renovação da raça humana, entre outros pontos.

A novidade do fascismo foi reorganizar todas essas ideias para o que a política do momento exigia e, claro, colocá-las em prática para a conquista do poder de acordo com os interesses de seus líderes.

O ano de 1919, em que Mussolini "criou o fascismo", foi um ano de grandes dificuldades para a Itália. A Grande Guerra havia terminado, mas os efeitos econômicos do esforço de guerra continuavam, com inflação e colapso das finanças públicas. Socialmente, a situação era ainda pior, havia desemprego e miséria crescentes, agravadas pelo retorno para casa de 2 milhões de soldados desmobilizados. Os operários e a classe média, empobrecidos nos anos da guerra, lutavam por melhores salários e condições de trabalho. Como resultado, os anos entre 1919 e 1922 foram de grande agitação política e social na Itália.

Ainda em 1919, a sociedade italiana viu surgir o Partido Comunista (nascido de uma dissidência do PSI[20]) e o Partito Popolare Italiano (PPI), um partido católico. Este representou a entrada formal dos católicos no cenário político italiano, após, como visto, a abstenção, ao menos teórica, entre 1870 e 1904, e a participação indireta depois dessa última data.[21]

As eleições de 1919, em que os partidos liberais que sempre haviam governado a Itália sofreram grande derrota justamente diante dos socialistas e do partido católico, que receberam maciça votação, confirmam a situação de crise do sistema liberal.

Essas eleições demonstram, aliás, a intensa polarização política dos italianos naquele momento e como esses foram se posicionando, claramente, perante a opção de uma

A "Marcha sobre Roma", 1922. Uma coluna fascista
na Piazza del Popolo, Roma. O fascismo chegou ao poder.

revolução ou, ao menos, de reformas sociais na Itália. "Votar socialista" era ser a favor das reivindicações operárias e populares e, no limite, da revolução, enquanto "votar popular" era ser a favor de reformas mais tímidas e, sem dúvida, contra qualquer tipo de revolução.

Se as eleições e a reorganização dos movimentos de massa foram sintomáticas do enorme desejo de mudanças por parte dos italianos e da incapacidade do Estado liberal de atendê-los, esse diagnóstico foi reconfirmado pelas agitações sociais de 1919-1920. Nesses anos, efetivamente, a Itália foi varrida por greves e movimentos sociais diversos que culminaram com um fato que muito impressionou seus contemporâneos: a ocupação das fábricas pelos operários, que se apossaram delas por toda a Itália, o que para muitos pareceu o início de uma nova revolução bolchevique. O movimento falhou, mas deixou, como veremos, fundas marcas na memória coletiva.

É nesse contexto atribulado que surgiu o movimento fascista. Fundado oficialmente por Mussolini em Milão em 23 de março de 1919, ele propunha a renovação completa da sociedade italiana por meio da reforma do Estado e do próprio homem italiano. O Estado deveria abandonar sua orientação liberal e ser autoritário e centralizado, eliminando-se todos os partidos políticos, o Parlamento e outros órgãos do sistema democrático. As lutas sociais seriam contidas com um misto de cooptação e repressão, de forma a garantir a uniformidade e a união entre os italianos. A nação, por fim, seria colocada em primeiro plano, o que significava uma educação fundamentalmente militarista e nacionalista para os italianos e expansão imperialista italiana no exterior.

No início inexpressivo, o movimento fascista conseguiu aos poucos o apoio tanto de industriais e proprietários de terras, assustados com a agitação operária e de setores sociais, quanto da pequena burguesia, encantada com suas ideias nacionalistas e antiliberais. Nesse processo, a propaganda foi de grande importância. As marchas dos fascistas uniformizados com suas camisas negras, a simbologia do *fascio littorio* (que procurava recuperar a grandeza da época romana e indicava a necessidade de agrupar todas as forças da nação), as músicas cantadas em coro, os discursos inflamados. Tudo isso foi de fundamental importância para atrair adeptos para o nascente fascismo.

O movimento também não hesitava em usar a violência para esmagar seus adversários de esquerda, mas não foi por um golpe que conseguiu controlar o Estado, mas sim graças ao apoio dos setores conservadores da sociedade que conseguiram convencer o rei e o governo de que a entrada dos fascistas no Estado seria conveniente para eles. Em 1922, por fim, Mussolini foi convidado a ser primeiro-ministro. O fascismo chega ao poder.[22]

É no contexto de forte crise nacional, portanto, que o fascismo assumiu o governo. A vitória dos fascistas não foi, porém, uma derivação automática dessa crise, como se história e política fossem equações matemáticas que dessem resultados prontos. A vitória do fascismo não era inevitável, mas foi resultante da habilidade do movimento em lidar e se aproveitar dos problemas italianos no período 1919-1922, dos erros e das divisões de seus adversários[23] e da cooperação (financeira, via apoio das forças da polícia etc.) das classes dirigentes políticas e econômicas italianas, que viram no fascismo um instrumento para eliminar a agitação social e da esquerda que as incomodava nesse início dos anos 20.[24]

No poder, Mussolini, antes de tudo, procurou reforçar o controle dos fascistas sobre a maquinaria do Estado. Com o apoio das classes dirigentes, da burguesia, da Igreja (em especial a partir de 1929, após o Tratado de Latrão[25]) e de outras forças, ele conseguiu eliminar o regime democrático e criar uma ditadura no país. Foi um processo que levou anos. É verdade que o fascismo jamais conseguiu destruir por completo – como fez Hitler, na Alemanha, por exemplo – várias instituições políticas italianas, que continuaram com certa independência, como a Igreja, a monarquia e as Forças Armadas (com as quais Mussolini teve de negociar), mas é inegável que o período entre 1922 e 1929 viu um progressivo e contínuo crescimento do poder pessoal de Mussolini e do fascismo na Itália até que o primeiro-ministro Mussolini se tornasse o *Duce* (líder) Mussolini, ditador da Itália.[26]

Consolidado no poder, o regime fascista procurou colocar em prática sua ideologia autoritária e antiliberal. A partir dela, o fascismo pretendeu criar não só uma nova Itália, mas também um novo italiano, o qual seria forte moral e fisicamente, disciplinado, saudável e apto à vida militar e à conquista de outros povos. Um "novo homem" italiano, pronto a substituir os antigos habitantes da península.

Para tanto, o regime procurou, de início, mudar as opiniões da elite pensante do país, dos intelectuais e dos artistas. Aos que aderiam ao regime (e a maioria o fez) eram concedidos cargos, dinheiro e prestígio. Os que se recusavam sofriam perseguições e represálias. Procurou-se, assim, criar uma cultura e uma arte próprias, as quais seriam partes integrantes da futura civilização fascista.

As universidades também sentiram o peso da nova política. Professores foram obrigados a aceitar o fascismo e os estudantes foram enquadrados em órgãos fascistas específicos. Foi ao mundo da escola primária, porém, que o fascismo dedicou mais atenção: seria na escola, mediante a doutrinação da juventude, que se criaria o "novo homem" fascista. Houve resistência ao avanço dos camisas negras no sistema escolar, mas não resta dúvida de que o fascismo fez tudo o que pôde para transformar a escola em um instrumento a seu serviço.

Para se ter uma ideia do que era estudar em uma escola fascista, pode-se examinar o currículo de um terceiro ano elementar em 1937. Além de instrução religiosa e da ênfase no estudo do italiano (em oposição aos dialetos locais), alternavam-se temas diretamente fascistas – como a vida do *Duce*, as grandes realizações do regime e uma história totalmente modelada para justificar e engrandecer o regime e seus ideais – com uma propaganda bem mais sutil, como utilizar frases símbolos do regime, como "Melhor viver um dia como leão que cem anos como cordeiro", para ensinar caligrafia aos alunos e cálculos do salário do jovem Mussolini em 1902 para o estudo da aritmética. Como se vê, a juventude italiana era bombardeada desde cedo por um volume bem grande de propaganda fascista.

As escolas não eram, porém, suficientes para os objetivos do regime em conquistar os jovens. Assim como havia *Fascios* e *Dopolavoros* (órgãos do Partido Fascista) para enquadrar os adultos, criaram-se também numerosos organismos (reunidos na *Opera Nazionale Balila*) nos quais os jovens eram obrigados a se alistar.

As atividades desses grupos de jovens fascistas eram bastante numerosas: havia reuniões aos sábados (*il sabato fascista* – "o sábado fascista") com o uso de uniformes e desfiles; jogos e competições; acampamentos e atividades ao ar livre etc. Para muitos desses pequenos italianos, sem dúvida, pertencer a um órgão da juventude fascista devia ser tão divertido e inocente como fazer parte dos escoteiros hoje. Isso só vale se esquecermos, porém, de toda a ideologia fascista, militarista (as crianças do sexo masculino recebiam instrução militar desde cedo) e nacionalista que se procurava transmitir aos jovens.

O fascismo também procurou valorizar a vida rural, reconduzir a mulher a "seu lugar natural" na sociedade, o lar, e implantar vigorosa política demográfica, de aumento da natalidade. Essa política foi um dos maiores projetos do fascismo italiano, assim como do nazismo. As crianças seriam a regeneração natural da Itália, ao passo que um alto número de nascimentos significava um fluxo contínuo de homens para as Forças Armadas. Até os contínuos casos extraconjugais de Mussolini eram veladamente aprovados como prova da "virilidade" dos italianos.

É possível perceber como os esforços fascistas para criar esse "novo homem" fracassaram por completo, inclusive pela falta de empenho real do próprio regime em fazê-lo. Mas o simples esforço foi suficiente para afetar a vida de duas gerações de italianos, nascidos e criados dentro dele.

O fascismo procurou eliminar, de qualquer forma, todos os inimigos de seus projetos por meio de forte repressão. Ele dispunha da temida OVRA, a polícia secreta encarregada de vigiar e prender opositores, de leis contra os antifascistas e de um Tribunal Especial para a Segurança do Estado que aplicava essas leis e, em sua curta história, distribuiu 27 mil anos de prisão aos inimigos de Mussolini. Os militantes comunistas, anarquistas e socialistas foram especialmente visados e muitos (como Gramsci, grande teórico do comunismo italiano) morreram na prisão ou no exílio.

É verdade, contudo, que o terror fascista nunca atingiu os níveis de brutalidade utilizados, por exemplo, na Alemanha nazista ou por Stalin na URSS e a permanência de

Mussolini no poder por 20 anos não pode ser creditada apenas à violência. Houve, como foi dito, um sólido apoio das elites italianas ao fascismo, que atendia a seus interesses de estabilidade e ordem, e mesmo as massas populares iludidas deram algum suporte a ele.

Os industriais foram beneficiados pela estabilidade econômica, pela eliminação dos sindicatos independentes e da esquerda em geral e por grandes encomendas estatais, enquanto muitas pessoas oriundas da classe média conseguiram empregos na inchada máquina estatal e apreciavam os apelos de ordem e nacionalismo do regime. Já os grandes proprietários de terra foram beneficiados pela política econômica fascista, enquanto a Igreja e o Exército apoiavam a política anticomunista e a expansão armamentista promovidas pelo regime. Eram forças-chave para garantir a permanência fascista no poder.

As grandes massas de camponeses foram mais sacrificadas pelo regime, perdendo salários e não conseguindo acesso à terra, enquanto os operários urbanos também perderam renda e empregos. Não espanta que tenha sido nesses setores que o fascismo teve menor influência ideológica. Mesmo as classes populares, contudo, manifestaram algum apreço pelos apelos nacionalistas do regime e, de qualquer modo, não tiveram condições de se organizar em sentido antifascista durante sua duração, dada a repressão. A importância do apoio das elites e do próprio povo italiano (direto, no primeiro caso; passivo, no segundo) na manutenção do poder fascista fica ainda mais evidente quando estudamos as razões de sua queda. De fato, o fator imediato para explicar a queda do regime fascista após mais de 20 anos no poder foi sua desastrosa participação na Segunda Guerra Mundial, mas o que realmente contou foram os efeitos políticos dessa participação, ou seja, o afastamento do povo e, em especial, das elites, das bases de sustentação do regime.

Os bombardeios, as derrotas constantes e os demais sofrimentos da guerra levaram o povo italiano a se afastar do fascismo com rapidez, abandonando o consenso relativo do fim da década de 1930. A situação tornou-se tão grave que, em 24 de julho de 1943, o rei, apoiado por outros fascistas e por outras forças que sempre haviam sustentado Mussolini no poder (como a alta burguesia, os militares e a Igreja), mas que estavam agora preocupadas com os riscos de subversão social no país, afastou o *Duce* do poder. Foi formado um governo provisório pró-aliado na parte sul da península, sob a proteção aliada, e Mussolini foi preso. Tropas nazistas ocuparam, porém, o Norte da Itália e libertaram Mussolini, que, por sua vez, criou um governo na área ocupada pelos alemães (conhecido como República de Salò).

Nessa área, deu-se, então, verdadeira guerra civil, com fascistas ligados a Mussolini e tropas nazistas combatendo os *partigiani*, guerrilheiros antifascistas, muitos dos quais socialistas e comunistas, mas, na verdade, das mais diferentes colorações políticas. Por si só, os guerrilheiros não teriam sido capazes de expulsar os alemães e derrotar os fascistas, mas prestaram uma colaboração militar de relevo aos Aliados.[27]

Com a derrota militar alemã, de qualquer modo, a República de Salò desintegrou-se e Mussolini, na rota de fuga para a Suíça, foi preso e fuzilado pelos guerrilheiros italianos em 27 de abril de 1945. O fascismo tornou-se mais uma página virada na história italiana, ou pelo menos algo que a maioria do povo procuraria esquecer.

O SIGNIFICADO DO FASCISMO NA HISTÓRIA POLÍTICA ITALIANA

Se queremos entender as igualdades e as diferenças entre os vários movimentos e partidos fascistas que surgiram no mundo no período entre a Primeira e a Segunda Guerra Mundial, é realmente essencial perceber que eles não apenas respondiam ao mesmo fundo geral de crise e insegurança que, entre altos e baixos, varreu todo o período como também que respondiam a essa crise com armas mais ou menos semelhantes (nacionalismo exacerbado, militarismo, desprezo pela democracia, anticomunismo, irracionalismo etc.), o que dá a eles a unidade que nos autoriza a chamá-los todos de "fascistas".[28]

Essa unidade conceitual com base na constatação de elementos comuns e de uma temporalidade definida não nos permite, porém, esquecer das enormes diferenças entre os vários movimentos e regimes fascistas, que refletem as particularidades sociais e culturais de cada país. No fascismo italiano, por exemplo, havia certo racismo, sobretudo voltado contra os africanos das colônias, mas ele nunca se tornou a base da política do Estado, como ocorreu na Alemanha nazista. Do mesmo modo, a ideia de controlar o conflito social pelo sistema do corporativismo, no qual corporações de patrões e empregados resolveriam todos os conflitos e forneceriam a base do sistema político, só se desenvolveu de maneira plena na Itália, ainda que não tenha sido realmente colocada em prática, enquanto, na Alemanha, mal foi esboçada.

Do mesmo modo, o antissemitismo é quase inexistente no fascismo de Mussolini até 1938, quando, por vários motivos, leis fortemente antissemitas foram promulgadas,[29] e não penetrou realmente, salvo casos excepcionais, na mentalidade italiana mesmo depois, ao passo que, sem ele, torna-se impossível entender o nazismo alemão. É claro que também houve gestos e atitudes antissemitas por parte dos italianos, assim como o absoluto antissemitismo do povo italiano é um mito construído depois. Impossível negar, contudo, como a atitude dos italianos diante de judeus foi muito mais tolerante do que, por exemplo, a de muitos franceses, para não falar de poloneses ou romenos[30] na mesma época. O fascismo italiano e sua história refletem, pois, tanto as particularidades da sociedade italiana quanto um momento geral da história ocidental.

Do mesmo modo, a "precocidade" do fascismo italiano (ou seja, o fato de a Itália ter sido o primeiro país do mundo a se tornar fascista) merece destaque. Apesar do caldo cultural e dos problemas oriundos da Primeira Guerra Mundial terem sido comuns a todo o mundo ocidental, foi na Itália que surgiu o primeiro grande movimento fascista e em que ele tomou o poder pela primeira vez. Tanto que a palavra "fascismo", que antes designava só o fascismo italiano, passou a servir para denominar todos os outros movimentos semelhantes que surgiram na Europa e no mundo nos anos seguintes.

Parece óbvio que não podemos ter uma visão histórica determinista, como se o fascismo já estivesse previsto na história italiana desde Cavour ou Garibaldi e, portanto, era algo inevitável. Elementos outros, extremamente subjetivos, como a incapacidade dos partidos de esquerda de combater de modo adequado Mussolini, a imensa eficiência retórica e de manipulação política deste e a própria novidade do fascismo nos anos 20 ajudam a compreender a instalação do regime na Itália. No entanto, um exame da história da Itália pode nos ajudar a delimitar melhor os elementos mais estruturais que facilitaram a ascensão de Mussolini ao poder em uma época em que os outros movimentos fascistas eram apenas embrionários ou irrelevantes.

Nesse sentido, o processo de construção da democracia italiana merece ser analisado com cuidado. Como visto, quando da entrada da Itália na Primeira Guerra Mundial, em 1915, reformas importantes já haviam sido implantadas e o sistema político italiano estava se aproximando do padrão moderno. No entanto, alguns problemas essenciais ainda estavam por ser resolvidos, como o desequilíbrio entre o Sul e o Norte, a falta de representação real da sociedade no Estado e a dificuldade, por parte do governo, em cooptar os partidos e os movimentos de massa expressivos (católicos e socialistas, especialmente) que surgiam nessa época.[31]

Tal situação levou a um sistema liberal com bases fracas e carente de legitimidade, o que, sob o impacto da enorme crise econômica e social e das grandes mudanças políticas e culturais advindas da participação italiana na Primeira Guerra Mundial,[32] entrou em colapso.

Também o "*trasformismo*" foi importante para explicar a ascensão fascista, pois parece óbvio que as elites liberais cederam o poder a Mussolini para atingir o objetivo imediato de recuperar a maioria parlamentar adiante das derrotas eleitorais que elas haviam sofrido no início da década de 1920. Elas imaginavam poder cooptar e controlar os fascistas, da mesma forma que haviam feito com várias forças políticas, por exemplo, na época de Giolitti, o que, entretanto, se revelou uma aposta perdida, simplesmente porque os fascistas não aceitaram ser meros coadjuvantes das elites tradicionais e logo que tiveram forças lutaram por mais espaço e poder.[33]

Assim, o caráter intermediário do sistema liberal italiano, nem plenamente liberal, nem totalmente conservador e em que as massas populares não estavam cem por cento fora do cenário político, mas também não completamente integradas nele, é uma das chaves para compreender porque a Itália foi o primeiro, e por muitos anos o único, país fascista.

De fato, em locais onde as elites conservadoras podiam controlar a crise social e os problemas sem se preocupar com o funcionamento da democracia liberal ou a ação das massas populares, uma simples ditadura funcionou perfeitamente, como na Polônia, na Espanha ou em outros países. Já onde as elites (conservadoras, liberais ou progressistas) tiveram força e legitimidade suficientes para se manterem no poder sem apelar para algo como o fascismo e onde o regime liberal tinha raízes mais profundas, a democracia pôde se manter, como ocorreu, por exemplo, nos países do Prata ou nos anglo-saxões.[34]

Não resta dúvida, contudo, de que o fascismo, em seu período de 20 anos de poder, não representou apenas uma continuidade na história política italiana. É duvidoso que possamos considerá-lo, como querem alguns analistas que relacionam fascismo com modernização,[35] o regime que completou a transição italiana de um país agrário e aristocrático para um industrial e moderno, pois essa transição só se efetivou, realmente, nas décadas pós-Segunda Guerra Mundial.[36] O fascismo manteve, com certeza, vários elementos da velha ordem, como a monarquia e boa parte da estrutura burocrática do Estado, mas introduziu novos, como a intervenção maciça na economia, o controle mais aperfeiçoado da oposição e dos opositores e a criação de uma política cultural de massas com o objetivo de ao menos tentar trazer a população ao cenário político e ao "corpo" nacional.[37] É nessa habilidade em mediar repressão e cooptação, aliás, que estava a fonte do poder fascista.

O fascismo também legou, aos italianos de hoje, várias heranças. Até os dias atuais, para muitos estrangeiros, a imagem que vem à mente quando se menciona a palavra "Itália" é a de Mussolini discursando no Palazzo Venezia e de *balilas* (jovens fascistas) marchando pelas ruas. Ainda no campo do imaginário, o cinema e a literatura italianas ainda hoje abordam intensamente a problemática fascista e os estudos do fascismo são, provavelmente, a área mais ativa da produção histórica italiana. Ele também deixou outras heranças, mais concretas, ao sistema político que o sucedeu.

Promoveu, por exemplo, maior integração das massas na vida política italiana. No período pré-Primeira Guerra Mundial, apesar das reformas e das leis que aumentaram a participação nas eleições, a participação efetiva na política era uma opção da minoria, com a grande massa se abstendo de maior atuação. O fascismo instigou as pessoas a atuar na esfera pública e a própria guerra civil na Itália entre 1943 e 1945 obrigou as pessoas a se posicionarem a favor ou contra o regime.

Importante ressaltar como essa politização se deu, em boa medida, pela via estética. Afinal, o fascismo suprimiu, na prática política, os canais de expressão e a participação política tradicionais e procurou reduzir os militantes do partido (e, depois, os cidadãos

Manifestação popular em Turim quando da visita de Mussolini à cidade, 1939.

do Estado) a meros executores de ordens. Tal rigidez e autoritarismo implicaram a concepção de uma participação política alternativa, que elevava as pessoas a uma posição ilusória de decisão na estrutura partidária e era conseguida sobretudo pela presença das massas nas grandes solenidades e rituais.

    Símbolos e rituais, além disso, eram excelentes instrumentos de propaganda e também de difusão de ideias e de sentimentos adequados ao regime entre a população, pelo que foram usados de forma intensiva na máquina do fascismo, se incorporando ao cotidiano dos italianos.

Na Itália do entreguerras, assim, grandes manifestações de massa se tornaram comuns, revelando toda a pompa fascista: desfiles de multidões em camisa negra e fuzil, o *fascio littorio* e bandeiras espalhadas por todo lado, discursos emocionados de Mussolini na sacada do palácio do governo na Piazza Venezia etc. Hoje, tendemos a ver tais manifestações como algo cômico. Elas eram, contudo, chave para o fascismo, procurando demonstrar a fidelidade da população italiana ao *Duce*, cultuando a figura de Mussolini e celebrando a juventude, a força e os ideais do regime. Para os habitantes da península itálica daquela época, elas se tornaram parte integrante de suas vidas e do próprio modo de ser do povo italiano.

Essa integração das massas na política não ocorreu, assim, como no norte da Europa, em uma ordem liberal, com vários partidos e organizações e do Estado de direito, mas rigidamente, em um Estado de partido único que se tornou extremamente corrupto com o passar do tempo. Como resultado, os já tradicionais problemas de representação da população nos partidos, de partidos sem base ideológica, mas clientelista, e de visão da política como mero mecanismo de angariar benefícios pessoais só se agravaram. Além disso, uma herança autoritária permaneceu na estrutura política italiana, com muitas pessoas, educadas na época do fascismo, vendo com bons olhos ideias como a repressão aos descontentes, a predominância do Estado sobre a sociedade civil e outras, o que influenciou a história da República italiana pós-1945.[38]

A ESTABILIDADE NA CORRUPÇÃO E NA DESORDEM: A PRIMEIRA REPÚBLICA

Depois de 20 anos em que a esquerda esteve alijada do poder, tudo levava a crer que a Itália pós-fascismo seria essencialmente um país de esquerda e antifascista. Em primeiro lugar, porque a direita estava desacreditada. Em segundo, porque, na grande guerra civil que dividiu os italianos entre fascistas e *partigiani*, com o triunfo desses últimos, os valores da democracia, da igualdade social e, até certo ponto, comunistas e socialistas, tiveram imensa difusão e destaque.

Por fim, foram os líderes de esquerda refugiados no exterior durante o período fascista,[39] em particular os socialistas e os comunistas, que trouxeram, desse exílio, um conjunto de reflexões e análises sobre a sociedade contemporânea que foi a base teórica da qual surgiu a República italiana.[40] A nova Itália, com certeza, seria profundamente antifascista e socialista, talvez até comunista.

À primeira vista, isso parece ter acontecido de fato. A ideologia antifascista permeou a formação da nova República de maneira acentuada, ao mesmo tempo em

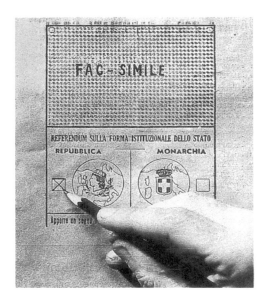

Cédula eleitoral e jornais relativos ao plebiscito de 1946.

que o movimento dos *partigiani* tornou-se um mito, símbolo da refundação da nação, esquecendo-se as enormes diferenças de projeto entre os vários grupos de resistência.[41]

A Nova Itália também procurou se dissociar de seu passado fascista. Os livros e os programas escolares, os trabalhos dos intelectuais, a maior parte dos programas de TV e outros veículos simplesmente esqueceram os muitos anos em que os italianos foram ao menos simpáticos ao regime, assim como as violências perpetradas pelos italianos contra etíopes, gregos ou eslovenos. A própria memória coletiva dos italianos preferiu ignorar que a Itália foi aliada da Alemanha de Hitler, assumindo o papel de vítima do nazismo. Tudo isso desapareceu da História escrita, o que parecia resolver o problema dos italianos em lidar com a herança do regime.[42]

No entanto, na prática, as coisas não foram tão simples. O próprio esforço para não remexer o passado fascista teve como efeito colateral a sobrevivência de setores políticos e culturais simpáticos ao antigo regime (ainda que esses tenham ficado nas franjas do sistema até a pouco tempo), como também de estruturas, instituições e mentalidades ligadas a ele. Além disso, a própria ocupação da Itália pelas tropas anglo-americanas e a sua inserção no bloco liderado pelos Estados Unidos, o então chamado bloco ocidental, tornou impossível uma Itália socialista e muito menos comunista.

Isso fica evidente já em 1943. Como visto, nesse ano, com um golpe de Estado, o fascismo foi derrubado do poder e um novo governo foi formado no Sul, sob a proteção dos Aliados. Tal governo era conduzido pelo general Badoglio e pelo rei Vittorio Emmanuele III. No mesmo período, depois de 20 anos de proibição, os partidos políticos voltaram a ser legais na Itália e logo socialistas, republicanos, católicos, comunistas, entre outros, se reorganizaram tanto para lutar contra os fascistas e nazistas, ainda senhores do Norte, quanto para competir entre si pelo poder no novo governo.

As tensões entre a monarquia, apoiada pelos Aliados e pelas antigas elites italianas, e as novas forças antifascistas e de esquerda, desejosas de garantir mudanças reais na sociedade italiana, cresceram nesse período e tudo levava a crer que seriam insuperáveis. Logo, porém, concessões de ambos os lados suavizaram o quadro e os antifascistas, com os comunistas à frente, passaram a integrar o governo.[43]

Pós-1945, com as tropas aliadas ainda controlando a Itália, o compromisso e as concessões mútuas entre a Monarquia, os conservadores e os diversos partidos antifascistas continuaram. Em 1946, por exemplo, quase todos os fascistas foram anistiados, para desagrado dos antifascistas. No mesmo ano, contudo, foram os conservadores que tiveram de ceder, aceitando o resultado de um plebiscito pelo qual a República foi instituída, com a antiga família real seguindo para o exílio.[44]

Em 1948, uma Constituição estabeleceu a estrutura do novo poder italiano. Preocupados com os riscos do renascimento do autoritarismo e tendo de atender às demandas de vários grupos, os constituintes montaram um sistema no qual o poder executivo seria de forma permanente subordinado ao Legislativo, isto é, ao Parlamento, e os partidos teriam imenso poder e autonomia. Nascia então o que os italianos chamam "a democracia dos partidos", na qual estes dão as cartas e dispõem de instrumentos para controlar total ou parcialmente o Estado.[45]

A "partidocracia" consolidou-se com o sistema eleitoral baseado na proporcionalidade, que tornava o governo refém do apoio do Parlamento. Informal até 1953, tal sistema foi consolidado por nova legislação nesse ano. No sistema então montado, os eleitores votavam não nos candidatos, mas nas listas dos partidos, que escolhiam os efetivamente eleitos. Assim, tornou-se muito difícil para uma pessoa ser eleita para um cargo público sem sua integração em um dos grandes partidos.

Já nesses primeiros anos, foram se afirmando duas grandes forças, que seriam, apesar de inimigas, a base do sistema político italiano por meio século: o Partido Comunista (PCI) e a Democrazia Cristiana (DC). O primeiro, apesar de proclamar sua fidelidade à União Soviética e à ideia da ditadura do proletariado, soube avaliar corretamente que quaisquer tentativas de colocar tais projetos em prática estariam destinadas ao fracasso em um país ocupado por tropas americanas e com uma elite conservadora ainda poderosa. Assim, o PCI se incorporou, não sem contradições, ao jogo democrático vigente.

O segundo, era, em essência, um partido de base católica, mas que representava, na Itália, muito mais que um simples partido confessional, sendo, na verdade, o ponto de encontro de todos os moderados e anticomunistas, incluindo os antigos liberais e os outros grupos próximos do centro e da direita do espectro político italiano.[46]

Na verdade, a democracia-cristã italiana pertencia a um movimento maior no mundo católico que teve implicações em vários países no pós-guerra. A Igreja Católica reviu seu posicionamento do período entreguerras, quando se aproximara, em nome do combate ao comunismo, dos fascismos, e procurou novas alternativas para defender suas propostas no então chamado mundo ocidental e continuar a lutar contra o comunismo, mas em uma ordem democrática. No campo político, a prática adotada foi a criação de partidos católicos que servissem de polo aglutinador para as forças moderadas e anticomunistas. Em alguns países, esses esforços, por motivos variados, não deram fruto, como nos Estados Unidos e no Brasil.[47] Em outros, contudo, as forças democratas-cristãs foram a tônica dominante na política nacional do pós-guerra. Foi o caso da Alemanha, com a União Democrata-Cristã (CDU), e da própria Itália. Também foi importante em outros países ocidentais, como no Chile, com Eduardo Frei, na França, na Áustria e em outros.

De qualquer forma, DC e PCI eram os herdeiros dos dois grandes partidos de massa do período pré-fascista (o socialista e o católico), no que pareceria quase uma volta ao passado. No entanto, o novo sistema democrático que se firmou então era bem diferente daquele existente no período pré-fascista. Graças à concessão do direito de voto às mulheres e a uma intensa politização da população, dada à guerra e à queda do fascismo, houve uma participação mais efetiva dos cidadãos nas eleições e na vida pública, representando o surgimento de um verdadeiro regime democrático no país. Efetivamente, o ano de 1945 não era 1919.

Ambos os partidos representaram de fato a consolidação de uma democracia de massas na Itália, expressão de uma sociedade moderna que havia repudiado o fascismo. Eram partidos de massa, com todos os seus defeitos, como uma estrutura excessivamente burocratizada e rígida, dificuldades de contato entre a cúpula e os militantes etc. Mas que foram fundamentais para cristalizar a ideia de democracia na Itália, difundindo o conceito do voto como única fonte de poder e anulando as várias vozes, na extrema esquerda e na extrema direita, que defendiam a ditadura, comunista ou fascista, como solução para os problemas da Itália.

Duas figuras monopolizaram esses dois blocos nos primeiros anos. A primeira foi Alcide de Gasperi, líder democrata-cristão e primeiro-ministro entre 1946 e 1953. Católico, honesto, conservador e anticomunista, tinha o apoio da influente Igreja Católica. A outra foi Palmiro Togliatti, líder do PCI, responsável, ao induzir o partido a abandonar a ideia de ser a vanguarda operária da revolução em favor de um programa mais moderado e reformista, pela transformação do partido em uma organização de massas e pela manutenção da sua legalidade.

Democratas-cristãos e comunistas representaram, de fato, a base da democracia italiana por quase 50 anos, com os primeiros sempre no poder e os segundos quase sempre na oposição. Já em 1947, quando o equilíbrio de forças o permitiu, comunistas e socialistas foram alijados do governo. Em 1948, a DC obteve enorme vitória eleitoral, o que fez que ela pudesse governar de forma quase absoluta. Comunistas e socialistas ficaram então na oposição, gerando uma divisão ideológica de peso no país.

As eleições de 1948 foram realmente especiais na história política italiana, pois foi quando a DC teve de provar que seria capaz de derrotar o "perigo comunista" nas urnas. A mobilização de lado a lado foi enorme, indicando verdadeira fratura ideológica na sociedade italiana. Também os resultados das eleições (13 milhões de votos, 48,5%, para a DC contra 8 milhões, 35%, para comunistas e socialistas) revelam essa divisão.

Aliás, a preocupação da Igreja Católica, dos Estados Unidos e dos círculos conservadores com o resultado eleitoral foi tamanha que, além de mobilizarem imensos recursos financeiros e logísticos em apoio à Democrazia Cristiana, estabeleceram planos de emergência (incluindo a possibilidade de um golpe de Estado), para o caso de os comunistas chegarem ao poder.[48] Tais planos de contingência continuaram a existir, nos subterrâneos, por décadas. Chamada de "Gládio", a operação toda seria denunciada publicamente em 1990.[49]

Em 1954, De Gasperi morreu. Com isso, a DC, que passou a ser liderada, entre 1954 e 1959, por Amintore Fanfani, sofreu alterações de estrutura e de pensamento. Em vez de se basear no apoio da Igreja e dos líderes locais para conseguir votos, os democratas-cristãos promoveram a criação de imponente rede burocrática, que

Alcide de Gasperi, líder democrata-cristão e primeiro-ministro (1946-1953). Contava com significativo apoio da Igreja Católica.

conseguiu controlar de modo direto, por meio de práticas clientelistas, boa parte do eleitorado, em especial no Sul. Empregos só podiam ser obtidos com a boa vontade dos políticos e concorrências públicas eram fraudadas de forma reiterada em favor de amigos e conhecidos. Privilégios outros, como ser poupado da visita dos fiscais do trabalho ou do imposto de renda, obter prioridade nas vagas na escola etc., também só eram concedidos aos que retribuíam em forma de votos e fidelidade.

Formou-se, assim, uma rede em que se associavam os democratas-cristãos, a burocracia do Estado e interesses privados. Essa promiscuidade política tornou-se a norma, gerando um câncer que só cresceria nos anos seguintes.

No mesmo período, a DC procurou ampliar sua base de apoio em direção à esquerda moderada. A aproximação ficou mais factível a partir de 1956, quando os socialistas do PSI – indignados pelas denúncias dos crimes de Stalin e pela invasão soviética da Hungria – afastaram-se dos comunistas, e de 1959, quando Aldo Moro, democrata-cristão defensor da abertura à esquerda, assumiu a chefia da DC. Também a nova Igreja do papa João XXIII e os Estados Unidos de John Kennedy passam a considerá-la aceitável. Na década de 1960, e, formalmente, depois de 1962, a DC e, secundariamente, o PSI formaram a base de nova maioria parlamentar, que durou até 1976.

No poder, esse novo bloco ampliou a liberdade de expressão, os direitos civis e os salários e demais direitos dos trabalhadores. No entanto, a chamada privatização do Estado (ou seja, a apropriação de bens e serviços públicos por cidadãos e grupos privados) e a continuação das práticas clientelistas e da corrupção levaram a um mal-estar generalizado no país que, em reação, ampliou a votação dos comunistas nas eleições de 1963 e 1968. Também pesou na recuperação da popularidade do PCI, especialmente depois da morte de Togliatti em 1964, sua crescente política "eurocomunista", pregando o distanciamento de Moscou, os valores democráticos e o pluripartidarismo.

Na década de 1970, a hegemonia do bloco DC/PSI já estava em decadência, assim como a autoridade do Estado, enfraquecido pela corrupção, pelo clientelismo e pelo predomínio dos interesses privados e dos chefes políticos. O mesmo descrédito atingia os políticos, os partidos e as instituições em geral.

Nesse contexto, terroristas de direita e de esquerda acharam-se no direito de questionar o Estado e a democracia italianos por meio da violência.[50] Entre 1969 e 1982, uma série de atentados a bomba, sequestros, assassinatos de autoridades e outros atos bárbaros abalaram a Itália. Quase 400 pessoas foram mortas e outras 4.500 feridas em milhares de episódios terroristas, em uma onda que atingiu seu ápice em 1978, quando o próprio primeiro-ministro Aldo Moro foi sequestrado e executado por um comando das Brigadas Vermelhas. Esse era um grupo de extrema esquerda que considerava equivocada a política do PCI de se manter na legalidade e confiar no sistema democrático para a defesa dos interesses operários. Para os fanáticos brigadistas, a violência e o terrorismo seriam armas muito mais adequadas para se atingir o grande objetivo de implantar o comunismo na Itália.[51]

A situação só não se tornou pior porque o próprio PCI se colocou na posição de defensor das instituições, apoiando o governo da DC, e porque o Estado conseguiu, finalmente, reprimir com eficácia os grupos terroristas. Não espanta, de qualquer forma, o grau de descrédito da democracia e da política na Itália dos anos 70 e 80.

Para aumentar esse descrédito, o enfraquecimento e a desmoralização do Estado permitiram o florescimento de antigas organizações criminosas, como a Máfia, e o surgimento de um sem-número de grupos secretos destinados a influir nos bastidores do poder, como a famosa loja maçônica P2.[52] Mesmo os crimes comuns cresceram, apesar do aumento dos efetivos policiais, dada a parcialidade do Judiciário e a associação de políticos com criminosos.

Em fins dos anos 70, de qualquer modo, quando os riscos de um colapso da autoridade do Estado perante o terrorismo diminuíram, o PCI voltou a ser afastado do poder. Nas eleições de 1979 e 1983, contudo, tanto a DC quanto o PSI perderam força, obrigando a uma ampliação da aliança à direita para a manutenção da maioria parlamentar na década de 1980. Mesmo o PCI, seguindo o caminho de todos os partidos comunistas, entrou em uma fase de decadência no decorrer da década de 1980, com queda no número de filiados e de contribuições. Essa decadência, associada à crise do comunismo internacional nessa década, culminou com sua extinção em 1991, sendo substituído pelo Partito Democrático della Sinistra, PDS.[53]

Em 1983, manipulando o vácuo de poder e as disputas entre os partidos, subiu ao poder Bettino Craxi, socialista, primeiro-ministro até 1987. Democratas-cristãos e socialistas, estes cada vez mais longe de suas origens marxistas e populares, continuaram, contudo, se sucedendo no poder, com os mesmos hábitos e maneiras de fazer política de antes, até 1992.

Nesse ano, estourou um escândalo de corrupção conhecido como *Tangentopoli*. A partir da prisão de um socialista de Milão, abriram-se as comportas de uma verdadeira enxurrada de denúncias contra políticos, empresários e outras figuras de destaque da sociedade italiana. Nesse e nos anos seguintes, nomes como o do procurador Antonio Di Pietro e seu grupo de magistrados e investigadores, e da operação anticorrupção por eles conduzida, intitulada *Mani Pulite* (Mãos Limpas), ficaram famosos na mídia italiana e no mundo todo.[54]

O escândalo foi tão forte que os velhos partidos envolvidos não tiveram saída senão se dissolverem. A Democrazia Cristiana o fez em 1993 e o Partito Socialista Italiano em 1994. Em 1993, por fim, um *referendum* popular eliminou o sistema proporcional em vigor desde 1946 em favor de um mais majoritário, além de disciplinar o financiamento público dos partidos, o que reduziu o poder absoluto destes na vida política italiana e as suas possibilidades de corrupção. No ano seguinte, em 1994, por fim, os herdeiros dos velhos partidos foram massacrados nas urnas. A Primeira República italiana chegava ao seu final; é preciso compreender as causas de seu colapso.

Os italianos já estavam há muito cansados da corrupção dos partidos existentes, o que só poderia levar à contestação. Tanto isso é verdade que, sentindo-se pouco representados na máquina dos partidos, muitos eleitores optavam, já na década de 1960 e 1970, por partidos menores e mais recentes, como os "verdes", representantes do pensamento ecologista.

Os italianos também já estavam menos tolerantes com a instabilidade dos governos, que se sucediam sem parar. Afinal, depois da era de De Gasperi e com o crescimento da fragmentação parlamentar, nenhum partido teve força para, sozinho, controlar o Estado. Isso acentuou a instabilidade política, pois formar uma maioria estável em um Parlamento com muitas legendas tornara-se quase impossível. Em 50 anos, sucederam-se 55 gabinetes, marca que recorda a Bolívia dos golpes militares dos anos 70-80. Porém isso nunca significou uma crise institucional, o que revela o caráter contraditório do sistema político italiano de então, capaz de conjugar instabilidade dos governos com estabilidade do sistema.

O loteamento do Estado, ou seja, seu uso por interesses privados também incomodava o povo italiano, pois, para acomodar os vários interesses, setores inteiros foram quase privatizados pelos partidos, o que explica, por exemplo, a existência de três canais na RAI (a rádio e TV estatal italiana), cada um deles controlado por um partido e com uma orientação ideológica própria.

O caso da RAI de fato é emblemático para compreender o que acontecia na máquina do Estado italiano e explicitar o que era esse loteamento. A rede dispunha de três canais, os quais, tradicionalmente, eram divididos entre democratas-cristãos, socialistas e comunistas, enquanto no Conselho de Administração Geral, os dezesseis assentos eram divididos, em geral, entre seis democratas-cristãos, quatro comunistas, três socialistas, um republicano, um social-democrático e um liberal. Nepotismo, indicações políticas e empreguismo também eram gerais. Portanto, apesar de a Itália dispor de um sistema pluralista na mídia televisiva pública, isso não representava uma verdadeira democracia, mas tão só a expressão dos interesses dos partidos.

É importante observar que a denúncia da rede de corrupção pela operação *Mani Pulite* serviu de estopim para o colapso do sistema, mas não foi, absolutamente, a sua causa. A corrupção, como visto, era endêmica na política italiana e escândalos iguais ou maiores já haviam sido denunciados antes, sem causar maiores problemas. Do mesmo modo, a indignação dos italianos com o sistema já durava décadas, mas nunca havia sido suficiente para induzi-los a mudar as coisas.

O que realmente modificou a situação no país foi a alteração substancial do contexto nacional e internacional nas décadas de 1980 e 90. Afinal, a estrutura da democracia "à italiana", como construída pós-1945, tinha o objetivo de manter o equilíbrio entre a esquerda e a direita e, em especial, os comunistas longe do poder. Com o fim da União Soviética e a própria conversão dos comunistas italianos à social-democracia, a "ameaça comunista" que, aos olhos do eleitorado conservador, tudo justificava, desapareceu, fazendo a ideia de mudanças sociais e políticas reais parecer muito mais factível e menos perigosa. Assim, foi em Gorbachev e na Queda do Muro de Berlim que surgiu de fato o impulso para a explosão de um sistema que já estava, contudo, apodrecido por dentro.

Enfim, nos 50 anos pós-Segunda Guerra Mundial, fica claro como a Itália viveu, efetivamente, em uma democracia,[55] mas que era muito particular, dominada pela obsessão do compromisso e do anticomunismo, com um quase monopólio do poder por um único partido e uma fratura ideológica forte na sociedade. A origem dessa situação está tanto no processo de construção da democracia italiana, que remonta ao século XIX, como na história recente da Itália, país que viu tanto a primeira ditadura fascista quanto um dos maiores movimentos de resistência antifascista durante a guerra. Assim, direita e esquerda criaram raízes fortes e definidas na cultura política italiana e não espanta que essa divisão polarizada ainda hoje esteja presente, mesmo que a situação política tenha se alterado de maneira substancial desde então.

A ITÁLIA DA DÉCADA DE 1990: DE BERLUSCONI A BOSSI E DE FINI A D'ALEMA

Com o colapso do velho sistema, certas forças políticas foram forçadas à autoeliminação ou se recompuseram em escala muito menor. Foi o caso dos democratas-cristãos e dos socialistas. Outros partidos novos, surgidos um pouco antes, como a Lega Nord, já abordada em capítulo anterior, adquiriram mais relevância e peso. Mesmo os partidos antigos que conseguiram sobreviver, contudo, tiveram de se adaptar aos novos tempos.[56]

O antigo PCI, como observado anteriormente, já havia renunciado ao marxismo e à luta de classes, tendo se convertido, na década de 1990, em um típico partido social-democrata, reformista, favorável à democracia, o PDS. Único entre os atuais partidos da esquerda reformista da Europa ocidental a ter se originado de um partido comunista, o PDS herdou boa parte do antigo eleitorado comunista e operário. No entanto, refletindo sua própria transformação de um partido de trabalhadores para um mais de classe média, é desses setores que ele recolhe, hoje, a maioria de seus votos e está bem distante do partido da época de Togliatti, para não falar de seus anos iniciais.

Outro partido que se reciclou foi o antigo Movimento Sociale Italiano (MSI). Esse partido, fundado em 1946, reunia os nostálgicos do antigo regime fascista e foi sempre mantido no ostracismo na política italiana do pós-guerra. Sua base eleitoral também era precária, girando em torno dos 5% dos votos. Já no final da década de 1980, uma nova liderança estava assumindo o poder no partido. Chefiada por Gianfranco Fini, ela pretendia manter a mensagem e os ideais da direita radical, mas rompendo com o saudosismo do passado, de forma a serem aceitos no *establishment* político. A derrota nas eleições municipais de 1993 apenas reforçou essa tendência, indicando que os neofascistas não conseguiriam se firmar como força política sem uma reciclagem maciça, mesmo que fosse apenas na aparência.

Assim, em 1995, surgiu a Alleanza Nazionale (AN). O partido caminhou claramente para o campo da direita conservadora, abandonando quaisquer vínculos formais com grupos neonazistas, a nostalgia por Mussolini, os antigos rituais fascistas e os ideais de restauração do regime. No entanto, vínculos informais e simbólicos com o velho MSI continuaram, como demonstram a resistência de Fini em criticar de forma aberta o fascismo e a transferência dos votos do MSI, basicamente no Sul da Itália, para a AN.[57] Os velhos partidos, assim, se recompuseram para um novo momento na história da Itália.

A maior surpresa, contudo, veio de Milão. Na noite de 26 de janeiro de 1994, um homem bronzeado e quase careca apareceu na TV, em horário nobre, anunciando, com voz aveludada, sua intenção de entrar na vida pública. Seu discurso era messiânico e estrategicamente bem montado, prometendo uma sociedade mais justa, solidariedade entre as pessoas e uma nova Itália. Ele se apresentava, para tanto, como o líder de um novo partido, batizado, não por acaso, com o mesmo grito de guerra com que os italianos incentivam a seleção nacional, ou seja, Forza Italia.

Esse homem era Silvio Berlusconi, o segundo homem mais rico da Itália, proprietário de um imenso império comercial e financeiro, com quase duas dezenas de empresas. Além disso, dono da Mondadori, maior editora de livros e revistas do país, do Milan, grande clube de futebol italiano, e de três redes de TV, ou seja, Italia Uno, Rete Quatro e Canale Cinque.

Para espanto geral dos observadores, italianos e estrangeiros, e de boa parte da opinião pública, foi esse homem o grande vencedor das eleições de 1994, sendo indicado primeiro-ministro logo a seguir. Ele aceitou tirar a direita de seu tradicional ostracismo e dar legitimidade aos separatistas do Norte e foi capaz de controlar, ao menos temporariamente, a imensa hostilidade entre os dois grupos.

Silvio Berlusconi, um dos mais ricos empresários italianos, usou seu poder midiático e econômico para entrar na vida política da Itália. Foi indicado primeiro-ministro logo após vencer as eleições de 1994.

Coligado, assim, com os neofascistas e os adeptos da Lega Nord, seu grupo conseguiu 366 das 630 cadeiras da Câmara dos Deputados e 155 das 315 do Senado. Sozinha, o Forza Italia passou, em dois meses, de zero a 21% dos votos, obtendo 155 cadeiras, enquanto a AN passou de 34 para 105 e a LN de 55 para 106. Do outro lado da trincheira, o até então favorito PDS conquistou apenas 20,4% dos votos e a coalizão de esquerda, apenas 213 assentos na Câmara e 122 no Senado.

O poder econômico e midiático de Berlusconi foi essencial para explicar a ascensão política rápida de Forza Italia a partir, literalmente, do nada. Suas redes de TV fizeram campanha maciça, aberta ou sutilmente, em seu favor e ele pessoalmente era dotado de um grande carisma, forte presença na mídia e imagem de vencedor. Mas também foi essencial o descrédito dos italianos com os antigos partidos, todos eles; o medo de alguns setores de uma vitória da esquerda e, em especial, a vontade de experimentar algo completamente novo. Berlusconi entendeu esse desejo dos italianos e foi capaz de "dar a eles o que eles queriam".

A vitória de Berlusconi colocou nas mesmas mãos o poder político (como primeiro-ministro), o econômico (como dono da segunda fortuna e do, na época, terceiro maior conglomerado de empresas do país) e o cultural (graças às redes de TV). Ironicamente, os eleitores italianos esqueceram-se não apenas dos riscos dessa concentração de poderes, como também dos vínculos de Berlusconi com políticos da velha guarda e dos escândalos de corrupção que há muito abalavam suas empresas. Guardadas as especificidades, o paralelo com a eleição de Fernando Collor de Mello no Brasil em 1989 é impressionante.

A eleição de Berlusconi, aos olhos de muitos observadores italianos e estrangeiros, representou algo que só poderia acontecer na Itália, a demagogia televisiva pura, a conquista do Estado por alguém interessado em desfrutar dele ou mesmo um sinal de regressão da democracia italiana a um novo tipo de totalitarismo. Juízos talvez excessivamente duros, como os acontecimentos sucessivos demonstraram, mas não privados de alguma validade. A eleição de Berlusconi, de qualquer modo, indicou a força de certos hábitos da política italiana, como a confusão entre público e privado, a falta de identificação do povo com o Estado e os partidos e outros tantos, que o "terremoto" de 1993-1994 não conseguiu eliminar por completo.

De qualquer modo, o governo Berlusconi durou apenas sete meses. Premido entre um aliado, o neofascismo, que causava apreensão e desconfiança dentro e fora da Itália, e o outro, os separatistas do Norte, pouco confiáveis, Silvio Berlusconi foi incapaz de gerir a situação e, com a saída da Lega Nord da coalizão, a maioria parlamentar foi perdida, com a consequente rápida queda de seu governo.

Entre 1995 e 2001, uma série de coalizões de centro-esquerda passou a controlar o governo italiano. Os partidos de esquerda revelaram-se incapazes, contudo, de resolver suas imensas disputas internas, o que levou à instabilidade e à queda de sucessivos gabinetes (Prodi, D'Alema, Amato). Nesse ínterim, Berlusconi conseguiu, para espanto de muitos, manter seu partido funcionando, agora na oposição, e, ao mesmo tempo em que conservava seu discurso "antipolítico" e a ênfase no personalismo, teve sucesso em reestruturar a Forza Italia para absorver a antiga base eleitoral da DC e do PSI.

Em 2001, finalmente, depois de uma disputa eleitoral em que não faltaram insultos e palavras duras de lado a lado e a influência onipresente das redes de TV, Berlusconi voltou ao poder. Sua coalizão elegeu 368 deputados e 177 senadores, contra 242 e 125 obtidos pela coalizão de esquerda. Seus antigos aliados, a Alleanza Nazionale e a Lega Nord, perderam votos, mas sua Forza Italia cresceu muito, o que permitiu que ele tivesse muito mais margem de manobra e controle da situação do que em sua primeira gestão.

No momento em que este livro é escrito, Berlusconi ainda é o primeiro-ministro da Itália. Mais uma vez, ele tenta colocar em prática uma agenda conservadora (redução de impostos, controle rígido da imigração, reforma trabalhista), mas enfrentando forte oposição no país, que continua rachado quase ao meio entre o centro-esquerda e o centro-direita. Sua incontinência verbal continua a causar gafes e problemas no relacionamento da Itália com seus aliados e muitos europeus voltam a ver a Itália como um país confuso e atrapalhado, o único lugar do "mundo desenvolvido" onde um Berlusconi poderia aparecer. Juízo talvez rigoroso em excesso, mas não desprovido de verdade, e, de qualquer modo, revelador do olhar dos outros europeus e do restante do mundo sobre a maneira italiana de fazer política, ou, para usar termos mais precisos, a cultura política da Itália.

UMA CULTURA POLÍTICA ITALIANA?

Em certo sentido, a política italiana acompanhou os padrões mais gerais da cultura política ocidental. No período pré-Primeira Guerra Mundial, por exemplo, a Itália teve um regime democrático, mas cheio de limitações, que foi sendo ampliado com o passar do tempo, de maneira semelhante, mas não equivalente, a toda a Europa. Na mesma época, de modo próximo ao padrão geral, surgiram partidos de massa, como o socialista, o católico e, depois, o comunista. A experiência fascista também se insere em um momento da história ocidental de caminhada para a direita.

A construção de um sistema democrático na Itália pós-1945, mas com "cláusulas de segurança" anticomunistas, é igualmente algo compreensível em um momento específico da história ocidental.[58] Do mesmo modo, o descrédito atual com a política e os partidos tradicionais não é, nem de longe, exclusividade italiana, inserindo-se perfeitamente em um padrão geral desse início do século XXI.[59]

Ainda assim, a experiência política italiana não pode ser vista tão só como um microcosmo do quadro geral. Em primeiro lugar, como já observado, a trajetória de formação da democracia de massas italiana, no século XIX, foi, em termos comparativos, intermediária, situando-se entre os países tradicionalmente democráticos, como a Inglaterra, e os conservadores, como a Alemanha.

Ao mesmo tempo, como primeiro país do mundo a viver o fascismo, e um dos poucos onde um movimento popular teve papel importante em sua derrubada, a Itália viveu uma fratura ideológica entre esquerda e direita muito mais acentuada do que outros países, a qual não deixava, e não deixa, de espantar os que a visitavam, uma vez que se refletia no próprio estilo de vida das pessoas.

Realmente, a opção política, na Itália pós-1945, nunca foi uma simples questão de escolha eleitoral, mas quase um estilo de vida, e isso permanece, em certo ponto, até hoje. Uma pessoa que viva em Roma e se considere de esquerda provavelmente votará no PDS ou na *Rifondazione Comunista*, lerá o *La Repubblica* ou *Il Manifesto* (se for um pouco mais radical), torcerá para o time do Roma e frequentará cafés e outros ambientes de esquerda. Já uma pessoa da direita, provavelmente, lerá *Il Tempo*, torcerá para a Lazio e frequentará outros cafés e restaurantes. Muitas amizades e relacionamentos amorosos também acabam por refletir as opções políticas. Claro que não é possível absolutizar essa fratura, como se a sociedade italiana fosse dividida em duas e todos os italianos fossem extremamente politizados. Também é possível e provável que essa polarização política se suavize a partir de agora. Não obstante, ela ainda é um traço bastante particular da política e da vida na Itália.

Por fim, mesmo que reconheçamos que o colapso das velhas estruturas da época da Guerra Fria e o descrédito da política não são exclusividades italianas, não resta dúvida de que esse colapso e esse descrédito são particularmente fortes na Itália de hoje.

Outro diferencial da política da Itália em relação a outros países é, com certeza, a presença da Igreja Católica em seu território. Afinal, com o Vaticano no território italiano por séculos, é difícil achar um povo que mais tenha deixado sua marca na estrutura da Igreja e, ao mesmo tempo, tenha sido mais influenciado por ela em sua história. A Igreja foi, por muito tempo, imensa fonte de lealdades, de proteção, de empregos e de auxílio para determinados italianos, um verdadeiro Estado dentro do Estado.

Hoje, com a crescente secularização da sociedade, a influência da Igreja e das organizações católicas com certeza está em franco declínio. Mas ela foi reconhecidamente importante em vários momentos da história política e social italiana e está longe de desaparecer por completo.[60]

O mesmo pode ser dito da Máfia italiana, grupo criminoso de forte influência na política local. Na verdade, é difícil achar uma sociedade que não tenha grupos que procuram explorar atividades ilegais para fins de lucro. O diferencial da Máfia, provavelmente, é que ela costumava articular a criminalidade com códigos morais típicos de certas regiões da Sicília e do Sul da Itália em geral, como a honra, a vingança, a desconfiança das leis, entre outros, além de buscar contatos com o mundo político, econômico e social mais amplo. Hoje, a Máfia está lentamente se convertendo em uma simples organização criminosa, mas ainda tem ao menos alguma influência na política e na sociedade italiana como um todo.[61]

Também é importante ressaltar como, apesar da construção de um Estado democrático na Itália já no século XIX, a relação da sociedade civil com o Estado tem se caracterizado por desconfiança e até hostilidade. Na maior parte do tempo, seja sob o governo liberal, o fascista ou o democrático pós-guerra, os habitantes da península tendiam, e tendem, a ver o seu Estado como corrupto e ladrão ou, no mínimo, ineficiente. Uma percepção que nem de longe é exclusivamente italiana, mas que é muito forte na Itália, formando um contraste com outras sociedades europeias, como a francesa e a alemã.

Ao mesmo tempo, e até como derivação disso, enquanto o Estado tinha e tem imensa influência na vida da população, suas instituições sempre foram frágeis e pouco respeitadas. Essa situação, já verdadeira para o período liberal e pouco melhorada no fascista, só piorou no contexto pós-1945, quando o Estado foi transformado em uma máquina de distribuir vantagens a seus "clientes".

Isso se reflete, inclusive, na vida cotidiana dos italianos contemporâneos. Eles são obrigados a viver sob o emaranhado de leis emitida pela burocracia do Estado (a qual parece empenhada em transformar os processos mais óbvios em becos sem saída), mas, ao mesmo tempo, acabam ignorando a maioria delas, que se tornam letra-morta e/ou são aplicáveis de forma relativa, conforme quem é afetado.

O Estado em geral também é visto como um inimigo, contra quem a sonegação de impostos é perfeitamente aceitável, mas um bom cabide de empregos, já que muita gente quer ser funcionário público com vistas a obter estabilidade, além de outros privilégios.[62]

O Estado italiano tem uma história repleta, entre idas e vindas, de fraquezas, promiscuidade com interesses privados e coexistência com redes de auxílio mútuo de parentes, amigos e colegas dos políticos, o que acaba levando às tradicionais instabilidade e ineficiência com que o mundo tende a ver o Estado e a política da Itália.[63]

Realmente, guardadas todas as nuances e variações, é essa, ainda hoje, a imagem mundial da política e, por tabela, da própria sociedade italiana, conforme pesquisa na imprensa internacional revela sem dificuldades: uma reunião de figuras rocambolescas, como Mussolini ou Berlusconi, sempre prontos a constranger a todos com suas gafes ou atos irrefletidos, o eterno escândalo, o pitoresco, a incapacidade total de impor a lei e o Estado de direito; eis a Itália, de ontem, de hoje e de sempre. Aliás, mesmo os intelectuais estrangeiros especializados na Itália continuam a olhar para o país com certo espanto e admiração, dadas as conjunturas políticas inesperadas, surpreendentes, que nunca deixam de se manifestar.[64] Da política italiana tudo se pode esperar.

Nesse sentido, a própria eleição de Silvio Berlusconi é emblemática. A participação dos neofascistas no governo Berlusconi em 1994 e pós-2001 suscitou muito menos clamor internacional do que, por exemplo, a entrada dos neofascistas de Jorg Haider no governo da Áustria em 2000. Claro que, para explicar essa menor repercussão, entram fatores bastante objetivos, como a relativa importância da Itália na União Europeia, a maior discrição dos neofascistas italianos e o próprio fato de a Áustria ter sido o lugar de nascimento do famigerado Hitler. Mas também conta uma atitude de condescendência com a Itália, um lugar da Europa onde a política não deve ser levada a sério e, portanto, não oferece real perigo a ninguém.

Os próprios italianos, em certo sentido, reafirmam essas imagens ao olhar para os países do norte da Europa, em especial a Alemanha, a França e a Inglaterra, como "locais onde tudo funciona". Neles, os contribuintes pagam seus impostos religiosamente, os empregos cabem sempre aos indivíduos de mérito, as leis são lógicas e obedecidas por todos e o Estado e a sociedade funcionam de forma racional. É verdade que tais sociedades apresentam burocracias melhores e Estados mais funcionais, mas qualquer um que conhece a sociedade alemã ou a francesa sabe que a situação não é tão perfeita assim, o que apenas indica como os italianos não apenas são olhados de forma preconceituosa nessas questões, como também se olham dessa forma.

Se essas imagens da Itália como o país da desordem e dos italianos como os atores de uma eterna "ópera bufa" são justificáveis e se há de fato uma cultura política tipicamente italiana que está se alterando no presente momento é, de qualquer forma, ponto para discussão.[65] Se elas se suavizarão no decorrer do tempo, quando e se a Itália se tornar um país, em termos políticos, "normal",[66] também é impossível saber. Não resta dúvida, contudo, de que elas marcam a definição do que é a Itália e do que são os italianos já há décadas e até hoje.

Notas

[1] A ascensão da modernidade e da democracia na sociedade ocidental é tema cuja bibliografia é simplesmente inesgotável. Introduções gerais de utilidade, e das quais serão extraídas boa parte das informações que se seguem, estão em Eric Hobsbawm, A era das revoluções (1789-1848), Rio de Janeiro, Paz e Terra, 1997; A era do capital (1848-1875), Rio de Janeiro, Paz e Terra, 1996; e A era dos impérios (1875-1914), Rio de Janeiro, Paz e Terra, 1988.

[2] Arno Mayer, A força da tradição: a persistência do Antigo regime (1848-1914), São Paulo, Companhia das Letras, 1990.

[3] Eric Hobsbawm, A era do capital (1848-1875), op. cit., pp. 152-3.

[4] Eric Hobsbawm, A era dos impérios (1875-1914), op. cit., p. 127.

[5] Arno Mayer, A força da tradição, op. cit., pp. 128-63. Uso os dados de Mayer sem compartilhar, contudo, da sua conclusão de que a Itália, como o restante da Europa, ainda estivesse completamente sob domínio da aristocracia no pré-1914.

[6] Arno Mayer, A força da tradição, op. cit., pp. 170-1.

[7] Para um resumo adequado dos acontecimentos na Sicília em 1892-1894, ver Francesco Renda, I fasci siciliani (1892-94), Torino, Einaudi, 1977.

[8] Giampiero Carocci, Storia d'Italia dall'Unità ad oggi, Milano, Feltrinelli, 1975, pp. 111-20.

[9] Giampiero Carocci, Storia dell'Italia moderna: Dal 1861 ai nostri giorni, Roma, Newton Compton, 1995, pp. 11-39; Alberto Aquarone, L'Italia giolittiana, Bologna, Il Mulino, 1988; e Emílio Gentile, Introduzione all'Italia giolittiana, Roma/Bari, Laterza, 1977.

[10] Giampiero Carocci, Giolitti e l'età giolittiana: La politica italiana dall'inizio del secolo alla prima guerra mondiale, Torino, Einaudi, 1971.

[11] A bibliografia sobre os anarquistas italianos é vasta. Ver, por exemplo, Adriana Dada, L'anarchismo in Italia: fra movimento e partito, Milano, Nicola Teti Editore, 1984; Nunzio Pernicone, Italian Anarchism (1864-1892), Princeton, Princeton University Press, 1993; e Nino Malara, Antifascismo anarchico (1919-1945), Roma, Sapere 2000, 1995.

[12] Sem querer esgotar a imensa bibliografia sobre o tema e o já mencionado no capítulo "Um povo de emigrantes", ver Osvaldo Bayer, Severino di Giovanni, el idealista de la violencia, Buenos Aires, Legasa, 1988; Dorothy Gallagher, All the Right Enemies: The life and murder of Carlo Tresca, New Brunswick/London, Rutgers University Press, 1988;

Moreno Marchi, "Emigrazione anarchica italiana in Australia", em Notiziario dell'Istituto Storico della Resistenza in Cuneo e Província, n. 33, 1988. Para o Brasil, ver, entre muitos outros, Lúcia Silva Parra, Combates pela liberdade: o movimento anarquista sob a vigilância do Dops (1924-1945), São Paulo, Arquivo do Estado de São Paulo/ Imprensa Oficial do Estado; e Carlo Romani, A aventura do anarquismo segundo Oreste Ristori, São Paulo, Annablume, 2002.

[13] Sobre Turati, ver Franco Catalano, Filippo Turati, Milano, Dall'oglio, 1957; Franco Livorsi, Filippo Turati, Milano, Rizzoli, 1984; Filippo Turati: Socialismo e riformismo nella storia d'Italia – Scritti politici (1879-1932), Milano, Feltrinelli, 1979; e Alessandro Schiavi, Esilio e morte di Filippo Turati, Roma, Opere Nuove, 1956.

[14] A bibliografia sobre o psi é imensa. Ver boas introduções em Gaetano Arfe, Storia del Socialismo italiano, Torino, Einaudi, 1965; Carlo Cartiglia, Il Partito Socialista Italiano (1892-1962), Torino, Loescher, 1978; Simona Colarizi, "Il partito socialista italiano in esilio (1926-1930)", Storia Contemporânea, I, 1, 1974; Paul Guichonet, "O socialismo italiano", em Jacquez Droz, História geral do socialismo, Lisboa, Livros Horizonte, 1977, pp. 202-30; e Giuseppe Mammarella, Riformismo e rivoluzione – psi (1900-1912),Vincenza, Marsilio, 1981. Ver também a Storia del psi. Roma/Bari, Laterza, 1992-1994, 3v. Sobre o sindicalismo revolucionário, ver, em português, Edilene Toledo, O sindicalismo revolucionário em São Paulo e na Itália: circulação de ideias e experiências na militância transnacional entre 1890 e o fascismo, Tese de doutorado em História, Campinas, Unicamp, 2002.

[15] Para uma análise complementar atualizada e extremamente detalhada dos meandros da política italiana na era liberal, ver Sandro Rogari, Alle origini del trasformismo: Partiti e sistema político nell'Italia liberale (1861-1914), Roma/Bari, Laterza, 1998. Ver também Giovanni Sabbatucci e Vittorio Vidotto, Storia d'Italia: 3 – Liberalismo e democrazia (1887-1914), Roma/Bari, Laterza, 1995.

[16] Uso aqui a conceituação de Barrington Moore Jr., As origens sociais da ditadura e da democracia: senhores e camponeses na construção do mundo moderno, São Paulo, Martins Fontes, 1983. Evidentemente, isso não implica que concorde com suas conclusões mais gerais.

[17] A bibliografia italiana atual sobre o fascismo atinge, provavelmente a casa das dezenas de milhares de livros e artigos, pelo que seria impossível, e mesmo inútil, citar todos aqui. Em português, bons resumos do debate historiográfico, ainda que um pouco envelhecidos, podem ser encontrados em Renzo de Felice, Explicar o fascismo, Lisboa, Edições 70, 1976, pp. 173-210; e "O fascismo como problema interpretativo", em Emilio Gentile e Renzo de Felice, A Itália de Mussolini e a origem do fascismo, São Paulo, Ícone, 1988, pp. 67-88, enquanto o mesmo autor apresenta utilíssima listagem de material bibliográfico em Bibliografia Orientativa del Fascismo, Roma, Bonacci, 1991. Obras gerais de utilidade sobre o fascismo para o leitor iniciante são Marco Palla, Mussolini et l'Italie fasciste, Paris, Casterman, 1993; Enzo Santarelli, Storia del fascismo, Roma, Riuniti, 1981; Pierre Milza e Serguei Berstein, Storia del fascismo: Da Piazza San Sepolcro a Piazzale Loreto, Milano, Rizzoli, 1995; e Nicola Tranfaglia, La Prima Guerra Mondiale e il fascismo, Milano, Utet, 1995. No presente capítulo, citarei apenas as obras imprescindíveis e o material disponível em português. Também remeto a meus Fascismo, nazismo, integralismo, São Paulo, Ática, 2000; e Sobre a direita: estudos sobre o fascismo, o nazismo e o integralismo, Maringá, Eduem, no prelo, para maiores aprofundamentos.

[18] Há muitas biografias de Mussolini, de qualidade variada. A realmente indispensável, ainda que tenha um viés excessivamente centrado na ação pessoal de Mussolini e seja um tanto quanto favorável a ele, é a de Renzo de Felice, Mussolini, Torino, Einaudi, 1965-1998, 8v. Para uma perspectiva diferente da De Felice, e, convenientemente, em espanhol, ver Dennis Mack Smith, Mussolini, México, Fondo de Cultura Económica, 1989. Outra biografia recente a destacar é Richard Bosworth, Mussolini, Oxford, Oxford University Press, 2002. Para as biografias do *Duce* escritas ainda em seu período de vida e a criação do mito Mussolini, ver Luísa Passerini, Mussolini immaginario: Storia di una biografia (1915-1939), Roma/Bari, Laterza, 1991.

[19] Robert Paris, As origens do fascismo, São Paulo, Perspectiva, 1976; Emilio Gentile, "Italia Fascista: do partido armado ao estado totalitário", em Emilio Gentile e Renzo de Felice, A Itália de Mussolini e a origem do fascismo, op. cit., pp. 7-66; Aurora Fornoni Bernardini, O futurismo italiano, São Paulo, Perspectiva, 1980; Anateresa Fabris, Futurismo: uma poética da modernidade, São Paulo, Perspectiva, 1987. Para leitores de inglês, vale a pena ver Gunter Berghaus, Futurism and Politics: Between anarchist rebellion and fascist reaction (1909-1944), Providence, Berghahm Books, 1996. Em italiano, evidentemente, a bibliografia sobre o futurismo é imensa.

[20] Ver um quadro geral da vasta bibliografia italiana sobre o pci em Paolo Spriano, Storia del Partito Comunista Italiano, Torino, Einaudi, 1967-1975, 5v. Também úteis são Massimo Massara, I comunisti raccontano: Cinquant'anni di storia del pci attraverso testimonianze di militanti, Milano, Edizioni del Calendario, 1972; Vittorio Vidotto, Il Partito Comunista Italiano dalle origini al 1946, Bologna, Cappelli, 1975; Luigi Cortesi, Le origini del pci: Studi e interventi sulla storia del comununismo in Italia, Milano, Franco Angeli, 1999; e John Barth Urban, Moscow and the Italian Communist Party: From Togliatti to Berlinguer, Ithaca/London,

Cornell University Press, 1986. Sobre a ação dos comunistas italianos pelo mundo entre as duas guerras mundiais, ver a bibliografia citada em João Fábio Bertonha, "O Partido Comunista Italiano no Brasil: uma presença desconhecida nas lutas populares e antifascistas italianas na América Latina", em Novos Rumos, 15, 33, 2000.

[21] Ver Gabriele De Rosa, Il Partito Popolare Italiano, Roma/Bari, Laterza, 1988.

[22] Para os fatos políticos dos primeiros anos do fascismo, ver Alfred Lyttelton, La conquista de potere. Il fascismo dal 1919 al 1929, Roma/Bari, Laterza, 1974. Para a organização do movimento, Emilio Gentile, Storia del partito fascista (1919-1922): Movimento e milizia, Bari, Laterza, 1989.

[23] Para o ponto de vista dos comunistas, ver Claudio Natoli, La Terza Internazionale e il fascismo, Roma, Riuniti, 1982.

[24] Renzo de Felice, Entrevista sobre o fascismo, Rio de Janeiro, Civilização Brasileira, 1988; Leandro Konder, Introdução ao fascismo, Rio de Janeiro, Graal, 1991; Henri Michel, Os fascismos, Lisboa, Dom Quixote, 1977; e Ângelo Trento, Fascismo italiano, São Paulo, Ática, 1986.

[25] Sobre os acordos de Mussolini com a Igreja Católica, ver, entre outros, Richard Webster, The Cross and the fasces: Christian Democracy and Fascism in Italy, Stanford, Stanford University Press, 1960; e Pietro Scoppola, I cattolici tra fascismo e democrazia, Bologna, Il Mulino, 1975. Para os efeitos do acordo nas relações entre os fascistas e os missionários italianos no exterior, ver a bibliografia citada em João Fábio Bertonha, "Entre a cruz e o fascio littorio: A Igreja Católica Brasileira, os missionários italianos e a questão do fascismo, 1922-1943", em História e perspectivas, n. 16/17, 1997.

[26] Bruno Tobia, "A Itália fascista: um perfil institucional", em José Luís da Silva, O feixe e o prisma: uma revisão do Estado Novo, Rio de Janeiro, Jorge Zahar, 1991, pp. 44-56. Em italiano, um clássico sobre a transformação do Estado liberal em fascista é Alberto Aquarone, L'organizzazione dello Stato totalitario, Torino, Einaudi, 1965.

[27] Entre os numerosos livros e textos, na maior parte das vezes celebrativos, que abordam o tema da *Resistenza*, vale destacar os que discutem seu caráter de guerra civil entre italianos e a real popularidade da causa antifascista na população italiana, como o clássico de Cláudio Pavone, Uma guerra civile: Saggio storico sulla moralità della Resistenza, Torino, Bollati Boringhieri, 1991; e, do mesmo autor, Alle origini della Repubblica: Scritti su fascismo, antifascismo e continuità dello Stato, Torino, Bollati Boringhieri, 1995. Um ótimo resumo é Massimo Rendina, Italia 1943/1945: Guerra civile o resistenza, Roma, Newton Compton, 1995. Um pouco envelhecidos, mas ainda úteis, são Roberto Battaglia, Storia della Resistenza italiana, Torino, Einaudi, 1964; e Guido Quazza, Resistenza e storia d'Italia: Problemi e ipotesi di ricerca, Milano, Feltrinelli, 1976.

[28] Para bibliografia a respeito da "teoria geral do fascismo", ver, por exemplo, apenas para ficar na bibliografia em português e em alguns clássicos internacionais, Enzo Collotti, Fascismo, fascismi, Firenze, Sansoni, 1989; Francisco José Calazans Falcón, "Fascismo: autoritarismo e totalitarismo", em José Luiz da Silva, O feixe e o prisma: uma revisão do Estado Novo, op. cit., pp. 29-43; Arno Mayer, Dynamics of counterrevolution in Europe (1870-1956): an analitical framework, New York, Harper Torchbooks, 1971; George Mosse, Il fascismo: Verso una teoria generale, Roma/Bari, Laterza, 1996; Stanley Payne, Fascism: Comparison and Definition, Madison, University of Wisconsin Press, 1980; e Francisco Carlos Teixeira da Silva, "Os fascismos", em Daniel Aarão Reis Filho, O século xx: O tempo das crises – revoluções, fascismos e guerras, Rio de Janeiro, Civilização Brasileira, 2000, pp. 109-64.

[29] O texto clássico a respeito do tema é Renzo De Felice, Storia degli ebrei italiani sotto il fascismo, Torino, Einaudi, 1972. Pela documentação reproduzida, vale a pena consultar também Michele Sarfatti, Mussolini contro gli ebrei: Cronaca dell'elaborazione delle leggi del 1938, Torino, Zamorani, 1994; além de Corrado Vivanti, "Gli ebrei in Italia", em Ruggiero Romano e Corrado Vivanti, Storia d'Italia. Annali 11, Torino, Einaudi, 1997, 2t.

[30] Ver Raul Hilberg, La distruzione degli Ebrei d'Europa, Torino, Einaudi, 1985, v. 1, pp. 660-77; L. Piccoloto Fargion, Gli ebrei deportati dall'Italia, Milano, Mursia, 1991; Leon Poliakov, Gli ebrei sotto l'occupazione italiana, Milano, Comunità, 1956; e, para análise do mito, Marie Anne Matard-Bonucci, "L'antisémitisme em Italie: lês discordances entre la mémoire et l'histoire", em Hérodote – Revue de géografie et de géopolitique, n. 89, 1998. Pensando na literatura memorialística, convém ler as numerosas obras de Primo Levi, como A trégua, São Paulo, Companhia das Letras, 1997 e É isto um homem?, Rio de Janeiro, Rocco, 1988.

[31] Um texto denso a respeito das dificuldades do Estado liberal em gerir sua transformação em Estado democrático depois da instauração do voto universal e o impacto que isso teve na ascensão do fascismo é Roberto Vivarelli, Storia delle origini del fascismo: L'Italia dalla grande guerra alla marcia su Roma, Bologna, Il Mulino, 1991.

[32] Para os efeitos desastrosos da guerra no sistema liberal italiano, ver Emilio Gentile, "Italia Fascista: do partido armado ao estado totalitário", em Op. cit., especialmente pp. 12-32.

[33] Nesse tópico, além das reflexões teóricas de Larsen, Moore e outros, citados anteriormente, me servi intensamente das reflexões de Nicola Tranfaglia em La Prima Guerra Mondiale e il fascismo, op. cit., pp. 645-56.

224 | Os italianos

[34] Desenvolvo tais reflexões em "Entre Mosley, Whittaker e Plínio Salgado: interfaces entre o universo fascista do Brasil e do mundo anglo saxão", em Interfaces Brasil Canadá, 1, 2, 2002.

[35] Para um quadro geral do problema, ver Stein Ugelvik Larsen, Fascism outside Europe: The European impulse against domestic conditions in the difusion of global fascism, New York, Columbia University Press, 2001; Antônio Costa Pinto, O salazarismo e o fascismo europeu: problemas de interpretação nas ciências sociais, Lisboa, Estampa, 1991; e Os Camisas Azuis: ideologia, elites e movimentos fascistas em Portugal (1914-1945), Lisboa, Estampa, 1994. Ver também Barrington Moore Jr., As origens sociais da ditadura e da democracia. Um resumo em português, envelhecido, mas ainda útil, desse debate sobre a relação modernização/fascismo está em Renzo De Felice. Explicar o fascismo, op. cit., pp. 157-70.

[36] Nicola Tranfaglia, Un passato scomodo: Fascismo e postfascismo, Roma/Bari, Laterza, 1999, pp. 27 e segs.; e Carl Levy, "From fascism to post-fascists: Italian roads to modernity", em Richard Bessel, Fascist Italy and Nazi germany: Comparisons and contrasts, Cambridge, Cambridge University Press, 1996, pp. 165-96. Para o mesmo debate com relação à Alemanha, ver Mark Roseman, "National socialism and modernisation", op. cit., pp. 197-229.

[37] Emilio Gentile, Il culto del littorio: La sacralizzazione della politica nell'Italia fascista, Roma-Roma/Bari, Laterza, 1993.

[38] Pietro Scoppola, La repubblica dei partiti: Evoluzione e crisi di un sistema politico (1945-1996), Bologna, Il Mulino, 1996.

[39] Faço um resumo da história do antifascismo italiano no exílio, com amplas indicações de bibliografia auxiliar, no meu Sob a sombra de Mussolini: os italianos de São Paulo e a luta contra o fascismo (1919-1945), São Paulo, Annablume, 1999, especialmente cap. 1.

[40] Aldo Garosci, Storia dei fuorusciti, Roma/Bari, Laterza, 1953; Simona Colarizi, L'Italia antifascista dal 1922 al 1940, Roma/Bari, Laterza, 1976; Simona Neri Serneri, Democrazia e Stato: L'antifascismo liberal democratico e socialista dal 1923 al 1933, Milano, Franco Angeli, 1989; Leo Valiani, "L'emigrazione antifascista e la seconda guerra mondiale", em Nuova Antologia, 117, 550, 1982; e Santi Fedele, E verrà un'altra Itália: Politica e cultura nei "Quaderni di Giustizia e Libertà", Milano, Franco Angeli, 1992.

[41] M. Argentieri, "Fascismo e antifascismo negli anni della republica", em Problemi del Socialismo, n. 7, 1986.

[42] Richard Bosworth é um historiador especialmente preocupado com essa questão. Ver Explaining Auschwitz and Hiroxima: History Writing and the Second World War (1945-1990), London/New York, Routledge, 1993; e Italian Fascism: History, memory and representation, New York, Palgrave, 1999.

[43] Para a reconstrução dos fatos políticos entre 1945 e 1994 e para parte das análises dos parágrafos seguintes, ver Giampiero Carocci, Storia dell'Italia moderna: dal 1861 ai nostri giorni, op. cit., pp. 63-94; Paul Ginsborg, Storia d'Italia, 1943-1996: famiglia, società, stato, Torino, Einaudi, 1998; e Franco Cangini, Storia della Prima Repubblica, Roma, Newton Compton, 1994. Também úteis são Silvio Lanaro, Storia dell'Italia repubblicana, Venezia, Marsílio, 1992; Aurélio Lepre, Storia della prima repubblica, Bologna, Il Mulino, 1993; Giuseppe Mammarella, La prima repubblica dalla fondazione al declino, Roma/Bari, Laterza, 1992; e Simona Colarizi, Biografia della Prima Repubblica, Roma/Bari, Laterza, 1996.

[44] Domenico Bartolli, La fine della Monarchia, Milano, Mondadori, 1966; e Antonio Gambino, Storia del dopoguerra: dalla liberazione al potere DC, Roma/Bari, Laterza, 1998. Para uma análise dos medos e esperanças dos italianos nesses anos decisivos, ver Ennio Di Nolfo, Le paure e le speranze degli italiani (1943-1953), Milano, Mondadori, 1988.

[45] Giuseppe Maranini, Storia del potere in Italia (1848-1967), Firenze, Nuova Guaraldi, 1983. Ver também Ernesto Bettinelli, All'origine della democrazia dei partiti, Milano, Comunità, 1982.

[46] Sobre a Democrazia Cristiana, ver uma introdução geral em Marco Follini, La DC, Bologna, Il Mulino, 2000; e Agostino Giovagnoli, Il partito italiano: La Democrazia cristiana dal 1942 al 1994, Roma/Bari, Laterza, 1996. Ver também Marco Marzaro, Il cattolico e il suo doppio: organizzazioni religiose e Democrazia Cristina nell'Italia del dopoguerra, Milano, Franco Angeli Editore, 1996. Envelhecido, mas ainda útil, é Giuseppe Chiarante, La Democrazia Cristiana, Roma, Riuniti, 1980.

[47] Para a história da democracia cristã no Brasil pós-1945, ver Sandro Anselmo Coelho, "Democracia Cristã e Populismo: um marco histórico comparativo entre o Brasil e o Chile", em Revista de Sociologia e Política, n. 15, 2000 e, especialmente, Áureo Busetto, Democracia Cristã no Brasil: Princípios e práticas, São Paulo, Ed. Unesp, 2002.

[48] Para a ação americana, James Miller, "Taking off the gloves: The United States and the Italian elections of 1948", em Diplomatic History, 7, 1, 1983; e The United States and Italy (1940-1950), Chapel Hill, University of North Carolina Press, 1986. Sobre a atuação da Igreja nessas eleições, entre a imensa bibliografia disponível, vale a pena

[48] ler os depoimentos de pessoas ligadas ao mundo católico e que participaram da organização dos "Comitati civici", os quais foram capazes de canalizar imenso apoio à *Democrazia Cristiana*, como M. Casella, "18 Aprile 1948. La mobilitazione delle organizzazioni cattoliche, Galatina, Congedo Editore, 1992 e Luigi Gedda, 18 aprile 1948. Vaticano segreto, Milano, Mondadori, 1997.

[49] Emmanuele Bettini, Gládio: La Repubblica parallela, Roma, Ediesse, 1996. Há também uma numerosa literatura de denúncia a respeito do tema, além de muitos documentos e inquéritos publicados.

[50] Sobre as Brigadas Vermelhas e outros terroristas de esquerda, ver boas introduções, baseadas em depoimentos de ex-brigadistas, em Giovanni Fasanella e Alberto Franceschini, Che cosa sono le Brigate Rosse: Le radici, la nascità, la storia, il presente, Milano, Rizzoli, 2004 e Mario Moretti et al., Brigate Rosse: una storia italiana, Milano, Baldini Castoldi Dalai, 2002. Sobre a sua sobrevivência nos anos 1990, ver Gianni Cipriani, Brigate Rosse: La Minaccia del nuovo terrorismo, Milano, Sperling & Kupfer, 2004. Sobre o terrorismo de direita, um bom resumo é Giorgio Cingolani, La Destra in armi: Neofascisti italiani tra ribellismo ed eversione (1977-1982), Roma, Riuniti, 1996. Também fundamentais são as seguintes coletâneas: Vittorio Borracetti, Eversione di destra, terrorismo, stragi, Milano, Franco Angeli, 1986; e Donatella della Porta, Terrorismi in Italia, Bologna, Il Mulino, 1984.

[51] O sequestro e a morte de Aldo Moro marcam ainda hoje o imaginário político italiano e é frequente a publicação de livros e artigos denunciando os contatos dos sequestradores com o ex-bloco comunista, os serviços secretos, o PCI, a DC etc. Nesse contexto, um livro de utilidade é Francesco Biscione, Il delitto Moro: Strategie di um assassínio político, Roma, Riuniti, 1998. Ver também as numerosas obras de Sérgio Flamigni, como La tela del ragno: Il delitto Moro, Milano, Kaos, 2003.

[52] Ver um bom resumo da problemática em Giuseppe De Lutiis, Storia dei servizi secreti in Italia, Roma, Riuniti, 1985; e Il lato oscuro del potere: Associazioni politiche e strutture paramiliari segrete dal 1946 ad oggi, Roma, Riuniti, 1996.

[53] Para uma visão geral do processo, Carlo Baccetti, Il PDS, Bologna, Il Mulino, 1996. Para uma abordagem Comparativa, Anna Bosco, Comunisti: Trasformazioni di partito in Italia, Spagna e Portogallo, Bologna, Il Mulino, 2000.

[54] Apesar do caráter de denúncia do texto, um bom resumo do processo, em português, está em José Luiz Del Roio, Itália: Operação Mãos Limpas. E no Brasil? Quando?, São Paulo, Ícone, 1993.

[55] Assim, concordo com Norberto Bobbio quando este critica os analistas que supervalorizam os defeitos do sistema político italiano pós-Segunda Guerra, considerando-o uma ditadura disfarçada. Ver Norberto Bobbio, Entre duas repúblicas: às origens da democracia italiana, São Paulo/Brasília, Imprensa Oficial do Estado/Ed. UnB, 2001. Por outro lado, torna-se difícil acompanhar análises que identificam, nesse sistema político, a melhor experiência democrática surgida no pós-guerra. Ver Joseph LaPalombara, Democracy: Italian Style, New Haven, Yale University Press, 1987.

[56] Ainda que não compartilhe das conclusões ali manifestas, um texto útil, inclusive por ter sido escrito no calor da hora, para compreender a mudança em curso na Itália naqueles anos e o esforço dos novos/velhos partidos em se reciclar, mas tentando não perder os vínculos com o seu passado é Marco Follini, "Ciò Che non siamo più. Politica e obblighi della memória", em Il Mulino – Rivista bimestrale di cultura e di política, 44, 361, 1995.

[57] Franco Ferraresi, La Destra radicale e la strategia della tensione in Italia del dopoguerra, Milano, Feltrinelli, 1995; Marco Tarchi, Cinquant'anni di nostalgia: La destra italiana dopo il fascismo, Milano, Rizzoli, 1995; Marco Revelli, La cultura della destra, Milano, Franco Angeli, 1985; Sandro Setta, La Destra nell'Italia del dopoguerra, Roma/Bari, Laterza, 1995, entre outros. Muito interessante é Stefano di Michele & Alessandro Galiani, Mal di destra – Fascisti e postfascisti: i protagonisti di ieri e di oggi si raccontano, Milano, Sperling & Kupfer Editori, 1995, pois traz depoimentos de novos e velhos fascistas abordando justamente o momento de transição entre MSI e AN.

[58] Paul Furlong, Modern Italy – Representation and reform, London/New York, Routledge, 1994.

[59] Para um apanhado geral do tópico, Eric Hobsbawm, A era dos extremos: o breve século XX (1914-1991), Rio de Janeiro, Paz e Terra, 1997, cap. 19.

[60] Entre vasta bibliografia disponível, ver Francesco Broglio, Italia e Santa Sede dalla grande guerra alla conciliazione, Roma/Bari, Laterca, 1966; John Polland, "Il Vaticano e la politica estera italiana (1860-1985)", em Richard Bosworth e Sérgio Romano, La politica estera italiana, 1860-1985, Bologna, Il Mulino, 1991, pp. 197-230; e Giorgio Chittolini e Giovanni Miccoli, La Chiesa e il potere político dal Medioevo all'età contemporanea, em Ruggiero Romano e Corrado Vivanti, Storia d'Italia. Annali 9, Torino, Einaudi, 1986.

[61] Sobre a Máfia, Salvatore Lupo, Storia della Mafia, Roma, Donzelli, 1993; Raimondo Catanzaro, Il delitto come impresa: storia sociale della Máfia, Padova, Liviana, 1988; e Nicola Tranfaglia, Mafia, Politica e Affari (1943-1991), Roma/Bari, Laterza, 1991.

226 | Os italianos

[62] Ver, para divertidas histórias sobre a relação cotidiana dos italianos com suas leis e serviços públicos, Tim Parks, Meus vizinhos italianos: histórias de um inglês na Itália, São Paulo, Publifolha, 2003.

[63] Para uma análise do tema da "ingovernabilidade" italiana do ponto de vista de um estrangeiro, ver Theodor Weiser, Italy: a difficult democracy, Cambridge, Cambridge University Press, 1986; e Patrick McCarthy, The crisis of the Italian State: From the origins of the Cold War to the fall of Berlusconi $ Beyond, New York, St. Martin's Press, 1997; e Eric Hobsbawm, O novo século: entrevista a Antonio Polito, São Paulo, Companhia das Letras, 2000, cap. 6, pp. 152-69.

[64] A meu ver, é essa perplexidade que explica o razoável número de artigos e livros publicados em inglês, francês e alemão nos últimos anos tentando entender as peculiaridades da política italiana e os acontecimentos da década de 1990. Ver, por exemplo, além de outros textos já citados, Elisabeth Fis, Italiens Parteiensystem im Wandel: Von der Ersten zur Zweiten Republik, Frankfurt/New York, Campus, 1999; James Newell, Parties and Democracy in italy, Aldershot, Ashgate, 2000; Hilary Partridge, Italian Politics today, Manchester, Manchester University Press, 1998; Jens Petersen, Quo vadis, Italia? Ein Staat in der Krise, Munchen, Oscar Beck, 1995; Graziano Manlio, L'Italie aujourd'hui, Situation et perspectives après le séisme des années 90, Paris, L'Harmattan, 2004; Martin Bull e Martin Rhodes, Crisis and transition in Italian politics, London/Portland, Frank Cass, 1997; e Filippo Sabetti, Understanding the paradox of Italian democracy, Montreal and Kingston, McGill Queen's University Press, 2000.

[65] A discussão é intensa, na Itália, a respeito das particularidades da democracia italiana e do que falta para a consolidação do sistema democrático liberal no país. Ver uma densa análise, ainda que não completamente aceitável em suas conclusões, em Vittorio Bufacchi e Simon Burgess, Italy since 1989: Events and interpretations, London, McMillan, 1998. Ver também Franco Crespi e Ambrogio Santambrogio, La cultura politica nell'Italia che cambia: Percorsi teorici e empirici, Roma, Carocci, 2001.

[66] A definição de um país "normal" é, evidentemente, muito subjetiva, mas, na Itália de hoje, parece haver o desejo por parte de alguns observadores de que os padrões da política italiana se aproximem daqueles dos Estados mais estáveis da Europa, como Alemanha, França e Inglaterra. Isso inclui partidos mais sólidos e representativos, uma visão de política que não se limite à busca de vantagens pessoais, o predomínio da lei etc. Ver Ilvo Diamanti e Marc Lazar, Stanchi di miracoli: Il sistema político italiano in cerca di normalità, Milano, Guerini e Associati, 1997.

CULTURA E ESTILO DE VIDA PRÓPRIOS?

Em 1986, uma polêmica dividiu a Itália. A rede de sanduíches McDonald's abriu a então maior loja do mundo na Piazza di Spagna, coração de Roma. A direção da loja foi suficientemente esclarecida para não estragar a paisagem local com o "M" gigantesco característico, e milhares de romanos correram para provar os hambúrgueres e *milk-shakes* padronizados da rede. Mesmo assim, protestos foram organizados na frente do estabelecimento e tentou-se de tudo para fechá-lo, sem sucesso.

Para os italianos que protestavam contra o McDonald's, a simples presença da loja descaracterizaria o centro da cidade e a comida pasteurizada que ela serviria seria um atentado à cozinha italiana. Para alguns observadores, contudo, o que realmente irritava esses opositores era a maneira racionalizada, rápida e fria com que se atendia na lanchonete, bem distante da rotina italiana de luta para conseguir a atenção do balconista, discussão com outras pessoas na fila e disputa por lugar para sentar. Além disso, parecia um barbarismo entrar em um lugar, pedir o que se quer, pagar e simplesmente levar ou comer, sem um pouco de conversa fiada, por vezes um tanto barulhenta, de preferência sobre futebol, alguma paquera etc.[1]

Esse simples acontecimento do dia a dia indica como é possível aprender muito sobre um povo e sua cultura mediante coisas mais banais. No simples ato de comer um sanduíche, na formação de uma fila ou na relação estabelecida com os pais e os avós, muito do que é um povo fica evidente e é por isso que devemos nos aproximar desse cotidiano se queremos conhecê-lo.

Este capítulo foi pensado nessa perspectiva. De início será abordada a cultura erudita italiana, sua música, literatura, artes plásticas e arquitetura e, a seguir, o significado dessas manifestações para a autoimagem dos italianos e a maneira pela qual eles eram e são vistos pelo restante do mundo. A cultura das classes populares e a presença atual dos italianos na cultura de massas global também serão examinadas com esse mesmo intuito.

Como cultura é também a maneira como as pessoas se expressam e se relacionam, a língua, a culinária (a pizza, os doces, o café) e os laços pessoais e familiares, além de outros assuntos fundamentais para compreender a vida dos italianos de hoje, como o turismo, o esporte e a religiosidade, também terão vez neste capítulo.

Essa é uma forma interessante de verificar como os séculos de história construíram não apenas a economia ou o sistema político da Itália, mas a própria maneira do povo italiano. Do mesmo modo, é importante especular sobre as possibilidades de a cultura italiana sobreviver e se tornar relevante no mundo globalizado. A questão mais atual é se a cultura italiana tem condições de se incorporar de modo adequado à cultura europeia e global sem perder suas características essenciais e trazendo contribuições marcantes a estas, ou se ela está condenada, a longo prazo, a desaparecer no cadinho mundial.

ARTES E ARTISTAS

Falar das realizações culturais italianas é tarefa bastante complicada e exigente. O próprio termo "Itália", para muitos admiradores de diversas épocas, espalhados pelo mundo, por si já evoca cultura e arte. O território italiano viu, no decorrer de milênios, camada após camada de realizações artísticas e culturais se sobreporem e se combinarem às anteriores em um constante movimento criativo do gênio humano. Mesmo antes de existir uma Itália unificada, a combinação dessas camadas produziu um verdadeiro celeiro de obras arquitetônicas, literárias e plásticas e qualquer tentativa de fazer uma viagem nessa longa história não pode deixar de ser limitada. Mas, até mesmo pela própria riqueza dessa herança, que hoje é parte integrante do patrimônio da Itália e de seus habitantes (além de pertencer à humanidade como um todo), ela vale a pena ser feita.

Já no período do povoamento da península, seus antigos colonizadores deixaram suas marcas no espaço físico, como cidades, muralhas e construções. Com a chegada dos gregos, a partir do século VIII a.C., o sistema urbanístico e a arquitetura grega chegaram à Itália, entrando em contato com o existente mundo etrusco, o cartaginês e com os diversos povos itálicos. Paestum, Agrigento e outras cidades italianas até hoje conservam a herança dessa colonização.

No período romano, a arquitetura e a arte gregas continuaram populares, mas os romanos, além de produzirem uma literatura própria de peso, criaram seus próprio estilo de pintura, de escultura e, especialmente, de arquitetura. De fato, eles introduziram mudanças tecnológicas e projetaram edifícios notáveis por sua simplicidade e grandiosidade. Presentes em todo o antigo território imperial, mas em particular na Itália, os restos dos prédios públicos romanos até hoje fazem parte da paisagem italiana. Basta recordar, aqui, apenas em Roma, o Coliseu, os Foros, as Termas de Diocleciano e de Caracala, o Pantheon, e tantos outros. O mesmo pode ser dito da concepção urbanística romana, que está na origem de várias cidades italianas.

Cultura e estilo de vida próprios? | 229

Catedral de Milão, joia da arquitetura gótica na Itália.

No período medieval, outros povos (bizantinos, árabes, francos) deixaram suas marcas no cenário artístico e arquitetônico da península. Palermo, na Sicília, ainda conserva traços da influência árabe em suas ruas irregulares e tortuosas, enquanto os dourados da arte bizantina estão presentes, por exemplo, em várias Igrejas de Florença, Veneza ou Ravena. As basílicas e outros prédios no estilo românico, típicos da segunda metade da Idade Média, também sobrevivem há séculos espalhados pela Itália, em Roma, Pavia, Milão e outros lugares. As repúblicas marítimas de Veneza, Gênova, Pisa e Amalfi desenvolveram e embelezaram seu espaço urbano de tal forma que fizeram desses locais alguns dos mais procurados por turistas e visitantes de todo o mundo. Por fim, já no final da Idade Média, o estilo gótico se afirmou não apenas na Itália, mas em toda a Europa, espalhando catedrais suntuosas, como a de Milão, pela península, além de influenciar a pintura e a escultura.

Importante ressaltar que não poderíamos classificar o que era produzido, em termos culturais, na Itália até esse momento como arte ou literatura "italianas". O que escritores, arquitetos, escultores e pintores da península produziam era semelhante, em essência, ao que se fazia em outros locais da Europa e da bacia do Mediterrâneo e foi preciso esperar até o fim da Idade Média para que surgisse uma produção cultural que pudesse ser identificada claramente como "italiana".

O período entre os séculos XIII e XIV foi realmente chave para a construção de uma cultura específica da península e para a criação da base da futura hegemonia cultural italiana na Europa, que duraria séculos. Foi a época de recuperação dos modelos clássicos gregos e romanos e sua reintrodução na arquitetura e em que pintores como Giotto se afastaram dos modelos bizantinos, procurando maior contato com a realidade.

Foi também nesse período que surgiram formas de composição musical que, apesar de conectadas ao universo musical europeu mais amplo, tiveram especial repercussão e desenvolvimento na Itália, como as laudas e o madrigal, entre outras. No mesmo período, grandes compositores surgiram na Itália, enquanto, já no início do século seguinte, Giovanni Pierluigi da Palestrina ficou famoso, em Roma, por suas composições para missas.

Seria impossível deixar de recordar, além disso, como foi nesse final da Idade Média que surgiu a obra de Dante Alighieri que, com outros autores, como Petrarca e Bocaccio, praticamente inauguraram a literatura em italiano. Sem o surgimento de uma obra clássica da literatura ocidental, como a *Divina Comédia*, de Dante, é provável que a língua italiana não tivesse conseguido se afirmar diante do tronco latino e desabrochar como ramo independente.

No século XV, a revolução criativa do Renascimento aprofundou a mudança na arquitetura, na escultura e na literatura. Na pintura, é o período de Piero della

Cultura e estilo de vida próprios? | 231

Giuseppe Verdi, grande nome da ópera italiana.

Francesca, Perugino e Sandro Botticelli, entre tantos outros, que enchem os edifícios de Florença, Roma, Pádua e outras cidades italianas de quadros e afrescos, enquanto a literatura é renovada por, entre outros, Ariosto.

É no século XVI que aparecem, contudo, os grandes nomes do Renascimento italiano, ou seja, Michelangelo Buonarrotti, Leonardo da Vinci e Rafael Sanzio, autores de obras famosas, como as estátuas de Davi e Moisés, os quadros *Mona Lisa* e a *Última Ceia*, além dos afrescos do Palácio do Vaticano, em Roma. Na mesma época, em Veneza desenvolve-se a pintura por meio dos grandes mestres da cor, como Tintoretto, Veronese e Tiziano.

No século seguinte, esculturas e outras obras de Gian Lorenzo Bernini, como a colunata de São Pedro, em Roma, são marcantes. No mesmo período, Caravaggio e outros pintores italianos atuam com grande domínio de cores, luzes e perspectivas, enquanto renova-se, ao mesmo tempo, o teatro. No âmbito musical, houve grande desenvolvimento da música instrumental, com o surgimento de compositores que exerceram forte influência mesmo fora da Itália, como Gerolamo Frescobaldi, cujas obras para órgão e cravo inspiraram Bach.

Entrando no século XVIII, desenvolveu-se a pintura, em especial em Veneza, enquanto escultores e arquitetos italianos executaram grandes obras na península e foram disputados em toda a Europa. Compositores e músicos, como Antonio Vivaldi e Luigi Boccherini, além de outros mestres do piano e violino, como Niccolò Paganini, também foram famosos em todo o continente.

No século XIX, finalmente, surgiram, na arquitetura, o neoclassicismo e o ecletismo, combinando vários estilos na execução de várias obras públicas, como os Palácios de Exposições e da Justiça, em Roma, e a Galeria Vittorio Emmanuele, em Milão. Ainda nessa época, desenvolvem-se movimentos de renovação na pintura, buscando novas maneiras de utilizar as cores, as luzes e as sombras, assim como na literatura e em outros campos da arte.

Além disso, nessa época, depois de um período de crescimento já nos séculos anteriores, afirma-se a ópera, pela obra de vários compositores e, sobretudo, Gioacchino Rossini, com suas obras-primas como o *Barbeiro de Sevilha* e *Guilherme Tell*, entre outras. Depois de Rossini, uma tríade extraordinária de autores (Vincenzo Bellini, Gaetano Donizetti e Giuseppe Verdi) e, mais tarde, Giacomo Puccini ajudaram a desenvolver ainda mais a ópera e o teatro lírico italianos, fazendo desses gêneros, possivelmente, os de maior destaque na Itália nesse período.

Na arte de vanguarda do século XX, os italianos participaram por intermédio dos futuristas. Já em 1910, o "Manifesto técnico da pintura futurista" proclamava a decomposição das formas, de modo a atingir maior dinamismo e variedade nas artes plásticas. Com o futurismo, buscaram-se também novos rumos na música e no teatro e elaborou-se toda uma literatura que buscava a renovação e o rompimento com o passado, destacando-se, entre seus maiores representantes, Filippo Marinetti.

No período entreguerras, o fascismo tentou renovar a cultura italiana, mas controlando-a rigidamente. A escultura e a pintura receberam orientação neoclássica,[2] enquanto o cinema foi obrigado a seguir os cânones e as diretrizes do regime.[3] Também a literatura recebeu o olhar vigilante do fascismo, o que não impediu o aparecimento de escritores de peso, como Giuseppe Ungaretti.

Em termos culturais, a grande especificidade da época do fascismo foi sua intenção de criar uma cultura capaz de unir o erudito e o popular em uma verdadeira cultura de massas, baseada no cinema, no rádio e em outros mecanismos modernos de difusão de ideias, a ser transmitida e popularizada no exterior. Os resultados foram apenas parciais. Pela manipulação cuidadosa dos instrumentos modernos da cultura de massa (cinema e rádio especialmente), da cooptação dos intelectuais[4] e de um imenso esforço de propaganda (cultural e não cultural) no exterior, desde a Suíça e a Bélgica até os Estados Unidos e o Brasil,[5] o fascismo conseguiu alguns resultados e o cinema, a música e a língua italianos começaram a sair de seus nichos e atingir as grandes massas do Ocidente.

No entanto, ao burocratizar e controlar rigidamente todas as atividades culturais e de propaganda e ao não conseguir quebrar a dicotomia entre cultura de elite e cultura de massa, o regime não teve sucesso em criar uma cultura italiana/fascista nem popularizá-la no exterior, em especial diante do poder da indústria cultural norte-americana. Já na década de 1930, seja no Brasil, seja na França[6] e até mesmo na própria Itália,[7] Walt Disney, Glenn Miller e Orson Wells foram muito mais eficientes para ganhar as plateias do mundo do que Petrarca e Verdi.

A situação modificou-se depois da Segunda Guerra Mundial e, por ironia, após a queda do fascismo. O pós-1945 representou, efetivamente, um ponto alto, de renovação e enriquecimento, da cultura italiana. Com o "milagre econômico", as imensas transformações econômicas e sociais e a libertação das restrições fascistas, a literatura, a poesia, o teatro e a arquitetura experimentaram um processo de renovação e uma nova vitalidade.[8]

Realmente, autores como Píer Paolo Pasolini, Umberto Moravia, Carlo Levi e outros, apesar das enormes diferenças entre si, deram novo fôlego à literatura, enquanto uma série de edifícios modernos, como a estação Termini em Roma, ou os novos arranha-céus de Milão, indicaram nova fase da arquitetura e do urbanismo italianos.

O cinema foi afetado sobretudo por essa nova conjuntura. Na verdade, a produção cinematográfica não é nenhuma novidade no panorama artístico italiano, tendo se iniciado já em 1903, com os italianos se especializando nos dramas e nos filmes históricos. Mesmo no período fascista, quando a criatividade dos cineastas italianos foi restringida pelo regime, houve alguns progressos em qualidade e número de filmes.

Pós-1945, contudo, o cinema italiano se desenvolveu muito e o neorrealismo representou uma fase especial deste, com produções de alta qualidade artística aclamadas no exterior e diretores como Vittorio de Sicca e Roberto Rossellini se consagrando. A partir dos anos 60, surgiram outros grandes diretores, como Federico Fellini, Michelangelo Antonioni e Lucchino Visconti, e, ainda hoje, o cinema italiano apresenta filmes e diretores de respeito.[9]

Esse rápido panorama da cultura italiana nos últimos séculos indica claramente como o patrimônio artístico e cultural do país é vasto. Além disso, as partes do passado que compõem esse patrimônio parecem se misturar, formando uma coleção de períodos e estilos notável. Assim, em Roma, por exemplo, é possível visitar igrejas medievais com colunas de templos romanos em seu interior; observar um edifício medieval ao lado de uma igreja do século XVIII ou, ainda, encontrar prédios onde a fundação e boa parte das paredes são romanas com andares superiores acrescentados na época do Renascimento. As sucessivas civilizações não substituem as anteriores. Elas se ajeitam e convivem e passa-se de uma para outra simplesmente atravessando a rua ou virando o rosto em uma parada de trem.

A IMAGEM DA CULTURA ITALIANA NO MUNDO MODERNO E CONTEMPORÂNEO

A arquitetura, a pintura, a escultura, a literatura e outras atividades artísticas tomaram, como visto, impulso acelerado na península entre o final do período medieval e, *grosso modo*, o século XVII, e as elites urbanas de então encontraram razões para se sentirem orgulhosas dessas produções, que identificavam como parte de uma "civilização italiana", invejada pelo restante do mundo europeu.

A partir do século XVIII, contudo, a influência italiana no panorama da cultura erudita europeia começou a declinar. Novas formas de criação artística (como a ópera) emergiram e se desenvolveram na península nesse período, mas não o suficiente para evitar a lenta transferência do eixo da cultura europeia para o norte. Paris, Amsterdã e Viena foram aos poucos substituindo Roma, Florença e Veneza como centros efervescentes da produção artística europeia.

É óbvio que o processo de decadência não foi homogêneo, assim como o desenvolvimento da produção cultural italiana, com seus problemas, encantos e contradições, não foi o mesmo em 1870, 1920 ou 1938. Também não é verdade que a

Itália tenha perdido por completo seu encanto cultural, pelo contrário. Muitos artistas e intelectuais italianos encontravam emprego no exterior, inclusive por serem associados pelos estrangeiros ao talento dos mestres italianos. O contínuo fluxo de turistas para o país também confirma esse apelo. No entanto, no século XIX a cultura artística italiana não era mais hegemônica no Ocidente e viajantes, como Goethe, podiam até considerar uma visita à Itália como algo fundamental para sua educação artística, no entanto mais como uma visita a um museu do que ao ateliê de um mestre.[10]

Além disso, por toda sua longa trajetória (como acontecia, aliás, em praticamente todos os lugares do mundo antes do advento da cultura de massas), a cultura erudita convivia, na Itália, com a cultura popular, da grande massa de camponeses que formava a esmagadora maioria da população. Era uma cultura extremamente heterogênea, que variava conforme a região, a classe social, o grupo profissional etc., formando, para ser mais preciso, uma longa série de culturas em vez de uma homogênea.

Tais culturas populares tinham, contudo, alguns pontos em comum. Em primeiro lugar, eram vistas com desconfiança pelas elites, que se identificavam com a cultura erudita e usufruíam da vida urbana. E, em segundo, eram mal vistas também por vários povos europeus e americanos, que tendiam a ver nos hábitos e nas manifestações culturais dos camponeses italianos prova de sua inferioridade cultural e mesmo racial.

Tal tópico já foi trabalhado em detalhes no capítulo "Um povo de emigrantes", mas convém recordar como, para muitos membros das elites dos Estados Unidos, da França, da Argentina ou mesmo da própria Itália, os hábitos, o estilo de vida e as manifestações culturais e simbólicas dos camponeses italianos causavam espanto e mesmo repulsa. Para tais elites, era espantoso que o mesmo país pudesse produzir Dante, Michelangelo e Puccini e aquelas pessoas violentas, com uma visão própria (em especial no Sul) do catolicismo, com hábitos supersticiosos, tendência à vingança contra os desafetos, que se alimentavam de coisas estranhas, como pizza, alho e pimentão.

A prática dos governantes liberais era apenas esquecer que aqueles camponeses e suas manifestações eram parte da Itália e fomentar a imagem italiana ligada à cultura erudita. Verdi e Leonardo da Vinci seriam, assim, parte da cultura italiana, enquanto os camponeses pobres e incultos eram uma realidade a ser jogada para baixo do tapete, o que, na prática, dificilmente era possível.

Já o regime fascista encarou de forma diversa esse desafio e procurou revitalizar a atratividade da cultura italiana em todos os níveis. Primeiro, tentando convencer o mundo de que os estereótipos ligados aos imigrantes italianos eram injustos, assim como que suas manifestações culturais eram também a expressão de um povo brilhante e sofisticado.[11] Depois, tentando divulgar e popularizar a cultura erudita italiana pelo mundo mediante um sem-número de iniciativas nos mais diversos países, incluindo a assinatura de vários acordos culturais.[12]

Os resultados obtidos não foram completamente negativos, mas ficaram bem longe do esperado. Os camponeses italianos continuaram a ser vistos, em geral, como culturalmente inferiores por muitos anglo-saxões ou franceses, por exemplo, e os imensos esforços para tornar a cultura erudita italiana mais uma vez fundamental no mundo fracassaram diante do poder da cultura e da língua dos países hegemônicos.

A arte popular era, e continua sendo, muito pouco difundida fora da Itália. No campo da música e da literatura, a Itália permaneceu importante, mas foi superada, em fama e influência, pela França e pela Inglaterra, pelo menos. Por fim, no nascente mundo da cultura de massas, os norte-americanos eram imbatíveis já em 1945 e o são ainda mais hoje.

Espantosamente, contudo, foi nesse campo da cultura de massas que os italianos começaram a se destacar no período pós-1945, com a crescente disseminação de certos produtos e hábitos culturais oriundos da Itália. Um desdobramento imprevisto na história cultural italiana, mas que está redefinindo com rapidez o que os outros povos entendem, hoje, por cultura italiana.

A CULTURA DE MASSAS ITALIANA PÓS-GUERRA: GLOBAL COMMODITY

De fato, nem todos os setores da indústria cultural italiana obtiveram destaque fora da Itália. No campo dos quadrinhos, por exemplo, apesar da produção nacional que data de um século e de alguns personagens de sucesso internacional, como o caubói Tex Willer, Ken Parker e Dylan Dog, dificilmente poderíamos dizer que a Itália tem condições de competir (aliás, como todos os outros países) com os Estados Unidos. A música *pop* e o *rock* italianos, apesar de disporem de bandas e cantores de qualidade desde a época de Domenico Modugno e Gianni Morandi, têm baixa capacidade de penetração fora das fronteiras da Itália, em especial quando compete com as quase onipresentes bandas e artistas britânicos e americanos.

No que se refere ao cinema de massa, não diretamente ligado e julgado como obra de arte, uma produção italiana que até hoje é recordada, ao menos pelos mais velhos, é a dos chamados *spaghetti westerns* ou "bangue-bangue à italiana".[13] Esse gênero de filme, ao lado dos épicos, assim como da chamada *commedia all'italiana*,[14] tornaram o cinema popular italiano conhecido no exterior nas décadas de 1950, 60 e 70.

Mesmo tendo entrado em decadência posteriormente, esses gêneros foram importantes para difundir a cinematografia italiana pelo mundo, representando uma das primeiras grandes incursões italianas no campo da mídia mundial. Mesmo hoje, apesar de sua capacidade limitada de atingir o mercado externo (e até mesmo o italiano, no qual atinge não mais do que 20 a 25% do mercado), os italianos ainda são

Os filmes *spaghetti western* foram populares na Itália e também fora dela.
A – Cena de *Ace High* (1967), do italiano Giuseppe Colizzi.
B – Cartaz de *Bad Man's River* (1971), de Eugenio Martin.

grandes produtores de comédias populares,[15] as quais levam, literalmente, a imagem da Itália para o mundo. De forma curiosa, e até inesperada, o que em geral é retratado nessas comédias são situações que remetem à antiga Itália, com suas brigas familiares, confusões etc., o que reforça os estereótipos tanto para os próprios italianos quanto para os estrangeiros que consomem tais imagens.

Uma ocorrência interessante e, até certo ponto, inesperada, pós-Segunda Guerra Mundial, foi a transformação da Itália em um dos centros da moda e da cultura *fashion* mundiais. Se, antes de 1945, o mundo olhava para Paris como o centro da moda e do vestuário e a Itália atuava como mero fornecedor de tecidos e acessórios, o mundo atual aprendeu, de forma gradativa, a identificar a moda e tudo o que gira em torno dela como parte importante da economia e da cultura italianas. Para muitas pessoas em distintos países, Prada, Armani, Versace, Dolce & Gabbana, Benetton e outras marcas tornaram-se quase que sinônimos de italianidade, não apagando as imagens do que era "ser italiano", mas se sobrepondo a elas.

A essência do estilo italiano na moda é a capacidade de combinar elegância e comodidade, qualidade e praticidade, sofisticação e simplicidade. Já nos anos 50, esse estilo começou a se firmar e, para tanto, foi fundamental a difusão da imagem dos italianos, a partir de suas classes altas, como pessoas sofisticadas e bem-vestidas, e da Itália como país de clima e cultura invejáveis. A associação da indústria da moda italiana com essa imagem de elegância que logo se estendeu ao povo italiano em geral, não totalmente equivocada,[16] foi fundamental para, com o corte e a qualidade das roupas produzidas na Itália, que Milão superasse Paris como centro da moda global.[17]

No campo do *design*, um estilo tipicamente italiano no desenho e na produção dos mais diferentes objetos, assim como para a decoração de interiores, também se desenvolveu com rapidez no pós-Segunda Guerra. Na "Vespa", nas máquinas de café expresso, nas máquinas de escrever Olivetti e em outros produtos, surgia um "estilo italiano" ainda hoje associado a uma combinação de elegância e praticidade. Os objetos produzidos, assim, procuravam não apenas ser funcionais, mas agradáveis ao olhar, sem cair em uma ornamentação exagerada.[18]

Na verdade, há séculos os artesãos italianos mantêm verdadeira compulsão por embelezar, ou seja, planejar e construir objetos levando em conta não apenas seu uso, mas também seu aspecto. Na Renascença, por exemplo, as armaduras feitas na Itália eram cuidadosamente moldadas e decoradas e operários e artesãos italianos sempre foram cobiçados para trabalhos decorativos em mármore, pedra ou madeira nos mais diferentes cantos do mundo. No pós-Segunda Guerra, contudo, esses talentos artísticos milenares foram associados à produção industrial em massa e os projetistas italianos conseguiram, assim, criar objetos que podiam ser manufaturados em grande quantidade e perfeitamente funcionais, mas que, ao mesmo tempo, eram tão atraentes que os consumidores não resistiam à tentação de levá-los para casa.

Cultura e estilo de vida próprios? | 239

A Itália transformou-se em um dos centros mundiais da cultura *fashion*.
Diversas grifes italianas passaram a ser vistas como expressões da italianidade.

Nesse contexto, não espanta que os emigrantes que partem hoje da Itália para trabalhar fora do país sejam, em boa medida, profissionais ligados à moda, ao *design* e a áreas correlatas. Eis por que, como ressaltou a historiadora norte-americana Donna Gabaccia, a "civilização italiana", hoje, é muitas vezes traduzida, no exterior, não por suas obras de arte ou manifestações folclóricas, mas por sofás ou roupas de Milão, alimentos sofisticados da Toscana ou caríssimos artigos de couro da marca Fendi.[19]

É uma nova imagem cultural da Itália que surge, a qual foge da cultura erudita e também das tradições populares da velha Itália e incorpora produtos e criação italianos à cultura de massas do ocidente. A partir desses desdobramentos, a imagem da Itália e da cultura italiana não se resume mais a Dante e a Michelangelo ou a canções populares.

Claro que, como foi visto, a cultura erudita e as tradições populares ainda têm importância na cultura e na imagem cultural italiana no exterior. Aliás, ambas servem de base para a criação dessas manifestações contemporâneas da cultura de massa. Especialmente a cultura erudita facilitou a consolidação da ideia de que a estética e o mundo artístico fazem parte da identidade italiana, mesmo quando, agora, produzindo objetos de cama, mesa e guarda-roupa, e não mais esculturas e pinturas.

A LÍNGUA ITALIANA

Não restam dúvidas de que um dos principais elementos de uma cultura é sua língua. De fato, seria impossível pensar e viver plenamente a cultura italiana sem o domínio da língua e é difícil, para um estrangeiro, imaginar um italiano sem que venham à mente as frases melodiosas do seu idioma.

O italiano é uma língua indo-europeia derivada do latim, assim como o português, o espanhol e o francês, entre outras. É um idioma conservador, no sentido de que, apesar de ter surgido apenas no final da Idade Média, é o mais próximo do latim, além disso sofreu, desde então, menos mudanças do que outras línguas europeias. Tanto que é mais simples para um italiano de hoje ler Dante no original do que é, para um inglês, ler William Shakespeare.

Ao mesmo tempo, o italiano pode ser considerado uma língua jovem, já que apenas a partir do século XIX difundiu-se para além da sua forma original florentina e superou os numerosos dialetos que dominavam a península itálica, como visto no capítulo "Um povo em busca de sua identidade nacional". Na verdade, a própria escolha do florentino como língua franca das elites italianas e, depois, como a base do italiano moderno não foi isenta de discussão e controvérsias, só superadas pela própria força da literatura de Dante, Petrarca, Bocaccio e outros florentinos de talento. Mesmo assim, foram necessários quase 150 anos para o italiano realmente se difundir entre os habitantes da península.[20]

Assim, o italiano tornou-se uma das principais línguas europeias, com mais de 60 milhões de falantes no continente europeu. No entanto, esse sucesso em nível nacional e europeu não elimina o fato de que o idioma italiano atualmente tem imensos problemas para se internacionalizar e, por consequência, tornar mais acessível ao mundo a produção cultural e midiática italiana.

No que se refere à mídia, por exemplo, vários jornais italianos têm qualidade internacional, e a TV e o rádio italianos, apesar de seus defeitos, não são completamente isentos de atrativo para o público externo. No entanto, seria ilógico comparar o poder de fogo cultural e midiático da RAI com a CNN ou a BBC ou imaginar que o *Il Corriere della Sera* ou o *La Repubblica* possam aspirar ao papel exercido no mundo pelo *The New York Times*, o *Times*, o *Le Monde* ou até mesmo o *Frankfurter Allgemeine*. Vários fatores colaboram com essa situação, mas o relativamente baixo número de falantes da língua em que essa mídia se expressa é, com certeza, um dos agravantes.

Hoje em dia, por exemplo, os falantes das 11 principais línguas do mundo (chinês, inglês, hindi, espanhol, português, bengali, russo, árabe, japonês, francês e alemão) totalizam quase 3 bilhões de pessoas. Os fluentes de italiano, meros 63 milhões, representam apenas um em cada cem habitantes do planeta e, com a decadência demográfica italiana, esse número só tende a diminuir.

Outro problema é que, além de seu limitado número, as pessoas que falam italiano estão concentradas na Itália, o que limita em muito seu alcance. Fora das fronteiras italianas, realmente, o italiano é falado apenas em San Marino, no cantão suíço de Ticino (e em outros secundários) e, com algumas variações, em áreas fronteiriças da França, da Eslovênia e da Croácia. As línguas e os dialetos da Córsega e da ilha de Malta mantêm algum parentesco com o italiano e ele é compreendido em algumas regiões da bacia do Mediterrâneo e dos Bálcãs e em algumas antigas áreas coloniais italianas, como a Eritreia.

Na verdade, esse simples levantamento das regiões de fala italiana fora da Itália indica os limites dessa língua, pois todos esses potenciais falantes de italiano são em número extremamente reduzido e com habilidades linguísticas limitadas. A única exceção é o cantão Ticino, mas, com poucas centenas de milhares de habitantes, envolvidos pelo alemão e pelo francês, ele não pode ser, realmente, uma força auxiliar de peso para a difusão desse idioma.

Ao italiano faltou um instrumento de peso que permitiria sua sobrevivência no mundo atual, ou seja, sua reprodução numérica em um ambiente colonial e, sobretudo, em países novos que o utilizassem integralmente como língua oficial.

O espanhol e o português, por exemplo, só sobreviveram como línguas internacionais de alguma importância porque se reproduziram, literalmente, na América Latina. Hoje, para cada falante de espanhol na Espanha, há pelo menos uns seis ou sete na América hispânica e nos Estados Unidos e, para cada indivíduo falando português em Portugal, há dezessete no Brasil, distância essa que só tende a aumentar.

O inglês, além de seu papel evidente de língua mundial que estimula seu aprendizado em nível global, também passou por esse processo de reprodução e hoje, para uns 400 milhões de falantes nativos de inglês no mundo, apenas de 15 a 20% estão em sua pátria de origem, ou seja, a Inglaterra. Mesmo o francês, apesar de ter se reproduzido integralmente apenas na região de língua francesa do Canadá, o Quebec, beneficia-se, em seu esforço de sobrevivência como língua internacional, do fato de ainda ser falado ao menos pelas elites do antigo império colonial africano francês.

É claro que poderíamos argumentar que, em boa medida, as antigas colônias estão criando ou criaram novos idiomas e as divergências linguísticas entre portugueses e brasileiros ou americanos e britânicos são emblemáticos dessa sensação. Também parece evidente que fatores outros, como a crescente importância dos hispânicos no maior centro cultural do mundo, os Estados Unidos, e a relevância residual do francês como "língua da cultura erudita" ajudam a fortalecer ou a enfraquecer a difusão e a importância internacional de cada língua. Mas é razoável acreditar que a falta dessa reprodução linguística via colônias é um elemento que enfraquece enormemente o italiano, e também o alemão, na luta global pela sobrevivência linguística.

Outros focos de falantes de italiano, e também dos dialetos oriundos da península itálica, fora da Itália, são as comunidades italianas instaladas em quase todos os continentes. São grupos importantes, sobretudo na América e na Europa, totalizando cerca de cinco a seis milhões de pessoas. No entanto, também esses focos estão em processo de enfraquecimento.

Nos países onde ainda há um número expressivo de italianos, como a Austrália, o Canadá ou a Alemanha, há certa tendência ao uso do dialeto em casa e do italiano em ambientes ligados à coletividade italiana. Nos ambientes de trabalho, estudo e governamentais, a língua do país hospedeiro é a adotada, língua essa também preferida pelos filhos e netos de italianos nascidos no país. Isso sem contar, evidentemente, as misturas e combinações desses vários níveis linguísticos.

De qualquer forma, à medida que essas coletividades, como visto no capítulo "Um povo de emigrantes", perdem expressividade numérica e se dá a transição geracional, a tendência parece ser a de um progressivo desaparecimento do uso dos dialetos e também do italiano.[21] Na verdade, isso já ocorreu nas velhas coletividades italianas, como na América Latina, onde o uso do italiano (e dos dialetos) já é muito menos comum. Hoje, não é nada fácil encontrar alguém falando italiano nas ruas de São Paulo ou Montevidéu, como seria décadas atrás.

Enfim, é razoável esperar que o idioma italiano sobreviva de algum modo nas comunidades italianas espalhadas pelo mundo, em especial por causa da redescoberta da identidade étnica pelas novas gerações e os esforços educacionais do governo italiano. Também é possível imaginar bolsões onde ainda se falará italiano, algum dialeto ou mesmo alguma língua própria derivada deles, como o *talian*, dialeto oriundo do vêneto e falado, ou que se pretende falado, no Rio Grande do Sul, no Brasil.[22]

No entanto, em linhas gerais, o uso do italiano entre as comunidades imigrantes tende a declinar de Buenos Aires a Sidney e de Paris à Cidade do Cabo, impedindo o sucesso dos esforços das autoridades italianas de fazer da sua língua uma língua global.[23]

Por outro lado, o interesse pelo italiano entre não descendentes parece estar aumentando mais recentemente sobretudo em países como o Brasil e os Estados Unidos, entre outros.[24] Dados do Ministério das Relações Exteriores italiano indicam, aliás, aumento substancial, de 82 para 135 mil estudantes de italiano no exterior entre 1999 e 2004. O italiano é, hoje, uma língua com um número razoável de aprendizes no exterior, o que, claro, é um dado positivo.

No entanto, os dados disponíveis indicam como boa parte desse sucesso se deve aos programas de estímulo ao estudo de idiomas da União Europeia e que o italiano não é, quase nunca, o primeiro idioma estrangeiro escolhido para o aprendizado, sendo superado pelo francês, pelo alemão, pelo espanhol e, obviamente, pelo inglês.

Desse modo, não há de fato como conseguir, para o italiano, o papel de língua internacional, como o francês ou o espanhol, para não falar da língua global, o inglês. Afinal, o italiano é estudado, hoje, essencialmente em resposta a estímulos afetivos, pelos descendentes de italianos, ou por causa de interesses em tópicos muito específicos, como História da Arte, Música ou Culinária. Para fins profissionais ou crescimento acadêmico, o inglês continua imbatível, com o francês e o espanhol atrás.

Assim, por sua escassa difusão fora da Itália, sua incapacidade em se firmar como um idioma realmente indispensável para a globalização e pelo próprio declínio demográfico italiano, a língua italiana, de forma parecida com a alemã, tende, a meu ver, a sofrer diminuição lenta e inexorável do número relativo, se não absoluto, de falantes e a ser reduzida a um idioma ainda menos importante.

Posto isso, cumpre ressaltar como o cenário, na verdade, é menos grave do que aparenta. Mesmo sendo apenas a décima nona língua mundial em número de falantes, o italiano conta, no "mercado mundial das línguas",[25] com vários elementos a seu favor.

Em primeiro lugar, as coletividades italianas espalhadas pelo mundo, apesar dos problemas apresentados, e o fluxo contínuo de turistas para a Itália ajudam sua popularização pelo mundo. Em segundo, ela ainda é vista como um idioma de utilidade em vários campos (como a História da Arte, o Direito, entre outros), o que estimula seu aprendizado. Por fim, é o idioma oficial de uma das principais potências econômicas do mundo, o que é fator importante em sua difusão. Afinal, mesmo com um número semelhante de falantes, não se pode comparar o italiano com, digamos, o javanês.

Assim, dificilmente o italiano irá, a curto prazo, desaparecer ou se tornar uma língua quase folclórica, como o frísio ou o romanche. Também parece pouco provável que seja reduzida a sua importância no plano linguístico ocidental, a médio e longo prazo, e se torne uma língua quase totalmente nacional como é hoje o dinamarquês ou o húngaro. Ela continuará uma língua internacional importante, mas em um plano inferior a outras, em um processo que, evidentemente, traz obstáculos, ainda que não intransponíveis, à difusão da cultura italiana no mundo e à própria sobrevivência dessa cultura no mundo globalizado.

De qualquer modo, abstraindo-se essa discussão sobre a história e o futuro da língua italiana, como imaginar um italiano sem ela? Hoje, a vida dos italianos está tão associada à sonoridade da sua língua, com suas vogais abertas e rimas fáceis, e a seu jeito próprio de falar, sem economizar nas palavras e nos gestos, tão empregados para realçar e dar clareza a tudo o que dizem, que dificilmente se pode pensar que o povo italiano, como o que conhecemos hoje, possa sobreviver sem ela.

A CULINÁRIA:
GLOBALIZAÇÃO ITALIANA VIA ALIMENTAÇÃO

Se a língua italiana dificilmente poderá ser um elemento fundamental, salvo nichos isolados, da cultura global que ora se forma, não é possível dizer a mesma coisa de sua culinária, que hoje já é parte mais do que integrante dessa cultura. Talvez possamos dizer, até mesmo, que não há um elemento da cultura italiana que seja mais conhecido no exterior atualmente, que mais colabore para a imagem italiana no mundo, do que sua comida.

Claro que falar de uma cozinha italiana com propriedade é algo, no mínimo, complicado, pois as diferentes regiões da Itália mantêm tradições culinárias extremamente diversas. O Norte, com as ricas colheitas de cereais do Vale do Pó, tem mais tradição em risotos e na famosa polenta. Em áreas próximas ao mar, como a Ligúria ou a Sardenha, os peixes são comumente utilizados nas receitas locais, enquanto no Sul a *pasta* (massa, em português) e os vegetais frescos são combinados das maneiras mais diversas.[26]

Nesse sentido, falar, como é habitual em livros de culinária, que os italianos seguem, e sempre seguiram, uma "dieta mediterrânea" praticamente homogênea, ou seja, uma alimentação baseada sobretudo em massas, óleo de oliva e vinho, com baixa presença de produtos de origem animal, é uma simplificação.[27]

Contudo, mas parece razoável elencar, como denominadores comuns, hoje, a *pasta* (ou seja, vários tipos de massa de trigo, cortados e cozidos de forma diferente e com todos os tipos possíveis de molhos), a pizza, o óleo de oliva e o vinho. Os italianos

Cultura e estilo de vida próprios? | 245

Pizza: popular em quase todo o mundo.

também consomem legumes, vegetais e grande variedade de pães, peixes e carnes, mas sem que esses últimos se tornem os elementos-chave da cozinha local, como o são, em boa medida, respectivamente, na França, no Japão ou na Argentina.

O vinho é típico da região do Mediterrâneo e, na verdade, de toda a cultura europeia e há outros países, como a França, que consomem tanto quanto os italianos. Estes, além disso, têm consumido cada vez menos vinho diante da cerveja, dos refrigerantes e de outras bebidas e, apesar de uma tradição viticultora de milênios, têm grandes concorrentes no campo da produção, como franceses, alemães, chilenos, entre outros. Mesmo assim, com cada italiano saboreando 60 litros do produto por ano (contra 30 na Argentina e meros 2 no Brasil) é difícil imaginar a culinária e a vida na Itália sem a presença de garrafas e mais garrafas de vinho. Beber vinho, na Itália, não é uma mera questão alimentar, mas representa prazer e uma tradição cultural de séculos.

O óleo de oliva também não é uma exclusividade da Itália e da culinária italiana e os 10 a 12 quilos de óleo que cada italiano consome por ano, apesar de parecer muito diante dos meros 150 gramas anuais de um brasileiro, equiparam-se ao consumo dos espanhóis e perdem para os mais de 20 quilos dos gregos. Os italianos produzem variedades próprias e seu modo de viver e se alimentar é indissociável do azeite. Mas essa é uma característica do Mediterrâneo e não só da Itália.

Assim, se pensarmos no que é realmente específico para definir a cozinha italiana, talvez tenhamos de nos concentrar nas massas e na pizza. A pizza, de fato, é um caso especial. Nasceu da necessidade, por parte do povo pobre da península, de um prato de fácil preparo e com ingredientes comuns na região, como farinha, óleo e sal. Apesar das origens antiquíssimas, alguns dizem que etruscas, a variante mais próxima da atual nasceu por volta de 1600, em Nápoles. Em geral, um disco de massa sobre o qual se colocavam ingredientes, como alho, manjericão e queijo. A partir do século XVIII, o tomate – importado da América – passou a ser utilizado como cobertura, mas foi no século XIX que, finalmente, ocorreu o "matrimônio histórico" da pizza com o queijo mozarela, dando início à deliciosa pizza como a conhecemos hoje, em suas infinitas variantes.

Os italianos também são grandes apreciadores e fabricantes de sorvetes. O sorvete já era conhecido na Antiguidade, em especial no Oriente Médio, e conta-se que Alexandre, o Grande, apreciava mel e frutas misturados com neve. Também na antiga Roma, ele era feito com neve, sobretudo do monte Etna, e consta que o imperador Nero era um grande fã e consumidor. Na Itália moderna, há relatos de consumo de sorvete na Sicília medieval, rica em frutas e neve, e de hábeis fabricantes de sorvete na Florença do século XVI, os quais difundiram pela Europa, com outros precursores sicilianos, via Espanha e França, o hábito de apreciar o sorvete. Também foi um italiano, Giovanni Bosio, que teria introduzido o sorvete nos Estados Unidos em 1770.

Hoje, os italianos não são os maiores consumidores de sorvete do mundo, possuindo uma média individual de 10 quilos por ano, o que parece muito diante dos cerca de 3 a 4 quilos por ano do Brasil, mas que fica bem aquém dos 18 dos australianos ou dos 23 dos norte-americanos. O hábito é muito difundido, o sorvete imensamente apreciado em todas as estações do ano. E o sorvete italiano já é marca de qualidade na Espanha, França, Inglaterra e até no Brasil.

Também os doces fazem parte da vida culinária italiana. Doces e chocolates são menos consumidos na Itália do que em outros países (cerca de 4 quilos *per capita* por ano, contra 6 na Suíça, mas bem além do quilo anual do Brasil), mas há doces típicos muito famosos, como o *tiramisu*, que traz, em sua receita, chocolate, café e mascarpone, um laticínio típico do Norte da Itália. No campo dos pães doces, os italianos têm tradição e fama e, na época do Natal, o "conflito" entre os adeptos do panetone e os do *pandoro* divide a Itália. Mais uma tradição culinária que podemos identificar claramente como italiana.

Cumpre ressaltar, a propósito, que seria um erro imaginar que os italianos, desde tempos imemoráveis, sempre foram consumidores vorazes de pizza e massas. Os hábitos

As modernas máquinas de café expresso, invenção italiana, revolucionaram o hábito do cafezinho.

culinários têm sua própria historicidade e, provavelmente, um italiano da Renascença acharia estranhos muitos dos alimentos e bebidas que estão nas mesas italianas hoje. Igualmente, alimentos que antes eram privativos dos ricos, como a carne, difundiram-se, com a melhoria das condições de vida, chegando aos pobres, enquanto pratos típicos das classes baixas foram, e são, apropriados e refinados pelos ricos.

E o café? Durante o século XIX e início do XX, o consumo do café era pequeno na Itália e restrito às classes ricas. Depois, com o desenvolvimento econômico, o hábito se difundiu por todo o país e, até hoje, para muitos italianos, "café da manhã" significa tomar uma xícara de café (ou as suas numerosas combinações com leite e chocolate, como o *cappuccino*, o *macchiato*, o *caffè latte*, entre outras) e comer um brioche (o *cornetto*) em um bar. Visitar esse mesmo bar várias vezes por dia, variando os pedidos conforme a hora, também é um hábito comum hoje em dia. O bar torna-se um importante espaço de convivência social.

Note-se que esse café muitíssimo apreciado pelos italianos não é qualquer um, mas o café expresso, ou seja, um café forte, se possível de grãos moídos na hora, e com sabor mais definido e encorpado, bem diferente do de outros países. Essa preferência dos italianos pelo café expresso explica porque eles, em termos de consumo *per capita* do produto, estão abaixo dos níveis de outros países europeus, como a Inglaterra. Os italianos preferem nitidamente qualidade à quantidade e apreciam o café pelo sabor e pela função estimulante, enquanto, no norte da Europa, ele é visto como uma bebida a ser tomada lentamente, como um chá.

A tecnologia para extrair o café expresso, desenvolvida em 1906, foi a grande inovação italiana nesse campo. As máquinas de café expresso logo se tornaram a marca registrada de bares e cafés italianos, atendendo os poucos clientes que podiam pagar por esse privilégio. Mais tarde, difundiram-se por toda a Itália e hoje, popularizadas, são exportadas para todo o mundo. Internacionalmente, tomar um bom café expresso, um delicioso *caffè latte* ou um cremoso *cappuccino* remete de modo direto à cultura italiana.[28]

Dessa forma, um país que não produz café, importando seu grão essencialmente da América Latina e da África, conseguiu criar um estilo próprio de consumir o grão e, em especial, associar esse café forte e saboroso ao próprio "estilo de vida italiano" que, entre outras coisas, reconhece o valor de se dedicar um tempo importante do dia apreciando uma bebida bem-feita, em um local público, cercado por outras pessoas que compartilham o mesmo gosto. Uma associação que não faria sentido para um italiano pobre do século XIX, mas perfeitamente válida hoje.

A caminhada da cozinha italiana para seu *status* atual de cozinha global começou, em boa medida, com os emigrantes italianos, que levaram para o mundo ocidental os seus hábitos, ingredientes culinários e maneiras de encarar a alimentação.

Nos Estados Unidos, podemos perceber como a culinária italiana, assim como a de outros grupos étnicos, se incorporou de modo progressivo à própria cultura e culinária norte-americana. Em um primeiro momento, a comida italiana, era feita por italianos para italianos, ou, para ser mais preciso, por vênetos, sicilianos ou napolitanos para outros membros do seu grupo.

Os italianos foram os maiores difusores e consumidores da macarronada. Inventaram mais de 500 variedades de tipos e formatos.

Com o tempo, o público americano começou a identificar, nessa multiplicidade de hábitos e produtos alimentares, alguns pratos e especialidades que seriam apenas italianos, como a pizza e as massas, e esses pratos, antes vistos como exóticos e até inferiores, começaram a cair no gosto popular, saindo dos limites dos bairros italianos.

Assim, já no início do século XX, começaram a surgir restaurantes italianos em boa parte das cidades norte-americanas e imigrantes começaram a instalar fábricas de produtos culinários italianos para atender tanto a seus compatriotas como aos americanos interessados na novidade. A partir da década de 1950, por fim, com a popularização dos alimentos prontos, como *spaghetti* seco e molhos em lata, vários pratos da cozinha italiana se incorporaram de forma definitiva aos hábitos do americano médio, tanto que, na transição de cozinha étnica minoritária para culinária difundida e incorporada, nos anos posteriores, boa parte das primeiras indústrias alimentares ítalo-americanas foram adquiridas por grandes empresas do setor de alimentos nos Estados Unidos.[29]

No Brasil, a influência da culinária italiana também é significativa, especialmente no Centro-Sul. O macarrão, as massas e outros produtos típicos italianos tornaram-se parte do dia a dia dos brasileiros. No Brasil, a pizza chegou nas bagagens dos imigrantes vindos do sul da Itália, sendo popularizada[30] a partir de 1910, quando alguns empreendedores decidiram vendê-la, aos pedaços, nos estádios de futebol de São Paulo. Após esse início inusitado, a pizza tornou-se prato comum em todas regiões do Brasil e, no estado de São Paulo, um verdadeiro prato típico. Na capital paulista, em 2003, dos mais de 12 mil restaurantes registrados na cidade, nada mais de 5.800 eram pizzarias e 4.500 cantinas ou restaurantes italianos, contra meros 600 japoneses e 90 alemães.[31]

A cozinha italiana conseguiu, assim, grande sucesso em termos globais. Na verdade, elementos culinários de várias culturas se incorporaram a esse mercado global da alimentação e hoje é possível encontrar sem dificuldade restaurantes tailandeses em Washington ou alemães em Hong Kong, além dos onipresentes restaurantes chineses. Mas a culinária italiana está bem nesse campeonato, tanto que ainda representa um filão apreciável no mercado dos "restaurantes étnicos" nos mais diferentes países e se incorporou à cozinha globalizada, em especial quando associada ao *fast food*.

É evidente que essa cultura alimentar *fast food* globalizada está longe de ser dominada pela culinária italiana, incorporando elementos de várias culturas, como a mexicana, a chinesa e, claro, a norte-americana. Mas que a cozinha italiana foi bem-sucedida nesse campo, é um fato. Tanto que, dos oito pratos e bebidas que unificam o mundo, podendo ser consumidos em Nova York, Roma ou Kuala Lumpur (o hambúrguer, o macarrão, o *sushi*, o cuscuz, a Coca-Cola, o *chili*, a pizza e o café), dois são identificados com o mundo italiano, o que indica a força dessa culinária na esfera global.[32]

Alguns comentários a respeito desse sucesso. Afinal, por que a cozinha italiana se tornou tão popular, e não apenas nos países que receberam imigrantes italianos? De um lado, contam a praticidade da massa (que qualquer pessoa com um mínimo de conhecimento culinário consegue fazer em poucos minutos) e a qualidade da comida e do café italianos, ainda que esse fator seja, claro, subjetivo.

Qualquer pessoa, aliás, que tenha visitado, por exemplo, Londres, e provado a culinária e o café ao estilo britânico, vai compreender sem dificuldade o número de restaurantes e cafeterias italianos pela capital inglesa, que atraem mais britânicos do que italianos ali residentes. Afinal, como dizem os próprios londrinos, depois de provar o café expresso, forte e encorpado, ou um saboroso e saudável sanduíche no pão italiano, é muito difícil aceitar novamente o café fraco e os engordurados pratos de batata frita com peixe da Inglaterra.

O fato de os imigrantes italianos, como visto, se dispersarem por boa parte do mundo e de terem espalhado, com sucesso, sua culinária na sede mundial da cultura global, os Estados Unidos, com certeza também foi importante para essa difusão. Contudo, influíram ainda para a popularização da cozinha italiana, fatores completamente fora do mundo alimentar, como a alegria e a espontaneidade com que os italianos, e em especial seus restaurantes, eram e são vistos. Isso era verdadeiro, digamos, para Nova York no início do século XX[33] e o é ainda hoje para os que visitam as cantinas italianas em Curitiba, Buenos Aires ou Bruxelas.

Esse ponto é realmente fundamental. A cozinha italiana não é tão só um conjunto de alimentos, mas quase um modo de vida. Preparar com calma os alimentos, em geral bebendo um bom vinho e, de preferência, com muita gente conversando na cozinha, e saborear a refeição, com calma e em quantidades generosas, é um elemento-chave na cultura italiana que tem seus atrativos, em especial para os que se recusam a ver na alimentação mero dever fisiológico.

A origem dessa maneira de encarar a alimentação, que não é exclusiva da Itália (franceses e japoneses, cada um a seu modo, também valorizam as refeições caprichadas) mas é sobretudo forte na península, está, provavelmente, arraigada no modo de vida dos camponeses italianos. Eles, com certeza, não tinham nem o tempo, nem os recursos necessários para dedicar longas horas ao preparo dos alimentos e ter o que comer era sempre mais importante do que ou com quem comer. Mas o ato de se alimentar era chave na sociedade camponesa italiana, inclusive para reforço dos vínculos familiares, e não espanta que, em uma nova conjuntura socioeconômica, tal cultura tenha-se modificado, mas não desaparecido.[34]

É óbvio que muitos italianos, talvez a maioria, envolvidos na correria da vida moderna, não podem, muitas vezes, desfrutar desses momentos como gostariam e que as cozinhas italianas, hoje, tenham pratos prontos, micro-ondas e toda a parafernália necessária para refeições rápidas e práticas. A maioria dos italianos de hoje, além disso, come fora de casa. No entanto, o valor cultural é mantido, tanto que os italianos ainda despendem mais tempo com a cozinha e as refeições do que a maioria dos seus vizinhos europeus, com a possível exceção dos franceses.[35]

Para a maioria dos italianos, de fato, cozinhar e comer não são meras obrigações domésticas, mas um momento de alegria, de reunião das famílias e de saborear os alimentos, com equilíbrio e prazer.

Outro ponto interessante a ressaltar é que, na transição de comida étnica para nacional ou internacional, várias transformações ocorreram. Em primeiro lugar, nem todos os produtos da culinária italiana caíram no gosto de brasileiros, argentinos ou chilenos. O presunto cru, por exemplo, não é muito apreciado, enquanto outros alimentos, como a pizza, as massas e o café expresso, o são. Uma seleção e absorção cultural, sem dúvida. Em segundo lugar, os próprios produtos da cozinha italiana se transformaram nesse processo. Para os que já tiveram a oportunidade de experimentar a pizza, por exemplo, em vários locais do mundo, é fácil perceber as diferenças. A pizza italiana, em geral e abstraindo as imensas diferenças regionais, enfatiza a massa; a brasileira tem no recheio, em grandes quantidades e com ingredientes mais inusitados, a sua essência. Isso para não mencionar a de algumas cadeias de *fast food* norte-americanas, na qual a pizza se aproxima de uma torta e o molho, do catchup. Espanta, assim, que, em fins dos anos 90, a pizza americana tenha sido reprovada pelas associações de pizzaiolos de Nápoles e Milão por não seguir a tradição?[36] Surpreende que no Brasil haja até pizza de banana e rodízio de pizza? E na França, ela possa ser feita com queijo *brie* ou *camembert*?

Enfim, se há algum aspecto da cultura italiana que ganhou o mundo esse é sua culinária e seu modo de encarar a alimentação. Claro que, nesse processo, a gastronomia foi tão modificada e pasteurizada que, muitas vezes, não tem mais nada a ver com sua origem. Mas a pizza, o macarrão e os raviólis se mundializaram e se tornaram elementos da cultura global que quase todos os habitantes do mundo identificam sem dificuldades como "italianos", o que marca a identidade desse povo diante do restante do planeta.

AS RELAÇÕES PESSOAIS: AMIGOS, VIZINHOS, PAQUERAS

Outro elemento facilmente identificável na cultura italiana é o papel importante atribuído à família, aos amigos e aos relacionamentos afetivos. É um estereótipo aquela imagem da mãe italiana rodeada por seus muitos filhos sentados em volta da mesa e cercados por outros membros da família e amigos, comendo muito e falando alto. Mas a valorização das relações familiares, afetivas e de amizade são, sem dúvida, um traço importante e bastante conhecido da cultura dos italianos.

Os italianos parecem menos inclinados do que seus vizinhos europeus a trocar de amigos à medida que envelhecem e a fazer amizades no lugar de trabalho ou na vizinhança. Eles também mantêm contatos pessoais com mais frequência e tendem a recorrer aos amigos mais para fins de apoio emocional do que para fins instrumentais, como auxílio financeiro e ajuda doméstica.

Também as relações com os vizinhos tendem a ser mais próximas do que nos países do norte da Europa ou nos Estados Unidos. Em face do individualismo desses povos, os italianos, e os latinos em geral, tendem a se relacionar mais com a vizinhança, tanto prestando favores e solidariedade, como discutindo, brigando e se imiscuindo na vida alheia.

Esses são apenas alguns sinais de um quadro que, com certeza, se modificou nos últimos anos e sofre intensas variações segundo região, classe social etc.[37] Não obstante, é um sinal da importância desses vínculos entre os italianos. A sociabilidade e a informalidade dos italianos é realmente um elemento-chave se quisermos entender direito o que é ser italiano, pois representa tanto o que mais encanta como o que mais irrita neles.

Os italianos, em especial os do Sul, não parecem acreditar, por exemplo, em filas. Em geral, para comprar um pão ou ingressos para o teatro, forma-se uma aglomeração diante do guichê e quem abrir seu caminho com mais decisão é o vencedor. No trânsito, esse mesmo desrespeito às leis é evidente. Menor em Milão, razoável em Roma e dominante em Nápoles, ele implica um tráfego complicado e difícil, em que cada um faz suas regras e em que pequenas batidas e confusões são comuns. Estaciona-se como e onde se consegue e a única regra é não perder o bom humor. Estranhamente, a única coisa que é respeitada é a faixa de pedestres. Nas estradas, eles adoram correr.

Brigas também são uma parte do "ser italiano". Pessoas brigam ruidosamente por um esbarrão nos ônibus ou por estacionar em lugar proibido, mas sem chegar às vias de fato. Parentes discutem sem cessar nos barulhentos almoços familiares e logo depois retomam os laços. Os italianos também não são muito fiéis a horários e sua flexibilidade frente a eles, apesar de não assustar um brasileiro ou um espanhol, certamente causa espanto a um alemão ou inglês.[38]

Talvez nada cause mais admiração a um alemão ou inglês, contudo, do que as relações homem-mulher, em especial a paquera. Para um homem italiano, paquerar, tentar chamar a atenção, abordar ou seduzir a mulher que cruza sua frente com palavras e gestos (nem sempre sutis) é quase uma religião. Muitas vezes, talvez a maioria, sabe-se que nada mais palpável sairá dali, mas o simples ato da "cantada", sobretudo se a mulher for razoavelmente bonita, é um imperativo cultural insuperável, tanto que muitas mulheres na Itália acabam por desenvolver formas de defesa, como a indiferença.

É óbvio que nem todos os italianos são paqueradores contumazes e esse hábito pode, muitas vezes, se converter em situações desagradáveis para as mulheres, como assédio e mesmo estupro. Em geral, contudo, é algo inofensivo e sem maiores consequências. Na Itália, e nos países latinos em geral, a ideia de processar judicialmente alguém por um elogio ou por um beijo inesperado, como pode ocorrer nos Estados Unidos, seria ridícula. Se a lei dos "politicamente corretos" fosse implantada na Itália, os italianos provavelmente encheriam todas as prisões do país em uma semana.

O humor, a afetividade e a humanidade dos italianos podem se transformar, claro, em seu duplo, ou seja, o desrespeito às leis e às normas de civilidade, o sarcasmo, a falsidade e a grosseria, e isso ocorre muitas vezes. Mas em geral é algo que faz a vida muito mais agradável nesse país e são elementos, a meu ver, que devem ser mais valorizados do que malvistos.

A FAMÍLIA ITALIANA

Nada identifica mais os italianos do que a importância que atribuem à família. Desde o século XIX, observadores notaram, com apreciação negativa ou positiva, a força dos laços familiares na Itália. Claro que famílias desfeitas, ódios e conflitos entre familiares, traições e ciúmes sempre existiram, mas também havia a concepção de que, apesar dos pesares, a união da família era algo a ser defendido, assim como que nenhum dever era mais caro a uma pessoa do que garantir sua preservação e prosperidade.

As intensas transformações econômicas e sociais vivenciadas pelo povo italiano nas últimas décadas e, em especial, a liberação feminina e o divórcio com certeza modificaram bastante esse quadro. Muitos jovens querem levar uma vida independente, possuem gostos próprios e querem ficar longe dos pais. Indivíduos vivendo sozinhos, casais não legalmente casados, divórcios e outros sintomas de mudança tornaram-se relativamente comuns. Não obstante, a família ainda é vista, na cultura italiana, como o centro da vida social e da própria identidade do indivíduo.

As estatísticas de divórcios e filhos nascidos fora do matrimônio confirmam essa maior propensão dos italianos à vida familiar. Em 1994, por exemplo, foram verificadas 24 separações e divórcios para cada cem matrimônios na Itália, enquanto esse número subia para 35 na França e 44 na Grã-Bretanha. No mesmo ano, a porcentagem de filhos nascidos fora do casamento era de apenas 7,3% na Itália, contra 10,5% na Espanha, 15,4% na Alemanha, 32% no Reino Unido e 35% na França.[39]

As famílias também continuam a manter vínculos fortes entre as gerações, com os filhos, inclusive, demorando cada vez mais para deixar as casas dos pais. Na Itália dos anos 80, para quando estatísticas confiáveis estão disponíveis, 90% dos filhos e 65% das filhas entre 20 e 24 anos viviam com os pais, enquanto os números para a França eram 52% e 27%, para a Alemanha 43% e 31% e, para a Grã-Bretanha, 58% e 23%.[40] Os números podem ter se alterado um pouco para os dias de hoje, mas não muito.

À parte fatores práticos, como a falta de empregos para os jovens e o alto valor dos aluguéis, e mudanças culturais, como a maior liberdade em família, que viabilizam a presença mais longa dos jovens na casa paterna, parece evidente que o apego à família também é elemento a ser levado em conta.

Realmente, os italianos tendem a viver em famílias mais "longas" do que seus vizinhos europeus. Avós, pais e filhos vivem, muitas vezes, na mesma casa ou, no máximo, nas vizinhanças e os contatos cotidianos entre eles são contínuos. Os avós tendem a ajudar os filhos a criar os netos e são cuidados por eles, em especial pelas filhas. Mesmo entre os descendentes de italianos espalhados pelo mundo, esse traço de valorização da família e da proximidade com ela é uma característica cultural ainda bastante forte, como demonstram as pesquisas acadêmicas[41] e a própria experiência cotidiana do sagrado "almoço dominical em família" dos italianos ou descendentes no Brasil, por exemplo.

Aliás, sem cair no estereótipo, um almoço de família é um bom momento para entender a relação dos italianos com seus parentes. Normalmente, todos falam ao mesmo tempo e os ausentes são analisados e criticados. Quando estes chegam, contudo, sucedem-se as manifestações ostensivas de afeto e alegria, sobretudo em volta da mesa, assim como novas brigas e discussões. Para pessoas acostumadas a esse tipo de relação familiar íntima e quase ritualística, os filmes americanos nos quais os membros de uma família, após anos de relação distante, confessam finalmente seus verdadeiros sentimentos uns pelos outros, não fazem o menor sentido.[42]

No que se refere aos papéis masculino e feminino, os homens italianos, como em quase todo o mundo, têm enfrentado dificuldades para se adaptar aos novos tempos e aos novos conceitos de paternidade. Os pais autoritários de outrora, contudo, praticamente desapareceram.[43] Já o papel das mulheres na família italiana continua bastante próximo do padrão tradicional, ao menos no campo teórico.

Um dos elementos culturais chave da família italiana é de fato a figura da *mamma*, superprotetora, e até mesmo controladora, especialmente no que se refere aos filhos homens. Apesar de o homem ser considerado o chefe da família, é a mulher, e a mãe, o seu centro, em redor de quem giram o marido, as filhas e, em particular, os filhos.[44] Na verdade, a maior parte das culturas identifica a família como um ambiente matriarcal, mas a cultura italiana tradicional tende, por princípio, a levar esse traço ao limite.

Confirmações dessa característica da cultura italiana podem vir de várias fontes. Que outro povo apela para a mãe em momentos de aflição? Será que os alemães gritam *Mutter* diante de uma emergência, uma aflição ou um perigo? Já os italianos apelam sempre à *mamma mia*, enquanto uma das expressões mais comuns da língua italiana é *Madonna!* (Nossa Senhora), símbolo universal da mãe que sofre e se sacrifica pelo filho.[45]

É realmente interessante observar como esse aspecto da cultura italiana é tão forte que tem resistido até mesmo às imensas transformações da vida na Itália nas últimas décadas. Mesmo quando a mulher tem apenas um filho e o deixa com os avós para poder trabalhar, ela ainda é a *mamma*, figura sempre presente, a vigiar os filhos, protegendo-os e sufocando-os com atenção e carinho. Não espanta, assim, que a língua italiana tenha um termo específico para identificar esse tipo de relação das mães com os filhos – o *mammismo* – que causa admiração e espanto entre os observadores estrangeiros.[46]

Pesquisadores tentando compreender esse traço cultural levaram suas reflexões ao estudo da figura da Virgem Maria, da "Grande Mãe mediterrânica" e do mito de Édipo, o que talvez seja um exagero. Do mesmo modo, levar uma possível tendência cultural ao terreno dos estereótipos e da uniformidade seria absurdo, pois, com certeza, nem todas as mães italianas são *mammas*, especialmente na Itália de hoje, pós-movimento de liberação da mulher. No entanto, os dados indicam que os contatos entre mães e filhos, e familiares em geral, continuam a ser mais fortes na Itália do que em outros países europeus.

Em 1994, por exemplo, algumas estatísticas revelavam que um terço dos homens italianos casados viam suas mães todos os dias e outro terço ao menos uma vez por semana. Ao mesmo tempo, a maioria dos homens solteiros acima de 35 anos e boa parte dos divorciados vivia com as mães.[47]

Para um norte-americano típico ou mesmo um francês, a ideia de viver com a mãe após o divórcio ou continuar na casa dos pais após completar 30 ou 40 anos de idade é intolerável e mesmo impensável, em nome da privacidade e da busca de espaço próprio. Já para os italianos e para boa parte dos seus descendentes espalhados pelo mundo, é perfeitamente natural e até mesmo lógico, o que indica como essa valorização dos laços familiares é realmente um traço da cultura italiana.

Tal valorização gera, inclusive, efeitos no mundo político e social mais amplo, nem sempre positivos. Já que a família é a fonte prioritária de lealdade e identidade, tudo é permitido, a princípio, em seu nome. Colocar primos e sobrinhos em cargos de prestígio ou privilegiar empresas de cunhados em uma concorrência pública não é, assim, considerado algo errado, mas apenas uma forma de garantir a prosperidade da família, o que explica a tolerância com essa prática na Itália desde os papas do Renascimento até os políticos da Democracia Cristã no século xx. Também associações criminosas, como a Máfia italiana, só podem existir tendo como base ideológica uma solidariedade primária como a família.

Aquela velha família italiana, com o pai autoritário, a mãe aparentemente submissa, mas dona de imenso poder paralelo, e um monte de filhos, todos vivendo em harmonia e de forma solidária, com certeza nunca existiu, a não ser na teoria. Também os laços familiares "longos" e duradouros, entre sobrinhos, tios, primos e avós, certamente não são tão fortes como chegaram a ser no passado. Mas a instituição familiar, na Itália, é ainda bastante sólida. A família ainda representa algo muito importante na vida dos italianos, o que traz alguns problemas (como a convivência nem sempre agradável, os inevitáveis conflitos entre os parentes), mas, no geral, acaba por torná-la bem mais agradável e suportável do que em outros países, onde impera o individualismo.

A valorização das crianças e dos filhos também é um traço da cultura italiana. Para os latinos, em geral, e para os italianos, em particular, a própria ideia do casamento é indissociável da geração de crianças e a imagem tradicional da família italiana sempre foi a do pai rodeado por uma multidão de filhos, enquanto a mãe está na cozinha, se preparando para alimentar a todos. Os filhos seriam a razão de ser da família e da própria vida e valeriam todos os sacrifícios.

Na Itália atual, onde, como visto no capítulo "Um povo de emigrantes", as mudanças sociais e culturais levaram o país a um dos mais baixos índices de natalidade do mundo, as crianças são um bem raro. Isso não significa, contudo, sua desvalorização. Pelo contrário. Mesmo que a presença de crianças, em especial as pequenas, em uma sociedade de velhos possa gerar atritos cotidianos, sobretudo quanto ao desagradável barulho em prédios de apartamentos, elas continuam a ser valorizadas e até mais do que antes. Caminhar pelas ruas de Roma ou Florença empurrando um carrinho com uma criança, em particular se for *maschio* (menino), é motivo para ser parado e cumprimentado, até pelo fato de essa cena ser cada vez mais rara.

O problema desse sentimento é que, na Itália de hoje, criou-se a ideia de que os pais devem fazer todos os sacrifícios possíveis e imagináveis pelos filhos e sustentá-los e protegê-los até o fim da vida, pagando suas contas e fazendo-lhes todas as vontades. Da velha família em que os pais dominavam os filhos, parecemos estar caminhando para o polo oposto.

Aqui, vale a pena uma comparação com o caso chinês. Na China, com a política do filho único, está surgindo uma geração de "pequenos imperadores". Desacostumados à presença de irmãos, centro da vida doméstica, são mimados e superprotegidos. Em certo sentido, os italianos, com sua política própria de filho único (não compulsória, mas real), estão vivendo, hoje, situação parecida com a dos chineses.

Ressalte-se, além disso, como a própria valorização das crianças e da família ajuda, como já indicado no capítulo "Um povo de emigrantes", a explicar a baixa natalidade na Itália. Em uma cultura que prega que a única forma de cuidar de um filho é a dedicação quase integral a ele, criar vários filhos representa um investimento em termos de dinheiro, tempo e atenção que poucas famílias, e, em especial, mães, podem ou querem fazer. Antes, quando as mulheres ficavam em casa e os filhos trabalhavam no campo para ajudar os pais, era possível e até necessário ter 10 ou 12 crianças por família. Hoje, quando os pais têm outras ambições e necessidades na vida além da de criar descendentes e esses demandam um investimento afetivo e financeiro imenso, como ter mais de um?

Assim, vários países do norte da Europa, em que o individualismo é mais valorizado, têm índices de natalidade maiores do que a Itália. Porém, apesar de os italianos apreciarem as crianças e cuidarem delas, não nascem muitos bebês no país. Uma aparente contradição, mas explicável pelo descompasso entre o que se demanda dos pais italianos de hoje em termos de investimento financeiro e emocional para os filhos e o que eles podem e querem dar.[48]

O TURISMO

O turismo é uma das maiores e mais lucrativas indústrias da Itália, se não a maior. Boa parte dos turistas que chegam todo ano à península está interessada não apenas nas belezas naturais, nas praias e nas montanhas. Muitos estão em busca dos monumentos, dos símbolos da cultura erudita e também do modo de vida italiano, mesmo que ele seja, com certeza, idealizado.

O turismo já existia na península mesmo antes da unificação italiana e, no mínimo desde o século XVII, estrangeiros visitavam a Itália. Foi a partir do final do século XIX, contudo, com a popularização do turismo na Europa, que os estrangeiros, especialmente europeus, começaram a afluir em massa ao país. Entre eles, desde intelectuais, como James Joyce ou Sigmund Freud (que teria redescoberto a "alegria de viver" na Itália[49]) até visitantes mais comuns. Já em 1912, quase um milhão de turistas estiveram na Itália e, entre sobes e desces, esse número cresceu no decorrer do século XX.[50]

Nesse início de milênio, a indústria do turismo mundial movimenta cifras astronômicas e a Itália, que, segundo seus órgãos oficiais, tem, sozinha, 50% do patrimônio artístico mundial, controla cerca de 10% desse mercado. Nada menos do que 50 milhões de turistas visitaram a Itália em 2001.

Essa verdadeira "invasão" é, hoje, um elemento indissociável da vida na Itália. O fluxo de turistas é mero filete no outono e no inverno e cresce com a primavera. No verão, transforma-se em uma verdadeira torrente. Pessoas dos cinco continentes chegam, de trem, avião, carro e moto e ocupam todos os espaços que encontram. Os italianos, em especial em agosto, quando o país literalmente para devido ao calor, também gostam de seguir para o litoral. Trens, ônibus, barcos, capelas, praças e restaurantes se enchem de senhores aposentados bem vestidos, de jovens com mochilas nas costas e de casais em lua de mel.

O turismo trouxe alguns problemas e dificuldades à vida na Itália (como a superlotação dos meios de transporte e a poluição dos locais turísticos), mas, em geral, foi, e é, um recurso econômico fundamental de sua economia e, mais importante, se converteu em um dos canais centrais pelos quais o mundo conheceu, e conhece, a península. Assim, o turismo não pode deixar de ser considerado quando estudamos a cultura e o modo de vida dos italianos, afinal, é um dos canais pelos quais essa cultura se reelabora e recebe novos significados, além de permitir que se converta em valor econômico. E mais, é no vaivém de turistas que está uma das correias principais de transmissão de valores, imagens e símbolos, positivos e negativos, sobre a Itália para o restante do mundo. Ao escolherem viajar para a Itália, os turistas estão procurando não uma Itália, mas várias. Alguns, especialmente do norte da Europa, buscam a Itália mediterrânea e quente, com seu mar azul e suas praias. Outros, sobretudo de fora da Europa, anseiam pelos monumentos históricos, pela História que parece emanar de cada pedra e de cada rocha da península, enquanto os de sensibilidade artística ou histórica se encantam com a possibilidade de visitar museus, fazer cursos de História ou de *design*. Já os apaixonados curvam-se aos apelos dos locais considerados românticos, como Veneza, com seus canais, enquanto muitos viajantes buscam os prazeres da vida italiana, como a comida, a informalidade e a amizade fácil. Várias Itálias são procuradas e, até certo ponto, encontradas.

O turismo: parte fundamental da vida italiana há séculos.
Cortina d'Ampezzo (Belluno), importante centro de esqui.

O ESPORTE NA CULTURA ITALIANA

Os esportes estão presentes em todas as culturas humanas[51] e as sociedades que ocuparam a península itálica nos últimos milênios não foram exceção. Os antigos romanos, por exemplo, tinham seus jogos de gladiadores, corridas, diversas competições atléticas, ginástica e outras tantas manifestações esportivas. Na Idade Média, muitas modalidades desapareceram assim como caiu em desuso a ideia de que a prática de esportes servia à diversão tanto quanto ao preparo físico dos indivíduos; por outro lado, os torneios entre cavaleiros eram bastante apreciados nessa época.

Já no século XIX, o futebol dividia com o ciclismo o primeiro lugar entre os esportes mais populares da Itália. A primeira corrida oficial de ciclismo, a Florença-Pistoia, surgiu em 1870. Ainda no pós-Segunda Guerra Mundial, as corridas de bicicleta eram tão populares que a rivalidade entre católicos e comunistas foi personificada, por muito tempo, na disputa entre os ciclistas Gino Bartali e Fausto Coppi.

A partir do século XX e, em especial, dos anos 70 em diante, os italianos apaixonaram-se por modalidades como natação, atletismo, pugilismo e corridas automobilísticas. A Ferrari, afinal de contas, continua a ser quase uma religião para muitos italianos. Mas foi o futebol que se tornou de fato o grande e inigualável catalisador do mundo esportivo. É ele que concentra a atenção dos meios de comunicação e boa parte dos recursos financeiros destinados ao esporte. Hoje, verdadeiras empresas estão surgindo em torno de clubes, como o Milan e a Internazionale.

Até poucos anos atrás, havia um estilo italiano de jogar futebol, centrado na defensiva e nos contra-ataques. Hoje, as equipes italianas estão mais ofensivas, mas sem que o modelo tradicional tenha sido eliminado, o que, para alguns, é sinônimo de falta de criatividade e de futebol espetáculo. De qualquer forma, o mundo olha com atenção para um país com tradição de grandes jogadores, que venceu três Copas do Mundo (1934, 1938 e 1982).

Não é no modelo de jogo, contudo, que está a especificidade mais relevante do futebol italiano, mas sim em sua relação com a sociedade. O Campeonato Italiano é muito equilibrado e competitivo, as equipes altamente profissionais (ainda que ocasionalmente envolvidas em escândalos de corrupção ou mau uso de fundos) e a imprensa esportiva italiana, notadamente a voltada ao futebol, muitíssimo desenvolvida. A TV, então, dedica um tempo substancial de sua programação ao futebol e aos esportes em geral.

Na Itália, o futebol atrai enorme interesse popular e divide opiniões e sentimentos. Os *tifosi* (torcedores) são notoriamente apaixonados por seus times. Em geral, cada grande cidade tem seu time de coração e a vitória deste representa uma vitória de toda a comunidade. Cidades maiores têm vários grandes times e a divisão entre eles e seus torcedores passa pela origem social, geográfica e até mesmo política. É dito em Roma, por exemplo, que muitos dos torcedores do Roma são próximos da esquerda, enquanto os do Lazio se aproximam da direita.

Em Milão, por sua vez, o "clássico" é a disputa entre o time de uniforme azul e negro do Milan e os rubro-negros do Internazionale. A rivalidade começou em 1908, quando um grupo composto de sete integrantes do Milan Cricket and Football Club (fundado em 1899) se rebelou contra o fato de jogadores estrangeiros não serem admitidos no clube. Decidiram, então, fundar outra agremiação que aceitasse os não italianos. Nasceu aí a Internazionale, cujo nome reflete sua origem. Desde então a rivalidade entre os dois times é intensa.

Quando começam os jogos da seleção nacional e os uniformes da *azzurra* (azul, cor da camisa oficial da seleção italiana) e os gritos de "*Forza Italia!*" (Força, Itália!) se espalham pelo país, surge um dos poucos momentos em que o nacionalismo invade todos os corações e as mentes. Derrotas ou vitórias da seleção italiana são vividos como derrotas ou vitórias de todos. É no futebol que a nacionalidade italiana parece mais consolidada.

A paixão contemporânea pelo futebol e a identificação de times com grupos sociais e políticos e das seleções com a nacionalidade não é uma especificidade italiana. Muitos outros povos e países, como a Inglaterra, a Argentina, a Espanha e, claro, o Brasil, vivem isso. No caso italiano, o que espanta é a força desses sentimentos e, especialmente, a crescente simbiose, a partir dos anos 1990, do mundo esportivo com a mídia e a política.

Realmente, cada vez mais, é o dinheiro da mídia que sustenta os campeonatos, enquanto é a transmissão desses que permite aos grandes grupos de mídia, sobretudo a TV, multiplicar seus lucros e se firmar diante dos concorrentes. Uma situação que não é, de forma alguma, exclusiva da Itália, mas extremamente forte no contexto italiano. Silvio Berlusconi talvez seja o melhor exemplo dessa nova situação, pois ele, antes de ser primeiro-ministro da Itália, já controlava um vasto império nas comunicações e era o proprietário de um grande time de Milão, o Milan.[52] O futebol, assim, está tão entranhado na alma dos italianos de hoje que traz até inesperados desdobramentos sociais e políticos.

O CATOLICISMO E A CULTURA ITALIANA

Ao turista italiano que vai ao exterior, acontece com frequência de escutar a pergunta: "Italiano? Como vai o papa?". A associação Itália e catolicismo é, ainda hoje, extremamente forte. Em boa medida, tal associação deriva do fato de Roma abrigar a sede da Igreja Católica e de o papa aí residir. Também é inegável que boa parte da história, dos costumes, da arte, da arquitetura e da própria cultura italiana é inseparável da cultura católica e dos dois milênios de convivência entre a Igreja e o povo da península.

Não obstante, no plano meramente formal, a influência católica na Itália de hoje é muito menor do que era no passado. O Estado italiano, a partir de 1948, se definiu como laico e não confessional, ou seja, sem uma religião oficial, a católica, como era antes. Também a influência política da Igreja, como visto no capítulo anterior, decaiu muito com o colapso da democracia cristã. Isso não significa afirmar que a Igreja não tem mais capacidade de influência nas políticas estatais e nas eleições italianas, mas que houve uma inegável diminuição dessa capacidade.

Em boa medida, a redução do poder católico na Itália é reflexo de um processo mais amplo que afeta a Europa ocidental como um todo, ou seja, a chamada descristianização do velho continente.

É realmente notável como, nas últimas décadas, as igrejas cristãs estão, por vários motivos, em processo de franco declínio em todo o continente europeu. Na França, na Inglaterra, na Alemanha ou na Dinamarca, a maior parte das igrejas é frequentada apenas pelos idosos e se tornaram mais pontos de visitação turística do que locais de culto, e a intervenção dos religiosos em temas públicos (como o aborto, a ordenação jurídica da sociedade, entre outros) é habitualmente vista com maus olhos.

É no campo dos costumes, contudo, que a incapacidade da Igreja Católica e dos antigos cultos protestantes de fazer os fiéis obedecerem às suas normas e posicionamentos se torna mais evidente. Mesmo com o Vaticano se posicionando contra o divórcio, o aborto, o controle da natalidade, o casamento homossexual e outros temas, a maioria dos europeus simplesmente ignora essa opinião e segue suas próprias convicções.

O que realmente é notável é que a Europa ocidental, hoje, é um verdadeiro caso isolado em um mundo em que a influência da religião na política e nos costumes tem crescido exponencialmente nas últimas décadas. De fato, enquanto o fundamentalismo religioso cresce no Oriente Médio e na Índia, o protestantismo pentecostal se expande na América Latina e a direita cristã chega ao poder, com Bush, nos Estados Unidos, a Europa ocidental continua um oásis de laicismo e de baixa religiosidade.

Cultura e estilo de vida próprios? | 263

Vaticano, sede da Igreja Católica. Boa parte da história, da arte,
da arquitetura, dos costumes italianos é inseparável da cultura católica e dos dois
milênios de convivência entre a Igreja e o povo da península.

Cumpre ressaltar, contudo, como essa diminuição da importância da religião no velho continente não significa que os europeus tenham abandonado completamente as questões espirituais ou que os ideais e a ética cristãos tenham desaparecido da cultura europeia. A maioria dos europeus ainda acredita em alguma manifestação de Deus ou do mundo espiritual e a cultura europeia foi forjada de tal forma a partir da moral e da ética cristãs que seria impossível compreender a vida e a mentalidade dos europeus, mesmo os não praticantes, sem elas.

A Itália, com certeza, está nessa atual tendência, mas com especificidades. Há várias estatísticas disponíveis sobre a religiosidade na Itália hoje e os dados que levantam nem sempre são compatíveis. Parece razoável, contudo, aceitar a informação de que cerca de um quinto dos italianos vai todo domingo à missa e ao menos uns 40% deles mantêm alguma forma de contato com a Igreja. Além disso, quase 90% dos italianos dizem acreditar em Deus, o que indica como não se tornaram um povo de ateus.

Os dados mostram que o processo de secularização é menos intenso na Itália, ao menos no aspecto quantitativo, do que no restante da Europa. Afinal, enquanto 40% dos italianos mantêm algum vínculo com a Igreja de sua devoção, esse número chega a apenas 7% a 8% na França e 3% na Dinamarca, para uma média europeia de 20%. Apenas a Irlanda e a Polônia têm índices próximos de frequência à Igreja.

A maior força relativa da religiosidade na Itália não surpreende se recordarmos que o Estado italiano não segue uma política rigorosamente laica, como na França; que o Papado tem sua sede no país, assim como que a tradição católica está fortemente entranhada na história italiana. No entanto, essa forte representação quantitativa tem de ser vista com cautela se quisermos identificar a real força do catolicismo no país hoje.

De fato, não devemos esquecer que boa parte dessas pessoas que frequentam esporadicamente a Igreja é de católicos formais, que seguem os rituais unicamente para fins sociais e culturais, o que é sobretudo importante nas cidades pequenas. Além disso, quando se trata de inspirar escolhas sociais, políticas, culturais e morais, a capacidade da Igreja na Itália é, hoje, pequena. Tanto que, apesar da Igreja ser contra, por exemplo, o controle da natalidade e o divórcio, ambos são legais e amplamente praticados pelos italianos.

De qualquer forma, apesar dessa perda de influência, e por paradoxal que pareça, a Itália e a vida dos italianos ainda são indissociáveis do catolicismo. Traços típicos da cultura italiana, como o apego à família, a valorização das crianças, talvez tenham origem no universo do catolicismo, e ter o papa em seu território é algo impossível de ser ignorado. Ser italiano é, ainda, ser, de uma forma ou de outra, praticante ou não, católico.

Na verdade, parecem existir, hoje, duas Itálias convivendo lado a lado. Uma é a tradicional, fortemente católica (sobretudo em certas regiões, como o Vêneto ou as áreas rurais do sul), supersticiosa etc. Esta convive com uma outra, a moderna, dos carros novos, dos *telefonini* (celulares), das parabólicas e da internet. Ambas convivem e se sobrepõem. No caso do sentimento religioso, essa sobreposição se dá justamente na manutenção do catolicismo como parte fundamental da vida (ir à missa às vezes, deixar o seu filho ir às aulas de religião na escola etc.), mas sem levar muito a sério seus dogmas, o que pode confundir os estrangeiros, mas permite certa sobrevivência do antigo sem impedir o novo.

UMA CULTURA ITALIANA?

É um exagero considerar, como fazem alguns autores, que a cultura italiana se converteu em mero apêndice periférico do império midiático e cultural norte-americano[53] e seria absurdo propor que está em processo de desaparecimento. É verdade que as manifestações da arte e da cultura erudita da Itália já não têm o peso de antes, assim como que certos aspectos da sua cultura, como a língua, têm potencial competitivo limitado no mercado cultural mundial. Além disso, como é evidente, a cultura italiana é hoje parte integrante da cultura europeia e global, sendo também fortemente influenciada por esse mundo globalizado.

Não obstante, certos elementos do patrimônio cultural erudito italiano ainda têm imensa relevância em termos mundiais, não sendo à toa que a Itália continue sendo vista como o país da arte e da cultura. Além disso, como ficou claro, a culinária, o *design*, uma parte da produção cinematográfica e outros elementos dessa cultura conseguiram se introduzir na máquina cultural global, o que indica que elementos da vida e da cultura italiana continuarão a se difundir pelo mundo.

Para finalizar, podemos afirmar, pensando o termo "cultura" de outra forma, que há indubitavelmente um estilo típico de viver e pensar que pode ser identificado, com todas as nuances, como tipicamente italiano e esse estilo de viver, essa cultura, é fundamental para entendermos a maneira pela qual o italiano se vê e é visto pelo mundo. Um povo e um país recheado de belezas artísticas, históricas e naturais; um tanto quanto confuso e atrasado, mas, justamente por isso, charmoso e cujos habitantes são divertidos, amáveis e sabem apreciar a vida.

Como elementos presentes, em sua totalidade, no DNA de todos os italianos, esse modo de vida e essa cultura próprias, com certeza, não existem. Mas, vistos com todas as nuances necessárias, há especificidades suficientes para reconhecer um italiano diante de um sueco ou de um inglês, para não falar em um chinês ou um boliviano. E, mais importante, essas especificidades, em geral, são valorizadas tanto pelos próprios italianos quanto pelos outros povos do planeta.

Na verdade, se pensarmos com cuidado, é na cultura e no estilo de vida que a imagem dos italianos no mundo foi, e é, mais bem avaliada. Para um país visto com tantas desconfianças e reservas como potência militar ou exemplo de eficiência econômica e política, o mundo da cultura foi sempre um espaço em que a competição e o diálogo podia, e pode, se dar em bases mais equitativas.

Se entendermos a palavra "cultura" como as manifestações culturais (eruditas, populares ou modernas, de massa), como um estilo de vida próprio de um povo (língua, alimentação, maneira de encarar a vida, a família e o trabalho) ou, ainda, como uma combinação dos dois, essa foi realmente uma área em que os italianos foram bem-vistos pelo mundo. Afinal, estamos falando da Itália, um país que já foi chamado de "um museu a céu aberto onde se come bem".

Notas

[1] Para uma reconstrução bem-humorada desses acontecimentos, em português, ver Luís Fernando Veríssimo e Joaquim da Fonseca, Traçando Roma, Porto Alegre, Artes e Ofícios, 1993, pp. 96-104.

[2] Diane Ghirardo, "Città fascista: Surveilance and Spectable", em Journal of Contemporary History, 31, pp. 347-72, 1996. A mesma revista traz vários outros artigos sobre a arquitetura e o urbanismo fascistas.

[3] Sobre o cinema fascista, ver, entre outros, Philip Cannistraro, "Il cinema italiano sotto il fascismo", em Storia Contemporânea, III, 3, 1972.

[4] Edward Tannenbaum, La experiencia fascista: Sociedad y cultura en Italia (1922-1945), Madrid, Aleanza, 1975; Philip Cannistraro, La fabbrica del consenso: Fascismo e mass media, Roma/Bari, Laterza, 1975; Mario Isneghi, "Al teatro dell'Italia nuova: Fascismo e cultura di massa", em M. Argentieri, Fascismo e antifascismo negli anni della Repubblica, Milano, Franco Angeli Editore, 1986, pp. 134-52.

[5] Ver, apenas como exemplo de rica bibliografia internacional, Daria Frezza Bicocchi, "Propaganda fascista e comunità italiane in USA: la Casa Italiana della Columbia University", em Studi Storici, 11, 4, 1970; Pierre Codiroli, L'ombra del Duce: Lineamenti di politica culturale def fascismo nel Cantone Ticino (1922-1943), Milano, Franco Angeli Editore, 1988; e Tra fascio e palestra: Un'acerba contesa culturale (1941-1945), Locarno, Armando Dadò, 1992; Enrico Decleva, "Relazioni culturali e propaganda negli anni trenta: I comitati 'France Italie' e 'Italia Francia'", em Jean Baptiste Duroselle, Il Vincolo culturale tra Italia e Francia negli anni trenta e quaranta, Milano, Franco Angeli Editore, 1986, pp. 108-57; e Julius Molinaro, "The Società Nazionale Dante Alighieri in Toronto, 1908-1951", em Italian Canadiana, 5, 1989.

[6] J. Gili, "Le distribution des films italiens en France de 1930 a 1943", em Risorgimento – Revue europeenne d'histoire italienne contemporaine, 2, 2/3, 1981; João Fábio Bertonha, "Divulgando o Duce e o fascismo em terra brasileira: a propaganda italiana no Brasil, 1922-1943", em Revista de História Regional, 5, 2, 2000; e "A Guerra das Embaixadas: as grandes potências e a propaganda estrangeira no Brasil do entre guerras", em LOCUS – Revista de História, 12, 7, 2001.

[7] Já em 1938, três quartos das entradas de cinema vendidas na Itália eram para filmes *made in USA*. Ver Gian Piero Brunetta, Storia del cinema italiano, Roma, 1979, p. 153, apud Richard Bosworth, Italy and the wider world (1860-1960), London, Routdledge, 1996, p. 185.

[8] Ver vários dos verbetes presentes em Gino Moliterno, Encyclopedia of Contemporary Italian Culture, London/New York, Routledge, 2000, que fornecem ampla bibliografia auxiliar em inglês e italiano.

[9] Para indicações bibliográficas sobre o cinema italiano pós-1945, ver vários dos verbetes presentes em Gino Moliterno, Encyclopedia of Contemporary Italian Culture, op. cit.

[10] Para o conceito de "civiltà italiana", ver Donna Gabaccia, Italy's many diásporas: Elites, exiles and workers of the world, Seattle, University of Washington Press, 1999, especialmente cap. 1.

[11] Matteo Pretelli, "La risposta del fascismo agli stereotipi degli italiani all'estero", em AltreItalie – Rivista Internazionale di studi sulle popolazioni di origine italiana nel mondo, 28, 2004.

[12] Para os casos da Alemanha e da Hungria, ver Jens Petersen, "L'accordo culturale tra l'Italie e la Germania del 23 novembre 1938", em Karl Dietrich Bracher, Fascismo e nazionalsocialismo, Bologna, Il Mulino, 1986, pp. 331-87; e Giorgio Petracchi, "Un modelo di diplomazia culturale: l'Istituto Italiano di Cultura per l'Ungheria (1935-1943)", em Storia Contemporânea, 26, 3, 1995.

[13] Mais de quatrocentos filmes foram feitos nos anos 60 e 70 e personagens como Ringo, Sartana, Trinity e Django, assim como diretores como Enzo Barboni, Sergio Corbucci e, especialmente, Sergio Leone, ficaram famosos. Mesmo tendo entrado em decadência nos anos 1970, os *spaghetti westerns* foram populares na Itália e também fora dela, estimulando a renovação do gênero nos mais diversos locais, incluindo os próprios Estados Unidos. Ver Gino Moliterno, "Spaghetti westerns", em Encyclopedia of Contemporary Italian Culture, op. cit., pp. 554-5. Ver também Luca Beatrice, Al Cuore, Ramón, al cuore: la leggenda del Western all'italiana, Firenze, Tarab, 1996; e Cristopher Frayling, Spaghetti Western: Cowboys and Europeans from Karl May to Sergio Leone, London/Boston, Routledge/Kegan Paul, 1981.

[14] Gino Moliterno, "Commedia all'italiana", em Encyclopedia of Contemporary Italian Culture, op. cit., pp. 123-4. Ver também, para uma visão geral, Enrico Giacovelli, La commedia all'italiana: La storia, i luoghi, gli autori, gli attori, i film, Roma, Gremese, 1995.

[15] Segundo a Unesco, a produção italiana entre 1988 e 1999 girava em torno de cem filmes por ano, colocando a Itália no oitavo lugar no mundo. Disponível em <http://www.unesco.org/culture/industries/cinema/html_eng/prod.shtml> (acessado em 16/10/2004).

[16] Ainda hoje, os italianos são, entre os países da União Europeia, o povo que mais gasta, proporcionalmente à renda, com sapatos e vestuário. Ver Paul Ginsborg, Storia d'Italia (1943-1996): famiglia, società, stato, Torino, Einaudi, 1998, p. 968.

[17] Ver o verbete "Fashion", em Gino Moliterno, Encyclopedia of Contemporary Italian Culture, op. cit., pp. 214-217.

[18] Penny Sparke, "Industrial design" e "Interior design", em Gino Moliterno, Encyclopedia of Contemporary Italian Culture, op. cit., pp. 280-1 e 292-4.

[19] Donna Gabaccia, Italy's many diásporas: Elites, exiles and workers of the world, op. cit., pp. 187-8.

[20] Camilla Bettoni, "Italian language", em Gino Moliterno, Encyclopedia of Contemporary Italian Culture, op. cit., pp. 299-301. Ver também os artigos constantes em Alberto Sobrero, Introduzione all'italiano contemporâneo, Roma/Bari, Laterza, 1993, 3v.

[21] No censo de 1990 nos Estados Unidos, apenas um em cada doze descendentes de italianos afirmava falar italiano ou dialeto em casa. Na Austrália, com uma imigração mais recente, esse número subia para um a cada 2,5. Não conheço números para, por exemplo, Brasil e Argentina, mas eles devem ser exponencialmente menores e, de qualquer forma, mesmo nos países de imigração recente, o uso do italiano ou do dialeto em casa tende a declinar com a mudança geracional e os casamentos mistos. Ver, para uma análise geral, Ignazio Baldelli, La língua italiana nel mondo: Indagine sulle motivazioni allo studio dell'italiano, Roma, Istituto della Enciclopedia Italiana, 1987.

[22] Darcy Luzzato, Talian (Vêneto Brasileiro): noções de gramática, história e cultura, Porto Alegre, Sagra-Dc Luzatto, 1994. Sobre a possível, e provável, artificialidade dessa língua, ver Florence Carboni e Mário Maestri, Mi son talian, grassi a Dio! Nacionalidade, identidade étnica e irredentismo linguístico na região colonial do Rio Grande do Sul, Passo Fundo, Núcleo de Estudos Linguísticos da Universidade de Passo Fundo, 1999.

[23] Carla Vetón, Altro Polo: Italian abroad – Studies on laguage contact in English-speaking countries, Sydney, University of Sydney and Frederick May Foundation for Italian Studies, 1986; e Antonia Rubino, "Italian and emigration", em Gino Moliterno, Encyclopedia of Contemporary Italian Culture, op. cit., pp. 296-9.

[24] Bruno Bottai, "Nel nome di Dante uma rete mondiale per l'italofonia", em Limes – Rivista Italiana di Geopolitica, 1, 1998.

[25] A expressão, e vários dos dados aqui mencionados, vêm de Tullio de Mauro, Italiano 2000 Indagine sulle motivazioni e sui pubblici dell'italiano diffuso fra stranieri, Roma, Ministero degli Affari Esteri, 2001. Disponível em <www.iic-colonia.de/italiano-2000> (acessado em 20/10/2004).

[26] Um livro interessante sobre a cozinha italiana e suas variações, incluindo receitas variadas, é Elisabeth David, Cozinha italiana, São Paulo, Companhia das Letras, 1998.

[27] Vito Teti, "Le culture alimentari nel Mezzogiorno continentale in età contemporanea", em A. Capatti, A. Varni, a cura, L'alimentazione in Storia d'Italia Einaudi, Annali 13, Torino, Einaudi, 1998.

[28] Ian Berseten, "Coffee", em Gino Moliterno, Encyclopedia of Contemporary Italian Culture, op. cit., pp. 118-9.

[29] Donna Gabaccia, We are what we eat: Ethnic food and the making of Americans, Cambridge/London, Harvard University Press, 1998. Ver também Vito Teti, "Emigrazione, alimentazione, culture popolare", em Storia dell'emigrazione italiana, Roma, Donzelli, 2001, v. 1, pp. 575-97; e Paola Corti, "Emigrazione e consuetudini alimentari. L'esperienza di una catena migratoria", em Alberto Capatti, L'alimentazione, op. cit., pp. 681-719.

[30] Silvio Lancelloti, "Ágape democrática", em Época, 1º nov. 1999.

[31] Sindicato dos Hotéis, Restaurantes e Bares e Similares de São Paulo, citado em Folha de S. Paulo, 23 mar. 2003.

[32] Eva Benelli e Romeo Bassoli, "Gli stili alimentari oggi", em Alberto Capatti, L'alimentazione, op. cit., pp. 1.007-31.

[33] Idem, ibidem, p. 1.001.

[34] Vito Teti, "Le culture alimentari nel Mezzogiorno continentale in età contemporânea", em Op. cit.

[35] Eva Benelli e Romeo Bassoli, "Gli stili alimentari oggi", em Op. cit.

[36] Donna Gabaccia, We are what we eat, op. cit., p. 216; e Eva Benelli e Romeo Bassoli, "Gli stili alimentari oggi", em Op. cit., pp. 1.014-9.

[37] Para o tema da amizade, ver um pequeno, mas revelador, artigo a respeito em David Moss. "Friendship", em Encyclopedia of Contemporary Italian Culture, op. cit., pp. 245-6. Para histórias cotidianas sobre o relacionamento entre amigos e vizinhos na Itália, ver Tim Parks, Meus vizinhos italianos: histórias de um inglês na Itália, São Paulo, Publifolha, 2003.

[38] Para relatos divertidos do dia a dia italiano e sua relação com o tempo e horários, ver, em português, Luís Fernando Veríssimo e Joaquim da Fonseca, Traçando Roma, op. cit.

[39] Paul Ginsborg, Storia d'Italia. 1943-1996, op. cit., p. 602.

[40] Idem, ibidem, p. 604.

[41] Donna Gabaccia, Italy's many diasporas: Elites, exiles and workers of the world, op. cit., pp. 190-1.

[42] A interessante observação se origina de Tim Parks, Uma educação à Italiana: um inglês descobre como e faz um italiano, São Paulo, Publifolha, 2003, p. 142.

[43] Paul Ginsborg, Storia d'Italia: 1943-1996, op. cit., p. 606.

[44] Donald Pitkin, La casa che Giacomo construí, Roma/Bari, Laterza, 1992, pp. 295-96, apud Paul Ginsborg, Storia d'Italia (1943-1996), op. cit., p. 608.

[45] Para essa interessante observação, ver Luigi Barzini, Os italianos, Rio de Janeiro, Civilização Brasileira, 1966, p. 230.

[46] Para a experiência de um inglês tentando entender as mães italianas, ver Tim Parks, Uma educação à Italiana, op. cit., especialmente pp. 209-19.

[47] Paul Ginsborg, Storia d'Italia. 1943-1996, op. cit., pp. 608-13.

[48] Ver comentários diversos a respeito do que é ter filhos na Itália em Tim Parks, Meus vizinhos italianos: histórias de um inglês na Itália, op. cit., pp. 283-8 e, especialmente, em Uma educação à Italiana, op. cit., vários momentos.

[49] Sigmund Freud, Notre Coeur tend vers le sud: Correspondence de voyage (1895-1923), Paris, Fayard, 2005.

[50] Richard Bosworth, "Visiting Italy", em Italy and the wider world (1860-1960), op. cit., pp. 159-81.

[51] O esporte é parte integrante das sociedades e se modifica conforme as transformações destas, ao mesmo tempo em que traz a ela novos valores e alterações culturais. Na sociedade de massas contemporânea, o esporte assumiu posição de imensa importância. Hoje, vigora a ideia de que a prática esportiva é fundamental para auxiliar na educação e na socialização dos membros da sociedade. Ao mesmo tempo, o esporte assumiu um caráter de bem de consumo econômico, especialmente quando associado à mídia, e um valor cultural, uma vez que serve para criar espírito de grupo e mesmo consciência nacional em vários setores da sociedade. Evidentemente, há ampla gama de esportes e são as heranças históricas que determinam porque determinada modalidade é preferida em um país e não em outro. Assim, enquanto o futebol americano (junto com o beisebol e o basquete) é o esporte nacional dos Estados Unidos, ele é virtualmente ignorado fora da América do Norte, enquanto o críquete é de fato popular apenas na Austrália e na Inglaterra. O único esporte verdadeiramente global talvez seja o futebol.

[52] Ver os vários artigos constantes em Patrick McCarthy, Sport and society in Italy today, Número especial do Journal of Modern Italian Studies, v. 5, n. 3, 2001.

[53] Zygmunt Baranski e Robert Lumley, Culture and conflict in Postwar Italy: essays on mass and popular culture, Basingstoke, McMillan, 1990.

CONSIDERAÇÕES FINAIS

Nada, provavelmente, é mais difícil do que tentar atribuir uma "índole" ou uma característica especial e exclusiva a um povo. Em geral, quando dizemos ou escrevemos, por exemplo, que os ingleses são pontuais ou que os suíços são organizados, estamos apenas repetindo construções mentais feitas pelos próprios povos envolvidos (ou, mais diretamente, por suas elites intelectuais), as quais são cotidianamente questionadas quando conhecemos, para ficarmos nesses casos, um inglês que se atrasa ou um suíço que não é disciplinado.

Ao analisarmos todo esse esforço de criação de identidades e "índoles" nacionais, fica evidente como ele está diretamente relacionado à construção dos Estados nacionais nos últimos séculos e à tentativa de homogeneizar e agrupar populações inteiras com base em certas características, em um esforço que foi absolutamente geral no mundo ocidental nos últimos séculos.[1]

No caso do Brasil, por exemplo, nossos intelectuais sempre se debateram com perguntas-chave que demandavam resposta.[2] O que é ser brasileiro? O que nos separa diante de outros povos e determina o que somos? A natureza exuberante? A miscigenação? O futebol?

Nessa linha de considerações, é injusto e arbitrário tentar estabelecer padrões de comportamento dentro dos quais os membros de uma dada nacionalidade devem se comportar ou ser vistos. Qualquer brasileiro que não sabe jogar futebol ou que não gosta de Carnaval e que já foi olhado com espanto e admiração justamente por isso fora do Brasil sabe a que estou me referindo.

Além disso, em muitos momentos, esses padrões de comportamento "esperados" também são reelaborados e/ou recriados fora do seu país de origem e acabam caindo rapidamente no preconceito, como em situações em que imaginamos que todos os bolivianos ou colombianos são traficantes de drogas, que todos os paraguaios são contrabandistas ou que todos os alemães são grossos e mal-educados, o que é um absurdo óbvio.

Em face dessa situação, a resposta de muitas pessoas é tentar abandonar esses estereótipos e preconceitos e afirmar que as características ou a índole nacional não existem e não devem ser levadas em consideração. Uma resposta positiva em um certo sentido, mas inútil e pouco realista, em outro.

Assim, não me parece que seja possível ou desejável esquecer toda e qualquer consideração sobre índole, caráter ou identidade nacional, desde que tenhamos em mente que elas são, em boa medida, construções ideológicas, que nunca se manifestam em todas as pessoas de uma dada nação e com a mesma intensidade (o que nos livra dos riscos de estereótipos e preconceitos) e que são datadas historicamente, elas podem ser úteis.

Realmente, com esses cuidados, talvez seja possível identificar padrões culturais, de comportamento político e de relacionamento social e outros que acabam por identificar um povo em determinada época. Assim, seria ilógico e preconceituoso dizer, por exemplo, que todos os argentinos são arrogantes e corruptos, que são assim desde o início dos tempos e o serão para sempre. Mas parece razoável afirmar que a cultura argentina da segunda metade do século XX tem traços de arrogância perante os vizinhos e de aceitação da corrupção. Tal fato, contudo, afeta a maneira como os argentinos se comportam e também a sua imagem perante os demais países.[3]

Nesse ponto, acho interessante o trabalho de Norbert Elias. Em seu famoso livro *Os alemães*,[4] ele escreve a "biografia" de uma sociedade-Estado, no caso a Alemanha. Elias considera ser possível recuperar o *habitus* de uma sociedade, ou seja, certos elementos profundamente entranhados na cultura, na estrutura social e na própria psicologia coletiva de uma sociedade, permitindo defini-la diante de outras. Tal *habitus* não seria, contudo, algo transcendental e eterno, mas totalmente histórico, tanto por ser continuamente modificado no decorrer do tempo, como por poder ser recuperado historicamente em suas origens, mudanças e permanências.

Nesse momento, é interessante voltarmos ao trabalho clássico de Luigi Barzini a respeito dos italianos. Publicado na Itália em 1964 e no Brasil em 1966,[5] trata-se de um texto jornalístico, o que difere deste presente livro. No entanto, como aqui, também procura entender o que é "ser italiano". Vale a pena rever as conclusões desse autor e compará-las com as nossas, mais de 40 anos depois.

Para Luigi Barzini, seria impossível encontrar características que servissem para homogeneizar completamente todos os habitantes da Itália. No entanto, ele considerava que certos hábitos, traços e tendências estavam presentes na maioria dos italianos, formando um conjunto de especificidades nacionais que chamava de *cose all'italiana* (coisas à italiana). Para Barzini, no decorrer dos séculos, os italianos teriam sido invadidos, agredidos, humilhados e reduzidos à condição de servos de outros povos. Como resultado, teriam desenvolvido um sistema próprio de sobrevivência, baseado na ênfase na família (única estrutura confiável), no ceticismo perante o Estado e os grandes ideais e na criação de uma sociedade do espetáculo, em que a ênfase na arte, na cultura e na vida frívola e agradável serviria para mascarar a dura realidade.

Daí emergiriam os traços da vida e da sociedade italianas invejadas pelos estrangeiros (o cotidiano agradável, os prazeres, a arte etc.), assim como seus defeitos, nunca corrigidos, que levavam esses mesmos estrangeiros a desprezar os italianos, como a corrupção, a pobreza, o clientelismo, a ignorância, o oportunismo, as diferenças entre o Sul e o Norte etc. Barzini via essa situação com tristeza e considerava que poucas pessoas conseguiam ver a dor e a angústia que se escondiam atrás das belezas da Itália.

Não sei se é possível ver a situação com os olhos tão negativos como os de Barzini. Mas não deixa de ser espantoso notar como, ao mesmo tempo em que vários dos defeitos do povo e da nação italiana descritos por ele desapareceram nessas últimas décadas, outros permaneceram.

De fato, a Itália e o povo italiano de hoje são o resultado de milênios de atividade humana. Tanto no campo dos comportamentos coletivos quanto na vida religiosa e cultural, são ainda hoje profundamente marcados pelas centenárias camadas de história que os rodeiam. As obras de arte renascentistas e as ruínas medievais e romanas, onipresentes em todo o país; a aura de país refinado associada à de um povo ainda rústico e quase inocente que cerca o país há séculos; a eterna presença da Igreja Católica e outros elementos do passado distante estão presentes na vida dos italianos e na paisagem física da Itália, ajudando a moldá-los.

Foi nos dois últimos séculos, contudo, que a identidade dos italianos como povo se firmou. Em parte, pela ação, como visto, dos "projetistas da nacionalidade" que criaram e dominaram o Estado italiano desde 1860 e tiveram sucesso, ao menos parcial, em seus planos, espalhando imagens, ideias e estímulos. E, em parte, pela própria maneira com que a sociedade italiana reagiu, no decorrer do tempo, às suas heranças históricas.

De fato, nada marcou mais a Itália, a meu ver, do que seu caráter "intermediário" na Europa, seja no aspecto político, seja no econômico ou no cultural. A Itália de 1860 não era, com efeito, um país totalmente subdesenvolvido em termos econômicos e já nasceu sob a égide da democracia liberal. Por outro lado, também estava longe de ser um polo econômico de destaque, levando anos para atingir os padrões de desenvolvimento de seus vizinhos europeus, e seu sistema democrático era precário, tanto que não aguentou a crise da Primeira Guerra Mundial, o que levou ao fascismo.

Também no campo da política externa, a Itália sempre sofreu por ser pequena demais para exercer o papel de grande potência, mas grande demais, e com glórias demais no passado, para conseguir aceitar um papel subalterno. Como resultado, adotou uma política externa agressiva que trouxe imensos problemas e dificuldades ao país.

Nesse contexto, os italianos, como povo, foram marcados essencialmente por estereótipos negativos. O italiano típico seria um emigrante pobre, com sua mala de papelão embaixo do braço, embarcando em um navio em busca de uma vida melhor e praguejando contra a terra que abandonava. O Estado italiano, por sua vez, seria facilmente identificável para qualquer observador. Corrupto, com um sistema eleitoral instável e sujeito a clientelismos, que conduzia uma política externa volúvel e interesseira. A terra e a paisagem italiana seriam maravilhosas, mas seu povo seria primitivo e pobre e seu Estado decepcionante.

Pós-1945, esse cenário foi muito modificado. Em vez de pobres e emigrantes, os italianos atualmente são vistos como ricos, sofisticados e bem-vestidos, representantes de uma cultura antiga e perfeitamente adaptada ao mundo moderno. A Itália também não é mais considerada uma traidora em potencial em termos de política externa. No entanto, como se velhos hábitos fossem difíceis de esquecer, o Estado italiano continua a ser visto com desconfiança e suas pretensões de poder e de influência internacionais continuam a ser ignoradas pelas grandes potências.

Enfim, se quisermos encontrar algumas características quase permanentes na vida italiana, poderíamos elencar a ineficiência do Estado, o fosso entre este e a sociedade civil, a dicotomia entre as capacidades e as ambições internacionais do país, a contradição entre uma Itália rica e culta e outra pobre e entre o Norte e o Sul, a permanente sensação de inferioridade entre a Itália e o restante da Europa e, por fim, o "encanto" emitido de forma contínua pelo país e seu povo. Tais características mudaram continuamente com o decorrer do tempo, mas não desapareceram por completo, ajudando a formar o que imaginamos ser a Itália e o povo italiano.

Parece evidente que essas características surgiram no decorrer da história italiana, nos processos históricos de longa duração e naqueles mais específicos e recentes (o *Risorgimento* e suas peculiaridades, a incapacidade do Estado em industrializar precocemente o país, a particular formação do sistema liberal italiano etc.) que levaram à formação de uma sociedade dividida (entre classes, regiões e culturas, entre povo e Estado) e com todos os problemas e características já apresentadas. Tal sociedade tem se modificado, claro, ao longo do tempo, mas não a ponto de perder suas especificidades.

Quarenta anos atrás, Luigi Barzini dizia que essas especificidades do caráter nacional italiano eram trágicas, pois inevitavelmente geravam tiranias, as quais exasperavam os defeitos dos italianos e levavam a catástrofes.[6] Hoje, podemos afirmar que, sem dúvida, muitos dos defeitos e problemas (assim como o encanto) dos italianos, de seu Estado e de sua sociedade continuam presentes, mas que avanços imensos foram obtidos. O círculo vicioso foi aparentemente rompido e, se, na milenar história italiana, há um século em que os italianos podem entrar com esperanças fundadas para o futuro, com certeza é o XXI.

Notas

[1] Anne-Marie Thiesse, A criação das identidades nacionais, Lisboa, Temas e Debates, 2000.
[2] A bibliografia sobre a identidade brasileira é imensa e, se formos analisar períodos em que essa busca de identidade foi ainda mais intensa, como durante os 30, torna-se ainda maior. Para ensaios que introduzem ao problema, ver Carlos Guilherme Mota, Viagem incompleta, São Paulo, Senac, 2000, 2v., e José Carlos Reis, As identidades do Brasil: de Varnhagen a FHC, Rio de Janeiro, FGV, 1999. Para o período da década de 1930, vale a pena ler Mônica Pimenta Velloso, em "A literatura como espelho da nação", Estudos Históricos, s./n., 2, 1988 e "O modernismo e a questão nacional", em Jorge Ferreira e Lucília de Almeida Neves Delgado, O Brasil Republicano 1: o tempo do liberalismo excludente – da proclamação da República à Revolução de 1930, Rio de Janeiro, Civilização Brasileira, 2003.
[3] Como, aliás, é dito pelos próprios argentinos, nesses últimos anos de crise intensa no país. Ver, por exemplo, Jorge Lanata, Los argentinos, Buenos Aires, Ediciones B, 2002-2004, 3v.
[4] Norbert Elias, Os Alemães: a luta pelo poder e a evolução do habitus nos séculos XIX e XX, Rio de Janeiro, Jorge Zahar, 1997.
[5] Luigi Barzini, Os italianos, Rio de Janeiro, Civilização Brasileira, 1966. Do mesmo autor, vale a pena ver, ainda que seja apenas pelas descrições pitorescas da vida italiana naquele momento, De César a Máfia, Rio de Janeiro, Record, 1974.
[6] Luigi Barzini, op. cit., 1966, p. 369.

CRONOLOGIA

- 6000 a.C. – Primeiros sinais de atividade agrícola na península italiana.
- 2000-1000 a.C. – Invasões indo-europeias.
- Século VIII a.C. – Início colonização grega e etrusca na Itália.
- 753 a.C. – Data mítica da fundação da cidade de Roma.
- Século VI a.C. – Expulsão dos reis etruscos de Roma.
- 500 a 200 a.C. – Conquista romana da Itália.
- 264-151 a.C. – As Guerras Púnicas (entre Roma e Cartago).
- 117 – Auge da expansão territorial romana.
- 380 – O cristianismo torna-se a religião oficial do Império Romano.
- 410 e 455 – Roma é saqueada por visigodos e vândalos.
- 476 – Queda do Império Romano do Ocidente.
- 489 – Invasão ostrogoda na Itália.
- 563 – Reconquista bizantina da península itálica.
- 568 – Os lombardos invadem a Itália.
- 887-888 – Da desintegração do Império Franco, surge o Reino da Itália.
- 1156-1250 – Guerras entre os imperadores germânicos Frederico I e II e a Liga Lombarda.
- 1498-1530 – Guerras entre os Habsburgos e os franceses na península itálica.
- 1780 – Início aproximado da Revolução Industrial na Inglaterra.
- 1789 – Início da Revolução Francesa.
- 1796-1797 – Invasão napoleônica da península itálica.
- 1815 – Derrota final de Napoleão Bonaparte.
- 1848 – Revoltas nacionalistas na Itália e em vários outros países da Europa.
- 1849 – Proclamação da República romana.
- 1859 – O Reino do Piemonte anexa a Lombardia.
- 1860 – Incorporação da Itália central e do sul.
- 1861 – Proclamação oficial do Reino da Itália.

- 1866 – Conquista da Lombardia e do Vêneto.
- 1870 – A cidade de Roma é incorporada ao Reino da Itália.
- 1870 – Início aproximado da "grande emigração" italiana.
- 1871 – Primeiro recenseamento dos italianos residentes no exterior.
- 1882 – A Itália inicia a ocupação da Eritreia e da Somália.
- 1882 – Nova lei eleitoral amplia os direitos políticos dos italianos.
- 1887 – Fundação da Congregação dos escalabrinianos.
- 1887 – O Estado italiano adota leis protecionistas para estimular a indústria nacional.
- 1887-1896 – Governo Crispi.
- 1888 – Promulgação da primeira grande lei italiana de regulamentação da emigração.
- 1892 – Fundação do Partido Socialista Italiano.
- 1892-1894 – Revolta de camponeses na Sicília.
- 1893 – Linchamento de italianos em Aigues-Mortes, França.
- 1896 – Derrota do Exército italiano na batalha de Adua, na Abissínia.
- 1896-1913 – Período de acelerado crescimento econômico e industrial na Itália.
- 1898 – Rebelião operária em Milão.
- 1900 – Fundação da *Opera Bonomelli*.
- 1901 – Novo conjunto de leis sobre a emigração italiana. Criação do *Commissariato Generale dell'emigrazione*.
- 1901-1914 – Governo Giolitti.
- 1906 – Invenção da máquina de café expresso.
- 1910 – Fundação da *Associazione Nazionalista Italiana*.
- 1911 – Inauguração do Monumento a Vittorio Emmanuele II, em Roma.
- 1911-1912 – Guerra ítalo-turca. A Líbia torna-se colônia italiana.
- 1912 – Voto universal masculino é instituído na Itália.
- 1914 – Início da Primeira Guerra Mundial.
- 1915-1918 – A Itália participa da Primeira Guerra Mundial.
- 1915-1916 – Ofensivas italianas na frente alpina.
- 1917 – Derrota de Caporetto.
- 1918 – Vitória italiana em Vittorio Vêneto.
- 1918 – Fim da Primeira Guerra Mundial. A Itália anexa Trento, Trieste e a Ístria.
- 1919 – Conferência de Versalhes.
- 1919 – Fundação dos partidos católico e comunista e do movimento (depois, partido fascista. Ocupação das fábricas.

- 1922 – Ascensão fascista ao poder.
- 1923 – Agressão fascista à ilha de Corfu. Crise de Fiúme.
- 1924 – *Quota Act*. Leis norte-americanas limitam o ingresso de imigrantes – entre eles os italianos – no país.
- 1925 – Pacto de Locarno. Aliança italiana com França e Inglaterra.
- 1926 – Leis "fascistíssimas", que praticamente eliminam a democracia italiana.
- 1929 – Colapso da bolsa de valores de Nova York, que lança o mundo na maior crise econômica da história.
- 1929 – Tratado de Latrão, entre o Estado italiano e a Igreja Católica.
- 1934 e 1938 – A seleção italiana sagra-se bicampeã mundial de futebol.
- 1935-1936 – Guerra da Etiópia. Início aproximado da política econômica autárquica fascista.
- 1936-1939 – Guerra civil espanhola, com intervenção italiana.
- 1936 – Formalização da aliança italiana com a Alemanha nazista por meio da proclamação do Eixo Roma-Berlim.
- 1938 – Leis antissemitas e racistas são promulgadas pelo fascismo.
- 1939 – Início da Segunda Guerra Mundial.
- 1940 – A Itália entra na Segunda Guerra Mundial.
- 1940 – Invasão italiana da Grécia. Derrotas italianas na África e no Mediterrâneo.
- 1943 – Rendição ítalo-alemã na Tunísia. Invasão da Sicília por ingleses e americanos.
- 1943 – Queda do fascismo. A Itália assina um armistício com os Aliados.
- 1943-1945 – Guerra civil entre fascistas e antifascistas na Itália. Alemães e aliados disputam o controle do país.
- 1945 – Colapso da República de Salò. Morte de Mussolini.
- 1945-1953 – Era De Gasperi.
- 1946 – A Itália inicia o processo de adesão ao sistema de Breton Woods e suas instituições, como ao Banco Mundial e o FMI.
- 1946 – Plebiscito para decidir a forma de governo, com vitória da República.
- 1947 – Assinatura do Tratado de Paz entre a Itália e os Aliados, revisto em 1951.
- 1947 – Nova Constituição, republicana, é promulgada, passando a vigorar a partir de 1º de janeiro de 1948.
- 1948 – Eleições gerais, vencidas pela *Democrazia Cristiana*.
- 1949 – A Itália é aceita na Otan.
- 1950 – Reforma agrária, com 760 mil hectares de terra distribuídos a 113 mil camponeses.

- 1950 – Fim da reconstrução pós-guerra. Os índices econômicos superam os de 1938.
- 1952 – A Itália adere à Comunidade Europeia do Carvão e do Aço, embrião do Mercado Comum Europeu (1957) e da futura União Europeia.
- 1954 – Começam as transmissões televisivas na Itália.
- 1955-1963 – O "milagre italiano", momento de maior crescimento econômico na história do país.
- 1955 – A Itália é admitida na ONU.
- 1968 – Manifestações estudantis em toda a Itália.
- 1969 – Acordo ítalo-austríaco sobre a questão do Tirol do Sul.
- 1969 – Dezessete mortos em explosão na Piazza Fontana, Milano.
- 1970 – Aprovação da lei do divórcio.
- 1973 – Crise do petróleo, que afeta todas as economias capitalistas do mundo, incluindo a Itália.
- 1975 – O número de imigrantes supera o de emigrantes pela primeira vez na história italiana.
- 1978 – Sequestro e morte do primeiro-ministro Aldo Moro.
- 1978 – O aborto torna-se legal na Itália.
- 1982 – A Itália conquista o tricampeonato mundial de futebol.
- 1984 – Nasce a *Lega Lombarda*.
- 1991 – Fundação oficial da *Lega Nord*.
- 1991 – Fim do *Partito Comunista* e surgimento do *Partito Democrático della Sinistra*.
- 1992 – Escândalo de corrupção, conhecido como *Tangentopoli*. Início da operação *Mani Pulite*.
- 1993-1994 – Dissolução da *Democrazia Cristiana* e do *Partito Socialista Italiano*.
- 1994 – Eleições gerais, com a vitória de Silvio Berlusconi.
- 1995-2001 – Coligações de centro-esquerda governam a Itália.
- 1999 – Adesão italiana ao euro. Em 2002, a lira é fisicamente substituída pela nova moeda.
- 2001 – Berlusconi volta ao poder.
- 2003 – A Itália apoia a invasão americana ao Iraque.
- 2004 – Ameaças terroristas a Roma por causa da presença de soldados italianos no Iraque. Sequestro de italianos em território iraquiano.
- 2005 – Italianos continuam a ser sequestrados no Iraque. Resistência do governo Berlusconi a retirar as tropas italianas do país.

BIBLIOGRAFIA

ADLER, Franklin Hugh. *Italian industrialists from liberalism to fascismo*: The political development of the industrial bourgeoisie, 1906-1934. Cambridge: Cambridge University Press, 1996.
AGOSTINO, Gilberto. *Vencer ou morrer*: futebol, geopolítica e identidade nacional. Rio de Janeiro: Mauad, 2002.
AGULHON, Maurice. *1848 – O aprendizado da República*. Rio de Janeiro: Paz e Terra, 1991.
ALFOLDY, Géza. *A história social de Roma*. Lisboa: Presença, 1996.
ALIGHIERI, Dante. *La Divina Commedia*: Inferno/Purgatorio/Paradiso. Roma: Newton Compton, 1993.
_____. *A Divina Comédia*. São Paulo: Nova Cultural, 2003.
ALVIM, Zuleika. *Brava Gente*: os italianos em São Paulo, 1870-1920. São Paulo: Brasiliense, 1986.
AMATORI, Franco Amatoti et al. L'Industria. In: ROMANO, Ruggiero; Vivanti, Corrado. *Storia d'Italia, Annali 15*. Torino: Einaudi, 1999.
AMBROSINI, Maurizio. *Utili invasori*: L'inserimento degli immigrati nel mercato del lavoro italiano. Milano: Franco Angeli Editore, 1999.
AMBROSOLI, Luigi. *Giuseppe Mazzini, una vita per l'unità d'Italia*. Manduria: Piero Lacaria, 1993.
ANDERSON, Benedict. *Nação e consciência nacional*. São Paulo: Ática, 1989.
ANNINO, Antonio. La politica emigratoria dello stato post unitario. *Il Ponte* 30, 11/12, 1974.
_____. El debate sobre la emigraciòn y la expansiòn a la America en los origenes de la ideologia imperialista in Italia (1841-1911). *Jahrbuch für Geschichte von Staat, Wirtschaft und Gesellschaft - Lateinamerikas*, 13, 1976.
AQUARONE, Alberto. *L'organizzazione dello Stato totalitário*. Torino: Einaudi, 1965.
_____. The impact of emigration on Italian Public Opinion and Politics. In: NELLI, Humbert. *The United States and Italy*: the first two hundred years. New York, 1970, pp. 133-46.
_____. La ricerca di una politica coloniale dopo Adua. Speranze e delusioni fra politica e economia. In: MILZA, Pierre. *Opinion Publique et politique exterieure*. Roma: Ecole Française de Roma, 1981, 295-327.
_____. *L'Italia giolittiana*. Bologna: Il Mulino, 1988.
ARAÚJO, José Renato de Campos. *Imigração e futebol*: o caso Palestra Itália. São Paulo: Sumaré, 2000.
ARFÈ, Gaetano. *Storia del Socialismo italiano*. Torino: Einaudi, 1965.
ARGENTIERI, M. Fascismo e antifascismo negli anni della republica. *Problemi del Socialismo*, n. 7, 1986.
ARGERSINGER, Jo Ann. *Making the Amalgamated*: Gender, Ethnicity and Class in the Baltimore Clothing Industry, 1899-1939. Baltimore: The Johns Hopkins University Press, 1999.
ASANTE, S. *Pan African protest in West Africa and the Italo Ethiopian crisis*. London: Longman, 1977.
ASCOLI, Ugo. *Welfare State all'italiana*. Roma/Bari: Laterza, 1984.
_____. *Movimenti migratori in Italia*. Bologna: Il Mulino, 1979.
AUBERT, Roger. *L'immigration italienne en Belgique*: Histoire, Langues, Identitè. Bruxelles/Louvain: Instituto Italiano di Cultura/Universitè Catholique de Louvain, 1985.
AUDENINO, Patrizia; CORTI, Paola. *L'emigrazione italiana*. Milano: Fenice 2000, 1994.

_____; ROMEO, Danilo. L'immagine e L'identità degli italo-americani nelle politiche dell' Order of Sons of Italy. *AltreItalie – Rivista Internazionale di studi sulle popolazioni di origine italiana nel mondo*, n. 29, 2004.

AZEVEDO, Célia Maria Marinho de Azevedo. *Onda negra, medo branco*: o negro no imaginário das elites – século XIX. Rio de Janeiro: Paz e Terra, 1987.

BACCETTI, Carlo Baccetti. *Il PDS*. Bologna: Il Mulino, 1996.

BAER, George. *La Guerra Italo Etiopica e la Crisi dell'Equilibrio Europeo*. Roma/Bari: Laterza, 1970.

BAGLIONI, Guido. *L'ideologia della borghesia industriale nell'Italia liberale*. Torino: Einaudi, 1974.

BAGNASCO, Arnaldo. *Tre Italie*: La problematica territoriale dello sviluppo italiano. Bologna: Il Mulino, 1977.

BAILY, Samuel; RAMELLA, Franco. *One family, two worlds*: an Italians family's correspondance across the Atlantic, 1901-1922. New Brunswick: Rutgers University Press, 1988.

_____. The role of two newspapers in the assimilation of Italians in Buenos Aires and Sao Paulo, 1893-1913. *International Migration Review*, 12, 3, 1978.

BALAKRISHNAN, Gopal. *Um mapa da questão nacional*. São Paulo: Contraponto, 2000.

BALDELLI, Ignazio. *La língua italiana nel mondo*: Indagine sulle motivazioni allo studio dell'italiano. Roma: Istituto della Enciclopedia Italiana, 1987.

BALETTA, F. *Le rimesse degli emigranti italiani e la bilancia dei pagamenti internazionali (1861-1974)*. Napoli, 1976.

BARANSKI, Zygmunt; LUMLEY, Robert. *Culture and conflict in Postwar Italy*: essays on mass and popular culture. Basingstoke: McMillan, 1990.

BARBAGALLO, Francesco; BRUNO, Giovanni. Espansione e deriva del Mezzogiorno. In: BARBAGALLO, Francesco. *Storia dell'Italia repubblicana*: 3 – L'Italia nella crisi mondiale: L'ultimo ventennio. Torino: Einaudi, 1996, pp. 399-470.

_____. *Storia dell'Italia repubblicana*. Torino: Einaudi, 1994-1996.

BARNABÁ, E. *Aigues-Mortes, uma tragédia dell'emigrazione italiana in Francia*. Torino, 1994.

_____. *Morte agli italiani*: Il massacro di Aigues-Mortes. Montenegro: Bucolo, 2001.

BARONE, Giuseppe. Stato e Mezzogiorno (1943-1960). Il "primo tempo" dell'intervento straordinario. In: BARBAGALLO, Francesco. *Storia dell'Italia repubblicana*: 1 – La costruzione della democrazia: Dalla caduta del fascismo agli anni cinquanta. Torino: Einaudi, 1994, pp. 241-409.

BAROZZI, Maurílio. L'Euregio Tirolo, um passo verso la Mitteleuropa. *Limes – Rivista*, s/d.

BARROS, James. *The Corfu Incident of 1923*: Mussolini and the League of Nations. Princeton: Princeton University Press, 1965.

BARTOLLI, Domenico. *La fine della Monarchia*. Milano: Mondadori, 1966.

BARZINI, Luigi. *De César a Máfia*. Rio de Janeiro: Record, 1974.

_____. *Os italianos*. Rio de Janeiro: Civilização Brasileira, 1966.

BATTACCHI, Mario Walter. *Meridionali e settentrionali nella struttura del pregiudizio etnico in Italia*. Bologna: Il Mulino, 1972.

BATTAGLIA, Roberto. *Storia della Resistenza italiana*. Torino: Einaudi, 1964.

BATTISTELLI, Fabrizio. *Armi*: Nuovo Modello di Sviluppo?– L'Industria Militare in Italia. Torino: Einaudi, 1980.

BAYER, Osvaldo. *Severino di Giovanni, el idealista de la violencia*. Buenos Aires: Legasa, 1988.

BEATRICE, Luca. *Al Cuore, Ramón, al cuore*: la leggenda del Western all'italiana. Firenze: Tarab, 1996.

BELOT, R. De. *A guerra aeronaval no Mediterrâneo (1939-1945)*. Rio de Janeiro: Record, s.d.

BENEDETTI, Fabrizio De. *Apuntes para um estúdio critico de las fuerzas armadas italianas*: El poder militar en Italia. Barcelona: Fontanella, 1973, pp. 241-64.

BENELLI, Eva; BASSOLI, Romeo. Gli stili alimentari oggi. In: CAPATTI, Alberto. *L'alimentazione*. In: ROMANO, Ruggiero; VIVANTI, Corrado. *Storia d'Italia. Annali 13*. Torino: Einaudi, 1998, pp. 1007-31.

BENVENISTE, Émile. *O vocabulário das instituições indo-europeias*. Campinas: Ed. Unicamp, 1995.

BERGHAUS, Gunter. *Futurism and Politics*: Between anarchist rebellion and fascist reaction, 1909-1944. Providence: Berghahm Books, 1996.

BERNARDINI, Aurora Fornoni. *O futurismo italiano*. São Paulo: Perspectiva, 1980.

BERSETEN, Ian. Coffee. In: MOLITERNO, Gino. *Encyclopedia of Contemporary Italian Culture*. London/New York: Routledge, 2000, pp. 118-9.

BERTINARIA, Pierluigi. La Rivoluzione francese e la sua influenza sul risorgimento nazionale italiano sotto l'aspetto militare. *Le Scienze e gli ordinamenti militari della rivoluzione francese*. Roma: Edizioni Difesa, 1991, pp. 15-36.

BERTONHA, João Fábio. Entre a cruz e o fascio littorio: A Igreja Católica Brasileira, os missionários italianos e a questão do fascismo, 1922-1943. *História e Perspectivas*, 16/17, 1997.

_____. Trabalhadores imigrantes entre identidades nacionais, étnicas e de classe: o caso dos italianos de São Paulo, 1890-1945. *Várias Histórias*, 19, 1998.

_____. Fascismo, antifascismo y las comunidades italianas en Brasil, Argentina y Uruguay: una perspectiva comparada. *Estudios Migratorios Latinoamericanos*, 14, 42, 1999.

_____. *Sob a sombra de Mussolini*: os italianos de São Paulo e a luta contra o fascismo, 1919-1945. São Paulo: Annablume, 1999.

_____. A migração internacional como fator de política externa. Os emigrantes italianos, a expansão imperialista e a política externa da Itália, 1870-1943. *Contexto Internacional*, 21, 1, 1999.

_____. Observando o littorio do outro lado do Atlântico: a opinião pública brasileira e o fascismo italiano, 1922-1943. *Tempo*, n. 9, 2000.

_____. *Fascismo, nazismo, integralismo*. São Paulo: Ática, 2000.

_____. Divulgando o Duce e o fascismo em terra brasileira: a propaganda italiana no Brasil, 1922-1943. *Revista de História Regional*, 5, 2, 2000.

_____. Between Sigma and Fascio. An analysis of the relationship between Italian Fascism and Brazilian Integralism. *Luso Brazilian Review*, 37, 1, 2000.

_____. O Partido Comunista Italiano no Brasil: uma presença desconhecida nas lutas populares e antifascistas italianas na América Latina. *Novos Rumos*, 15, 33, 2000.

_____. A Questão da "Internacional Fascista" no Mundo das Relações Internacionais: a Extrema Direita entre Solidariedade Ideológica e Rivalidade Nacionalista. *Revista Brasileira de Política Internacional*, 43, 1, 2000.

_____. *O fascismo e os imigrantes italianos no Brasil*. Porto Alegre: EDIPUCRS, 2001.

_____. A Guerra das Embaixadas: as grandes potências e a propaganda estrangeira no Brasil do entre guerras. LOCUS - *Revista de História*, 12, 7, 2001.

_____. Entre Mussolini e Plínio Salgado: o fascismo italiano, o Integralismo e o problema dos descendentes de italianos no Brasil. *Revista Brasileira de História*, 21, 40, 2001.

_____. Fascism and Italian communities in Brazil and in the United States: a comparative approach. *Italian Americana*, 19, 2, 2001.

_____. Emigrazione e politica estera: La "diplomazia sovversiva" di Mussolini e la questione degli italiani all'estero, 1922-1945. *AltreItalie – Rivista internazionale di studi sulle popolazioni di origine italiana nel mondo*, 23, 2001.

_____. Entre Continuidade e ruptura: a Política Externa Fascista como um Problema Histórico e político. *Contexto Internacional*, 23, 2, 2001.

_____. A morte do conceito de ideologia? Cartilhas fascistas e escolas italianas no Brasil do entre guerras. *Cadernos de História*, 9, 1, 2001.

_____. *A Segunda Guerra Mundial*. São Paulo: Saraiva, 2001.

_____. Entre Mosley, Whittaker e Plínio Salgado: interfaces entre o universo fascista do Brasil e do mundo anglo saxão. *Interfaces Brasil Canadá*, 1, 2, 2002.

_____. Fascism and the Italian Immigrant Experience in Brazil and Canada: A Comparative Perspective. *International Journal of Canadian Studies*, 25, 2002.

_____. Fascisti e antifascisti dell'Emilia Romagna in Brasile (1919-1945). In: Franzina, Emilio. *Gli emiliano romagnoli e l'emigrazione italiana in America Latina*: Il caso modenese. Módena: Centro Stampa Província di Módena, 2003, 153-60.

_____. Italiani nel mondo anglofono, latino e germanico. Diverse prospettive sul fascismo italiano? *AltreItalie – Rivista internazionale di studi sulle popolazioni di origine italiana nel mondo*, 26, 2003.

_____. *A imigração italiana no Brasil*. São Paulo: Saraiva, 2004.

_____. Antifascistas italianos en los extremos de América: las experiencias de Brasil y Canadá. Centro Cultural Canadá – Córdoba, 20, 2004.

_____. *Sobre a direita*: estudos sobre o fascismo, o nazismo e o integralismo. Maringá: Eduem; São Carlos: Editora da ufscar (no prelo).

_____. *Uma história do tempo presente*: geopolítica e relações internacionais na virada do século xxi. Maringá: Eduem (no prelo).

Bessis, Juliette. *La Mediterranee fasciste*: L'Italia mussolienne et la Tunisie. Paris: Karthala, 1981.

Bettinelli, Ernesto. *All'origine della democrazia dei partiti*. Milano: Comunità, 1982.

Bettini, Emmanuele Bettini. *Gladio*: La Repubblica parallela. Roma: Ediesse, 1996.

Bettoni, Camilla. Italian language. In: Moliterno, Gino. *Encyclopedia of Contemporary Italian Culture*. London/New York: Routledge, 2000, pp. 299-301.

Bettoni, Carla. *Altro Polo. Italian abroad*: Studies on laguage contact in English-speaking countries. Sydney: University of Sydney and Frederick May Foundation for Italian Studies, 1986.

Bevilacqua, Piero. Società rurale e emigrazione. *Storia dell'emigrazione italiana*. Roma: Donzelli Editore, 2001, v. 1, pp. 95-112.

Bianchi, Andrea. Alla ricerca degli oriundi perduti. *Limes – Rivista Italiana di Geopolitica*, 1, 1998.

Bianchi, Bruno. Lavoro ed emigrazione femminile. *Storia dell'emigrazione italiana*. Roma: Donzelli, 2001, v. 1, pp. 257-74.

Bicocchi, Daria Frezza. Propaganda fascista e comunità italiane in usa: la Casa Italiana della Columbia University. *Studi Storici*, 11, 4, 1970.

Birken-Bertsch, Hanno; Markner, Reinhard. *Rechtschreibreform und Nationalsozialismus*: Ein Kapitel aus der politischen Geschichte der deutschen Sprache. Götingen: Wallstein – Verlag, 2000.

Biscione, Francesco. *Il delitto Moro*: Strategie di um assassínio político. Roma: Riuniti, 1998.

Blanc-Chaléard, Marie Claude. Les migrants italiens en France: mythes et realités. *Migration Sociétés*, 14, 84, 2002.

Bobbio, Norberto. *Entre duas repúblicas*: as origens da democracia italiana. Brasília/São Paulo: Ed. UnB/Imprensa Oficial do Estado, 2001.

Bollati, Giulio. *L'italiano*: Il carattere nazionale come storia e come invenzione. Torino: Einaudi, 1983.

Bonifazi, Corrado. *L'immigrazione straniera in Italia*. Bologna: Il Mulino, 1998.

Borracetti, Vittorio. *Eversione di destra, terrorismo, stragi*. Milano: Franco Angeli, 1986.

Bosco, Anna. *Comunisti*: Trasformazioni di partito in Italia, Spagna e Portogallo. Bologna: Il Mulino, 2000.

Bosworth, Richard. *Italy – the least of great powers*: Italian foreign policy before the first world war. Londres: Cambridge University Press, 1979.

_____. Mito e Linguagio nella Política Estera italiana. In: Bosworth, Richard; Romano, Sergio. *La Política Estera Italiana (1860-1985)*. Bologna: Il Mulino, 1991, pp. 35-67.

_____. *War, internment and mass migration*: the Italo Australian experience, 1940-1990. Roma: Gruppo Editoriale Internazionale, 1992.

_____. *Explaining Auschwitz and Hiroxima*: History Writing and the Second World War, 1945-1990. London/New York: Routledge, 1993.

_____. Visiting Italy. *Italy and the wider world*, 1860-1960. London: Routdledge, 1996, pp. 159-81.

_____. The Italian military in war and peace, 1860-1960. *Italy and the wider world, 1860-1960*. London: Routdledge, 1996, pp. 57-75.

_____. The rise and rise of the Empire of the Italians, Emigration 1860-1960. *Italy and the wider world, 1860-1960*. London: Routdledge, 1996, pp. 114-36.

_____. *Italian Fascism*: History, memory and representation. New York: Palgrave, 1999.

_____. *Mussolini*. Oxford: Oxford University Press, 2002.

BOTTAI, Bruno. Nel nome di Dante uma rete mondiale per l'italofonia. *Limes – Rivista Italiana di Geopolitica*, 1, 1998.

BRAUDEl, Fernand. L'Italia fuori d'Italia; due secoli e tre Italie. In: ROMANO, Ruggiero; VIVANTI, Corrado. *Storia d'Italia, v. 2 – Dalla caduta dell'Impero romano al secolo XVIII*. Torino: Einaudi, 1974, pp. 2.090-248.

_____. A model for the analysis of the decline of Italy. *Review of the Fernand Braudel Center*, 2, 4, 1979.

_____. *A identidade da França*. Rio de Janeiro: Globo, 1989, 3v.

BRAVO, Luciano Ferrari; SERAFINI, Alessandro. *Stato e sottosviluppo*: Il caso del Mezzogiorno italiano. Milano: Feltrinelli, 1972.

BROGLIO, Francesco. *Italia e Santa Sede dalla grande guerra alla conciliazione*. Roma/Bari: Laterca, 1966.

BRUIT, Hector. *O imperialismo*. Campinas: Ed. Unicamp, 1988.

BRUNETTA, Gian Piero. *Storia del cinema italiano*. Roma: Riuniti, 1979.

BUFFACCHI, Vittorio; BURGESS, Simon. *Italy since 1989*: Events and interpretations. London: McMillan, 1998.

BULL, Martin; RHODES, Martin. *Crisis and transition in Italian politics*. London e Portland: Frank Cass, 1997.

BURCKHARDT, Jacob. *A cultura do Renascimento na Itália*: um ensaio. São Paulo: Companhia das Letras, 1991.

BURGWYN, James. Recent Books on Italian Foreign Policy in the 1930's: A Critical Essay. *Journal of Italian History*, 1, 3, 1978.

_____. *Il Revisionismo Fascista*: La Sfida di Mussolini alle Grandi Potenze nei Balcani e sul Danubio, 1925-1933. Milano: Feltrinelli, 1979.

_____. *Italian Foreign Policy in the Interwar Period, 1918-1940*. Westport/London: Praeger, 1997.

BURKE, Peter. *O Renascimento italiano*: cultura e sociedade na Itália. São Paulo: Nova Alexandria, 1999.

BUSETTO, Áureo. *Democracia cristã no Brasil*: princípios e práticas. São Paulo, Ed. Unesp, 2002.

CACHAFEIRO, Margarita Gomes-Reino. *Ethnicity and nationalism in Italian Politics. Inventing the Padania*: Lega Nord and the northern question. Ashgate: Aldershot, 2002.

CAFAGNA, Luciano. Contro tre pregiudizi sulla storia dello sviluppo economico italiano. In: CIOCCA, Pierluigi; TONIOLO, Gianni. *Storia Econômica d'Italia*: 1 – Interpretazioni. Roma/Bari: Laterza, 1998, pp. 297-325.

CAIZZI, B. Storia dell'industria italiana dal XVIII secolo ai giorni nostri. Torino, 1965.

CAMPANELLA, Anthony. *Giuseppe Garibaldi e la tradizione garibaldina*: uma bibliografia dal 1807 al 1970. Genebra: Comitato dell'Istituto internazionale di studi garibaldini, 1970.

CANGINI, Franco. *Storia della Prima Repubblica*. Roma: Newton Compton, 1994.

CANNISTRARO, Philip. Il cinema italiano sotto il fascismo. Storia Contemporânea, III, 3, 1972.

_____. Il fascismo italiano visto dagli Stati Uniti: cinquant'anni di studi e di interpretazioni. *Storia Contemporanea*, 2, 3, 1971.

_____. *La fabbrica del consenso*: Fascismo e mass media. Roma/Bari: Laterza, 1975.

_____. *Blackshirts in Little Italy*: Italian Americans and fascism, 1921-1929. Lafayette (Indiana): Bordighera, 1999.

Canovi, Antonio. L'emigrazione dei reggiani in Francia. Cavriago ad Argenteuil: identità e memorie in questione. In: Franzina, Emilio. *Gli emiliano romagnoli e l'emigrazione italiana in America Latina. Il caso modenese*. Módena: Centro stampa Província de Módena, 2003, pp. 92-8.

Caparelli, Filippo. *La "Dante Alighieri", 1920-1970*. Roma: Bonacci, 1987.

Cappelli, Vittorio. Emigrazione transoceanica e socialismo: Il caso di Morano Calabria. In: Borzomati, Paolo. *L'emigrazione calabrese dall'Unità ad oggi*. Roma: Centro Studi Emigrazione, 1982, pp. 115-33.

Carboni, Florence; Maestri, Mário. *Mi son talian, grassi a Dio! Nacionalidade, identidade étnica e irredentismo linguístico na região colonial do Rio Grande do Sul*. Passo Fundo: Núcleo de Estudos Linguísticos da Universidade de Passo Fundo, 1999.

Carocci, Giampiero. Appunti sull'Imperialismo Fascista negli Anni 20. *Studi Storici*, 8, 1967.

_____. Contributo alla Discussione sull'Imperialismo Fascista. *Il Movimento di Liberazione in Italia*, 103, 1971.

_____. *Giolitti e l'età giolittiana*: La politica italiana dall'inizio del secolo alla prima guerra mondiale. Torino: Einaudi, 1971.

_____. *Storia d'Italia dall'Unità ad oggi*. Milano: Feltrinelli, 1975.

_____. *Storia dell'Italia moderna*: dal 1861 ai nostri giorni. Roma: Newton Compton, 1995.

Cartiglia, Carlo. *Il Partito Socialista Italiano, 1892-1962*. Torino: Loescher, 1978.

Carvalho, Otamar de. *Desenvolvimento Regional*: um problema político. Rio de Janeiro: Campus, 1979.

Casella, M. *18 Aprile 1948*: La mobilitazione delle organizzazioni cattoliche. Galatina: Congedo Editore, 1992.

Cassels, Alan. Was there a Fascist Foreign Policy? Tradition and Novelty. *International History Review*, 5, 2, 1983.

Castaldi, Carlo. O ajustamento do imigrante à comunidade paulistana: estudo de um grupo de imigrantes italianos e seus descendentes. In: Hutchinson, Bertram. *Mobilidade e trabalho*: um estudo na cidade de São Paulo. Rio de Janeiro: Centro Brasileiro de Pesquisas Educacionais, 1960, pp. 281-359.

Castronovo, Valério. *L'industria italiana dall'800 ad oggi*. Milano: Mondadori, 1980.

_____. Il mito della grande proletaria. In: Milza, Pierre. *Opinion Publique et politique exterieure*. Roma: Ecole Française de Roma, 1981, pp. 329-39.

_____. *Storia economica d'Italia dall'Ottocento ai nostri giorni*. Torino: Einaudi, 1995.

Catalano, Franco. *Filippo Turati*. Milano: Dall'oglio, 1957.

_____. *L'Economia Italiana di Guerra*: La Política Economico-Finanziaria del Fascismo dalla Guerra d'Etiopia alla Caduta del Regime, 1935-1943. Milano: Franco Angeli, 1963.

Catanzaro, Raimondo. *Il delitto come impresa*: storia sociale della Mafia. Padova: Liviana, 1988.

Cattaldo, Mario. *Storia dell'industria italiana*. Roma: Newton Compton, 1996.

Cecco, Marcello de; Migone, Gian Giacomo. La collocazione internazionale dell'economia italiana. In: Bosworth, Richard; Romano, Sergio. *La Política Estera Italiana (1860-1985)*. Bologna: Il Mulino, 1991, pp. 147-96.

Cerase, Francesco Paolo Cerase. *L'onda di ritorno*: i rimpatri. Storia dell'emigrazione italiana. Roma: Donzelli, 2001, v. 1, pp. 113-25.

Chambers, David Chambers. *The Imperial Age of Venice, 1380-1580*. Londres: Thames and Hudson, 1970

Chiarante, Giuseppe. *La Democrazia Cristiana*. Roma: Riuniti, 1980.

Chiarini, Ana Maria. *Imigrantes e italiani all'estero*: os diferentes caminhos da italianidade em São Paulo. Campinas, 1992. Dissertação (Mestrado em Antropologia) – Unicamp.

Chittolini, Giorgio; Miccoli, Giovanni. La Chiesa e il potere político dal Medioevo all'età contemporanea. In: Romano, Ruggiero; Vivanti, Corrado. *Storia d'Italia. Annali 9*. Torino: Einaudi, 1986.

Cianci, Ernesto. *Nascita dello stato impreditore in Italia*. Milano: Mursia, 1972.

Cinel, Dino. Dall'Italia a San Francisco: L'esperienza dell'emigrazione. *Euroamericani*: La popolazione di origine italiana negli Stati Uniti. Torino: Fondazione Giovanni Agnelli, 1987, pp. 327-88.

Cingolani, Giorgio. *La Destra in armi*: Neofascisti italiani tra ribellismo ed eversione, 1977-1982. Roma: Riuniti, 1996.

Cipriani, Gianni. *Brigate Rosse*: La Minaccia del nuovo terrorismo. Milano: Sperling & Kupfer, 2004.

Ciuffoleti, Zeffiro; Degl'innocenti, Maurizio. *L'emigrazione nella storia d'Italia*. Firenze: Valecchi, 1979.

_____. La Società Umanitaria e l'emigrazione operaia oltreoceano. In: Blengino, Vanni. *La Riscoperta delle Americhe*: Lavoratori e sindacato nell'emigrazione italiana in America Latina, 1870-1970. Milano: Teti Editore, 1994, pp. 250-64.

Clough, S. *The economic history of Modern Italy*, 1830-1914. New York: Columbia University Press, 1964.

Codiroli, Pierre. *L'ombra del Duce*: Lineamenti di politica culturale def fascismo nel Cantone Ticino (1922-1943). Milano: Franco Angeli Editore, 1988.

_____. *Tra fascio e balestra*: Un'acerba contesa culturale (1941-1945). Locarno: Armando Dadò, 1992.

Coelho, Sandro Anselmo. Democracia Cristã e Populismo: um marco histórico comparativo entre o Brasil e o Chile. *Revista de Sociologia e Política*, 15, 2000.

Cohen, Rich. *Tough Jews*: Fathers, sons and gangsters dreams in Jewish America. New York: Simon & Schuster, 1998.

Cohen, Stanley. Os primeiros anos da América Moderna, 1918-1933. In: Leuchtenburg, William. *O século inacabado*: a América desde 1900. Rio de Janeiro: Zahar, 1976, 2v.

Colarizi, Simona. Il partito socialista italiano in esilio (1926-1930). *Storia Contemporanea I*, 1, 1974.

_____. *L'Italia antifascista dal 1922 al 1940*. Roma/Bari: Laterza, 1976.

_____. *Biografia della Prima Repubblica*. Roma/Bari: Laterza, 1996.

Collicelli, Carla. Immigration and cultural anxiety in Italy. *Affari Sociali Internazionali*, 23, 2, 1995.

Collins, Roger. *La Europa de la Alta Edad Media*: 300 – 1000. Madrid: Akal, 2000.

Collotti, Enzo; Sala, Teodoro. *Le Potenze dell'Asse e la Jugoslavia*: Saggi e documenti. Milano: Feltrinelli, 1974.

_____. *L'Italia in guerra*. Brescia: Fondazione Luigi Micheletti, 1992.

Collotti, Enzo. *Fascismo, fascismi*. Firenze: Sansoni, 1989.

Colpi, Terry. The Impact of the Second World War on the British Italian community. In: Cesarani, David. *The Internment of Aliens in twentieth century Britain*. London: Frank Cass, 1993, pp. 167-87.

Compagna, Francesco. *I terroni in città*. Roma/Bari: Laterza, 1970.

Consolmagno, Marina. *Fanfulla*: perfil de um jornal de colônia. São Paulo, 1993. Dissertação (Mestrado em História) – fflch,Universidade de São Paulo.

Conti, Giuseppe. Il mito della "nazione armata". *Storia Contemporanea*, 21, 6, 1990.

Cornell, Tim; Matthews, John. *Roma*: legado de um Império. Madrid: Edições del Prado, 1996.

_____. *The beginnings of Rome*: Italy and Rome from the Bronze Age to the Punic Wars (c. 1000 – 264 bc). London/New York: Routledge, 1995.

Corner, Paul. L'economia italiana tra le due guerre. In: Sabbatucci, Giovanni; Vidotto, Vittorio. *Storia d'Italia*. 4 – Guerre e fascismo, 1914-1943. Roma/Bari: Laterza, 1997, pp. 305-78.

Corradini, Enrico. *L'ora di Trípoli*. Milano, 1911.

_____. *Il nazionalismo italiano*. Milano, 1914.

Cortesi, Luigi. *Le origini del pci*: Studi e interventi sulla storia del comununismo in Italia. Milano: Franco Angeli, 1999.

Corti, Paola. Emigrazione e consuetudini alimentari. L'esperienza di una catena migratoria. In: Romano, Ruggiero; Vivanti, Corrado. *Storia d'Italia. Annali 13*. Torino: Einaudi, 1998, pp. 681-719.

_____. Emigrazione, associazionismo e comportamenti politici in una comunità piemontese (1870-1931). In: Devoto, Fernando. *Asociacionismo, trabajo e identidad etnica*: Los italianos en America Latina en una perspectiva comparada. Buenos Aires: Cemla, 1992, pp. 267-85.

CRAINZ, Guido. *Storia del miracolo italiano*: Cultura, identità, trasformazioni fra anni cinquanta e sessanta. Roma: Donzelli, 1996.

CRESPI, Franco Crespi; SANTAMBROGIO, Ambrogio. *La cultura politica nell'Italia che cambia*: Percorsi teorici e empirici. Roma: Carocci, 2001.

DADÀ, Adriana. *L'anarchismo in Italia*: fra movimento e partito. Milano: Nicola Teti Editore, 1984.

DAL FERRO, Giuseppe (org.). *Veneto e Slovenia*: Due culture per l'Europa. Vicenza: Edizioni del "Rezzara", 1990.

DAL LAGO, Enrico; HALPERN, Rick. *The American South and the Italian Mezzogiorno*: Essays in Comparative History. New York: Palgrave, 2002.

D'AMOJA, Fulvio. *La Política Estera dell'Impero*. Padova: Cedam, 1967.

DANA, Marc. L'indépendentisme sicilien dans le contexte de la crise de l'Etat italien. *Hérodote – Revue de géografie et de géopolitique*, 89, 1998.

DANEO, C. *Breve storia dell'agricoltura italiana, 1860-1970*. Milano: Mondadori, 1980.

DANIELS, Roger Daniels. *Coming to América*: A history of immigration and ethnicity in American life. New York: Harper Collins, 1991.

D'ATORRE, Pier Paolo. L'evoluzione storica dell'emigrazione attraverso alcune analisi del movimento operaio. *Affari Sociali Internazionali*, 2, 1/2, 1974.

DAVID, Elisabeth. *Cozinha italiana*. São Paulo: Companhia das Letras, 1998.

DAVIS, John. Changing perspectives on Italy's "Southern Problem". In: LEVY, Carl. *Italian Regionalism*: History, Identity and Politics. Oxford/New York: Berg, 1996, pp. 53-68.

DE AGOSTINO, Peter. The Scalabrini fathers, the Italian emigrant Church and ethnic nationalism in America. *Religion and American culture*, 7, 1, 1997.

DE DECCA, Edgar. *O nascimento das fábricas*. São Paulo: Brasiliense, 1995.

DE FELICE, Renzo. *Storia degli ebrei italiani sotto il fascismo*. Torino: Einaudi, 1972.

_____. *Explicar o fascismo*. Lisboa: Edições 70, 1976.

_____. O fascismo como problema interpretativo. In: GENTILE, Emilio; FELICE, Renzo de. *A Itália de Mussolini e a origem do fascismo*. São Paulo: Ícone, 1988, pp. 67-88.

_____. *Entrevista sobre o fascismo*. Rio de Janeiro: Civilização Brasileira, 1988.

_____. *Bibliografia Orientativa del Fascismo*. Roma: Bonacci, 1991.

_____. *Mussolini*. Torino: Einaudi, 1965-1998, 8v.

DE LUTIIS, Giuseppe. *Il lato oscuro del potere*: Associazioni politiche e strutture paramiliari segrete dal 1946 ad oggi. Roma: Riuniti, 1996.

DE LUTIIS, Giuseppe. *Storia dei servizi secreti in Italia*. Roma: Riuniti, 1985.

DE ROSA, Luigi De Rosa. *Emigranti, capitali e banche (1896-1906)*. Napoli: Edizioni del Lavoro, 1980.

DECLEVA, Enrico. Relazioni culturali e propaganda negli anni trenta: I comitati 'France Italie' e 'Italia Francia'. In: DUROSELLE, Jean Baptiste. *Il Vincolo culturale tra Italia e Francia negli anni trenta e quaranta*. Milano: Franco Angeli Editore, 1986, pp. 108-57.

DEGL'INNOCENTI, Maurizio. Emigrazione e politica dei socialisti dalla fine del secolo all'età giolittiana. *Il Ponte*, 30, 11/12, 1974.

DEL BOCA, Angelo. *Adua*: La ragioni di una sconfitta. Roma/Bari: Laterza, 1997.

_____. *Gli italiani in África Orientale*: la conquista dell'Impero. Roma/Bari: Laterza, 1979.

_____. *I gas di Mussolini*. Roma: Riuniti, 1996.

DEL PANTA, Lorenzo et al. *La popolazione italiana dal medioevo ad oggi*. Roma/Bari: Laterza: 1996.

DEL ROIO, José Luiz. *Itália*: operação mãos limpas. E no Brasil? Quando? São Paulo: Ícone, 1993.

DELLA PORTA, Donatella. *Terrorismi in Italia*. Bologna: Il Mulino, 1984.

DESCHAMPS, Bénédicte. Le racisme anti-italien aux Etats Unis (1880-1940). In: PRUN, Michel. *Exclure au nom de la race (États-Unis, Irlande, Grande-Bregtagne)*. Paris: Syllepse, 2000.

DI CAMERANA, Ludovico Incisa. *La vittoria dell'Italia nella terza guerra mondiale*. Roma/Bari: Laterza, 1996.

_____. La diplomazia. *Storia dell'emigrazione italiana*. *Roma*: Donzelli, 2002, v. 2, pp. 457-79.

Di Lembo, Luigi. L'organizzazione dei socialisti italiani in Francia. *L'emigrazione socialista nella lotta contro il fascismo*. Firenze: Sansoni, 1982, pp. 221-61.

Di Michele, Stefano; Galiani, Alessandro. *Mal di destra*: Fascisti e postfascisti – i protagonisti di ieri e di oggi si raccontano. Milano: Sperling & Kupfer Editori, 1995.

_____. *Mussolini e la Política Estera Fascista, 1919-1933*. Padova: Cedam, 1960.

_____. *Le paure e le speranze degli italiani (1943-1953)*. Milano: Mondadori, 1988.

Di Nolfo, Ennio. Mussolini e la decisione Italiana di entrare nella Seconda Guerra Mondiale. *L'Italia e la Política di Potenza in Europa (1938-1940)*. Milano: Marzorati, 1988, pp. 19-38.

_____. Storia delle relazioni internazionali. In: Bonaparte, Luigi. *Studi Internazionali*. Torino: Fondazione Giovani Agnelli, 1990, pp. 71-112.

Diamanti, Ilvo; Lazar, Marc. *Stanchi di miracoli*: Il sistema politico italiano in cerca di normalità. Milano: Guerini e Associati, 1997.

_____. Il Nord senza l'Italia?. *Limes – Rivista Italiana di Geopolitica*, 1, 1996.

_____. La tentazione del Nord: meno Italia e meno Europa. *Limes – Rivista Italiana di Geopolitica*, 1, 1998.

Diggins, John. *L'America, Mussolini e il fascismo*. Roma/Bari: Laterza, 1972.

Distasi, Lawrence. *Una Storia Segreta*: The Secret History of the Italian American evacuation and internment during World War II. Berkeley: Heyday Books, 2001.

Doré, Andréa. Dante Alighieri e as relações internacionais. *Contexto Internacional*, 19, 1, 1997.

Dougan, Andy. *Futebol e guerra*: resistência, triunfo e tragédia do Dínamo na Kiev ocupada pelos nazistas. Rio de Janeiro: Jorge Zahar, 2004.

Douglass, William. *From Italy to Ingham*: Italians in North Queensland. St. Lucia: University of Queensland Press, 1995.

Elias, Norbert. *Os alemães*: a luta pelo poder e a evolução do habitus nos séculos xix e xx. Rio de Janeiro: Jorge Zahar, 1997.

Fabiano, Domenico. La Lega italiana per la tutela degli intressi nazionali e le origini dei fasci italiani all'estero (1920-1923). *Storia Contemporanea*, 16, 2, 1985.

Fabris, Anateresa. *Futurismo*: uma poética da modernidade. São Paulo: Perspectiva, 1987.

Falchero, M. *La Banca italiana di sconto (1914-1921)*: Sette anni di guerra. Milano: Franco Angeli, 1990.

Falco, Giancarlo. *L'Italia e la politica finanziaria degli alleati*. Pisa: ets, 1983.

Falcón, Francisco José Calazans Falcón. Fascismo: autoritarismo e totalitarismo. In: Silva, José Luís da. *O feixe e o prisma*: uma revisão do Estado Novo. Rio de Janeiro: Jorge Zahar, 1991, pp. 29-43.

Falcón, Ricardo. Immigración, Cuestion Etnica y movimento obrero (1870-1914). In: Devoto, Fernando. *Asociacionismo, trabajo e identidad etnica*: los italianos en America Latina en una perspectiva comparada. Buenos Aires: Cemla, 1992, pp. 251-85.

Faldella, E. *La Grande Guerra*. Milano: Longanesi, 1965.

Fanesi, Pietro Rinaldo. Gli ebrei italiani rifugiati in America Latina e l'antifascismo (1938-1945). *Storia e Problemi Contemporane*, n. 7, 1994.

Fargion, L. Piccoloto. *Gli ebrei deportati dall'Italia*. Milano: Mursia, 1991.

Fasanella, Giovanni; Fraceschini, Alberto. *Che cosa sono le Brigate Rosse*: Le radici, la nascità, la storia, il presente. Milano: Rizzoli, 2004.

Fasce, Ferdinando. Gente di mezzo: Gli italiani e gli altri. *Storia dell'emigrazione italiana*. Roma: Donzelli, 2002, v. 2, pp. 235-43.

Fedele, Santi Fedele. *Tradizione garibaldina e antifascismo italiano Garibaldi e il socialismo*. Roma/Bari: Laterza, 1984, pp. 239-47.

_____. *E verrà un'altra Italia: Politica e cultura nei "Quaderni di Giustizia e Libertà"*. Milano: Franco Angeli, 1992.

FENOALTEA, Stefano. Lo sviluppo economico italiano dell'Italia nel lungo período: riflessioni su tre fallimenti. In: CIOCCA, Pierluigi; TONIOLO, Gianni. *Storia Econômica d'Italia*. 1 – Interpretazioni. Roma/Bari: Laterza, 1998, 15-29.

FERENC, Tone. *La província italiana di Liubiana*: Documenti 1941-1942. Udine: Istituto per la storia del movimento di liberazione, 1994.

FERRARESI, Franco. *La Destra radicale e la strategia della tensione in Italia del dopoguerra*. Milano: Feltrinelli, 1995.

FERRO, Marc. *História das Colonizações*: das conquistas às independências (séculos XIII a XX). São Paulo: Companhia das Letras, 1996.

FIS, Elisabeth. *Italiens Parteiensystem im Wandel*: Von der Ersten zur Zweiten Republik. Frankfurt/New York: Campus, 1999.

FLAMIGNI, Sergio. *La tela del ragno*: Il delitto Moro. Milano: Kaos, 2003.

FOLLINI, Marco. Ciò Che non siamo più. Politica e obblighi della memória. *Il Mulino – Rivista bimestrale di cultura e di politica*, 44, 361, 1995.

_____. *La DC*. Bologna: Il Mulino, 2000.

FORMIGONI, Guido. *L'Italia dei cattolici*: Fede e nazione dal Risorgimento alla Repubblica. Bologna: Il Mulino, 1998.

FOX, Stephen. *Unknown Internment*: An Oral History of the relocation of Italian Americans during the World War II. Boston: Twayne Publishers, 1990.

FRANZINA, Emílio. *La Grande emigrazione*: L'esodo dei rurali al Veneto durante il secolo XIX. Padova: Marsílio, 1976.

_____. *Gli italiani al Nuovo Mondo*: L'Emigrazione italiana in America, 1492-1942. Milano: Mondadori, 1995.

_____. La guerra lontana: il primo conflitto mondiale e gli italiani d'Argentina. *Estudios Migratorios Latinoamericanos*, 15, 44, 2000.

_____; DE CLEMENTI, Andreína; BEVILACQUA, Piero. *Storia dell'emigrazione italiana*. Roma: Donzelli, 2001 e 2002, 2v.

_____. Conclusione a mo'di premessa. Partenze e arrivi. *Storia dell'emigrazione italiana*. Roma: Donzelli, 2002, v. 2, pp. 601-37.

_____. Italiani del Brasile ed italobrasiliani durante il Primo conflitto mondiale: 1914-1918. *História: Debates e Tendências*, 5, 1, 2004.

FRASCANI, P. *Politica econômica e finanza pubblica in Italia nel primo dopoguerra*. Napoli: Giannini, 1975.

FRASER, Stephen. Landslayt and paesani: ethnic conflict and cooperation in the Amalgamated Clothing Workers of America. In: HOERDER, Dirk. *Struggle a Hard Battle*: Essays on Working class Immigrants. DeKalb, IL: Northern Illinois University Press, 1987, pp. 283-8.

FRAYLING, Cristopher. *Spaghetti Western*: Cowboys and Europeans from Karl May to Sergio Leone. London/Boston: Routledge/Kegan Paul, 1981.

FREUD, Sigmund Freud. *Notre Coeur tend vers le sud*: Correspondence de voyage, 1895-1923. Paris: Fayard, 2005.

FURLONG, Paul. *Modern Italy*: Representation and reform. London/New York: Routledge, 1994.

GABACCIA, Donna. *From Italy to Elisabeth Street*: Housing and social change among Italian immigrants, 1880-1930. Albany, 1983.

GABACCIA, Donna; OTTANELLI, Fraser. Diaspora or International Proletariat? Italian Labor, Labor migration and the making of Multhethnic states, 1815-1939. *Diaspora*, 6, 1, 1997.

GABACCIA, Donna Gabaccia; IACOVETTA, Franca. *Women, work and protest in the Italian Diaspora*: gendering global migration, rethinking family economies, nationalisms and labour activism. Labour/Le Travail, 42, 1998.

GABACCIA, Donna. *Militants and Migrants*: rural Sicilians become American workers. New Brunswick/London: Rutgers University Press, 1988.

_____. Worker Internationalism and Italian Labour Migration, 1870-1914. *International Labour and Working Class History*, 45, 1994.

_____. Per una storia italiana dell'emigrazione. *AltreItalie – Rivista internazionale di studi sulle popolazioni di origine italiana nel mondo*, 16, 1997.

_____. Italian History and gli italiani nel mondo, Part I. *Journal of Modern Italian Studies*, 2, 1, 1997.

_____. Italian History and gli italiani nel mondo, Part II. *Journal of Modern Italian Studies*, 3, 1, 1998.

_____. *We are what we eat*: Ethnic food and the making of Americans. Cambridge/London: Harvard University Press, 1998.

_____. *Italy's many diasporas*: Elites, exiles and workers of the world. Seattle: University of Washington Press, 1999.

GABRIELE, Mariano. Su un progetto di spedizione navale italiana contro il Brasile nell'anno 1896. *Storia e Politica*, 5, 2, 1967.

GALLAGHER, Dorothy. *All the Right Enemies*: The life and murder of Carlo Tresca. New Brunswick/London: Rutgers University Press, 1988.

GALLO, Max. *Garibaldi*: La forza di un destino. Milano: Rusconi, 1982.

GAMBINO, Antonio. *Vendetta!*. Milano: Sperling & Kupfer, 1978.

_____. *Storia del dopoguerra*: dalla liberazione al potere DC. Roma/Bari: Laterza, 1998.

GAROSCI, Aldo. *Storia dei fuorusciti*. Roma/Bari: Laterza, 1953.

GASPARI, Oscar. Una comunità veneta tra Romania ed Italia (1879-1940). *Studi Emigrazione*, 89, 1988.

_____. Bonifiche, migrazioni interne, colonizzazioni (1920-1940). *Storia dell'emigrazione italiana*. Roma: Donzelli, 2001,v. 1, pp. 323-41.

GATTO, Ludovico. *L'Italia nel Medioevo*: Gli italiani e le loro città. Roma: Newton Compton, 1995.

_____. *L'Italia dei comuni e delle signorie*. Roma: Newton Compton, 1996.

GEDDA, Luigi. *18 aprile 1948*: Vaticano segreto. Milano: Mondadori, 1997.

GELLNER, Ernest. *Nacionalismo e democracia*. Brasília: UnB, 1981.

GENTILE, Emilio. *Introduzione all'Italia giolittiana*. Roma/Bari: Laterza, 1977.

_____. L'emigrazione italiana in Argentina nella politica di espansione del nacionalismo e del fascismo 1900-1930. *Storia Contemporanea*, 17, 3, 1986.

_____. Italia Fascista: Do partido armado ao estado totalitário. In: GENTILE, Emilio; FELICE, Renzo de. *A Itália de Mussolini e a origem do fascismo*. São Paulo: Ícone, 1988, pp. 7-66;

_____. *Storia del partito fascista*, 1919-1922. Movimento e milizia. Bari: Laterza, 1989.

_____. *Il culto del littorio*: La sacralizzazione della politica nell'Italia fascista. Roma/Bari: Laterza, 1993.

_____. *La Grande Italia*: Ascesa e declino del mito della nazione nel ventesimo secolo. Milano: Mondadori, 1997.

GENTILI, Joseph. Italian Jewish Refugees in Australia. *Australian Jewish Historical Review*, 10, 5, 1989.

GERRITSEN, R. The 1934 Kalgoorlie riots: a western Australia crowd. *University Studies in History*, 5, 3, 1969.

GHIRARDO, Diane. Città fascista: Surveilance and Spectable. *Journal of Contemporary History*, 31, 1996.

GIACOVELLI, Enrico. *La commedia all'italiana*: La storia, i luoghi, gli autori, gli attori, i film. Roma: Gremese, 1995.

GIAMBARTOLOMEI, Aldo. Il Risorgimento militare italiano come esito derivato della rivoluzione francese e l'era napoleonica. *Le Scienze e gli ordinamenti militari della rivoluzione francese*. Roma: Edizioni Difesa, 1991, pp. 83-9.

GILI, J. Le distribution des films italiens en France de 1930 a 1943. *Risorgimento – Revue europeenne d'histoire italiennecontemporaine*, 2, 2/3, 1981.

GINSBORG, Paul. *Storia d'Italia, 1943-1996*: famiglia, società, stato. Torino: Einaudi, 1998.

GIOVAGNOLI, Agostino. *Il partito italiano*: La Democrazia cristiana dal 1942 al 1994. Roma/Bari: Laterza, 1996.

GIUBERNAU, Montserrat. *Nacionalismos*: O Estado Nacional e o nacionalismo no século XX. Rio de Janeiro: Jorge Zahar, 1997.
GODECHOT, Jacques. Risorgimento et régionalisme em Italie. *Risorgimento*, 2, 1981.
GOOCH, John. *A unificação da Itália*. São Paulo: Ática, 1991.
GRAMSCI, Antonio. *A questão meridional*. Rio de Janeiro: Paz e Terra, 1987.
GRANT, Michael Grant. *História de Roma*. Rio de Janeiro: Civilização Brasileira, 1987.
GRIMAL, Pierre. *A Civilização Romana*. Lisboa: Edições 70, 1988.
GROPPO, Bruno. Os exílios europeus no século XX. *Diálogos – Revista do Departamento de História da Universidade Estadual de Maringá*, 6, 2002.
GRUEN, Erich. *Culture and National Identity in Republican Rome*. Ithaca: Cornell University Press, 1992.
GUERIN, Daniel. *Fascismo y gran capital*. Madrid: Editorial Fundamentos, 1973.
GUGLIELMO, Jennifer; SALERNO, Salvatore. *Are Italians white? How race is made in America*. New York/London: Routledge, 2003.
GUGLIELMO, Thomas. *White on arrival*: Italians, race, color and power in Chicago, 1890-1945. Oxford: Oxford University Press, 2003.
GUICHONET, Paul. *L'unite italienne*. Paris: PUF, 1961.
_____. O socialismo italiano. In: DROZ, Jacquez. *História geral do socialismo*. Lisboa: Livros Horizonte, 1977, pp. 202-30.
HALL, Michael. Emigrazione italiana a San Paolo tra 1880 e 1920. *Quaderni Storici*, 9, 25, 1974.
_____. Immigration and the Early São Paulo working class. *Jahrbuch fur Geschichte von Staat, Wirtschaft und Gesellaschaft LateinAmerikas*, 12, 1975.
_____. Italianos em São Paulo. *Anais do Museu Paulista*, 29, 1979.
HARNEY, Robert. Italophobia: English speaking malady? *Studi Emigrazione*, 22, 77, 1985.
HARPER, John. *L'America e la ricostruzione dell'economia italiana*, 1945-1948. Bologna: Il Mulino, 1987.
HARRIS, Joseph. African American reaction to war in Ethiopia, 1936-1941. Baton Rouge and London: Louisiana State University Press, 1994.
HARVEY, Paul. *Dicionário Oxford de literatura clássica grega e romana*. Rio de Janeiro: Zahar, 1998.
HAYNES, Maria. *The Italian Renaissance and its influence on Western Civilization*. Lanham: University Press of América, 1991.
HIGHAM, John. *Strangers in the land*. New Brunswick: Rutgers University Press, 1955.
HILBERG, Raul. *La distruzione degli Ebrei d'Europa*. Torino: Einaudi, 1985.
HILLMER, Norman. *On Guard for thee*: war, ethnicity and the Canadian State, 1939-1945. Ottawa: Ottawa University Press, 1988.
HOBSBAWM, Eric. *A era dos impérios, 1875-1914*. Rio de Janeiro: Paz e Terra, 1988.
_____. *Nações e nacionalismos desde 1780*: programa, mito e realidade. Rio de Janeiro: Paz e Terra, 1990.
_____. *A era do capital, 1848-1875*. Rio de Janeiro: Paz e Terra, 1996.
_____. *A era dos extremos*: o breve século XX, 1914-1991. Rio de Janeiro: Paz e Terra, 1997.
_____. *A era das revoluções, 1789-1848*. Rio de Janeiro: Paz e Terra, 1997.
_____. *O novo século*: entrevista a Antonio Polito. São Paulo: Companhia das Letras, 2000.
HROCH, Miroslav. *Social preconditions of national revival in Europe*: a comparative analysis of the social composition of patriotic group among the smaller europeans nations. Cambridge: Cambridge Unibversity Press, 1985.
HUGLI, Jean. Socialisme antifasciste a Lausanne de la premiere a la deuxieme guerre mondiale. *L'emigrazione socialista nella lotta contro il fascismo*. Firenze: Sansoni, 1982, pp. 263-91.
IACOVETTA, Franca. *Such hardworking people*: Italian immigrants in postwar Toronto. Montreal and Kingston: McGill – Queen's University Press, 1992.

IANNI, Constantino. *Homens sem paz*: os conflitos e os bastidores da imigração italiana. Rio de Janeiro: Civilização Brasileira, 1972.
IOTTI, Luiza Horn. *O olhar do poder*: a imigração italiana no Rio Grande do Sul de 1875 a 1914 através dos relatórios consulares. Caxias do Sul: Editora da Universidade de Caxias do Sul, 1996.
IPSEN, Carl. *Demografia totalitária*: Il problema della popolazione nell'Italia fascista. Bologna: Il Mulino, 1997.
ISNEGHI, Mario. Al teatro dell'Italia nuova: fascismo e cultura di massa. In: ARGENTIERI, M. *Fascismo e antifascismo negli anni della Repubblica*. Milano: Franco Angeli Editore, 1986, pp. 134-52.
JACQUENET, Marco. The discourse on migration and racism in Contemporary Italy. In: SECHI, Salvatore. *Deconstructing Italy*: Italy in the nineties. Berkeley: International Area studies, 1995.
JACQUES, André. *Lo straniero in mezzo da noi*: gli sradicati nel mondo d'oggi – la situazione in Italia. Torino: Claudiana, 1987.
JARACH, Vera; SMOLENSKY, Eleonora. *Colectividad judia italiana emigrada a la Argentina (1932-1943)*. Buenos Aires: Centro Editor de America Latina, 1993.
JEAN, Carlo. Le constante geopolitiche della politica estera italiana. *Geopolitica*. Roma/Bari: Laterza, 1995, pp. 225-44.
KEEGAN, John. *The First World War*. Toronto: Vintage Canada Edition, 2000.
_____. *Uma história da guerra*. São Paulo: Companhia das Letras, 2002.
KENNEDY, Paul. *Ascensão e queda das grandes potências*: transformação econômica e conflito militar de 1500 a 2000. Rio de Janeiro: Campus, 1989.
KISSINGER, Henry. *Diplomacia*. Rio de Janeiro: Francisco Alves, 1999.
KLEMPERER, Victor. *Os diários de Viktor Klemperer*. São Paulo: Companhia das Letras, 1998.
_____. *The language of the Third Reich*: a philologist's notebook. London/New Brunswick: Athlone Press, 2000.
KNOX, McGregor. *Mussolini Unleashed, 1939-41*: Politics and Strategy in Fascist Italy's Last War. Cambridge: Cambridge University Press, 1982.
_____. Conquest, Foreign and Domestic in Fascist Italy and Nazi Germany. *Journal of Modern History*, 56, 1984.
_____. Il Fascismo e la Política Estera Italiana. In: BOSWORTH, Richard; ROMANO, Sergio. *La Politica Estera Italiana (1860-1985)*. Bologna: Il Mulino, 1991, pp. 287-330.
KONDER, Leandro. *Introdução ao fascismo*. Rio de Janeiro: Graal, 1991.
LA LOGGIA, Enrico. *Autonomia e rinascità della Sicília*. Palermo: Ires, 1953.
LABANCA, Nicola. *Nelle colonie*: Storia dell'emigrazione italiana. Roma: Donzelli, 2002, v. 2, pp. 193-204.
_____. *Oltremare*: Storia dell'espansione coloniale italiana. Bologna: Il Mulino, 2002.
LAGUMINA, Salvatore. *Wop!* A Documentary History of Anti Italian discrimination in the United States. San Francisco: Straight Arrow Books, 1973.
LANARO, Sílvio. *Storia dell'Italia repubblicana*. Venezia: Marsílio, 1992.
LANATA, Jorge. *Los argentinos*. Buenos Aires: Ediciones B, 2002-2004, 3v.
LANCELLOTI, Silvio. Ágape democrática. *Época*. São Paulo, 1º nov. 1999.
LANDES, David. *Prometeu desacorrentado*: transformação tecnológica e desenvolvimento industrial na Europa Ocidental desde 1750 a nossa época. Rio de Janeiro: Nova Fronteira, 1994.
LAPALOMBARA, Joseph. *Democracy*: Italian Style. New Haven: Yale University Press, 1987.
LARIVAILLE, Paul. *A Itália no tempo de Maquiavel*: Florença e Roma. São Paulo: Companhia das Letras, 1988.
LARSEN, Stein Ugelvik. *Fascism outside Europe*: The European impulse against domestic conditions in the difusion of global fascism. New York: Columbia University Press, 2001.
LAZZARO, Agostino. *Lembranças camponesas*: a tradição oral dos descendentes de italianos em Venda Nova do Imigrante. Vitória: Editora da Fundação Ceciliano Abel de Almeida, 1992.

LE GOFF, Jacques. L'Italia fuori d'Italia: L'Italia nello specchio del Medioevo. In: ROMANO, Ruggiero; VIVANTI, Corrado. *Storia d'Italia, v. 2 – Dalla caduta dell'Impero romano al secolo XVIII*. Torino: Einaudi, 1974, pp. 1.933-2.089.

LE SCIENZE e gli ordinamenti militari della rivoluzione francese. Roma: Edizioni Difesa, 1991.

LEONARDI, Andréa; COVA, Alberto; GÁLEA, Pasquale. *Il novecento economico italiano*: dalla grande guerra al "miracolo economico", 1914-1962. Bologna: Monduzzi, 1997.

LEPRE, Aurélio. *Storia della prima repubblica*. Bologna: Il Mulino, 1993.

LESO, E. *La língua italiana e il fascismo*. Bologna: Il Mulino, 1977.

LEVI, Giorgina; MONTAGNANA, Manfredo. *I Montagnana*: una famiglia ebraica piemontese e il movimento operaio (1914-1948). Firenze: Editrice La Giuntina, 2000.

LEVI, Primo. *É isto um homem?* Rio de Janeiro: Rocco, 1988.

_____. *A trégua*. São Paulo: Companhia das Letras, 1997.

LEVY, Carl. From fascism to post-fascists: Italian roads to modernity. In: BESSEL, Richard. *Fascist Italy and Nazi germany*: Comparisons and contrasts. Cambridge: Cambridge University Press, 1996, pp. 165-96.

LIDA, C. *Inmigración, etnicicidad y xenofobia em la Argentina*: la massacre de Tandil. México: Colegio de México, 1998.

LINDNER, Ulrich; FISCHER, Gerhard. *Stürmer für Hitler*: Vom Zusammenspiel zwischen Fußball und Nationalsozialismus. Göttingen: Verlag Die Werkstatt, 1999.

LIVI-BACCI, Massimo. *A History of Italian fertility during the last two centuries*. Princeton: Princeton University Press, 1977.

LIVORSI, Franco. *Filippo Turat*: Socialismo e riformismo nella storia d'Italia – Scritti politici, 1879-1932. Milano: Feltrinelli, 1979.

_____. *Filippo Turati*. Milano: Rizzoli, 1984.

LOCKE, Richard. *Remaking the Italian Economy*. Ithaca/London: Cornell University Press, 1995.

LONGTON, Adelma. Wiluna in the thierties: the Italian presence: A case study. *Studi Emigrazione*, 34, 125, 1997.

LOWE, C. J.; MARZARI, F. Italian Foreign Policy, 1870-1940. London/Boston: Routledge & Keegan, 1971.

LUCONI, Stefano. Anti-Italian prejudice and discrimination and the persistence of Ethnic voting among Philadelphia's Italian Americans, 1928-1953. *Studi Emigrazione*, 29, 105, 1992.

_____. *La "Diplomazia Parallela"*: Il regime fascista e la mobilitazione politica degli italo americani. Milano: Franco Angeli Editore, 2000.

_____. *From Paesani to White Ethnics*: the Italian Experience in Philadelphia. Albany: State University of New York Press, 2001.

_____. Italiani all'estero o cittadini americani fascisti? Gli immigrati negli Stati Uniti come massa di manovra politica negli anni del regime. In: ABBATE, Michele. *L'Italia fascista tra Europa e Stati Uniti d'America*. Civita Castellana: CEFASS, 2002, pp. 133-48.

LUPO, Salvatore. Storia della Mafia. Roma: Donzelli, 1993.

_____. Cose nostre: máfia siciliana e máfia americana. *Storia dell'emigrazione italiana*. Roma: Donzelli, 2002, v. 2, pp. 245-70.

LUZZATTO, Darcy. *Talian (Vêneto Brasileiro)*: noções de gramática, história e cultura. Porto Alegre: Sagra-&Luzatto, 1994.

LUZZATTO, Gino. *A Economic History of Italy*: from the fall of the Roman Empire to the beginnings of the sixteeenth century. New York: Barnes and Noble, 1961.

_____. *L'economia italiana dal 1861 al 1894*. Torino: Einaudi, 1994.

LYTTELTON, Alfred. *La conquista de potere*: Il fascismo dal 1919 al 1929. Roma/Bari: Laterza, 1974.

MACIEL, Maria Lúcia. *O milagre italiano, caos, crise e criatividade*. Rio de Janeiro: Relume Dumará, 1998.

MACK SMITH, Denis. *Le Guerre del Duce*. Roma/Bari: Laterza, 1976.

_____. *Cavour and Garibaldi, 1860*: A study in political conflict. Cambridge: Cambridge University Press, 1984.

_____. *Mussolini*. México: Fondo de Cultura Económica, 1989.
_____. *Mazzini*. Milano: Rizzoli, 1993.
_____. *Storia d'Italia dal 1861 al 1997*. Roma/Bari: Laterza, 2002.
MacMullen, Ramsay. *Enemies of the Roman Order*: Treason, unrest and alienation in the Empire. London/New York: Routledge, 1992.
Malanima, Paolo. *La fine del primato*: crisi e riconversione nell'Italia del seicento. Milano: Mondadori, 1998.
Malara, Nino. *Antifascismo anarchico*, 1919-1945. Roma: Sapere 2000, 1995.
Maltone, Carmela; Buttarelli, Aroldo. *Une petite Italie a Blanquefort du Gers*: Histoire et memoire (1924-1960). Bordeaux: Ed. Maison des Sciences de l'homme d'Aquitaine, 1993.
Malvolio, B. Alcuni Costanti della Politica Estera Italiana dall'Unità ad Oggi. *Affari Esteri*, 7, 27, 1975.
Mammarella, Giuseppe. *Riformismo e rivoluzione – PSI, 1900-1912*. Vincenza: Marsilio, 1981.
_____. *La prima repubblica dalla fondazione al declino*. Roma/Bari: Laterza, 1992.
Mandel, Ernest. *O significado da Segunda Guerra Mundial*. São Paulo: Ática, 1989.
Manlio, Graziano. *L'Italie aujourd'hui*: Situation et perspectives après le séisme des années 90. Paris: L'Harmattan, 2004.
Mantelli, Brunello. *Camerati del Lavoro*: I lavoratori italiani emigrati nel terzo Reich nel periodo dell'asse 1938-1943. Firenze: La Nuova Italia, 1992.
Mantelli, Brunello. Gli emigrati italiani in Francia fra Roma, Berlino e Vichy (1940-1944). In: Perona, Gianni. *Gli italiani in Francia, 1938-1946*. Milano: Franco Angeli Editore, 1994, pp. 367-97.
Manzotti, Fernando. *La polemica sull'emigrazione nell'Italia Unita (fino alla Prima Guerra Mondiale)*. Roma: Dante Alighieri, 1962.
Maquiavel, Nicolau. *Discorsi sulla prima deca di Tito Livio*. Milano: Feltrinelli, 1960.
Maram, Sheldom. *Anarquistas, imigrantes e o movimento operário no Brasil*. Rio de Janeiro: Paz e Terra, 1979.
Maranini, Giuseppe. *Storia del potere in Italia, 1848-1967*. Firenze: Nuova Guaraldi, 1983.
Marchi, Moreno. Emigrazione anarchica italiana in Australia. *Notiziario dell'Istituto storico della Resistenza in Cuneo e Provincia*, 33, 1988.
Marcolongo, Bianca. *Le origini della Carboneria e le società segrete nell'Italia meridionale dal 1810 al 1820*. Sala Bolognese: A. Forni, 1983.
Markun, Paulo. *Anita Garibaldi*: uma heroína brasileira. São Paulo: Senac, 1999.
Marocco, Gianni. *Sull'altra sponda del Plata*: Gli italiani in Uruguai. Milano: Franco Angeli Editore, 1986.
Martellini, Amoreno. L'emigrazione transoceânica grã gli anni quaranta e sessanta. *Storia dell'emigrazione italiana*. Roma: Donzelli, 2001, v. 1, pp. 369-84.
Marzaro, Marco. *Il cattolico e il suo doppio*: organizzazioni religiose e Democrazia Cristiana nell'Italia del dopoguerra. Milano: Franco Angeli Editore, 1996.
Massara, Massimo. *I comunisti raccontano*: Cinquant'anni di storia del pci attraverso testimonianze di militanti. Milano: Edizioni del Calendario, 1972.
Massullo, Gino. L'economia delle rimesse. *Storia dell'emigrazione italiana*. Roma: Donzelli, 2001, v. 1, pp. 161-83.
Mastellonne, Salvo. *Il progetto politico di Mazzini*: Italia-Europa. Firenze: Olschki, 1994.
Matard-Bonucci, Marie Anne. L'antisémitisme em Italie: lês discordances entre la mémoire et l'histoire. *Hérodote – Revue de géografie et de géopolitique*, 89, 1998.
Mauro, Tullio de. *Italiano 2000 Indagine sulle motivazioni e sui pubblici dell'italiano diffuso fra stranieri*. Roma: Ministero degli Affari Esteri, 2001.
Mayer, Arno. *A força da tradição*: a persistência do Antigo Regime, 1848-1914. São Paulo: Companhia das Letras, 1990.
_____. *Dynamics of counterrevolution in Europe, 1870-1956*: an analitical framework. New York: Harper Torchbooks, 1971.

McCarthy, Patrick. *The crisis of the Italian State*: From the origins of the Cold War to the fall of Berlusconi $ Beyond. New York: St. Martin's Press, 1997.

_____. Sport and society in Italy today. *Journal of Modern Italian Studies*, número especial, v. 5, n. 3, 2001.

McEvedy, Colin. *Atlas da História Antiga*. São Paulo: Verbo, 1990.

_____. *Atlas da História Medieval*. São Paulo: Verbo, 1990.

Melograni, Piero. *Gli industriali e Mussolini*: Rapporti tra Cofindustria e fascismo dal 1919 al 1929. Milano: Longanesi, 1972.

Merienne, Patrick. *Atlas Mondial du Moyen Age*. Rennes: Editios Ouest-France, 2001.

Meyer, Richard. *Banker's diplomacy*: Monetary stabilization in the twenties. New York, 1970.

Michel, Henri. *Os fascismos*. Lisboa: Dom Quixote, 1977.

Miége, J. *L'Imperialismo Coloniale Italiano dal 1870 ai Nostri Giorni*. Milano: Rizzoli, 1976.

Migone, Gian Giacomo. Il regime fascista e le comunità italo-americane: La missione di Gelasio Caetani (1922-1925). *Problemi di Storia nei rapporti tra Italia e Stati Uniti*. Torino: Rosenberg & Sellier, 1971, pp. 25-41.

_____. Gli Stati Uniti e le prime misure di stabilizzazione della lira (estate 1926). In: Pini, Giorgio; Teodori, Massimo. *Italia e America dalla grande guerra a oggi*. Venezia: Marsilio, 1976.

_____. *I banchieri americani e Mussolini*: aspetti internazionali della quota novanta. Torino, s/n, 1979.

_____. *Gli Stati Uniti e il fascismo*: Alle origini dell'egemonia americana in Italia. Milano: Feltrinelli, 1980.

Miller, James. Carlo Sforza e l'evoluzione della politica americana verso l'Italia. *Storia Contemporanea*, 7, 4, 1976.

_____. Taking off the gloves: The United States and the Italian elections of 1948. *Diplomatic History*, 7, 1, 1983.

_____. *The United States and Italy, 1940-1950*. Chapel Hill: University of North Carolina Press, 1986.

Milza, Pierre; Berstein, Serguei. Le racisme anti-italien en France. La tuerie d'Aigues-Mortes. *L'Histoire*, 10, 1, 1979.

_____. *Voyage en Ritalie*. Paris: Plon, 1993.

_____. *Storia del fascismo*: Da Piazza San Sepolcro a Piazzale Loreto. Milano: Rizzoli, 1995.

Minitti, Fortunato. Gli Stati Maggiori e la politica estera italiana. In: Bosworth, Richard; Romano, Sergio. *La Política Estera Italiana (1860-1985)*. Bologna: Il Mulino, 1991, 91-120.

_____. L'ultima guerra. Obiettivi e strategie. In: Sabbatucci, Giovanni; Vidotto, Vittorio. *Storia d'Italia. 4 – Guerre e fascismo, 1914-1943*. Roma/Bari: Laterza, 1997, pp. 561-649.

Missiroli, Antonio Missiroli. Italia-Germania: le affinità selettive. *Il Mulino – Europa*, 44, 2, 1995.

Mittoine, L. Le rimesse degli emigrati sino al 1914, *Affari Sociali Internazionali*, 4, 1984.

Molinari, Augusta. Porti, trasporti e compagnie. *Storia dell'emigrazione italiana*. Roma: Donzelli, 2001, v. 1, pp. 237-355.

Molinaro, Julius. The Società Nazionale Dante Alighieri in Toronto, 1908-1951, *Italian Canadiana*, 5, 1989.

Moliterno, Gino. Spaghetti westerns. In: Moliterno, Gino. *Encyclopedia of Contemporary Italian Culture*. London/New York: Routledge, 2000, pp. 554-5.

_____. Commedia all'italiana. In: Moliterno, Gino. *Encyclopedia of Contemporary Italian Culture*. London/New York: Routledge, 2000, 123-4.

_____. *Encyclopedia of Contemporary Italian Culture*. London/New York: Routledge, 2000.

Moore, Barrington Jr. *As origens sociais da ditadura e da democracia*: senhores e camponeses na construção do mundo moderno. São Paulo: Martins Fontes, 1983.

Morelli, Anne. La communaute italienne de Belgique et la seconde guerre mondiale. *Affari Sociali Internazionali*, 18, 1, 1990.

_____. In Belgio. *Storia dell'emigrazione italiana*. Roma: Donzelli, 2002, v. 2, pp. 159-70.

MORETTI, Mario et al. *Brigate Rosse*: Una storia italiana. Milano: Baldini Castoldi Dalai, 2002.
MORI, Renato. *Mussolini e la Conquista dell'Etiopia*. Firenze: Le Monnier, 1978.
MORMINO, Gary; POZZETTA. George. *The Immigrant World of Ybor City*: Italians and their Latin Neighbors in Tampa, 1885-1985. Chicago: University of Chicago Press, 1987.
Moss, David. Friendship. In: MOLITERNO, Gino. *Encyclopedia of Contemporary Italian Culture*. London/New York: Routledge, 2000, pp. 245-6.
MOSSE, George. *Il fascismo*: verso una teoria generale. Roma/Bari: Laterza, 1996.
MOTA, Carlos Guilherme. *Viagem incompleta*. São Paulo: Senac, 2000, 2v.
NATOLI, Claudio. *La Terza Internazionale e il fascismo*. Roma: Riuniti, 1982.
NEWELL, James. *Parties and Democracy in Italy*. Aldershot: Ashgate, 2000.
NEWTON, Ronald. Patria? Cual Patria? Italo Argentinos y germano argentinos en la era de la renovación nacional fascista, 1922-1945. *Estudios Migratorios Latinoamericanos*, 7, 22, 1992.
NICOLET, Claude. *Rome et la conquête du monde méditerranéen*. Tome 2 – Genèse d'un empire. Paris: PUF, 1979.
_____. Rome et la conquête du monde méditerranéen. Tome 1 – Lês structures de l'Italie romaine. Paris: PUF, 1979
NOIRIEL, Gerard. Les immigrès italiens en Lorraine pendant l'entre deux guerres: du rejet xenophobe aus strategies d'integration. In: MILZA, Pierre. *Les italiens en France de 1914 a 1940*. Roma: École Française de Rome, 1986, pp. 609-32.
NORWICH, John Norwich. *Venice*: the rise to Empire. London: Allen Lane, 1977.
OEHLER, Dolf. *O velho mundo desce aos infernos*: autoanálise da modernidade após o trauma de junho de 1848 em Paris. São Paulo: Companhia das Letras, 1999.
OHMAE, Kenichi. *La fine dello Stato-nazione*: L'emergere delle economie regionali. Milano: Baldini & Castoldi, 1996.
OSTUNI, Maria Rosário. I fondi archivistici del Commissariato Generale dell'emigrazione e della Direzione Generale degli italiani all'estero. *Studi Emigrazione*, 59, 1980.
_____. Momenti della "contrastata vita" del Commissariato Generale dell'emigrazione. In: BEZZA, Bruno. *Gli italiani fuori d'Italia*: Gli emigrati italiani nei movimenti operai dei paesi d'adozione (1880-1940), Milano: Franco Angeli Editore, 1983, pp. 101-18.
_____. Operai e antifascismo a Buenos Aires: la società 'Liber Piemont. In: DEVOTO, Fernando. *Asociacionismo, trabajo e identidad etnica*: Los italianos en America Latina en una perspectiva comparada. Buenos Aires: Cemla, 1992, pp. 303-9.
_____. Leggi e politiche di governo nell'Italia liberale e fascista. *Storia dell'emigrazione italiana*. Roma: Donzelli, 2001, v. 1, pp. 309-19.
OVERY, Richard. *Why the allies won*. London: Random House, 1995.
PAINCHAUD, Claude; POULIN, Richard. Les Italiens au Quebec. Montreal: Critiques/Asticou, 1988.
PALIDA, Salvatore Palida. Scaldini, Ciociari et reggiani entre indifference, inefiance, fascisme et antifascisme dans les années 1920. *L'immigration italienne en France dans les années 20*. Paris: Editions du cedei, 1988, pp. 223-46.
PALLA, Marco Palla. *Mussolini et l'Italie fasciste*. Paris: Casterman, 1993.
PARIS, Robert. *As origens do fascismo*. São Paulo: Perspectiva, 1976.
PARKER, A J. *A conquista da Etiópia*: sonho de um Império. Rio de Janeiro: Renes, 1979.
PARKS, Tim. *Meus vizinhos italianos*: histórias de um inglês na Itália. São Paulo: Publifolha, 2003.
PARKS, Tim. *Uma educação à Italiana*: um inglês descobre como se faz um italiano. São Paulo: Publifolha, 2003.
PARLARE FASCISTA – Língua del fascismo, politica linguística del fascismo. *Movimento Operaio e Socialista*, 7, 1, 1984, número especial.

PARRA, Lúcia Silva. *Combates pela liberdade*: o movimento anarquista sob a vigilância do Dops (1924-1945). São Paulo: Arquivo do Estado de São Paulo/Imprensa Oficial do Estado.

PARTRIDGE, Hilary. *Italian Politics today*. Manchester: Manchester University Press, 1998.

PASSERINI, Luísa. *Mussolini immaginario*: Storia di una biografia,1915-1939. Roma/Bari: Laterza, 1991.

PASTORELLI, Pietro. L'adesione d'Italia al Patto Atlântico. *Storia Contemporanea*, 14, 1983.

PATRIARCA, Silvana. *Numbers and nationhood*: Writing statistics in nineteenth century Italy. Cambridge: Cambridge University Press, 1996.

PAUTASSO, Luigi. *I salesiani a Toronto (1924-1934)*. Italian Canadiana, 9,1993.

PAVONE, Cláudio. *Uma guerra civile*: Saggio storico sulla moralità della Resistenza. Torino: Bollati Boringhieri, 1991.

_____. *Alle origini della Repubblica*: Scritti su fascismo, antifascismo e continuità dello Stato. Torino: Bollati Boringhieri, 1995.

PAYNE, Stanley. *Fascism*: Comparison and Definition. Madison: University of Wisconsin Press, 1980.

PENNACCHIO, Luigi. The Torrid Trinity: Toronto's fascists, Italian priests and archbishops during the fascist Era, 1929-1940. In: MCGOVAN, Mark; CLARKE, Brian Clarke. *Catholics at the Gathering Place*. Toronto: The Canadian catholic historical Association, 1993, pp. 233-53.

PEPE, Adolfo; DEL BIONDO, Ilaria del Biondo. Le politiche sindacali dell'emigrazione. *Storia dell'emigrazione italiana*. Roma: Donzelli, 2001, v. 1, pp. 275-92.

PERAZZO, Priscila. *Prisioneiros de guerra*: os cidadãos do Eixo nos campos de concentração brasileiros. São Paulo, 2002. Tese (Doutorado em História) – Universidade de São Paulo.

PERIN, Roberto et al. *Enemies within*: Italians and other internees in Canada and abroad. Toronto: University of Toronto Press, 2000.

PERNICONE, Nunzio. *Italian Anarchism, 1864-1892*. Princeton: Princeton University Press, 1993.

PEROTTI, Antonio. La società italiana di fronte alle prime migrazioni di massa. Il contributo di Mons. Scalabrini e di Mons. Bonomelli alla tutela egli emigrati. *Studi Emigrazione*, 5, 11/12, 1968.

PEROTTI, Antonio. *Il Pontificio Collegio per l'emigrazione italiana*. Roma: Ufficio Centrale, 1970.

PETACCO, Antonio. *L'annarchico che venne dall'America*. Milano: Mondadori, 2000.

PETERSEN, Jens. L'accordo culturale tra l'Italie e la Germania del 23 novembre 1938. In: BRACHER, Karl Dietrich. *Fascismo e nazionalsocialismo*. Bologna: Il Mulino, 1986, pp. 331-87.

_____. Quo vadis, Italia? Ein Staat in der Krise. München: Oscar Beck, 1995.

PETRACCHI, Giorgio. Un modelo di diplomazia culturale: l'Istituto Italiano di Cultura per l'Ungheria, 1935-1943. *Storia Contemporânea*, 26, 3, 1995.

PETRACCONE, Claudia. *Federalismo e autonomia in Italia dall'unità a oggi*. Roma/Bari: Laterza, 1995.

_____. *Le due civiltà*: Settentrionali e meridionali nella storia d'Italia. Roma/Bari: Laterza, 2000.

PINTO, Antônio Costa. *O salazarismo e o fascismo europeu*: problemas de interpretação nas ciências sociais. Lisboa: Estampa, 1991.

_____. *Os Camisas Azuis*: ideologia, elites e movimentos fascistas em Portugal, 1914-1945. Lisboa: Estampa, 1994.

PISA, Beatrice. *Nazione e politica nella Società Dante Alighieri*. Roma: Bonacci, 1995.

PISTARINO, Geo. *Genovesi d'Oriente*. Genova: Civico Istituto Colombiano, 1990.

PITKIN, Donald. *La casa che Giacomo costruí*. Roma/Bari: Laterza, 1992.

PITTAU, Franco; SERGI, Nino. *Emigrazione e immigrazione*: nuove solidarietà. Roma: Lavoro, 1989.

PIZZORUSSO, Giovanni. I movimenti migratori in Italia in antico regime. *Storia dell'emigrazione italiana*. Roma: Donzelli, 2001, v. 1, pp. 3-16.

POLIAKOV, Leon. *Gli ebrei sotto l'occupazione italiana*. Milano: Comunità, 1956.

POLLARD, John. Il Vaticano e la politica estera italiana (1860-1985). In: BOSWORTH, Richard; ROMANO, Sergio. *La Política Estera Italiana (1860-1985)*. Bologna: Il Mulino, 1991, pp. 197-230.

POLLARD, Sidney. *The International Economy since 1945*. London: Routledge, 1997.

PORISINI, G. *Il capitalismo italiano nella prima guerra mondiale*. Firenze: La Nuova Italia, 1969.

PORTES, Alejandro. Debate y significaciòn del transnacionalismo de los inmigrantes. *Estudios Migratorios Latinoamericanos*, 16, 49, 2001.

POULANTZAS, Nicos. *Fascismo e ditadura*. São Paulo: Martins Fontes, 1978.

POWERS, Jo Marie. *Buon Appetito! Italian foodways in Ontário*. Willowdale (Ontario): The Ontario Historical Society, 2000.

PRETELLI, Matteo. La risposta del fascismo agli stereotipi degli italiani all'estero. *AltreItalie – Rivista Internazionale di studi sulle popolazioni di origine italiana nel mondo*, 28, 2004.

PROCACCI, Giuliano. *Stato e classe operaia in Italia durante la prima guerra mondiale*. Milano: Franco Angeli, 1983.

_____. *Dalla parte dell'Etiopia*. Milano: Feltrinelli, 1984.

_____. L'Italia nella grande guerra. In: SABBATUCCI, Giovanni; VIDOTTO, Vittorio. *Storia d'Italia. 4 – Guerre e fascismo, 1914-1943*. Roma/Bari: Laterza, 1997, pp. 3-99.

PUGLIESE, Enrico. L'immigrazione. In: BARBAGALLO, Francesco. *Storia dell'Italia repubblicana*. 3 – L'Italia nella crisi mondiale. L'ultimo ventennio. Torino: Einaudi, 1996, pp. 931-83.

_____. *L'Italia tra migrazioni internazionali e migrazioni interne*. Bologna: Il Mulino, 2002.

QUARTARARO, Rosária. *Italia e Stati Uniti*: gli anni difficili (1945-1952). Napoli: Esi, 1986.

QUAZZA, Guido. *Resistenza e storia d'Italia*: problemi e ipotesi di ricerca. Milano: Feltrinelli, 1976.

RAFFAELI, Sergio. *Le parole proibite*: Purismo di stato e regolamentazione della pubblicità in Italia (1812-1945). Bologna: Il Mulino, 1983.

RAGIONIERI, Ernesto. Italiani all' estero ed emigrazione di lavoratori italiani: un tema di storia del movimento operaio. *Belfagor*, 17, 1962.

_____. *Italia giudicata, 1861-1945*: Ovvero la storia degli italiani scritta dagli altri. Torino: Einaudi, 1976.

_____. *Politica e ammistrazione nella storia dell'Italia unita*. Roma: Riuniti, 1979.

RAINERO, Roman. *Da Oriani a Corradini*: Bilancio critico del primo nazionalismo italiano. Milano: Franco Angeli, 2003.

RAMELLA, Franco. Biografia di un operaio antifascista: ipotesi per una storia sociale dell'emigrazione politica. In: MILZA, Pierre. *Les italiens en France de 1914 a 1940*. Roma: École Française de Rome, 1986, pp. 385-406.

RAMELLA, Franco. Reti sociali, famiglie e strategie migratorie. *Storia dell'emigrazione italiana*. Roma: Donzelli, 2001, v. 1, pp. 143-60.

RAMPINI, Federico. Conviene alla Padania la secessione? *Limes – Rivista Italiana di Geopolitica*, 1, 1996.

REIS, Cacilda Estevão dos Reis. *Civilidade e progresso*: ideais da imigração europeia nos discursos da elite política brasileira (1846-1888). Maringá, 2004. Dissertação (Mestrado em História) – Universidade Estadual de Maringá.

REIS, José Carlos. *As identidades do Brasil*: de Varnhagen a FHC. Rio de Janeiro: Fundação Getúlio Vargas, 1999.

RENDA, Francesco. *I fasci siciliani, 1892-94*. Torino: Einaudi, 1977.

RENDINA, Massimo. *Italia 1943/1945*: Guerra civile o resistenza. Roma: Newton Compton, 1995.

REVELLI, Marco. *La cultura della destra*. Milano: Franco Angeli, 1985.

RIAL, Lucy. *The Italian Risorgimento*: State, society and national unification. London/New York: Routledge, 1994.

RIBEIRO, Maria Teresinha Janine Ribeiro. *Desejado e temido*: preconceito contra o imigrante italiano em São Paulo na Primeira República. São Paulo, 1985. Dissertação (Mestrado em História) – Universidade de São Paulo.

RICCARDI, Andrea. A che serve la comunità italiana. *Limes – Rivista Italiana di Geopolitica*, 1, 1998.

RICHÈ, Pierre. *As invasões bárbaras*. Mira-Sintra: Europa-América,1992.

RODRIGUES, Luiz César B. Rodrigues. *A Primeira Guerra Mundial*. São Paulo/Campinas: Atual/Ed. Unicamp, 1985.

ROGARI, Sandro. *Alle origini del trasformismo*: Partiti e sistema político nell'Italia liberale, 1861-1914. Roma/Bari: Laterza, 1998.

ROMANELLI, Raffaele. *L'Italia liberale (1861-1900)*. Bologna: Il Mulino, 1979.

ROMANI, Carlo. *A aventura do anarquismo segundo Oreste Ristori*. São Paulo: Annablume, 2002.

ROMANI, M. *Storia economica d'Italia nel secolo XIX, 1815-1914*. Milano, 1968.

_____. *Nascità dell'industria in Italia*: Il decollo delle grandi fabbriche, 1960-1940. Roma: Riuniti, 1984.

ROMANI, Roberto. *L'economia politica del Risorgimento italiano*. Torino: Bollati Boringhieri, 1994.

ROMANO, Ruggiero; VIVANTI, Corrado. *Storia d'Italia*. Torino: Einaudi, 1972-1974.

ROMANO, Sergio. *Histoire de l'Italie du Risorgimento à nos jours*. Paris: Editions du Seuil, 1977.

_____. Introduzione. In: PIZZIGALLO, Matteo. *Mediterraneo e Russia nella Política Italiana (1922-1924)*. Milano: Giuffrè Editore, 1983, pp. IX-XXII.

_____. Opinione Pubblica e Política Estera. *Storia Contemporanea*, 14, 1, 1983.

_____. Diplomazia Nazionale e Diplomazia Fascista: Continuità e Rottura. *Affari Esteri*, 16, 64, 1984.

_____. Introduzione. In: BOSWORTH, Richard; ROMANO, Sergio. *La Politica Estera Italiana (1860-1985)*. Bologna: Il Mulino, 1991, pp. 11-5.

_____. La Cultura della Política Estera Italiana. In: Bosworth, Richard; Romano, Sergio. La Política Estera Italiana (1860-1985). Bologna: Il Mulino, 1991, pp. 17-34.

_____. Francia e Italia, la possibilita di um'intesa. *Il Mulino – Europa*, 44, 1, 1995.

_____. *Guida alla politica estera italiana*. Milano: Rizzoli, 2002.

ROMEO, Rosário. *Breve storia della grande industria in Italia, 1861-1961*. Bologna: Cappelli, 1972.

_____. Il Risorgimento nel dibattito contemporâneo. *Rassegna storica del Risorgimento*, 85, 1, 1998.

ROMERO, Federico. Gli Stati Uniti in Italia: Il Piano Marshall e il Patto Atlântico. In: Barbagallo, Francesco. Storia dell'Italia repubblicana. 1 – La costruzione della democrazia: Dalla caduta del fascismo agli anni cinquanta. Torino: Einaudi, 1994, pp. 234-89.

_____. L'emigrazione operaia in Europa (1948-1973). *Storia dell'emigrazione italiana*. Roma, Donzelli, 2001, v. 1, pp. 397-414.

ROSA, Gabriele de. *Il Partito Popolare Italiano*. Roma/Bari: Laterza, 1988.

ROSEMAN, Mark. National socialism and modernisation. In: BESSEL, Richard. *Fascist Italy and Nazi germany*: Comparisons and contrasts. Cambridge: Cambridge University Press, 1996, pp. 197-229.

ROSOLI, Gianfausto. *Un secolo di emigrazione italiana, 1876-1976*. Roma: Centro Studi Emigrazione, 1978.

_____. Gli emigrati italiani nei campi di concentramento francesi nel 1940. Considerazioni di alcuni diari di prigioneri. *Studi Emigrazione*, 17, 59, 1980.

_____. Chiesa ed emigrati italiani in Brasile, 1880-1940. *Studi Emigrazione,* 19, 66, 1982.

_____. *Insieme oltre le frontiere* – Momenti e figure dell'azione della Chiesa tra gli emigrati italiani nei secoli XIX e XX. Caltanisseta-Roma: Salvatore Sciascia Editore, 1996.

ROSSI, Ernest. Italian Americans and U.S. Relations with Italy in the Cold War. In: NELLI, Humbert. *The United States and Italy*: the first two hundred years. New York: s/n, 1970, pp. 108-29.

ROUCHE, Michel. *Os Impérios universais, séculos II a IV*. Lisboa: Publicações Dom Quixote, 1980.

RUBINO, Antonia. Italian and emigration. In: MOLITERNO, Gino. *Encyclopedia of Contemporary Italian Culture*. London/New York: Routledge, 2000, pp. 296-9.

SABBATUCCI, Giovanni; VIDOTTO, Vittorio. *Storia d'Italia*. Roma/Bari: Laterza, 1994-1999.

_____. *Storia d'Italia. 3 – Liberalismo e democrazia, 1887-1914*. Roma/Bari: Laterza, 1995.

SABETTI, Filippo. *Understanding the paradox of Italian democracy*. Montreal/Kingston: McGill Queen's University Press, 2000.

Sachetti, Gian Battista. L'impegno sociale di Mons. G. B. Scalabrini e di Mons. Bonomelli nel'assistenza agli emigrati italiani. *Affari Sociali Internazionali*, 2, 1/2, 1974.
Said, Edward. *Cultura e imperialismo*. São Paulo: Companhia das Letras, 1995.
Sala, Umberto. *A emigração italiana no Brasil (1925)*. Trad. e apres. João Fábio Bertonha. Maringá: Eduem, 2004.
Salvemini, Gaetano. *Scritti sulla questione meridionale*. Torino: Einaudi, 1955.
Salvetti, Patrizia. *Immagine nazionale ed emigrazione nella Società Dante Alighieri*. Roma: Bonacci, 1995.
Sander, Roberto. *Anos 40*: viagem à década sem copa. Rio de Janeiro: Bom Texto, 2004.
Sandre, Paolo de et al. *Matrimonio e figli*: tra rinvio e rinuncia. Bologna: Il Mulino, 1997.
Sanfilippo, Matteo Sanfilippo, Nationalisme, italianità et emigration aux Ameriques (1830-1990). *European Review of History/Revue Europeenne d'histoire*, 2, 2, 1995.
_____. Chiesa, ordini religiosi ed emigrazione. *Storia dell'emigrazione italiana*. Roma: Donzelli, 2001, v. 1, pp. 127-42.
_____. Gli italiani nel mondo: dati statistici aggiornati. *Affari Sociali Internazionali*, 29, 1, 2001.
_____. Tipologie dell'emigrazione di massa. *Storia dell'emigrazione italiana*. Roma, Donzelli, 2001, v. 1, pp. 77-94.
_____. La Chiesa cattolica. *Storia dell'emigrazione italiana*. Roma: Donzelli, 2002, v. 2, pp. 481-7.
Sani, Gabriele. *History of the Italians in South Africa, 1489-1989*. Edenvale: Zonderwater Block, 1990.
Santarelli, Enzo. Guerra d'Etiopia, Imperialismo e Terzo Mondo. *Il Movimento di Liberazione d'Italia*, 21, 97, 1969.
_____. *Storia del fascismo*. Roma: Riuniti, 1981, 2v.
Santoro, Carlo. *La Política Estera di una Media Potenza*: L'Italia dall'Unità ad Oggi. Bologna: Il Mulino, 1991.
Sarfatti, Michele. *Mussolini contro gli ebrei*: Cronaca dell'elaborazione delle leggi del 1938. Torino: Zamorani, 1994.
Sarti, Roland. *Fascism and the industrial leadership in Italia, 1919-1940*. Berkeley: University of California Press, 1971.
_____. *Mazzini, a life for the religion of politics*. Westport: Greenwood Publishing Group, 1997.
Sasson, Donald. *Contemporary Italy*: Politics, Economy and society since 1945. London/New York; Longman, 1986.
Savarino, Franco. *México e Italia*: Politica y diplomacia en la época del fascismo, 1922-1942. México: Secretaria de Relaciones Exteriores, 2003.
Scarre, Chris. *The Penguin Historical Atlas of Ancient Rome*. London: Penguin Books, 1995.
Schiavi, Alessandro. *Esilio e morte di Filippo Turati*. Roma: Opere Nuove, 1956.
Schmitz, David. *The United States and Fascist Italy, 1922-1940*. Chapel Hill/London: The University of North Carolina Press, 1988.
Schneider, Jane. *Italy's "southern question"*: Orientalism in one country. Oxford/New York: Berg, 1998.
Schulze, Hagen. *Aquile e Leoni*: Stato e nazione in Europa. Roma/Bari: Laterza, 1995.
Scirocco, Alfonso. *L'Italia del Risorgimento*. Bologna: Il Mulino, 1998
Scoppola, Pietro. *La repubblica dei partiti*: Evoluzione e crisi di un sistema politico, 1945-1996. Bologna: Il Mulino, 1996.
_____. *I cattolici tra fascismo e democrazia*. Bologna: Il Mulino, 1975.
Scott, William. *The sons of sheba's race*: African Americans and the Italo Ethiopian War, 1935-1941. Indianapolis: Indiana University Press, 1993.
Secchi, Salvatore. Imperialismo e Política Fascista (1882-1939). *Problemi del Socialismo*, 14, 11/12, 1972.
Segrè, Cláudio. Il Colonialismo e la Política Estera: Variazioni Liberali e Fasciste. In: Bosworth, Richard; Romano, Sergio. *La Política Estera Italiana (1860-1985)*. Bologna: Il Mulino, 1991, pp. 121-46.

Sehel, Georges. *Les Genois en Mediterranée occidentale (fin xe-début Xive siècle)*: Ébauche d'une stratégie pour un empire. Amiens: Centre d'histoire des Societès, Université de Picardie, 1993.

Seixas, Xosé M. Nunez. *Movimentos Nacionalistas em Europa, siglo* xx. Madrid: Editorial Sintésis, 1998.

Sellers, Charles et al. *Uma reavaliação da História dos Estados Unidos*. Rio de Janeiro: Jorge Zahar, 1990.

Serneri, Simona Neri. *Democrazia e Stato*: L'antifascismo liberal democratico e socialista dal 1923 al 1933. Milano: Franco Angeli, 1989.

Seton-Watson, Cristopher. La politica estera della Repubblica italiana. In: Bosworth, Richard; Romano, Sergio. *La Política Estera Italiana (1860-1985)*. Bologna: Il Mulino, 1991,pp. 331-60.

Setta, Sandro. *La Destra nell'Italia del dopoguerra*. Roma/Bari: Laterza, 1995.

Sluga, Glenda. Italian National memory, national identity and fascism. In: Bosworth, Richard; Dogliani, Patrizia. *Italian Fascism*: History, memory and representation. New York: Palgrave, 1999, pp. 178-94.

Smith, Alan. *Creating a world economy*: Mercant, Capital, Colonialism and World trade, 1400-1825. Boulder: Westview Press, 1991.

Sobrero, Alberto. *Introduzione all'italiano contemporâneo*. Roma/Bari: Laterza, 1993, 3v.

Sonnino, Eugenio. La popolazione italiana: dall' espansione al contenimento. In: Barbagallo, Francesco. *Storia dell'Italia repubblicana*: 2 – La trasformazione dell'Italia. Sviluppo e squilibri. Torino: Einaudi, 1995, pp. 529-76.

Sori, Ercole. Emigrazione all'estero e migrazioni interne in Italia tra le due guerre. *Quaderni Storici*, 10, 29/30, 1975.

_____. Il dibattito politico sull'emigrazione italiana dall'unità alla crisi dello stato liberale. In: Bezza, Bruno. *Gli italiani fuori d'Italia*: Gli emigrati italiani nei movimenti operai dei paesi d'adozione (1880-1940). Milano: Franco Angeli Editore, 1983, pp. 19-44.

Sparke, Penny. "Industrial design" e "Interior design". In: Moliterno, Gino. *Encyclopedia of Contemporary Italian Culture*. London/New York: Routledge, 2000, pp. 280-1 e 292-4

Spriano, Paolo. *Storia del Partito Comunista Italiano*. Torino: Einaudi, 1967-1975, 5v.

Staccioli, Romolo. *Gli etruschi*: mito e realtà. Roma: Newton Compton, 1980.

_____. *Storia e civiltà degli etruschi*. Roma: Newton Compton, 1991.

Stella, Gian Antonio; Franzina, Emilio. Brutta gente. Il razzismo anti-italiano. *Storia dell'emigrazione italiana*. Roma: Donzelli, 2002, v. 2, pp. 283-311.

Storia d'Italia. *Le Regioni dall'unità a oggi*. Torino: Einaudi, 1977-2000.

Storia del psi. Roma/Bari: Laterza, 1992-1994, 3v.

Sugier, Fabrice. Les Mines du Gard, 1938-1940. In: Peschanski, Dennis; Milza, Pierre. *Exils et migration*: Italiens et espagnols en France, 1938-1945. Paris: Editions L'Harmattan, 1994, pp. 411-25.

Surdich, Francesco. Nel Levante. *Storia dell'emigrazione italiana*. Roma: Donzelli, 2002, v. 2, pp. 181-91.

Swain, Simon. From August to Theodosius: invention and decline. In: Holmes, George. *The Oxford History of Italy*. Oxford: Oxford University Press, 1997, pp. 1-26.

Tambini, Damian. *Nationalism in Italian Politics*: The stories of the Northern League, 1980-2000. London: Routledge, 2001.

Tannenbaum, Edward. *La experiencia fascista*: Sociedad y cultura en Italia (1922-1945). Madrid: Aleanza Editorial, 1975.

Tarchi, Marco. *Cinquant'anni di nostalgia*: La destra italiana dopo il fascismo. Milano: Rizzoli, 1995.

Tasca, Ângelo. *Nascita e avvento del fascismo*: L'Italia del 1918 al 1922. Firenze: La Nuova Italia, 1950.

Teixeira da Silva, Francisco Carlos. Os fascismos. In: Reis Filho, Daniel Aarão. *O século* xx: o tempo das crises. Revoluções, fascismos e guerras. Rio de Janeiro: Civilização Brasileira, 2000, pp. 109-64.

Teti, Vito. Emigrazione, alimentazione, culture popolare. *Storia dell'emigrazione italiana*. Roma: Donzelli, 2001, v. 1, pp. 575-97.

_____. Le culture alimentari nel Mezzogiorno continentale in età contemporânea. In: CAPATTI, Alberto. *L'alimentazione. Storia d'Italia. Annali 13*. Torino: Enaudi, 1998, pp. 65-165.

_____. La razza maledetta: Origini del pregiudizio antimeridionale. Roma: Il Manifesto, 1993.

THIESSE, Anne-Marie. *A criação das identidades nacionais*. Lisboa: Temas e Debates, 2000.

TOBIA, Bruno. A Itália fascista: um perfil institucional. In: SILVA, José Luís da. *O feixe e o prisma*: uma revisão do Estado Novo. Rio de Janeiro: Jorge Zahar, 1991, pp. 44-56.

_____. *Una patria per gli italiani*. Roma/Bari: Laterza, 1991.

_____. Uma cultura per la nuova Italia. In: SABBATUCCI, Giovanni; VIDOTTO, Vittorio. *Storia d'Italia. 2 – Il Nuovo Stato e la società civile, 1861-1887*. Roma/Bari: Laterza, 1995, pp. 427-529

TOCQUEVILLE, Aléxis de. *Memórias de 1848*. São Paulo: Companhia das Letras, 1991.

TOLEDO, Edilene. *O sindicalismo revolucionário em São Paulo e na Itália*: circulação de ideias e experiências na militância transnacional entre 1890 e o fascismo. Campinas, 2002. Tese (Doutorado em História) – Unicamp.

TOMASI, Silvano. Fede e Patria: the "Italica Gens" in the United States and Canadá, 1908-1936. Notes for the history of an emigration association. *Studi Emigrazione,* 38, 103, 1991.

TONIOLO, Gianni. *L'economia dell'Italia fascista*. Bari: Laterza, 1980.

TRANFAGLIA, Nicola. *Mafia, Politica e Affari, 1943-1991*. Roma/Bari: Laterza, 1991.

_____. *La Prima Guerra Mondiale e il fascismo*. Milano: Utet, 1995.

_____. *Un passato scomodo*: fascismo e postfascismo. Roma/Bari: Laterza, 1999.

TRENTO, Ângelo. *Fascismo italiano*. São Paulo: Ática, 1986.

_____. *Do outro lado do Atlântico*: um século de imigração italiana no Brasil. São Paulo: Nobel/Instituto Italiano di Cultura, 1989.

_____. La stampa periodica italiana in Brasile, 1765-1915. *Il Veltro – Rivista della Civiltà Italiana*, 34, 3/4, 1990.

TREVES, Anna. *Le migrazioni interne nell Italia fascista*. Torino: Einaudi, 1976.

UGOLINI, Romano. *Garibaldi*: genesi di um mito. Roma: Edizioni dell'Ateneo, 1982.

URANI, André et al. *Empresários e empregos nos novos territórios produtivos*: o caso da Terceira Itália. São Paulo: DP & A Editora, 1999.

URBAN, John Barth. *Moscow and the Italian Communist Party*: From Togliatti to Berlinguer. Ithaca/London: Cornell University Press, 1986.

URBINATI, Nadia. A Common Law of nations: Giuseppe Mazzini's democratic nationalism. *Journal of Modern Italian Studies*, 1, 2, 1996.

VACCA, Giuseppe. Il problema della nazione italiana e gli storici. *Vent'anni dopo*: La sinistra fra mutamenti e revisioni. Torino: Einaudi, 1997, pp. 231-52.

VALIANI, Leo. L'emigrazione antifascista e la seconda guerra mondiale. *Nuova Antologia*, 117, 550, 1982.

VALLAURI, Carlo. Alcune Considerazioni sulla Política Externa Fascista. *Storia e Política*, 3, 1, 1964.

VARSORI, Antonio. *La politica estera italiana nel secondo dopoguerra (1943-1957)*. Milano: Led, 1993.

_____. Le scelte internazionali. In: SABBATUCCI, Giovanni; VIDOTTO, Vittorio. *Storia d'Italia. 5 – La Repubblica*. Roma/Bari: Laterza, 1997, pp. 253-312.

VELLOSO, Mônica Pimenta. A literatura como espelho da nação. *Estudos Históricos* 2, 1988.

_____. O modernismo e a questão nacional. In: FERREIRA, Jorge; DELGADO, Lucília de Almeida Neves. *O Brasil Republicano 1*: o tempo do liberalismo excludente – da Proclamação da República à Revolução de 1930. Rio de Janeiro: Civilização Brasileira, 2003.

VELTZ, Pierre. *Mondialisation, Villes et territoires*. Paris: PUF, 1996.

VENERUSO, Danilo. *Storia d'Italia nel novecento*. Roma: Studium, 2002.

VENTURINI, Nadia. Italian American Leadership, 1943-1948. *Storia Nordamericana*, 2, 1, 1985.

_____. *Neri e Italiani ad Harlem*: Gli anni trenta e la guerra d'Etiopia. Roma: Edizioni Lavoro, 1990.

Veríssimo, Luís Fernando; Fonseca, Joaquim da. *Traçando Roma*. Porto Alegre: Artes e Ofícios, 1993.

Verlden, Charles. From the Mediterranean to the Atlantic: aspects of an economic shift (12th-18th Century). *Journal of European Economic History*, 1, 3, 1972.

Vezzosi, Elisabetta. Sciopero e rivolta: Le organizzazioni operaie italiane negli Stati Uniti. *Storia dell'emigrazione italiana*. Roma: Donzelli, 2002, v. 2, pp. 271-82.

Vial, Eric. In Francia. *Storia dell'emigrazione italiana*. Roma: Donzelli, 2002, v. 2, pp. 133-46.

Vidotto, Vittorio. *Il Partito Comunista Italiano dalle origini al 1946*. Bologna: Cappelli, 1975.

Vigezzi, Brunello. Politica estera e opinione pubblica in Italia dal 1870 al 1945, *Nuova Rivista Storica*, 63, 5/6, 1979

_____. L'Italia dopo l'Unità: liberalismo e politica estera. In: Bosworth, Richard; Romano, Sergio. *La Política Estera Italiana (1860-1985)*. Bologna: Il Mulino, 1991, pp. 231-86.

Villari, Rosário. *Il Sud nella storia d'Italia*: Antologia della questione meridionale. Roma/Bari: Laterza, 1984.

Viola, Herman. *Garibaldi*. São Paulo: Nova Cultural, 1988.

Visser, Ranke. Fascist Doctrine and the Cult of Romanità. *Journal of Contemporary History*, 27, 1992.

Vivanti, Corrado. Gli ebrei in Italia. In: Romano, Ruggiero; Vivanti, Corrado. *Storia d'Italia. Annali 11*. Torino: Einaudi, 1997, 2t.

Vivarelli, Roberto. *Storia delle origini del fascismo*: L'Italia dalla grande guerra alla marcia su Roma. Bologna: Il Mulino, 1991.

Waley, Daniel Philip. *The Italian City-Republics*. New York: McGraw Hill, 1973.

Watkins, Susan Cotts. From provinces into nations. *Demografic integration in Western Europe*, 1870-1960. Princeton: Princeton University Press, 1991.

Webster, Richard. *The Cross and the fasces*: Christian Democracy and Fascism in Italy. Stanford: Stanford University Press, 1960.

_____. Autarky, Expansion and the Urderlying Continuity of the Italian State. *Italian Quarterly*, 8, 32, 1964.

_____. *L'imperialismo industriale italiano*: Studi sul prefascismo, 1908-1915. Torino: Einaudi, 1974.

Weiser, Theodor. *Italy*: a difficult democracy. Cambridge: Cambridge University Press, 1986.

Woolf, Stuart. *A History of Italy, 1700-1860*: The social constraints of political change. London/New York: Routledge, 1979.

Zamagni, Vera. *Dalla periferia al centro*: La seconda rinascita economica dell'Italia (1861-1990). Bologna: Il Mulino, 1993.

Zucchi, John. *Italians in Toronto:* Development of a National Identity, 1875-1935. Kingston and Montreal: McGill-Queen's University Press, 1988.

O AUTOR

João Fábio Bertonha, brasileiro de Itatiba/SP, é doutor em História pela Universidade Estadual de Campinas e professor de História na Universidade Estadual de Maringá/PR, onde também atua no mestrado. Foi bolsista de doutorado-sanduíche do Ministério das Relações Exteriores Italiano e da Capes na Itália e pesquisador visitante na Inglaterra, na França, na Bélgica, na Argentina, no Uruguai e no Canadá. É também pesquisador do CNPq.

Autor de vários livros e numerosos artigos sobre fascismo e imigração italiana, mantém um diálogo amplo com a sociedade por meio de colunas que escreve para revistas, jornais e sites da internet.

CADASTRE-SE
EM NOSSO SITE,
FIQUE POR DENTRO DAS NOVIDADES
E APROVEITE OS MELHORES DESCONTOS

LIVROS NAS ÁREAS DE:

História | Língua Portuguesa
Educação | Geografia | Comunicação
Relações Internacionais | Ciências Sociais
Formação de professor | Interesse geral

ou
editoracontexto.com.br/newscontexto

Siga a Contexto
nas Redes Sociais:
@editoracontexto

GRÁFICA PAYM
Tel. [11] 4392-3344
paym@graficapaym.com.br